CB026311

# O LIVRO DA POLÍTICA

# O LIVRO DA POLÍTICA

GLOBO LIVROS

GLOBOLIVROS

## DK LONDRES

EDITOR DE ARTE
Amy Orsborne

EDITOR SÊNIOR
Sam Atkinson

GERENTE DE ARTE
Karen Self

GERENTE EDITORIAL
Esther Ripley

EDITOR-CHEFE
Laura Buller

DIRETOR DE ARTE
Phil Ormerod

DIRETOR ADJUNTO EDITORIAL
Liz Wheeler

DIRETOR EDITORIAL
Jonathan Metcalf

ILUSTRAÇÕES
James Graham

PRODUTOR DE PRÉ-PRODUÇÃO
Rachel Ng

PRODUTOR SÊNIOR
Gemma Sharpe

projeto original
**STUDIO 8 DESIGN**

## EDITORA GLOBO

EDITOR RESPONSÁVEL
Carla Fortino

EDITOR ASSISTENTE
Sarah Czapski Simoni

TRADUÇÃO
Rafael Longo

PREPARAÇÃO DE TEXTO
Fabiana Medina

REVISÃO DE TEXTO
Carmem T. S. Costa

EDITORAÇÃO ELETRÔNICA
Duligraf Produção Gráfica Ltda.

Editora Globo S/A
Rua Marquês de Pombal, 25 – 20.230-240
Rio de Janeiro – RJ – Brasil
www.globolivros.com.br

Texto fixado conforme as regras do novo Acordo Ortográfico da Língua Portuguesa (Decreto Legislativo nº 54, de 1995)



Título original: *The Politics Book*

1ª edição, 2013 – 6ª reimpressão, 2023
Impressão e acabamento: COAN



CIP-BRASIL. CATALOGAÇÃO NA PUBLICAÇÃO
SINDICATO NACIONAL DOS EDITORES DE LIVROS, RJ

L761
O livro da política / [texto e edição] Paul Kelly ... [et al], tradução Rafael Longo. - 1. ed. - São Paulo : Globo, 2013.
352 p. : il. ; 24 cm

Tradução de: The politics book
Inclui índice
ISBN 978-85-250-5429-6

1. Ciência política. 2. Sociologia política. I. Longo, Rafael. II. Título.

13-00438
24/04/2013

CDD: 320
CDU: 32
24/04/2013

# COLABORADORES

## PAUL KELLY, CONSULTOR DA EDIÇÃO

Paul Kelly é pró-diretor e professor de teoria política na London School of Economics and Political Science. É autor, editor e coeditor de onze livros. Seus principais interesses são o pensamento político britânico e a filosofia política contemporânea.

## ROD DACOMBE

Dr. Rod Dacombe é professor de política no Departamento de Economia Política no King's College da Universidade de Londres. Sua pesquisa concentra-se, sobretudo, na teoria e na prática democrática e na relação entre o setor voluntário e o Estado.

## JOHN FARNDON

John Farndon é autor de vários livros sobre história da ciência e das ideias e sobre temas contemporâneos. Também escreve sobre ciência e questões ambientais, tendo sido indicado quatro vezes para o prêmio do Livro da Ciência jovem.

## A. S. HODSON

A. S. Hodson é escritor e ex-colaborador/editor do BushWatch.com.

## JESPER JOHNSØN

Jesper Stenberg Johnsøn é cientista político e consultor em governança e reformas anticorrupção para países em desenvolvimento. Trabalha no Centro de Pesquisa Anticorrupção U4 do Chr. Michelsen Institute, na Noruega.

## NIALL KISHTAINY

Niall Kishtainy é professor da London School of Economics, especializado em história econômica e desenvolvimento. Trabalhou para o Banco Mundial e a Comissão Econômica das Nações Unidas para a África.

## JAMES MEADWAY

James Meadway é economista sênior na New Economics Foundation, um *think-tank* britânico independente. Trabalhou como consultor político do Tesouro do Reino Unido, responsável por desenvolvimento regional, ciência e política de inovação.

## ANCA PUSCA

Dra. Anca Pusca é professora sênior de Estudos Internacionais na Goldsmiths College da Universidade de Londres. É autora de *Revolution, democratic transition and disillusionment: the case of Romania* e *Walter Benjamin: aesthetics of change*.

## MARCUS WEEKS

Marcus Weeks estudou filosofia e trabalhou como professor antes de se tornar escritor. Já contribuiu em muitos livros sobre arte e ciências populares.

# SUMÁRIO

## PENSAMENTOS REVOLUCIONÁRIOS 1770-1848



## A ASCENSÃO DAS MASSAS 1848-1910

## O CHOQUE DAS IDEOLOGIAS
### 1910-1945



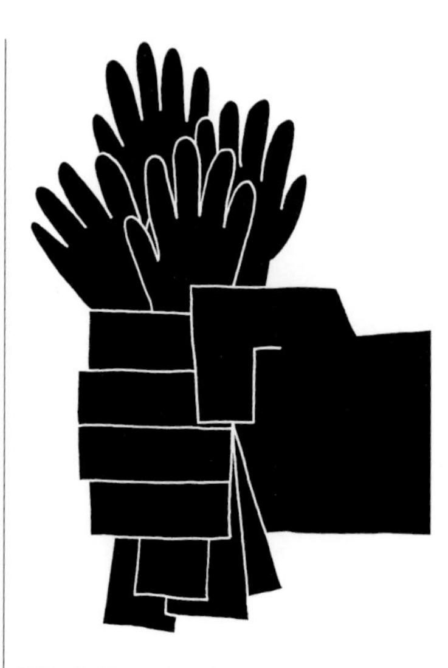

## POLÍTICA DE PÓS-GUERRA
## 1945-PRESENTE

# INTRODU

# ÇÃO

Se todos pudessem ter o que quisessem na hora em que quisessem, não haveria aquilo que chamamos de política. A despeito do sentido exato da complexa atividade conhecida como política —, e, como este livro mostra, ela tem sido compreendida de diversas maneiras —, é claro que a experiência humana nunca nos dá tudo o que queremos. Em vez disso, há concorrência, embates, fazemos concessões e, às vezes, temos de lutar pelas coisas. Assim, desenvolvemos uma linguagem para explicar e justificar nossas demandas e para desafiar, contradizer ou satisfazer as dos outros. Essa pode ser uma linguagem de interesses, tanto de indivíduos quanto de grupos, ou pode ser a linguagem de valores, tais como direitos e liberdades ou divisão igualitária e justiça. Mas no cerne da atividade política, desde o seu começo, está o desenvolvimento de ideias e conceitos. Essas ideias nos ajudam a estabelecer o que queremos e a defender nossos interesses.

A sociedade política existe com a finalidade das nobres ações, não por mero companheirismo.
**Aristóteles**

Mas essa imagem da política e do lugar das ideias que lhe dizem respeito não é tudo. Ela sugere que a política possa ser reduzida a questões tais como quem fica com o quê, onde, quando e como. A vida política é em parte uma resposta necessária aos desafios da vida cotidiana e o reconhecimento de que a ação coletiva é quase sempre melhor que a individual. Mas outra tradição do pensamento político está associada ao pensador grego Aristóteles, para quem a política não era apenas a luta para satisfazer as necessidades materiais em condições de escassez. Com o advento de sociedades complexas, surgiram outras questões. Quem deve governar? Que poder devem ter os governantes políticos e como as exigências para legitimá-los podem ser comparadas às outras fontes de autoridade, tais como a família ou as autoridades religiosas?

Aristóteles disse que é natural para os homens viverem de forma política. Isso não é apenas a observação de que o homem é melhor numa sociedade complexa do que abandonado e isolado. É também a premissa de que existe algo essencialmente humano a respeito das perspectivas de como as questões de interesse público devem ser decididas. A política é a nobre atividade na qual os homens decidem as regras pelas quais viverão e os objetivos que querem buscar coletivamente.

### Moralismo político

Aristóteles achava que não se deveria permitir a todos os seres humanos a participação na atividade política: no seu sistema, as mulheres, os escravos e os estrangeiros estavam excluídos do direito de governarem a si mesmos e aos outros. No entanto, sua ideia básica de que a política é a única atividade coletiva direcionada a certas metas e fins comuns ainda ressoa. Mas quais fins? Muitos pensadores e políticos desde o mundo antigo desenvolveram diferentes ideias a respeito dos objetivos que a política poderia ou deveria atingir. Tal abordagem é conhecida como moralismo político.

Para os moralistas, a vida política é um ramo da ética — ou filosofia moral — e assim não surpreende que haja tantos filósofos no grupo de pensadores políticos moralistas. Eles argumentam que a política deveria ser direcionada à conquista de objetivos relevantes, ou que os arranjos políticos deveriam ser organizados para proteger certas

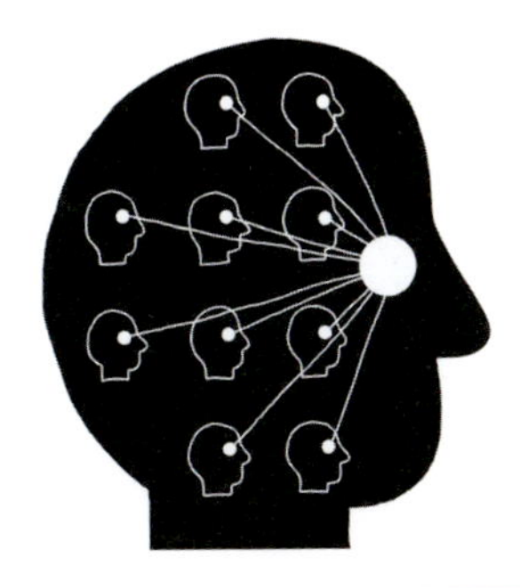

questões. Dentre elas, estão valores políticos tais como justiça, igualdade, liberdade, felicidade, fraternidade ou autodeterminação nacional. Em sua face mais radical, o moralismo produz descrições de sociedades políticas ideais conhecidas como utopias, cujo nome vem do livro *Utopia*, do estadista e filósofo inglês Thomas More, publicado em 1516. Pensadores políticos utópicos existem desde o livro *A república,* do filósofo grego Platão, obra que ainda é usada por pensadores modernos, tais como Robert Nozick, para explorar ideias. Alguns teóricos consideram o pensamento político utópico uma iniciativa perigosa, já que, no passado, ele levou a justificativas da violência totalitária. No entanto, em sua melhor versão, ele é parte de um processo de luta por uma sociedade melhor, e muitos dos pensadores discutidos neste livro usaram-no para sugerir valores a serem buscados ou protegidos.

## Realismo político

Outra tradição relevante de pensadores rejeita a ideia de que a política existe para oferecer valores éticos ou morais, tais como felicidade ou liberdade. Em vez disso, eles argumentam que a política tem a ver com o poder, que é o meio pelo qual os fins são alcançados, os inimigos, derrotados, e as concessões, mantidas. Sem a habilidade de alcançar e exercer o poder, os valores — a despeito de quão nobres possam ser — são inúteis.

O grupo de pensadores que focam no poder em vez de na moralidade é descrito como realistas. Eles concentram sua atenção no poder, no conflito, na guerra, e são, em geral, cínicos a respeito das motivações humanas. Talvez os dois maiores nesse grupo tenham sido o italiano Nicolau Maquiavel e o inglês Thomas Hobbes, contemporâneos de períodos de guerra civil e desordem, nos séculos XVI e XVII, respectivamente.

A visão de Maquiavel da natureza humana enfatiza que os homens são "mentirosos ingratos"; não são nobres nem virtuosos. Ele advertiu dos riscos das motivações políticas que vão além das preocupações com o exercício do poder. Para Hobbes, o "estado de natureza" sem lei é aquele da guerra de todos contra todos. Por meio de um "contrato social" com seus súditos, um soberano exerce o poder absoluto para salvar a sociedade do seu estado bruto. Mas a preocupação com o poder não é exclusiva do início da Europa moderna. A maior parte do pensamento político do século XX se ocupa das fontes e do exercício do poder.

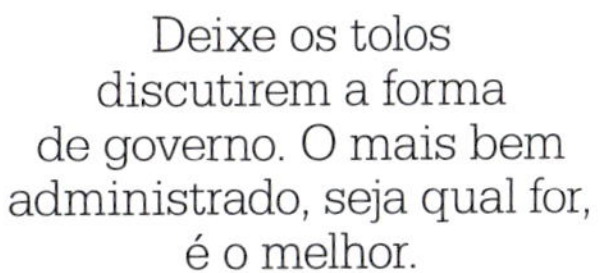

Deixe os tolos discutirem a forma de governo. O mais bem administrado, seja qual for, é o melhor.
**Alexander Pope**

## Conselho sábio

Realismo e moralismo são grandes visões políticas que tentam dar sentido à experiência política e à relação dessa com as outras questões da condição humana. Todavia, nem todos os pensadores políticos assumiram tal perspectiva ampla sobre os eventos. Ao lado dos filósofos políticos, há uma antiga tradição similar que é pragmática e preocupada com o alcance dos melhores resultados possíveis. O problema da guerra e do conflito jamais será erradicado, e argumentos a respeito da relação entre os valores políticos como liberdade e igualdade talvez nunca sejam resolvidos, mas talvez possamos progredir no desenvolvimento constitucional, na determinação de políticas e na garantia de que os governantes tenham a maior »

estabilidade possível. Algumas das mais antigas ideias sobre política, tais como as do filósofo chinês Confúcio, estão associadas às habilidades e virtudes de um conselheiro sábio.

**O surgimento da ideologia**

Outro tipo de pensamento político é, com frequência, descrito como ideológico. Uma importante linha enfatiza a perspectiva segundo a qual ideias são peculiares a períodos históricos distintos. As origens do pensamento ideológico residem na filosofia histórica dos alemães Georg Hegel e Karl Marx. Eles explicam como as ideias de cada período histórico diferem porque as práticas e instituições das sociedades são diferentes, e o significado das ideias muda com a história.

Platão e Aristóteles pensavam a democracia como um sistema perigoso e corrupto, ao passo que a maioria das pessoas no mundo moderno a veem como a melhor forma de governo. Regimes autoritários contemporâneos são encorajados a se democratizarem. De maneira similar, a escravidão já foi pensada como uma condição natural que excluía muitos de qualquer direito, e, até o século XX, a maioria das mulheres não era considerada cidadã.

Isso levanta a questão de quais seriam os motivos de algumas ideias, como a igualdade, terem se tornado importantes, enquanto outras, como a escravidão e o direito divino dos reis, terem caído em desuso. Marx explica essa mudança histórica argumentando que as ideias estão vinculadas aos interesses das classes sociais, tais como os trabalhadores ou capitalistas, os quais serviram de base aos grandes "ismos" da política ideológica, do comunismo e o socialismo ao conservadorismo e ao fascismo.

As classes sociais de Marx não são a única fonte de política ideológica. Muitas ideias recentes também surgiram das evoluções ocorridas dentro do liberalismo, do conservadorismo, do socialismo e do nacionalismo.

Os filósofos têm apenas interpretado o mundo... a questão, porém, é transformá-lo.
**Karl Marx**

O pensamento político ideológico também tem sido alvo de hostilidade e crítica. Se as ideias fossem apenas um reflexo dos processos históricos, argumentam os críticos, isso significaria que os indivíduos envolvidos nesses processos desempenhariam essencialmente um papel passivo, e que a deliberação racional e a argumentação teriam valor limitado. A luta ideológica pode ser mais bem vista como uma competição entre times de futebol. A paixão, em vez da razão, seria mais importante na escolha por um time, e a vitória, em última instância, é o que conta. Muitos se preocupam que a política ideológica resulta nos piores excessos do realismo, no qual os fins justificam meios brutais ou injustos. A política ideológica parece ser uma luta perpétua, ou guerra, entre campos rivais e irreconciliáveis.

A solução de Marx para esse problema seria o triunfo revolucionário das classes trabalhadoras e a vitória tecnológica sobre a escassez, o que resolveria o problema do conflito político. À luz do século XX, tal abordagem da política parece ser, para muitos, um tanto quanto otimista, já que a mudança revolucionária tem sido vista como a substituição de um tipo de tirania por outro. Segundo essa visão, o marxismo e outras ideologias são

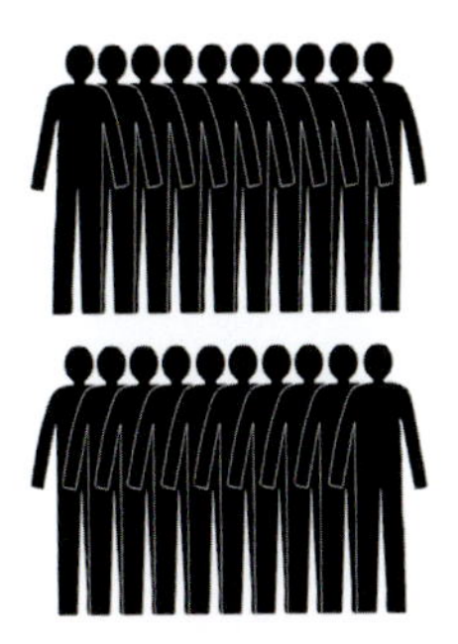

apenas a versão mais recente de um moralismo utópico irrealista.

## Um futuro em disputa

De acordo com Georg Hegel, as ideias políticas são uma abstração da vida de uma sociedade, Estado, cultura ou movimento político. Para que essas ideias façam sentido, bem como as instituições e os movimentos que elas explicam, é preciso examinar sua história e seu desenvolvimento. Tal história é sempre um relato de como chegamos ao ponto em que estamos hoje. O que não podemos fazer é olhar adiante e ver qual o rumo da história.

Na mitologia romana, a coruja de Minerva era um símbolo de sabedoria. Para Hegel, esse animal somente "voa no crepúsculo". Dessa forma, ele quer dizer que o entendimento só acontece em retrospectiva. Hegel adverte contra o otimismo de desenvolver ideias sobre os rumos do futuro. Ele também dá um aviso sutil contra sua outra famosa observação: o início do Estado moderno é o fim da história. É muito fácil ver-nos como a era mais progressiva, iluminada e racional de todos os tempos — afinal, acreditamos em democracia, direitos humanos, economia aberta e governo constitucional. Mas, como veremos neste livro, essas não são de maneira alguma ideias simples e não são compartilhadas por todas as sociedades ou povos, nem mesmo hoje.

Os últimos oitenta anos de história mundial viram o surgimento de novos estados-nação como resultado da retração e da descolonização imperial. Federações como a Iugoslávia e a Tchecoslováquia se fragmentaram em novos estados, assim como a ex-União Soviética. O desejo pela soberania nacional também é forte em lugares como Quebec, Catalunha, Curdistão e Cachemira. Ainda assim, enquanto povos lutam por seu Estado, outras nações desejam federações e uniões políticas complexas. As últimas três décadas viram a criação da União Europeia, que aspira maior união política, bem como a área do NAFTA e muitas outras organizações para cooperação regional.

Velhas ideias de soberania estatal têm um papel incômodo na nova política mundial de soberania compartilhada, cooperação econômica e globalização. O ponto de vista de Hegel parece muito pertinente aqui — não podemos prever como os outros vão nos ver no futuro, nem se aquilo que nos parece senso comum será visto como plausível para nossos descendentes.

Fazer com que o presente faça sentido exige um entendimento da variedade de ideias e teorias políticas concebidas ao longo da história. Essas ideias servem como uma explicação das possibilidades do presente, bem como uma advertência contra o excesso de confiança em nossos próprios valores políticos, e nos lembram que as exigências pela organização e governança da vida coletiva da sociedade mudam de maneiras que não podemos prever com certeza. Conforme surgirem novas possibilidades para o exercício do poder, também surgirão novas demandas pelo seu controle e pela prestação de contas, e com elas virão novas ideias políticas e teorias. A política tem a ver com todos nós, assim todos devemos estar envolvidos nesse debate. ■

Política é uma questão muito séria para ser deixada para os políticos.
**Charles de Gaulle**

# O PENSAM
# POLÍTICO
# ANTIGO
## 800 A.C.-30

# ENTO

O **período da Primavera e Outono** começa na China, e surgem as "Cem Escolas de Pensamento".

**c. 770 a.C.**

Confúcio propõe um sistema de governo baseado em **valores tradicionais**, administrado por uma classe de eruditos.

**600-500 a.C.**

É fundada a **República romana**.

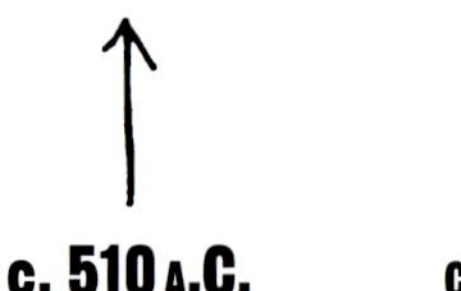

**c. 510 a.C.**

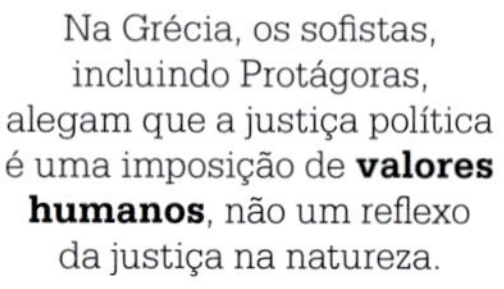

Na Grécia, os sofistas, incluindo Protágoras, alegam que a justiça política é uma imposição de **valores humanos**, não um reflexo da justiça na natureza.

**c. 460 a.C.**

**600 a.C.**

O **general chinês Sun Tzu** escreve seu tratado *A arte da guerra* para o rei Helu de Wu.

**594 a.C.**

Sólon cria uma **constituição para Atenas** que abre caminho para uma cidade-estado democrática.

**476-221 a.C.**

Durante o período dos **Reinos Combatentes**, os sete maiores reinos chineses competem pela supremacia.

**399 a.C.**

Após anos de **questionamento da política e da sociedade** em Atenas, Sócrates é condenado à morte.

Pode-se dizer que a teoria política se iniciou nas civilizações da China e Grécia antigas. Em ambos os lugares, surgiram pensadores que questionaram e analisaram o mundo ao seu redor de uma forma que hoje chamamos de filosofia. Desde cerca de 600 a.C., alguns deles atentaram para o modo como organizamos as sociedades. No começo, tanto na China como na Grécia, essas questões eram consideradas parte da filosofia moral ou ética. Os filósofos examinaram como a sociedade deveria ser estruturada para garantir não apenas a felicidade e a segurança das pessoas, mas para capacitá-las a uma "vida digna".

### O pensamento político na China

A partir de 770 a.C., aproximadamente, a China atravessou um tempo de prosperidade conhecido como o período da Primavera e Outono, no qual várias dinastias governaram diversos reinos de maneira relativamente pacífica. A erudição era muito apreciada nesse período, resultando nas Cem Escolas de Pensamento. De longe, o filósofo mais influente dessa época foi Confúcio, que combinou moral e filosofia política em suas propostas para a manutenção dos valores morais chineses num estado liderado por um governante virtuoso, aconselhado por uma classe de administradores.

A ideia foi, mais tarde, refinada por Mozi e Mêncio para evitar um governo corrupto e despótico, mas, com o aumento do conflito entre os reinos no século III a.C., o período da Primavera e Outono chegou ao fim, sendo substituído pelo período dos Reinos Combatentes e por uma luta pelo controle do Império Chinês unificado. Foi nessa atmosfera que pensadores como Han Fei Tzu e a escola legalista defenderam a disciplina como o princípio diretivo do Estado, e o líder militar Sun Tzu aplicou as táticas da guerra para as ideias de política externa e de governo local. Essas filosofias políticas mais autoritárias trouxeram estabilidade ao Império, posteriormente assumindo a forma do confucionismo.

### A democracia grega

Simultânea ao desenvolvimento na China, a civilização grega florescia. Assim como na China, a Grécia não era uma única nação, mas várias cidades-estado separadas sob diversos sistemas de governo. A maioria era governada por um monarca ou uma aristocracia, mas Atenas estabeleceu uma forma de democracia sob uma constituição apresentada pelo estadista Sólon em 594 a.C. A cidade se

O filósofo chinês Mozi propõe uma **classe meritocrática** de ministros e conselheiros, escolhida por sua virtude e habilidade.

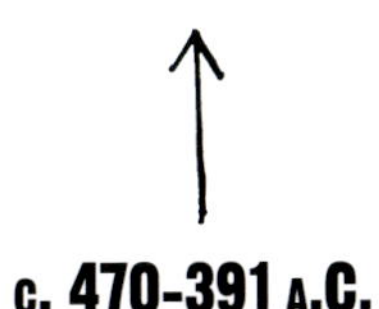

**c. 470-391 a.C.**

**c. 380-360 a.C.**

Em *A república*, Platão advoga o governo de "**reis-filósofos**" que possuem a sabedoria e o conhecimento para entender a natureza de uma vida digna.

Em sua *Política*, Aristóteles descreve várias formas de governo para uma cidade-estado e sugere a politeia — **o governo constitucional** — como a mais prática.

**335-323 a.C.**

**c. 370-283 a.C.**

O conselho de Kautilya a Chandragupta Máuria o ajuda a estabelecer o **Império Mauria** na Índia.

Mêncio populariza as **ideias confucionistas** na China.

**372-289 a.C.**

**300 a.C.**

Numa tentativa de unificar a China, as ideias autoritárias de Shang Yang e Han Fei Tzu são adotadas como a **doutrina do Legalismo**.

A dinastia Han adota o confucionismo como a **filosofia oficial** da China.

**200 a.C.**

**54-51 a.C.**

Cícero escreve *Da república*, baseada em *A república* de Platão, mas defende uma **forma mais democrática** de governo.

tornou o centro cultural da Grécia e proporcionava um espaço intelectual no qual filósofos podiam refletir sobre qual seria o Estado ideal, qual seria seu propósito e como ele deveria ser governado. Lá, Platão defendia um governo administrado por uma elite de "reis-filósofos", enquanto seu pupilo Aristóteles comparou as várias formas possíveis de governo. Suas teorias formariam a base da filosofia política ocidental.

Depois de Aristóteles, a "era de ouro" da filosofia clássica grega chegou ao fim quando Alexandre, o Grande, embarcou numa série de campanhas para estender seu império a partir da Macedônia até o norte da África e, através da Ásia, até o Himalaia. Mas na Índia ele enfrentou a resistência de uma oposição organizada.

O subcontinente indiano era composto de vários estados separados, mas um teórico político inovador, Kautilya, ajudou a transformá-lo num império unificado sob o governo de seu pupilo, Chandragupta Mauria. Kautilya acreditava numa abordagem pragmática em relação ao pensamento político, defendendo uma disciplina estrita cujo objetivo era garantir a segurança econômica e material para o Estado em vez de um bem-estar moral para o povo. Seu realismo ajudou a proteger o Império Mauria de ataques e reuniu a maior parte da Índia num Estado unificado que durou mais de cem anos.

## A ascensão de Roma

Enquanto isso, outra potência surgia na Europa. A República romana havia sido fundada em torno de 510 a.C. com a derrota de uma monarquia tirânica. Uma forma de democracia representativa similar ao modelo ateniense foi estabelecida. Aos poucos, criou-se uma constituição, segundo a qual o governo seria liderado por dois cônsules eleitos anualmente pelos cidadãos, com um senado de representantes para assessorá-los. Sob esse regime, a República cresceu em força, ocupando províncias na maior parte da Europa continental. No entanto, no século I a.C., conflitos civis se espalharam pela República por causa das diversas facções que lutavam pelo poder. Júlio César assumiu o controle em 48 a.C. e se tornou imperador de fato, pondo fim à República. Roma, mais uma vez, caiu sob um governo dinástico e monárquico, e o Império Romano dominaria a maior parte da Europa pelos quinhentos anos seguintes. ■

# SE DESEJARES O BEM, O POVO SERÁ BOM

CONFÚCIO (551-479 A.C.)

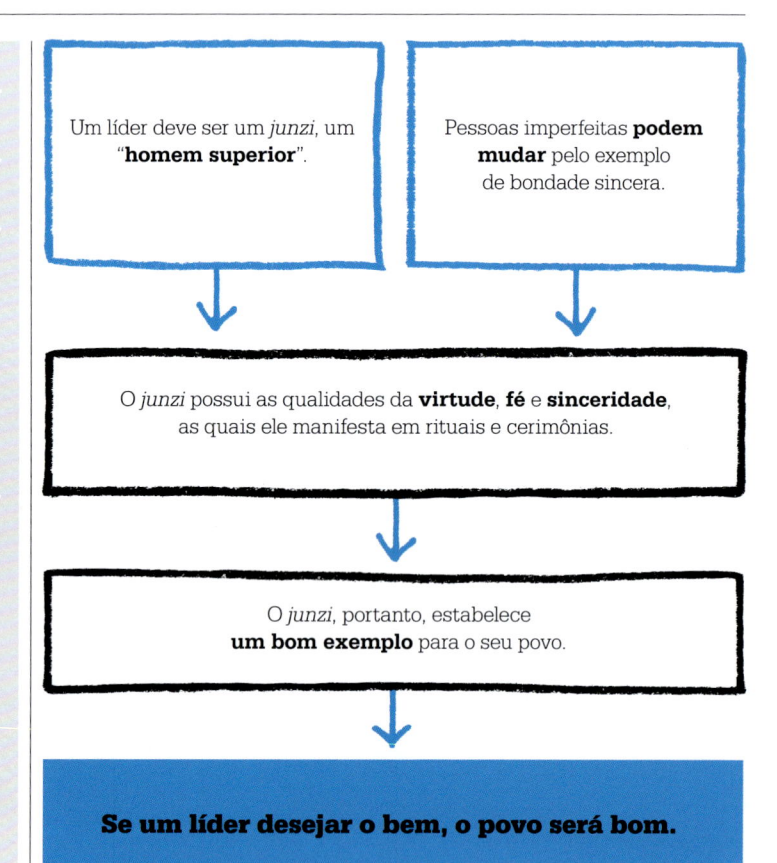

## EM CONTEXTO

IDEOLOGIA
**Confucionismo**

FOCO
**Paternalismo**

ANTES
**1045 A.C.** Sob a dinastia Zhou na China, as decisões políticas eram justificadas pelo Mandato do Céu.

**Século VIII A.C.** Começa o período da Primavera e Outono e surgem as "Cem Escolas de Pensamento".

DEPOIS
**Século V A.C.** Mozi propõe uma alternativa aos potenciais nepotismo e fisiologismo do confucionismo.

**Século IV A.C.** O filósofo Mêncio populariza as ideias de Confúcio.

**Século III A.C.** Os princípios mais autoritários do Legalismo passam a dominar o sistema de governo.

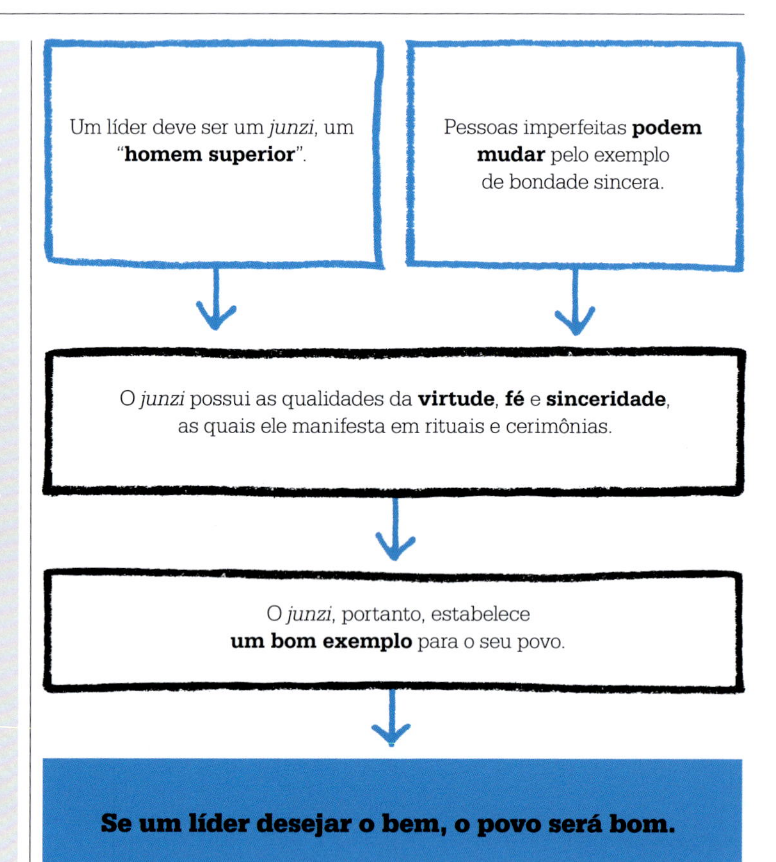

Um líder deve ser um *junzi*, um "**homem superior**".
Pessoas imperfeitas **podem mudar** pelo exemplo de bondade sincera.
O *junzi* possui as qualidades da **virtude**, **fé** e **sinceridade**, as quais ele manifesta em rituais e cerimônias.
O *junzi*, portanto, estabelece **um bom exemplo** para o seu povo.
**Se um líder desejar o bem, o povo será bom.**


Kong Fuzi ("Mestre Kong"), que mais tarde ficou conhecido no Ocidente pelo nome latino de Confúcio, viveu durante um momento decisivo na história política da China, o final do período da Primavera e Outono da China — cerca de trezentos anos de prosperidade e estabilidade durante os quais houve um despertar nas artes, na literatura e, em especial, na filosofia. Isso permitiu o florescer das assim chamadas Cem Escolas de Pensamento, nas quais diversas ideias eram livremente discutidas. No processo, surgiu uma nova classe de pensadores e eruditos, a maioria deles trabalhando em cortes de famílias nobres nas quais eram importantes conselheiros.

A influência das novas ideias desses pensadores inspirou uma reviravolta na estrutura da sociedade chinesa. Esses eruditos eram escolhidos por mérito em vez de conexões familiares, e essa nova classe meritocrática de pensadores era um desafio para os governantes hereditários que, até então, se garantiam com aquilo que acreditavam ser um Mandato do Céu. Isso causou uma série de conflitos, já que vários deles disputavam o controle sobre a China. Durante esse período, conhecido como o dos Reinos Combatentes, ficou cada vez mais claro que era necessário um sistema de governo forte.

### O homem superior

Assim como a maioria dos jovens educados da classe média, Confúcio aspirava a uma carreira de administrador e foi nessa função que desenvolveu suas ideias sobre a organização do governo. Ao acompanhar de perto as relações entre os governantes e seus ministros e súditos, tornou-se consciente da

**Veja também:** Sun Tzu 28–31 ▪ Mozi 32–3 ▪ Han Fei Tzu 48 ▪ Sun Yat-Sen 212–3 ▪ Mao Tsé-tung 260–5

fragilidade da situação política de seu tempo e se dispôs a formular um arcabouço, baseado em seu próprio sistema de filosofia moral, que capacitaria os governantes a atuarem de maneira justa.

A base moral de Confúcio estava firmemente arraigada nas convenções chinesas e centrada nas tradicionais virtudes da lealdade, do dever e do respeito. Esses valores eram personificados no *junzi*: o "cavalheiro" ou "homem superior", cuja virtude funcionaria como um exemplo para os outros. Cada membro da sociedade seria encorajado a aspirar às qualidades dos *junzis*. Na visão de Confúcio, a natureza humana não é perfeita, mas é capaz de ser transformada pelo exemplo da virtude sincera. De modo similar, a sociedade poderia ser transformada pelo exemplo de um governo justo e benevolente.

A noção de reciprocidade — a ideia que um tratamento generoso suscitaria uma resposta da mesma natureza — sustentava a filosofia moral de Confúcio e era o alicerce de seu pensamento político. Para uma sociedade ser boa, seu governante deveria corporificar as virtudes que deseja ver em seus súditos. Em troca, o povo seria inspirado a copiar essas virtudes por meio da lealdade e do respeito. Na coletânea de seus ensinamentos e dizeres conhecida como *Analetos*, Confúcio aconselha: "Se desejares o bem, o povo será bom. O poder moral do cavalheiro é vento, o poder moral do homem comum é grama. Sob o vento, a grama tem de se curvar". Para que essa ideia operasse de modo eficaz, no entanto, uma nova estrutura para a sociedade teria de ser estabelecida, criando uma hierarquia que levasse em conta a nova classe administrativa meritocrática que, ao mesmo tempo, respeitasse o governo tradicional das famílias nobres. »

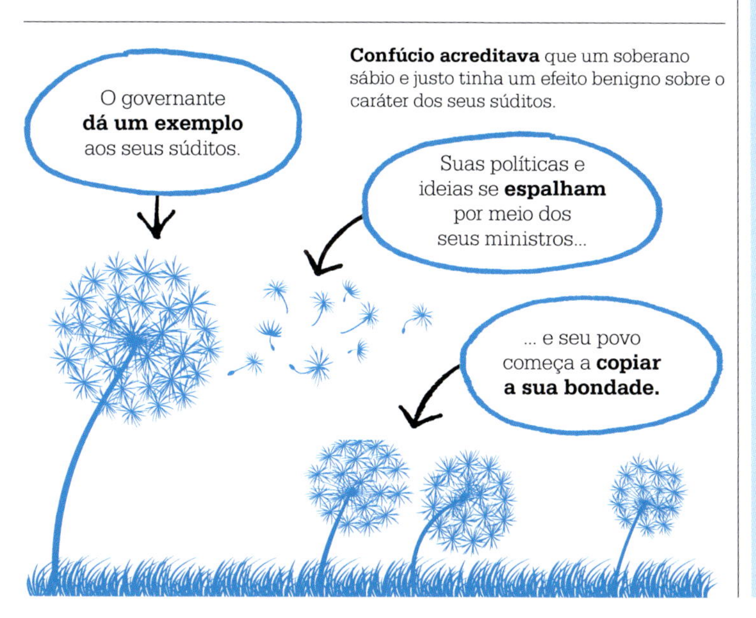

O governante **dá um exemplo** aos seus súditos.
Suas políticas e ideias se **espalham** por meio dos seus ministros...
... e seu povo começa a **copiar a sua bondade.**


**Confúcio acreditava** que um soberano sábio e justo tinha um efeito benigno sobre o caráter dos seus súditos.

## Confúcio

**Apesar de sua importância na história chinesa, pouco se sabe sobre sua vida. Acredita-se, por tradição, que tenha nascido em 551 a.C., em Qufu, no estado de Lu, China. Seu nome original era Kong Qiu (ele ganhou o título honorário "Kong Fuzi" muito mais tarde), e sua família era respeitada e tinha posses. No entanto, ainda jovem, depois da morte de seu pai, ele trabalhou como servo para sustentar sua família e estudou no tempo livre para se tornar um funcionário público. Tornou-se administrador na corte de Zhou onde desenvolveu suas ideias de como o Estado deveria ser governado, mas seus conselhos foram ignorados, e ele acabou se demitindo. Passou o resto da vida viajando pelo Império Chinês, ensinando sua filosofia e teorias de governo. Por fim, voltou a Qufu, onde morreu em 479 a.C.**

### Principais obras

*Analetos*
*Dà Xué*
*Zhong Yong*
**(Todas compiladas no século XII por eruditos chineses.)**

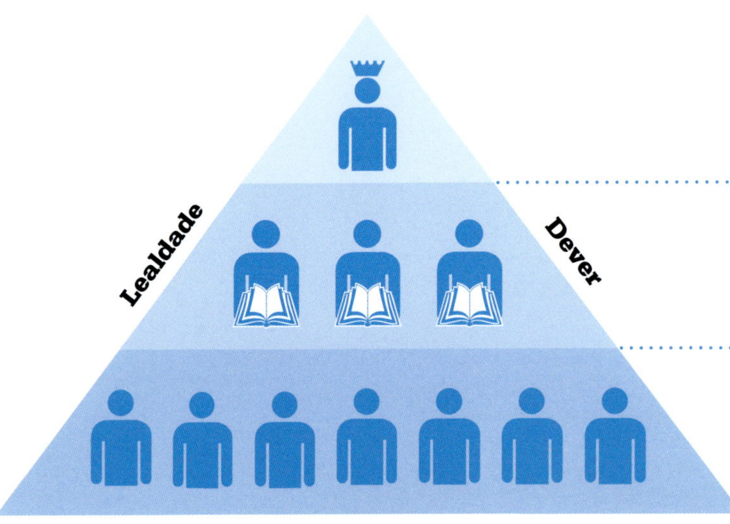


**O soberano** era considerado por Confúcio como superior em essência. Sua tarefa era modelar o comportamento perfeito, estabelecendo um bom exemplo aos súditos.

**Os ministros e conselheiros** desempenhavam um papel importante como "intermediários" entre o soberano e seus súditos. Deveriam ser leais a ambas as partes.

**O povo**, ao receber um bom exemplo e uma ideia clara do que se espera dele, se comportaria de maneira correta, de acordo com Confúcio.

Em sua proposta para chegar a isso, Confúcio mais uma vez se baseou bastante nos valores tradicionais, modelando a sociedade conforme as relações dentro da família. Para Confúcio, a benevolência do soberano e a lealdade de seus súditos são um espelho do amor de um pai e da obediência de um filho (uma relação considerada pelos chineses de maior importância).

Confúcio considerou que há cinco "relações constantes": soberano/súdito, pai/filho, marido/mulher, irmão mais velho/irmão mais novo e amigo/amigo. Nessas relações, ele enfatizou não apenas a posição de cada pessoa de acordo com a sua geração, idade e gênero, mas o fato de que havia deveres de ambas as partes e que a responsabilidade do superior com o inferior em qualquer relação seria tão importante quanto a do mais novo para o mais velho. Estendendo essas relações para a sociedade, seus direitos e responsabilidades recíprocos dariam coesão à sociedade, criando uma atmosfera de lealdade e respeito entre os extratos sociais.

## Justificando o governo hereditário

No topo da hierarquia de Confúcio estava o soberano, o qual teria herdado seu status, e quanto a isso Confúcio mostrou a natureza conservadora de seu pensamento político. Assim como as famílias serviam de modelo para as relações na sociedade, o respeito tradicional mostrado aos pais (em especial ao pai) também se estenderia aos ancestrais, e isso justificaria o princípio hereditário. Assim como o pai era considerado a cabeça da família, o Estado deveria ser naturalmente governado por uma figura patriarcal — o soberano.

No entanto, na opinião de Confúcio, a posição do soberano não era incontestável, e um governante injusto ou insensato deveria sofrer oposição ou até mesmo ser deposto. Mas foi com relação à camada seguinte da sociedade que Confúcio se mostrou mais inovador, defendendo que uma classe de eruditos deveria agir como ministros, conselheiros e administradores do governante. Sua posição, entre os soberanos e seus súditos, era crucial, já que deviam lealdade a ambos. Eles tinham um enorme grau de responsabilidade, de modo que era essencial serem recrutados entre os mais aptos e educados, e qualquer um no serviço público deveria ter o mais elevado caráter — um *junzi*. Esses ministros deveriam ser escolhidos pelo soberano, no sistema de Confúcio, baseando-se no seu próprio bom caráter. Confúcio disse: "A administração do governo se

Um bom governo consiste no governante ser governante, o ministro ser ministro, o pai ser pai, e o filho ser filho.
**Confúcio**

baseia na escolha de homens adequados. Tais homens são selecionados pelo caráter pessoal do governante. Esse deve ser tecido no caminho do dever. E tal tecer deve ser cultivado pela estima da benevolência".

O papel desses servidores públicos era, principalmente, o de consultor, e dos ministros não se esperava apenas que fossem versados em administração e na sociedade chinesa, mas também que tivessem um conhecimento pleno de história, política e diplomacia. Isso era importante para aconselhar o governante em questões como alianças e guerras com países vizinhos. Essa nova classe de servidores civis também exercia uma função igualmente importante ao evitar que seus superiores se tornassem despóticos, já que ela mostrava lealdade ao seu superior, mas também benevolência pelos seus inferiores. Assim como o governante, ela também deveria liderar pelo exemplo, inspirando tanto o soberano quanto seus súditos com sua virtude.

## A importância do ritual

Muitas partes dos escritos de Confúcio podem ser lidas como um manual de etiqueta e protocolo, detalhando a conduta adequada para o *junzi* em várias situações. Além disso, ele também enfatizava que isso não deveria ser apenas um espetáculo vazio. Os rituais que descrevia não eram só cortesias, serviam a um propósito mais profundo. Os participantes deveriam se portar com sinceridade, para que os rituais tivessem sentido. Os servidores públicos não apenas tinham de cumprir seus deveres de maneira virtuosa, como também precisavam ser vistos agindo com essa qualidade. Por esse motivo, Confúcio deu muita ênfase às cerimônias e aos rituais, que também serviam de base para a posição de vários membros na sociedade, e aprová-los ilustrava sua tendência ao conservadorismo.

As cerimônias e os rituais permitiam ao povo mostrar sua devoção aos que estivessem acima dele na hierarquia, bem como sua consideração pelos que estivessem abaixo. De acordo com Confúcio, esses rituais deveriam permear toda a sociedade: desde cerimônias reais e estatais até as interações sociais cotidianas, com os participantes observando meticulosamente seus respectivos papéis. Somente quando a virtude fosse sincera e manifestada com honestidade a ideia da liderança pelo exemplo funcionaria com sucesso. Por essa razão, Confúcio considerava a sinceridade e honestidade as virtudes mais importantes, lado a lado com a lealdade.

Muitos desses rituais e cerimônias eram baseados nos ritos religiosos, mas esse aspecto não era importante para Confúcio. Sua filosofia moral não tinha como base a religião, e o sistema político dela derivado simplesmente reconhecia que havia um lugar para a religião na sociedade. Na verdade, ele quase nunca se referiu aos deuses em seus escritos, exceto em termos da esperança que a sociedade pudesse ser organizada e governada de acordo com o Mandato do Céu, o qual ajudaria os estados em luta pelo poder. Apesar de acreditar firmemente no governo pela soberania hereditária, não sentia a necessidade de justificá-lo como um direito divino. »

O homem superior governa os homens de acordo com sua natureza, com o que lhe é próprio, e, assim que estes mudam o que estava errado, ele se detém.
**Confúcio**

**Atores representam** um ritual confucionista na província de Shandong, China, mostrando a importância das limitações e do respeito aos visitantes modernos, leigos quanto à sua tradição formal.

Esse desprezo implícito pelo direito divino e o sistema de classes baseado no mérito em vez da hereditariedade eram sinais da radicalidade de Confúcio. Se por um lado defendia uma hierarquia baseada em estritas regras de etiqueta e protocolo, de modo que todos estivessem bem cientes de seu papel na sociedade, isso não queria dizer, por outro lado, que não deveria haver mobilidade social. Aqueles com habilidade (e bom caráter) poderiam subir até os mais altos níveis de governo, independentemente do seu passado familiar, e aqueles nas posições de poder poderiam ser removidos de seus cargos se falhassem em mostrar as qualidades necessárias, não importando o grau de nobreza da família a que pertenciam. Esse princípio se estendia até mesmo ao soberano. Confúcio entendia o assassinato de um governante despótico como a remoção necessária de um tirano em vez da morte de um governante legítimo. Ele argumentava que a flexibilidade dessa hierarquia gerava mais respeito por ela, assim como um consenso político — a base necessária para um governo forte e estável.

## Crime e castigo

Os princípios da filosofia moral de Confúcio também se estendiam ao campo da lei e do castigo. Antes, o sistema legal era baseado em códigos de conduta prescritos pela religião, mas ele defendia uma postura mais humanística para substituir as leis divinamente ordenadas. Similar à estrutura social, ele propôs um sistema baseado na reciprocidade: ao ser tratada com respeito, uma pessoa agiria com respeito. Sua versão da Regra de Ouro ("faça aos outros o que gostaria que fizessem com você") era na negativa: "o que você não deseja para si, não faça para os outros", transferindo a ênfase de crimes específicos para a prevenção de maus comportamentos. Uma vez mais, isso poderia ser mais bem alcançado pelo exemplo. Em suas palavras: "Quando encontrar alguém melhor que você, volte seus pensamentos para se tornar como ele. Quando encontrar alguém não tão bom como você, olhe para dentro e examine-se".

Quem governa pela virtude é como a estrela polar, que permanece imóvel no seu lugar enquanto todas as outras estrelas circulam respeitosamente em torno dela.
**Confúcio**

Em vez de impor leis rígidas e castigos pesados, Confúcio achava que a melhor maneira de lidar com o crime era impor um sentimento de vergonha por um mau comportamento. Apesar de as pessoas evitarem cometer crimes quando guiadas pela lei e subjugadas pelo castigo, elas não aprendiam o verdadeiro sentido do certo e do errado, ao passo que, se fossem guiadas pelo exemplo e subjugadas pelo respeito, desenvolveriam um senso de vergonha pelas contravenções e aprenderiam a se tornar realmente boas.

## Ideias impopulares

A filosofia moral e política de Confúcio combinava as ideias de bondade e sociabilidade inatas da natureza humana com a estrutura rígida e formal da sociedade chinesa. Como não podia deixar de ser, dada sua posição de administrador na corte, ele encontrou um lugar importante para a nova classe

**O imperador chinês** preside o concurso para o serviço civil nesta pintura da dinastia Song. Esses exames começaram durante a vida de Confúcio e foram baseados em suas ideias.

**As funções religiosas** foram absorvidas pelo confucionismo quando esse se tornou a filosofia oficial da China. Templos confucionistas como este em Nanjing se espalharam por todo o país.

meritocrática dos eruditos. No entanto, suas ideias foram vistas com desconfiança e não foram adotadas enquanto ele ainda era vivo. Membros da família real e da nobreza que governavam à época estavam insatisfeitos com o seu desprezo implícito pelo direito divino ao governo e se sentiam ameaçados pelo poder proposto por ele para seus ministros e conselheiros. Os administradores talvez desfrutassem de mais controle para reinar durante governos potencialmente despóticos, mas eles duvidavam da ideia de que o povo poderia ser governado pelo exemplo e não estavam dispostos a abrir mão de seu direito de exercer o poder por meio de leis e castigos.

Mais tarde, pensadores políticos e filósofos também criticaram o confucionismo. Mozi, um filósofo chinês nascido pouco depois da morte de Confúcio, concordava com suas ideias mais modernas sobre a meritocracia e sobre a liderança pelo exemplo, mas achava que sua ênfase nas relações familiares levaria ao nepotismo e ao fisiologismo. Na mesma época, pensadores militares como Sun Tzu não tinham tempo de sobra para pensar na filosofia moral por trás da teoria política de Confúcio e, de modo distinto, assumiram uma postura mais prática no que diz respeito às questões de governo, defendendo um sistema autoritário, até mesmo cruel, de garantia da defesa do Estado. No entanto, elementos do confucionismo foram aos poucos incorporados à sociedade chinesa nos dois séculos que se seguiram à sua morte. Com a liderança de Mêncio (372-289 a.C.), eles alcançaram alguma popularidade no século IV a.C.

O que você sabe sabe; o que você não sabe não sabe. Essa é a verdadeira sabedoria.
**Confúcio**

## A filosofia do Estado

O confucionismo talvez tivesse sido adequado para governar em tempos de paz, mas foi considerado por muitos como não sendo forte o suficiente no período dos Reinos Combatentes, cuja luta levou à formação de um Império Chinês unificado. Nessa época, um sistema pragmático e autoritário de governo conhecido por legalismo suplantou as ideias de Confúcio e teve continuidade conforme o imperador confirmava a sua autoridade sobre o novo império. Por volta do século II a.C., no entanto, a paz voltou à China, e o confucionismo foi adotado como filosofia oficial do Estado na dinastia Han. Ele continuou a dominar a estrutura da sociedade chinesa desde então, especialmente na prática de recrutar os eruditos mais hábeis para a classe administrativa. Os concursos para o serviço público iniciados em 605 eram baseados nos textos clássicos confucionistas, prática que continuou até o século XX e a formação da república chinesa.

O confucionismo não desapareceu por completo sob o regime comunista na China e teve uma influência sutil na estrutura da sociedade até a Revolução Cultural. Hoje, elementos do pensamento confucionista, tais como os que lidam com as relações sociais e a noção de lealdade filial, ainda estão profundamente enraizados no estilo de vida chinês. As ideias de Confúcio continuam, mais uma vez, sendo levadas a sério enquanto o país muda do comunismo maoísta para a versão chinesa de uma sociedade mista. ■

# A ARTE DA GUERRA É DE VITAL IMPORTÂNCIA PARA O ESTADO

## SUN TZU (c. 544–c. 496 a.C.)

**EM CONTEXTO**

IDEOLOGIA
**Realismo**

FOCO
**Diplomacia e guerra**

ANTES
**Século VIII a.C.** Começa uma "era de ouro" da filosofia chinesa, que introduz as Cem Escolas de Pensamento.

**Século VI a.C.** Confúcio propõe um arcabouço para a sociedade civil baseado em valores tradicionais.

DEPOIS
**Século IV a.C.** O apoio de Kautilya a Chandragupta Mauria ajuda a estabelecer o império Mauria na Índia.

**1532** É publicado *O príncipe* de Nicolau Maquiavel, cinco anos após sua morte.

**1937** Mao Tsé-tung escreve *Guerra de guerrilhas.*

No final do século VI a.C., a China havia chegado ao fim de uma era de prosperidade pacífica — o período da Primavera e Outono — na qual floresceram os filósofos. Muitas das ideias estavam focadas na filosofia moral ou ética, e a filosofia política que se seguiu a isso se concentrou na forma moral correta sob a qual o Estado deveria organizar seus assuntos internos. Isso culminou com a integração por Confúcio das virtudes tradicionais numa hierarquia liderada por um soberano e administrada por uma burocracia de eruditos.

Ao final do período da Primavera e Outono, no entanto, a estabilidade política de vários estados da China se fragilizou, e as tensões entre eles

**Veja também:** Kautilya 44–7 ▪ Han Fei Tzu 48 ▪ Nicolau Maquiavel 74–81 ▪ Mao Tsé-tung 260–5 ▪ Che Guevara 312–3

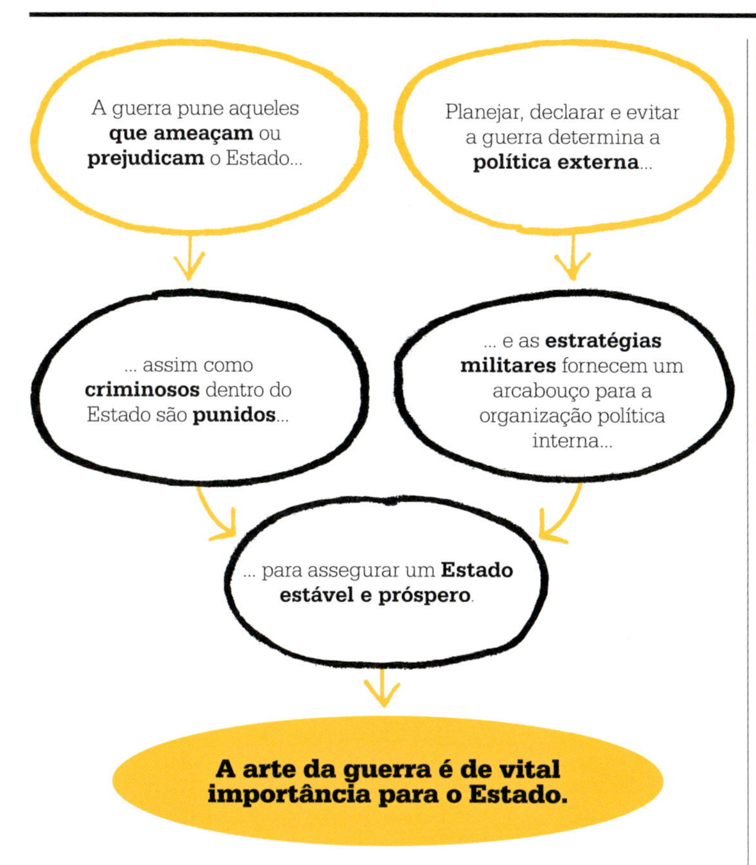


aumentaram conforme a população crescia. Os governantes tinham não só que gerenciar seus assuntos internos, como também defender-se contra o ataque de reinos vizinhos.

A guerra pune aqueles **que ameaçam** ou **prejudicam** o Estado...
Planejar, declarar e evitar a guerra determina a **política externa**...
... assim como **criminosos** dentro do Estado são **punidos**...
... e as **estratégias militares** fornecem um arcabouço para a organização política interna...
... para assegurar um **Estado estável e próspero**.
**A arte da guerra é de vital importância para o Estado.**

## Estratégia militar

Nessa atmosfera, os conselheiros militares se tornaram tão importantes como os burocratas civis, e a estratégia militar começou a moldar o pensamento político. A obra mais influente sobre esse assunto foi *A arte da guerra*, que se acredita ter sido escrita por Sun Tzu, um general no exército do rei de Wu. A passagem inicial diz: "A arte da guerra é de vital importância para o Estado. É uma questão de vida ou morte, um caminho ou para a segurança ou para a ruína. Assim, ela é um assunto de pesquisa que não deve, de maneira alguma, ser negligenciado". Isso marcou uma ruptura na filosofia política da época, e a obra de Sun Tzu talvez tenha sido a primeira declaração explícita de que a guerra e a inteligência militar são elementos cruciais para os negócios do Estado.

**Um exército de terracota** foi construído junto à tumba do imperador Qin Shi Huang, mostrando a importância dos militares para ele. Qin viveu duzentos anos depois de Sun Tzu, mas deve ter lido muitas de suas obras.

*A arte da guerra* trata dos aspectos práticos da proteção e da manutenção da prosperidade do Estado. Se, por um lado, os pensadores anteriores haviam se concentrado na estrutura da sociedade civil, esse tratado foca na política internacional, discutindo a administração pública apenas naquilo em que ela se relaciona com a estratégia de planejar e declarar guerras ou com a economia de manter serviços militares e de inteligência.

A descrição detalhada de Sun Tzu sobre a arte da guerra tem sido vista como a base de um arcabouço para a organização política em geral. Ele dá uma lista dos "princípios de guerra" que devem ser considerados ao se planejar uma campanha. Além das questões práticas, tais como o clima e o campo de batalha, a lista inclui a influência moral do governante, a habilidade e as qualidades do general e a organização e a disciplina dos homens. Implícita a esses princípios de guerra está uma estrutura hierárquica encabeçada por »

## Os cinco fundamentos da guerra

O *tao*, ou "**o caminho**", permite aos soldados estarem em sintonia com seus governantes.

Generais devem estar atentos ao **céu**, o qual corresponde ao Yin e Yang, e ao ciclo das estações.

Um estrategista deve levar em conta a **terra**: alta ou baixa, perto ou longe, aberta e confinada.

O **comando** se manifesta em sabedoria, integridade, compaixão e coragem.

A organização e a linha de comando adequada levam à **disciplina**.

um soberano, aconselhado por e dando ordens aos seus generais, os quais lideram e organizam suas tropas.

Para Sun Tzu, o papel do soberano ira garantir a liderança moral. O povo devia ser convencido de que sua causa era justa antes de dar o seu apoio, e o governante deveria liderar pelo exemplo, uma ideia que Sun Tzu compartilhava com Confúcio. Assim como o burocrata da sociedade civil, o general atuava tanto como conselheiro do governante quanto como administrador de suas ordens.

Como era de se esperar, Sun Tzu enfatizava as qualidades do general, descrevendo-o como o "baluarte do Estado". Seu treinamento e sua experiência moldavam o conselho que dava ao soberano, determinando a política na prática, além de ser vital para a organização do exército. No topo da cadeia de comando, ele controlava a logística e, em especial, o treinamento e a disciplina dos homens. *A arte da guerra* recomendava que a disciplina fosse rigorosamente cumprida, com duras penas em caso de desobediência, mas ela deveria ser amenizada com o uso constante de recompensas e punições.

### Saber quando lutar

Se por um lado essa descrição de uma hierarquia militar espelhava a estrutura da sociedade chinesa, *A arte da guerra* era muito mais inovadora em suas recomendações para a política internacional. Como muito generais, antes e depois dele, Sun Tzu acreditava que o propósito do exército era proteger o Estado e garantir o seu bem-estar, e que a guerra sempre deveria ser a última instância. Um bom general deveria saber quando lutar e quando não fazê-lo, lembrando que a resistência de um inimigo pode ser com frequência quebrada sem um conflito armado. Um general deveria tentar, em primeiro lugar, frustrar os planos do inimigo. Falhando nisso, ele deveria se defender contra o ataque. Somente não tendo sucesso nisso deveria lançar uma ofensiva.

Para evitar a necessidade da guerra, Sun Tzu defendia a manutenção de uma forte defesa e a formação de alianças com os Estados vizinhos. Já que uma guerra cara era ruim para ambos os lados, em geral fazia sentido chegar a um acordo pacífico. Campanhas longas, especialmente táticas como o cerco a uma cidade inimiga, drenavam tanto os recursos que, com frequência, seus custos eram maiores que os benefícios da vitória. Os sacrifícios em nome do povo eram um fardo para a sua lealdade em relação à retidão moral da causa.

### Inteligência militar

A chave para as relações internacionais estáveis, argumentou Sun Tzu, é a inteligência, a qual cabia, então, aos militares. Espiões garantiam informações vitais sobre as potenciais intenções e capacidades do inimigo, permitindo aos generais no comando aconselhar o governante sobre a possibilidade de vitória no conflito. Nesse mesmo sentido, Sun Tzu explicou que o elemento mais importante a seguir em uma guerra de informação é o engano.

Ao suprir o inimigo com informações enganosas a respeito de

Se conheces os demais e conheces a ti mesmo, nem em cem batalhas correrás perigo.
**Sun Tzu**

Um líder lidera pelo exemplo, não pela força.
**Sun Tzu**

**A grande muralha** da China, que começou a ser erguida no século VII a.C., tinha a função de cercar os novos territórios conquistados. Para Sun Tzu, tais medidas defensivas eram tão importantes quanto as forças ofensivas.

suas defesas, por exemplo, prevenia-se a ocorrência de guerras. Ele também advertia contra o que considerava a tolice de destruir um inimigo na batalha, já que isso diminuía a recompensa que poderia ser ganha com a vitória — tanto a boa vontade de qualquer soldado derrotado quanto as riquezas de qualquer território conquistado.

Subjacente ao conselho prático da *Arte da guerra,* está um alicerce cultural tradicional baseado em valores morais de justiça, adequação e moderação. Ele reza que as táticas militares, a política internacional e a guerra existem para sustentar esses valores e devem ser conduzidas em conformidade com eles. O Estado exerce sua capacidade militar para punir aqueles que lhe causam dano ou o ameaçam de fora, assim como usa a lei para punir os criminosos locais. Quando feito de modo justificável pela moral, o Estado é recompensado com um povo feliz e com a aquisição de território e riqueza. *A arte da guerra* tornou-se um texto influente entre os governantes, generais e ministros de vários Estados na luta por um Império Chinês unificado. Foi, mais tarde, uma importante influência na tática de revolucionários como Mao Tsé-tung e Ho Chi Minh. Tornou-se leitura obrigatória em várias academias militares e aparece bastante na bibliografia de cursos como política, negócios e economia. ■

## Sun Tzu

Geralmente aceito como o autor do lendário tratado *A arte da guerra*, Sun Wu (mais tarde conhecido como Sun Tzu, "o Mestre Sol") pode ter nascido nos estados de Qi ou Wu, na China, por volta de 544 a.C. Nada se sabe sobre sua vida quando jovem, mas ele alcançou a fama como general servindo em Wu, em diversas campanhas vitoriosas contra o vizinho estado de Chu.

Tornou-se um conselheiro indispensável (equivalente a um consultor militar nos dias de hoje) para o rei Helu de Wu em assuntos de estratégia militar, escrevendo seu famoso tratado a ser usado como manual pelo governante. Um livro pequeno, composto por treze capítulos curtos, foi bastante lido, depois de sua morte em 496 a.C., tanto por líderes estatais lutando pelo controle do Império Chinês quanto por pensadores militares no Japão e na Coreia. Foi traduzido pela primeira vez para um língua europeia, o francês, em 1782 e talvez tenha influenciado Napoleão.

### Principal obra

**Século VI a.C.** *A arte da guerra*

# OS PLANOS PARA O PAÍS SÓ SÃO COMPARTILHADOS COM OS INSTRUÍDOS

## MOZI (c. 470–c. 391 a.C.)

### EM CONTEXTO

IDEOLOGIA
**Moísmo**

FOCO
**Meritocracia**

ANTES
**Século VI a.C.** O filósofo chinês Laozi defende o taoísmo — agir de acordo com o caminho (tao).

**Século V a.C.** Confúcio propõe um sistema de governo baseado nos valores tradicionais mantidos por uma classe de eruditos.

DEPOIS
**Século IV a.C.** As ideias autoritárias de Shang Yang e Han Fei Tzu são adotadas no estado de Qin como a doutrina do legalismo.

**372-289 a.C.** O filósofo Mêncio defende o resgate do confucionismo.

**Século XX** As ideias de Mozi influenciam tanto a república de Sun Yat-Sen quanto a comunista República Popular da China.

Ao final da "era de ouro" da filosofia chinesa que resultou nas Cem Escolas de Pensamento entre os séculos VIII e III a.C., pensadores começaram a aplicar suas ideias de filosofia moral às práticas comuns da organização social e política. O mais destacado deles foi Confúcio, que propôs uma hierarquia baseada nas relações da família tradicional, reforçadas por cerimônias e rituais. Dentro dessa hierarquia, no entanto, ele reconheceu a importância de uma classe administrativa para

Apenas **pessoas virtuosas** devem assumir posições de autoridade.

Apenas **pessoas capazes** devem assumir posições de autoridade.

Virtude e habilidade não vêm, necessariamente, do cumprimento da **tradição** ou por ser parte de uma **família nobre**.

Virtude e habilidade podem ser **aprendidas por meio do estudo**.

**Os planos para o país só são compartilhados com os instruídos.**

**Veja também:** Confúcio 20–7 ▪ Platão 34–9 ▪ Han Fei Tzu 48 ▪ Sun Yat-Sen 212–3 ▪ Mao Tsé-tung 260–5

**Para Mozi, os trabalhadores habilidosos**, como os carpinteiros, podiam — com treino e aptidão — tornar-se administradores do governo.

ajudar e aconselhar o governante, uma ideia que foi desenvolvida, mais tarde, por Mozi.

Tanto Confúcio quanto Mozi acreditavam que o bem-estar do Estado se baseava na competência e na confiança da classe burocrática, mas eles divergiam quanto ao método pelo qual os administradores deveriam ser escolhidos. Para Mozi, Confúcio se apegou muito às convenções das famílias nobres, as quais não produzem, necessariamente, a virtude e a habilidade essenciais para uma burocrata de sucesso. Mozi achava que as qualidades e as habilidades para os altos escalões resultavam da aptidão e dos estudos, não importando o passado da pessoa.

### Um código unificador

"Elevar os aptos", a maneira como Mozi descrevia a ideia meritocrática, é o alicerce do pensamento político moísta, mas também estava ligado a outros aspectos da filosofia moral de Mozi. Ele acreditava na bondade inerente das pessoas e achava que elas deveriam viver numa atmosfera de "amor universal". Ao mesmo tempo, reconhecia a tendência humana de agir em interesse próprio. Acreditava que isso acontecia com frequência em situações de conflito, as quais surgiam não da falta de moralidade, mas das diferentes ideias do que seria uma moralidade correta. Era, portanto, tarefa dos líderes políticos unir o povo com um código moral coerente que fosse mantido por um sistema de governo forte e ético. Esse código seria baseado no que fosse necessário para o bem maior da sociedade, e formulá-lo exigia conhecimento e sabedoria que eram disponíveis apenas aos instruídos.

A preferência de Mozi por uma classe ministerial escolhida baseada no mérito e na habilidade advinha de sua própria experiência de ter ascendido, a partir de um começo humilde, aos altos escalões, por meio de seu trabalho. Ele via o potencial para o nepotismo e o fisiologismo sempre que a nobreza escolhia os ministros. Também acreditava que o governo precisava ser conduzido de tal modo que cultivasse a prosperidade do Estado para o bem-estar do povo em geral. Apesar de Mozi ter atraído um grande número de seguidores, era considerado um idealista, e o moísmo não foi adotado pelos governantes chineses de seu tempo. Porém, aspectos de seu pensamento político foram incorporados em sistemas políticos posteriores. Por exemplo, sua ênfase na aplicação de um código moral unificado teve uma influência significativa nos regimes legalistas autoritários que surgiram no século IV a.C. No século XX, as noções de Mozi sobre igualdade de oportunidade foram redescobertas pelos líderes chineses Sun Yat-Sen e Mao Tsé-tung. ■

A exaltação do virtuoso é a base do governo.
**Mozi**

## Mozi

Acredita-se que ele tenha nascido perto da época da morte de Confúcio, em Tengzhou, Província de Shandong, na China, numa família de artesãos, ou até mesmo escravos. Chamado de Mo Di, era um marceneiro na corte das famílias nobres, ascendendo por meio do serviço civil até estabelecer uma escola para os governantes e conselheiros. Suas visões filosóficas e políticas lhe garantiram seguidores e o título de Mozi ("Mestre Mo"). Os moístas, como eram conhecidos os seus seguidores, viviam de acordo com os princípios de simplicidade e pacifismo, durante o período dos Reinos Combatentes, até que a dinastia Qin estabeleceu o seu regime legalista. Depois de sua morte, seus ensinamentos foram agrupados no *Mozi*. Sua doutrina desapareceu depois da unificação da China em 221 a.C., mas foi redescoberta no começo do século XX.

### Principais obras

**Século V a.C.** *Mozi*

**ATÉ QUE OS FILÓSOFOS SEJAM REIS, AS CIDADES JAMAIS ESTARÃO A SALVO DOS SEUS MALES**

**PLATÃO 427-347 A.C.**

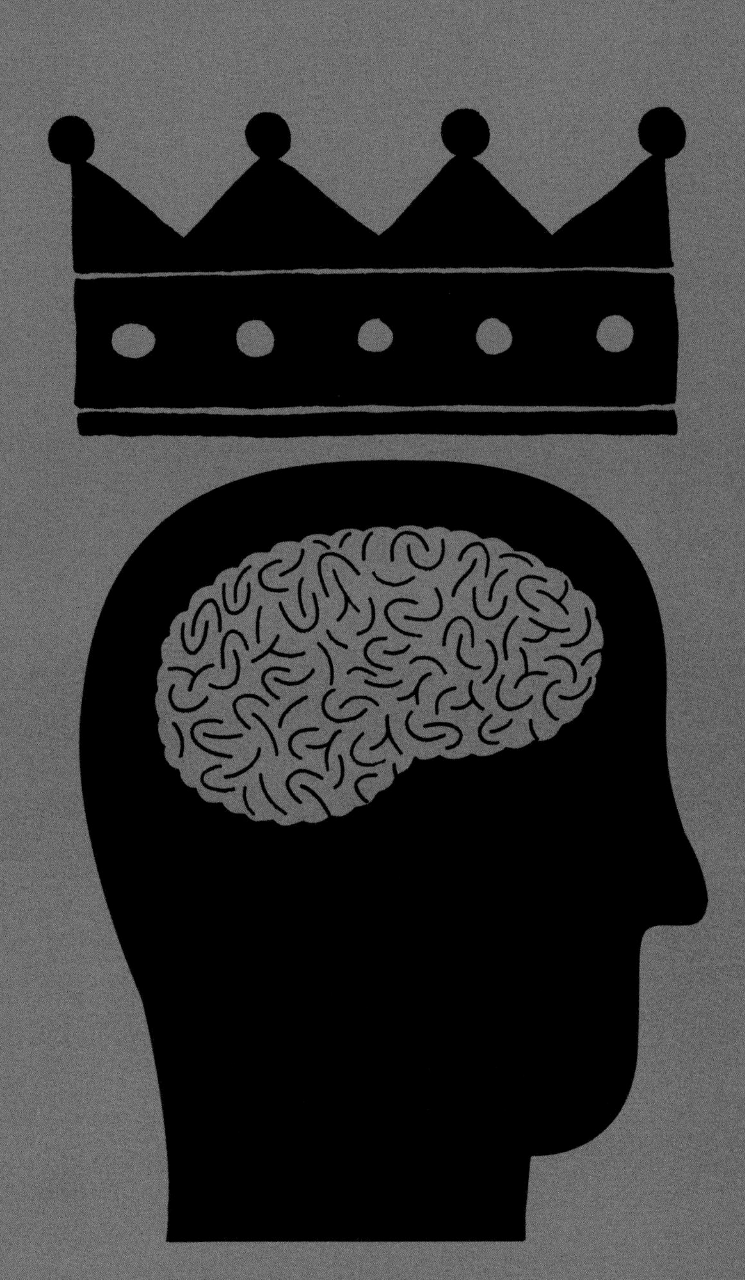

## EM CONTEXTO

IDEOLOGIA
**Racionalismo**

FOCO
**Reis-filósofos**

ANTES
**594 a.C.** O legislador ateniense Sólon estabelece leis que servem de alicerce para a democracia grega.

**c. 450 a.C.** O filósofo grego Protágoras diz que a justiça política é uma imposição de ideias humanas, não um reflexo da justiça natural.

DEPOIS
**335-323 a.C.** Aristóteles sugere que a politeia (governo constitucional) é a mais prática dentre as melhores formas de administrar o Estado.

**54-51 a.C.** Cícero escreve *Da república,* defendendo uma forma mais democrática de governo que a sugerida por *A república* de Platão.

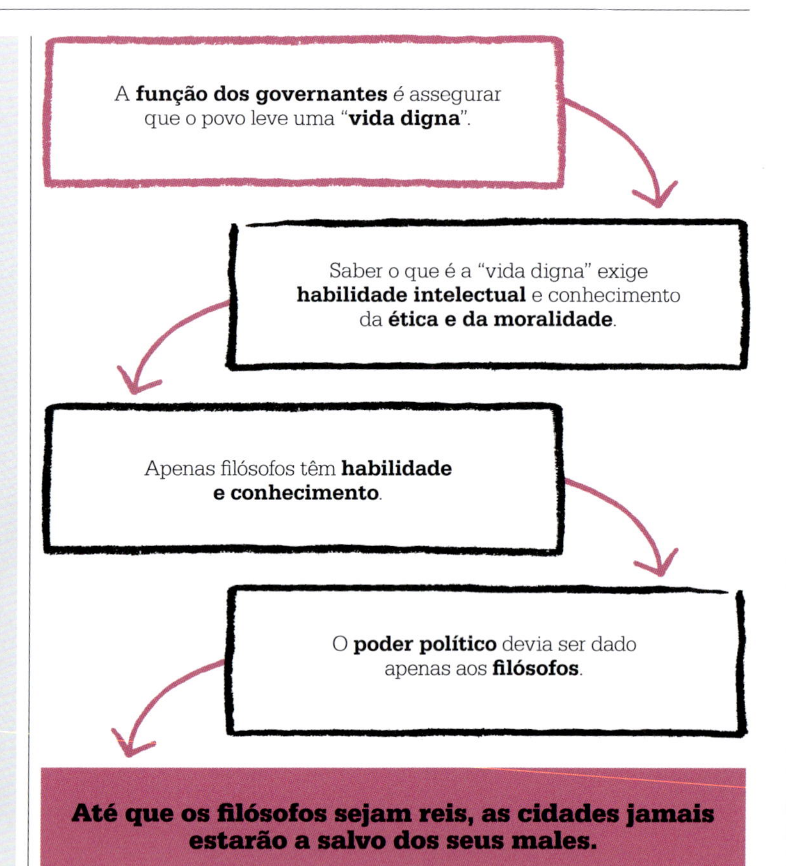

A função dos governantes é assegurar que o povo leve uma "vida digna".
Saber o que é a "vida digna" exige habilidade intelectual e conhecimento da ética e da moralidade.
Apenas filósofos têm habilidade e conhecimento.
O poder político devia ser dado apenas aos filósofos.
Até que os filósofos sejam reis, as cidades jamais estarão a salvo dos seus males.


Ao final do século VI a.C., iniciou-se a "era de ouro" na Grécia, a qual duraria duzentos anos. Agora chamada de período clássico, foi o florescer da literatura, arquitetura, ciência e, acima de tudo, da filosofia, todas elas de enorme influência no desenvolvimento da civilização ocidental.

No começo do período clássico, o povo da cidade-estado de Atenas derrubou seu líder tirânico e instituiu uma forma de democracia. Sob esse sistema, os políticos eram escolhidos por um sorteio entre os cidadãos, e as decisões eram tomadas por uma assembleia democrática. Todos os cidadãos poderiam falar e votar na assembleia — eles não elegiam representantes para que assim agissem em seu lugar. Deve-se notar, no entanto, que os "cidadãos" eram uma minoria entre a população: homens livres acima de trinta anos cujos pais eram atenienses. Mulheres, escravos, crianças, jovens e estrangeiros, ou a primeira geração de imigrantes, estavam excluídos do processo democrático.

Esse ambiente político rapidamente transformou Atenas num grande centro cultural, atraindo alguns dos maiores pensadores daquela época. Dentre eles, o maior foi um ateniense chamado Sócrates, cujo questionamento das noções aceitas de justiça e virtude lhe valeu jovens discípulos. Infelizmente, isso também atraiu a atenção indesejada das autoridades que persuadiram a assembleia democrática a sentenciar Sócrates à morte pelo crime de corromper os jovens. Um de seus jovens seguidores foi Platão, que compartilhava a natureza questionadora de seu mestre, bem como sua atitude cética. Platão

**Veja também:** Confúcio 20–7 ▪ Mozi 32–3 ▪ Aristóteles 40–3 ▪ Kautilya 44–7 ▪ Cícero 49 ▪ Agostinho de Hipona 54–5 ▪ Al-Farabi 58–9

A democracia vira despotismo.

**Platão**

desiludiu-se com o sistema ateniense depois de presenciar o tratamento injusto com o seu mestre.

Platão tornou-se um filósofo tão influente quanto Sócrates e, ao final de sua carreira, voltou seu enorme intelecto para a política, sendo *A república* o fruto mais famoso. Como era de se esperar, dado que Platão viu Sócrates ser condenado, e sendo ele mesmo membro de uma família nobre, o filósofo tinha pouca simpatia pela democracia. Mas tampouco achava algo sugestivo em qualquer outra forma de governo existente, acreditando que todas elas levavam o Estado a diversos "males".

## A vida digna

Para entender o que Platão queria dizer com "males" nesse contexto é importante ter em mente o conceito de *eudaimonia*, a "vida digna", que era uma meta vital para os antigos gregos. "Viver bem" não era uma questão de alcançar o bem-estar material, honra ou o mero prazer, mas viver de acordo com virtudes fundamentais, tais como sabedoria, piedade e, acima de tudo, justiça. O propósito do Estado, acreditava Platão, era promover essas virtudes de modo que seus cidadãos pudessem levar essa vida digna. Questões como a defesa da propriedade, liberdade e estabilidade só eram importantes ao criarem as condições que permitiam aos cidadãos viverem bem. Na opinião dele, no entanto, não havia existido nenhum sistema que cumprisse esse objetivo — e os defeitos neles encorajavam o que concebia como "males", ou seja, o oposto dessas virtudes.

A razão disso, dizia Platão, é que os governantes, quer numa monarquia ou oligarquia (o governo de poucos), quer numa democracia, tendiam a agir segundo seus próprios interesses, em vez de pensar no bem do Estado e do povo. Para Platão, isso se dava por causa da ignorância geral das virtudes que constituem a vida digna, as quais, por sua vez, induziam o povo a querer as coisas erradas, em especial os prazeres transitórios da honra e da riqueza. Esses prêmios vêm com o poder político, e o problema é mais forte nessa esfera. O desejo de governar, para aquilo que Platão via como as razões erradas, leva ao conflito entre os cidadãos. Com todos buscando um poder maior, minam-se a estabilidade e a unidade do Estado. Quem for vitorioso na disputa pelo poder priva os seus oponentes da possibilidade de alcançar os seus desejos, o que leva à injustiça — um mal que é contrário ao alicerce da noção platônica de vida digna.

Em contraste, argumentava Platão, existe uma classe de pessoas que entende o significado da vida digna: os filósofos. Só eles reconhecem o valor das virtudes sobre o prazer da honra e do dinheiro e devotaram suas vidas à busca desse objetivo. Por essa causa, eles não anseiam a fama e a fortuna, não tendo, assim, o desejo pelo poder político — de modo paradoxal, isso é o que os qualificava como governantes ideais. Grosso modo, o argumento de Platão parecia ser simplesmente que os "filósofos entendiam mais" e (vindo de um filósofo) parecia »

**Sócrates escolhe** tomar veneno em vez de renunciar às suas opiniões. O julgamento e a condenação de Sócrates motivaram Platão a duvidar das virtudes do sistema político democrático de Atenas.

contradizer sua premissa de que eles não tinham nenhum desejo de governar. Porém, por trás desse argumento, ele apresentava um raciocínio mais rico e mais sutil.

## Formas ideais

Com Sócrates, Platão aprendeu que a virtude não é algo inato, mas depende do conhecimento e da sabedoria, e, para viver de maneira virtuosa, é necessário primeiro entender a natureza essencial da virtude. Platão desenvolveu as ideias de seu mentor, mostrando que, enquanto reconhecemos exemplos individuais de qualidades como justiça, bondade ou beleza, não nos permitimos entender o que dá a elas sua natureza essencial. Podemos imitá-las — agindo da maneira que achamos justa, por exemplo —, mas isso seria mera mímica e não um comportamento verdadeiramente de acordo com essas virtudes.

Na sua Teoria das Formas, Platão sugeriu a existência de arquétipos ideais dessas virtudes (e de tudo o que existe), que consistiam na essência de sua verdadeira natureza. Isso quer dizer que o que vemos como modelos de virtudes seriam apenas exemplos dessas Formas e só mostrariam uma parte de sua natureza. Seriam como reflexos inadequados ou sombras das Formas reais.

As Formas ideais ou Ideias, como Platão as chamava, existiriam numa esfera fora do mundo onde vivemos, acessíveis apenas por meio do raciocínio filosófico e de indagações. Isso é o que os filósofos especialmente qualificados fariam para definir o que constitui a vida digna e leva a uma vida verdadeiramente virtuosa, em vez de uma simples imitação de exemplos individuais de virtude. Platão já havia demonstrado que, para ser bom, o Estado precisaria ser governado pelos virtuosos, e, enquanto outros valorizavam o dinheiro ou a honra acima de tudo, só os filósofos valorizavam o conhecimento e a sabedoria, portanto a virtude. Isso mostra que só os interesses dos filósofos beneficiariam o Estado e, portanto, "os filósofos deveriam se tornar reis". Platão foi além, a ponto de sugerir que eles deveriam ser compelidos a assumir posições de poder de modo a evitar o conflito e a injustiça inerentes às outras formas de governo.

## Educando reis

Platão reconheceu que essa era uma situação utópica e prosseguiu dizendo "... ou aqueles agora chamados reis devem genuína e adequadamente filosofar", sugerindo a educação de uma potencial classe governante como uma proposta mais prática. Em seus diálogos posteriores, *Político* e *As leis,* descreveu um modelo para um Estado no qual isso poderia ser alcançado, ensinando as habilidades filosóficas necessárias para se entender a vida digna, assim como outras úteis para a sociedade. No entanto, ele chamou a atenção para o fato de que nem todo cidadão teria a aptidão e a habilidade intelectual para aprender

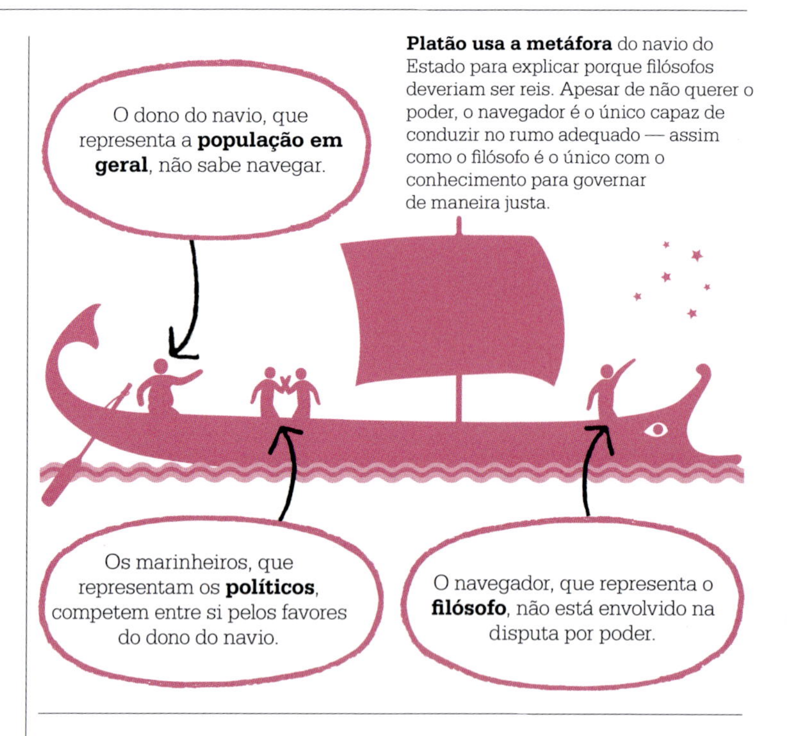

O dono do navio, que representa a **população em geral**, não sabe navegar.
Os marinheiros, que representam os **políticos**, competem entre si pelos favores do dono do navio.
O navegador, que representa o **filósofo**, não está envolvido na disputa por poder.

**Platão usa a metáfora** do navio do Estado para explicar porque filósofos deveriam ser reis. Apesar de não querer o poder, o navegador é o único capaz de conduzir no rumo adequado — assim como o filósofo é o único com o conhecimento para governar de maneira justa.

E o maior castigo consiste em ser governado por alguém ainda pior do que nós, quando não queremos ser nós a governar.
**Platão**

Democracia... é cheia de variedade e desordem, dando igualdade para os iguais e para os desiguais da mesma forma.
**Platão**

essas habilidades. Ele sugeriu que, no caso em que essa educação seria apropriada — para uma pequena elite, intelectual —, ela deveria ser imposta em vez de oferecida. Aqueles escolhidos para o poder devido aos seus "talentos naturais" deveriam ser separados de suas famílias e agrupados em comunas, garantindo sua lealdade ao Estado.

Os escritos políticos de Platão foram influentes no mundo antigo, em especial no Império Romano, e ecoavam as noções de virtude e educação da filosofia política de eruditos chineses como Confúcio e Mozi. É possível que eles até tenham influenciado Kautilya na Índia quando ele escreveu seu tratado sobre o treinamento de potenciais governantes. Nos tempos medievais, a influência de Platão se espalhou para o Império Islâmico e para a Europa cristã, onde Agostinho os incorporou aos ensinamentos da Igreja. Mais tarde, as ideias de Platão foram ofuscadas pelas de Aristóteles, cuja defesa da democracia se assemelhava mais à dos filósofos políticos do Renascimento.

As noções políticas de Platão têm sido vistas por pensadores posteriores como inaceitavelmente autoritárias e elitistas e desaprovadas por muitos no mundo moderno, mesmo que essas noções lutassem por estabelecer a democracia. Ele tem sido criticado como alguém que professou um sistema de governo totalitário, ou pelo menos paternalista, governado por uma elite que alega saber o que é melhor para todos os outros. Mais recentemente, no entanto, sua noção central de uma elite política de "reis-filósofos" tem sido reavaliada por pensadores políticos. ■

Diz-se que o **imperador Nero** não fez nada para ajudar durante o incêndio de Roma. O ideal platônico do rei-filósofo tem sido culpado por alguns pelo surgimento de tiranos assim.

## Platão

Nascido por volta de 427 a.C., Platão era originalmente conhecido como Aristócles, mais tarde assumindo o apelido de Platão (cujo significado é "grande") por causa de sua aparência musculosa. Vindo de uma nobre família ateniense, esperava-se que seguisse a carreira política, mas, em vez disso, tornou-se discípulo do filósofo Sócrates e estava presente quando seu mentor preferiu morrer a renunciar a seus pontos de vista.

Platão viajou bastante pelo Mediterrâneo antes de voltar a Atenas, onde estabeleceu uma escola de filosofia, a Academia, dentre cujos alunos estava Aristóteles. Enquanto ensinava, escreveu vários livros na forma de diálogos, geralmente protagonizados por seu mestre Sócrates, explorando ideias sobre filosofia e política. Acredita-se que tenha seguido ensinando e escrevendo até sua velhice e que tenha morrido com cerca de oitenta anos em 348/347 a.C.

### Principais obras

**c. 399-387 a.C.** *Críton*
**c. 380-360 a.C.** *A república*
**c. 355-347 a.C.** *Político, As leis*

# O HOMEM É POR NATUREZA UM ANIMAL POLÍTICO

## ARISTÓTELES (384-322 A.C.)

**EM CONTEXTO**

IDEOLOGIA
**Democracia**

FOCO
**Virtude política**

ANTES
**431 A.C.** Péricles, estadista ateniense, diz que a democracia garante justiça igualitária para todos.

**c. 380-360 A.C.** Em *A república* Platão defende o governo por "reis-filósofos", os quais possuem sabedoria.

DEPOIS
**Século XIII** Tomás de Aquino incorpora as ideias de Aristóteles à doutrina cristã.

**c. 1300** Egídio Romano enfatiza a importância do estado de direito para a vida numa sociedade civil.

**1651** Thomas Hobbes propõe um contrato social para evitar que o homem viva num "bruto" estado natural.

A Grécia antiga não era uma nação-estado unificada como a conhecemos hoje, mas um agrupamento de estados regionais independentes, com cidades no seu centro. Cada cidade-estado, ou *polis*, tinha sua própria organização constitucional: algumas, como a Macedônia, eram governadas por um monarca, enquanto outras, com destaque para Atenas, tinham uma forma de democracia na qual pelo menos alguns cidadãos podiam participar de seu governo.

Aristóteles, que cresceu na Macedônia e estudou em Atenas, conhecia bem o conceito da *polis* e suas várias interpretações, e sua capacidade ou habilidade analítica o

**Veja também:** Platão 34–9 ▪ Cícero 49 ▪ Tomás de Aquino 62–9 ▪ Egídio Romano 70 ▪ Thomas Hobbes 96–103 ▪ Jean-Jacques Rousseau 118–25

qualificou para examinar os méritos da cidade-estado. Ele também passou um tempo em Iônia classificando animais e plantas de acordo com suas características. Tempos depois, aplicou essas habilidades de categorização à ética e à política, as quais ele considerava ciências tanto naturais quanto práticas. Diferentemente de seu mentor Platão, Aristóteles acreditava que o conhecimento era adquirido por meio da observação em vez do raciocínio intelectual, e que a ciência política deveria ser baseada em dados empíricos, organizados de maneira parecida à taxonomia do mundo natural.

Pessoas **se unem** para formar famílias, famílias para formar vilas, e vilas para formar cidades.
O **propósito** de nossa existência é levar uma "**vida digna**".
Desenvolvemos formas de **organizar** cidades-estado para viver uma "vida digna".
**Viver em uma sociedade** organizada pela **razão**, como uma cidade-estado, é o que nos faz **humanos**.
Qualquer um que **viva fora** da cidade-estado é um **animal selvagem** ou um **deus**.
**O homem é por natureza um animal político.**

## Naturalmente social

Aristóteles observou que os humanos tinham uma tendência natural a formar unidades sociais: os indivíduos se juntam para formar famílias, famílias formam vilas, e vilas formam cidades. Assim como alguns animais — como as abelhas e o gado — se distinguem por sua disposição para viver em colônias ou bandos, os humanos são, »

## Aristóteles

Filho do médico de uma família real da Macedônia, Aristóteles nasceu em Estagira, na Calcídica, no nordeste da Grécia atual. Foi mandado para Atenas aos dezessete anos para estudar com Platão na Academia, lá permanecendo até a morte do mestre, vinte anos mais tarde. Surpreendentemente, Aristóteles não foi designado o sucessor de Platão para liderar a Academia. Mudou-se para a Iônia, onde estudou a vida selvagem até ser convidado por Filipe da Macedônia para ser o tutor do jovem Alexandre, o Grande. Aristóteles voltou a Atenas em 335 a.C. para estabelecer uma escola rival à Academia, o Liceu. Ao lecionar lá, formalizou suas ideias sobre as ciências, a filosofia e a política, compilando um enorme volume de escritos, dos quais poucos sobreviveram. Depois da morte de Alexandre em 323 a.C., o sentimento antimacedônico em Atenas o forçou a deixar a cidade e ir para Eubeia, onde morreu no ano seguinte.

### Principais obras

**c. 350 a.C.**
*Ética a Nicômaco*
*Política Retórica*

por natureza, sociais. Assim como ele poderia definir um lobo ao dizer que por natureza é um animal de grupo, Aristóteles diz que "o homem é por natureza um animal político". Com isso, simplesmente quer dizer que o homem é um animal cuja natureza é a de viver em sociedade numa *polis*. O que está implícito é que não há uma tendência natural para a atividade política no sentido moderno da palavra.

A ideia de que temos uma tendência para viver em grandes comunidades civis pode não parecer muito esclarecedora hoje em dia, mas é importante reconhecer que Aristóteles estava dizendo que a *polis* é tanto uma criação da natureza quanto um formigueiro. Para ele, era inconcebível que os humanos pudessem viver de qualquer outro modo. Isso contrasta com as ideias da sociedade civil como uma construção artificial, tendo sido arrancada de um "estado de natureza" não civilizado — algo que Aristóteles não teria compreendido. Qualquer um vivendo fora de uma *polis*, acreditava, não era humano — podendo ser tanto superior aos homens (ou seja, um deus) como inferior a eles (um animal selvagem).

## A vida digna

Essa ideia da *polis* como um fenômeno natural, e não algo feito pelo homem, sustentou as ideias de Aristóteles sobre a ética e a política da cidade-estado. A partir de seu estudo do mundo natural, ele aprendeu que tudo que existe tem uma meta, ou um propósito, e decidiu que, para o homem, isso seria levar uma "vida digna". Para Aristóteles, significa a busca por virtudes tais como justiça, bondade e beleza. O propósito da *polis*, então, seria nos capacitar a viver de acordo com essas virtudes. Os gregos antigos viam a estrutura do Estado — que capacita as pessoas a viverem juntas e protege a propriedade e a liberdade de seus cidadãos — como meios cujos fins eram a virtude.

Aristóteles identificou várias "espécies" e "subespécies" no interior da *polis*. Ele descobriu que o que distingue o homem dos outros animais são suas capacidades inatas da razão e a capacidade da fala, as quais lhe garantem uma habilidade única de formar grupos sociais e estabelecer comunidades e parcerias. Dentro da *polis*, os cidadãos desenvolviam uma organização que garantia a segurança, a estabilidade econômica e a justiça do Estado, não por impor nenhuma forma de contrato social, mas por ser de sua natureza fazer isso. Para Aristóteles, as diferentes formas de organizar a vida da *polis* existiam não só para que as pessoas pudessem viver juntas (já que isso ocorria pela sua própria natureza), mas para que pudessem viver bem. O tamanho do seu sucesso em atingir essa meta, observou, dependia do tipo de governo que elas escolheriam.

A lei é ordem, e uma boa lei é uma boa ordem.
**Aristóteles**

## Espécies de governo

Por ter sido um classificador inveterado de dados, Aristóteles desenvolveu uma taxonomia completa para o mundo natural e, em seus livros posteriores, especialmente na *Política*, fez o mesmo ao aplicar as mesmas habilidades metodológicas aos sistemas de governo. Enquanto Platão pensava teoricamente sobre a forma ideal de governo, Aristóteles escolheu examinar os regimes existentes para analisar suas forças e fraquezas. Para tal, levantou duas simples questões: quem governa e a favor de quem se governa?

Como resposta para a primeira pergunta, Aristóteles observou que existem basicamente três tipos de governo: por uma única pessoa, por um grupo seleto ou por muitos. Como resposta para a segunda pergunta, o governante poderia agir em favor da população como um todo, o que ele considerava um verdadeiro ou bom governo, ou em interesse próprio do governante ou da classe dominante, o que seria uma forma defeituosa. Ao

**Na Atenas antiga**, os cidadãos debatiam política numa plataforma de pedra chama Pnyx. Para Aristóteles, a participação dos cidadãos no governo era essencial para uma sociedade saudável.

todo, ele identificou seis "espécies" de governo, em pares. A monarquia é o governo por um indivíduo a favor de todos. O modelo por um indivíduo em seu próprio interesse, ou tirania, é uma monarquia corrompida. O praticado por uma aristocracia (que para os gregos significava o feito pelos melhores, em vez de um governo hereditário por famílias nobres) é o governo por alguns em favor de todos. O governo por alguns em interesse próprio, ou oligarquia, é a sua forma corrompida. Por fim, a politeia é o governo por muitos em favor de todos. Aristóteles via a democracia como uma forma corrompida desta última modalidade, já que na prática ela prevê o governo em favor de muitos, em vez de em favor de cada indivíduo separadamente.

Aristóteles argumentou que o interesse próprio inerente às formas de governo falhas levava à desigualdade e à injustiça. Disso decorre a instabilidade que ameaça o papel do Estado e sua habilidade de encorajar uma vida virtuosa. Na prática, no entanto, as cidades-estado que ele estudou não se encaixavam perfeitamente em apenas uma categoria, mas exibiam características de vários tipos.

Apesar da tendência de Aristóteles de ver a *polis* como um "organismo" único, do qual os indivíduos são apenas uma parte, ele também examinou o papel do indivíduo na cidade-estado. Uma vez mais, ele enfatizou a inclinação natural do homem para a interação social e definiu o cidadão como alguém que compartilha a estrutura da comunidade social não apenas elegendo representantes, mas pela participação ativa. Quando tal participação ocorre dentro de uma forma de governo "boa" (monarquia, aristocracia ou politeia), ela amplia a possibilidade do cidadão ter uma vida virtuosa. Sob um regime "falho" (tirania, oligarquia ou democracia), os cidadãos se envolvem com uma busca, em interesse próprio, do governante ou da classe dominante — a busca do tirano pelo poder, a sede da oligarquia pela riqueza, ou a busca dos democratas pela liberdade. De todos os possíveis regimes, Aristóteles concluiu, a politeia provê a melhor oportunidade para levar a vida digna. Apesar de Aristóteles categorizar a democracia como uma forma de regime "falha", ele argumentou que ela só perdia para a politeia, sendo melhor que a "boa" aristocracia ou monarquia. Enquanto o cidadão individual talvez não tenha a sabedoria e a virtude de um bom governante, coletivamente "os muitos" talvez provem ser melhores governantes que "o único".

A descrição detalhada e a análise da *polis* grega clássica parecem, à primeira vista, ter pouca relevância aos estados-nação que se seguiram, mas as ideias de Aristóteles tiveram uma influência crescente no pensamento político europeu por toda a Idade Média. Apesar de ser criticado pelo seu frequente ponto de vista autoritário (e da defesa da escravidão e do status inferior das mulheres), seus argumentos a favor de um governo constitucional antecipam as ideias que emergiram no Iluminismo. ■

## As seis espécies de governo definidas por Aristóteles

| | Governado por uma única pessoa | Governado por um grupo seleto | Governado por muitos |
|---|---|---|---|
| **Governo verdadeiro** | Monarquia | Aristocracia | Politeia |
| **Governo corrupto** | Tirania | Oligarquia | Democracia |

A base de um Estado democrático é a liberdade.
**Aristóteles**

# UMA RODA SOZINHA NÃO SE MOVE

## KAUTILYA c. 350-c. 275 a.C.

**EM CONTEXTO**

IDEOLOGIA
**Realismo**

FOCO
**Utilitarismo**

ANTES
**Século VI a.C.** O general chinês Sun Tzu escreve seu tratado *A arte da guerra*, oferecendo uma abordagem analítica do papel do Estado.

**424 a.C.** Mahapadma Nanda estabelece a dinastia Nanda apoiado nos conselhos táticos de seus conselheiros.

DEPOIS
**c. 65 a.C.** O Império Mauria, o qual Kautilya ajudou a fundar, chega ao seu auge e governa sobre todo o subcontinente indiano, exceto o extremo sul.

**1904** Textos de tratados de Kautilya são redescobertos e, em 1915, traduzidos para o inglês.

Durante os séculos V e IV a.C., a dinastia Nanda ganhou, aos poucos, controle sobre a parte norte do subcontinente indiano, derrotando seus inimigos um a um e protegendo-se da ameaça de invasão de gregos e persas vindo do Ocidente. Os governantes desse império em expansão contavam com seus generais para os conselhos táticos na batalha, mas também começaram a reconhecer o valor dos ministros como conselheiros nas questões políticas e governamentais. Eruditos, em especial os de Takshashila, uma universidade aberta c. 600 a.C. em Rawalpindi, hoje parte do Paquistão, com frequência se tornaram seus ministros. Muitos pensadores importantes desenvolveram

**Veja também:** Confúcio 20–7 ▪ Sun Tzu 28–31 ▪ Mozi 32–3 ▪ Platão 34–9 ▪ Aristóteles 40–3 ▪ Nicolau Maquiavel 74–81

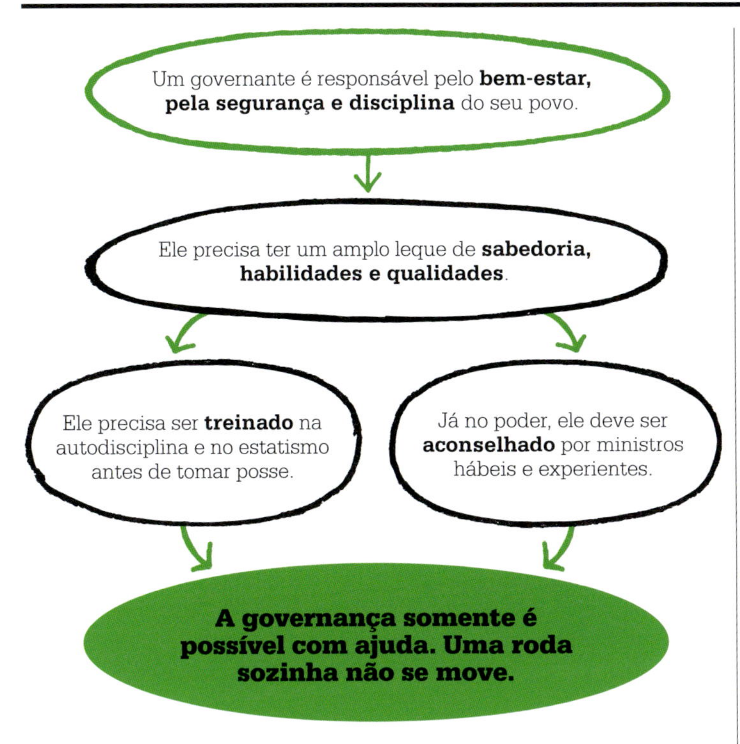


suas ideias em Takshashila, mas talvez o mais importante deles tenha sido Kautilya (também conhecido por Chanakya e Vishnugupta). Ele escreveu um tratado sobre o Estado chamado *Arthashastra*, que significa "a ciência do ganho material" ou "a arte de governar", o qual combinava a sabedoria acumulada da arte da política com suas ideias próprias e era notável por sua análise objetiva, às vezes até cruel, dos meandros da política.

Um governante é responsável pelo **bem-estar, pela segurança e disciplina** do seu povo.
Ele precisa ter um amplo leque de **sabedoria, habilidades e qualidades**.
Ele precisa ser **treinado** na autodisciplina e no estatismo antes de tomar posse.
Já no poder, ele deve ser **aconselhado** por ministros hábeis e experientes.
**A governança somente é possível com ajuda. Uma roda sozinha não se move.**

## Aconselhando o soberano

Apesar de partes do tratado lidarem com as qualidades morais desejáveis para um líder de Estado, a ênfase estava no prático, descrevendo em termos diretos como o poder poderia ser alcançado e mantido e, pela primeira vez na Índia, detalhando uma estrutura civil na qual ministros e conselheiros desempenhavam um papel-chave no governo do Estado.

O compromisso com a prosperidade do Estado é o cerne do pensamento político de Kautilya. Ele fez repetidas referências ao bem-estar do povo como sendo o objetivo do governo. Achava que essa era a responsabilidade de um soberano que garantiria o bem-estar e a segurança do seu povo ao administrar a ordem e a justiça e que levaria o seu país à vitória contra nações rivais. O poder de desempenhar seus deveres dependia de diversos fatores distintos, os quais Kautilya descreveu no *Arthashastra*: as qualidades pessoais do governante, as habilidades de seus conselheiros, os territórios e vilas, a riqueza, o exército e os aliados.

O soberano, como chefe de Estado, tem o papel central nesse sistema de governo. Kautilya enfatizou a importância de se encontrar um governante com as qualidades apropriadas, mas foi além ao dizer que as qualidades pessoais de liderança não seriam suficientes por si só: o soberano também precisaria ser treinado para o seu cargo. Deveria aprender as várias habilidades da arte de governar, tais como táticas e estratégia militares, leis, administração, diplomacia e política, além de desenvolver autodisciplina e ética para ter autoridade moral necessária a fim de garantir a lealdade e a obediência de seu povo. Antes de assumir o poder, o soberano precisaria da ajuda de mestres mais experientes e com maior conhecimento. »

**O capitel de leão de Ashoka** fica no topo de uma coluna em Sarnath, no centro do Império Mauria. Kautilya ajudou a fundar esse poderoso império que chegou a governar quase toda a Índia.

Tudo começa com um conselho.
**Kautilya**

Uma vez no poder, um soberano sábio não confiaria apenas na sua própria sabedoria, podendo buscar sugestões de ministros e conselheiros de confiança. No ponto de vista de Kautilya, tais indivíduos seriam tão importantes quanto o soberano no governo do Estado. No *Arthashastra*, Kautilya disse: "A governança somente é possível com ajuda — uma roda sozinha não se move". Essa era uma advertência para que o soberano não fosse autocrático, mas que tomasse suas decisões depois de consultar seus ministros.

A nomeação de ministros com as qualificações necessárias seria, portanto, tão importante quanto a escolha popular do líder. Os ministros poderiam proporcionar um amplo leque de conhecimento e habilidades. Eles deveriam ser totalmente confiáveis, não apenas para que o soberano pudesse se basear em seus conselhos, mas também para garantir que as decisões valorizassem o interesse do Estado e do seu povo — se necessário, impedindo um governante corrupto de agir em seu favor.

## O fim justifica os meios

O que distinguia Kautilya dos outros filósofos políticos indianos do seu tempo era esse reconhecimento da natureza humana. O *Arthashastra* não é uma obra de filosofia moral, mas um guia prático para a governança e, ao garantir o bem-estar e a segurança do estado, defendia com frequência o uso de quaisquer meios necessários. Apesar de o *Arthashastra* defender um regime de aprendizado e autodisciplina como ideal para o governante e mencionar certas qualidades morais, ele não se esquiva de descrever o uso de métodos dissimulados para ganhar e manter o poder. Kautilya era um astuto observador das fraquezas humanas, bem como de suas forças, e não estava acima de explorá-las para aumentar o seu poder de soberano e minar o poder dos inimigos.

Isso fica claro em seu conselho quanto a defender e conquistar territórios. Nesse ponto, ele recomendou que o governante e seus ministros avaliassem cuidadosamente a força de seus inimigos antes de escolher uma estratégia para derrotá-los. Assim, eles poderiam escolher dentre diversas táticas, desde a conciliação, o encorajamento do conflito dentro das fileiras inimigas, até a formação de alianças de conveniência com outros governantes, passando pelo simples uso da força militar. Ao usar tais táticas, o governante deveria ser implacável, usando trapaça, suborno ou qualquer outro elemento que julgasse necessário. Apesar de isso parecer contraditório com a autoridade moral de um líder defendida por Kautilya, ele estipulou que, após a conquista da vitória, o governante deveria "substituir suas virtudes pelos vícios dos inimigos derrotados, e onde o inimigo for bom, ele deveria ser duas vezes melhor".

## Inteligência e espionagem

O *Arthashastra* lembrou os governantes que também era necessário o conselho militar e que a coleta de informações era importante no processo de decisão. Uma rede de espiões seria vital na avaliação da ameaça posta pelos estados vizinhos ou para julgar a possibilidade de se adquirir mais territórios. Kautilya foi além, sugerindo que a espionagem

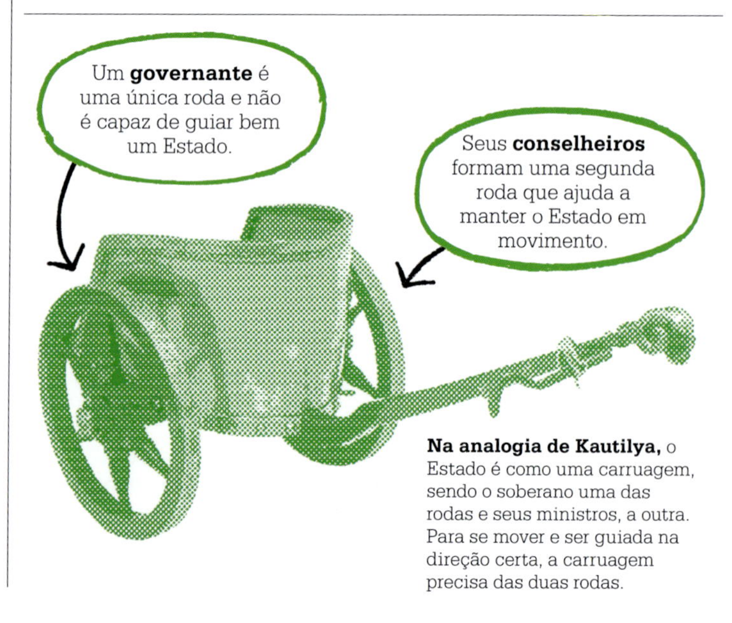

Um **governante** é uma única roda e não é capaz de guiar bem um Estado.
Seus **conselheiros** formam uma segunda roda que ajuda a manter o Estado em movimento.


**Na analogia de Kautilya,** o Estado é como uma carruagem, sendo o soberano uma das rodas e seus ministros, a outra. Para se mover e ser guiada na direção certa, a carruagem precisa das duas rodas.

Através dos olhos dos ministros, as fraquezas de outros são vistas.
**Kautilya**

dentro do Estado também seria um mal necessário para garantir a estabilidade social. Nas questões domésticas, assim como nas relações internacionais, a moralidade teria importância secundária em relação à proteção do Estado. O bem-estar do Estado seria usado para justificar operações clandestinas, incluindo assassinatos políticos, quando necessários, visando reduzir a ameaça da oposição.

Essa visão amoral quanto à tomada e à manutenção do poder e a defesa de uma continuação estrita da lei e da ordem podem ser vistas tanto como uma sagaz percepção política quanto como algo implacável, a ponto de se poder comparar o *Arthashastra* com *O príncipe* de Maquiavel, escrito quase 2 mil anos depois. Mas a doutrina central, do governo por um soberano e seus ministros, tem mais em comum com Confúcio e Mozi, ou Platão e Aristóteles, com cujas ideias Kautilya provavelmente entrou em contato quando estudante em Taskshashila.

## Uma filosofia comprovada

O conselho presente nas páginas do *Arthashastra* rapidamente provou sua utilidade quando foi adotado pelo pupilo de Kautilya, Chandragupta Mauria, o qual derrotou com sucesso o rei Nanda, para estabelecer o Império Mauria por volta de 321 a.C. Esse se tornou o primeiro império a cobrir a maior parte do subcontinente indiano, e Mauria também conseguiu, com sucesso, deter a ameaça dos invasores gregos liderados por Alexandre, o Grande. As ideias de Kautilya influenciariam os governantes por vários séculos, até que a Índia, por fim, sucumbiu ao domínio islâmico e mogol na Idade Média.

O texto do *Arthashastra* foi redescoberto no começo do século XX e reconquistou parte de sua importância no pensamento político indiano, ganhando status emblemático depois que a Índia se tornou independente da Grã-Bretanha em 1948. A despeito de seu lugar central na história política indiana, ele era pouco conhecido no Ocidente, e só recentemente Kautilya foi reconhecido, fora da Índia, como um pensador político relevante. ■

**Os elefantes** tinham um importante papel nas batalhas indianas, aterrorizando de tal modo os inimigos, que eles recuavam em vez de lutar. Kautilya desenvolveu novas estratégias de guerra com elefantes.

## Kautilya

Seu local de nascimento é incerto. Sabe-se que estudou e ensinou em Takshashila (atual Taxila, no Paquistão). Ao deixar Takshashila para se envolver com o governo, viajou para Pataliputra, onde se tornou conselheiro do rei Dhana Nanda. Existem muitos relatos conflitantes, mas todos concordam que deixou a corte de Nanda depois de uma disputa e, por vingança, se aliou ao rival, o jovem Chandragupta Mauria. Chandragupta derrotou Dhana Nanda e fundou o Império Mauria, o qual governou toda a Índia moderna, exceto o seu extremo sul. Kautilya era o principal conselheiro de Chandragupta, mas diz-se que ele se suicidou numa greve de fome depois de ter sido falsamente acusado pelo filho de Chandragupta, Bindusara, de ter envenenado sua mãe.

### Principais obras

**Séculos IV a.C.** *Arthashastra*
*Neetishastra*

# SE MAUS MINISTROS DESFRUTAM DE SEGURANÇA E LUCROS, ENTÃO É O COMEÇO DO FIM

## HAN FEI TZU (280-233 A.C.)

**EM CONTEXTO**

IDEOLOGIA
**Legalismo**

FOCO
**Leis estatais**

ANTES
**Século V A.C.** Confúcio defende uma hierarquia baseada em relações familiares tradicionais, na qual o soberano e seus ministros governam por meio do exemplo.

**Século IV A.C.** Mozi propõe uma classe de ministros e conselheiros puramente meritocrática, escolhidos por sua virtude e habilidade.

DEPOIS
**Século II A.C.** Depois do fim do período dos Reinos Combatentes, a dinastia Han da China rejeita o legalismo e adota o confucionismo.

**589-618** Princípios legalistas são revividos durante a dinastia Sui numa tentativa de unificar o Império Chinês.

Durante o período dos Reinos Combatentes na China, entre os séculos V e III a.C., governantes lutavam pelo poder sobre um império unificado, e uma nova filosofia política emergiu para se adaptar a esses tempos turbulentos. Pensadores como Shang Yang (390-338 a.C.), Shen Dao (c. 350-275 a.C.) e Shen Budai (morto em 337 a.C.) defendiam uma abordagem muito mais autoritária em relação ao governo, a qual se tornou conhecida como legalismo. Formalizado e implementado por Han Fei Tzu, o legalismo rejeitava a ideia confucionista da liderança por meio do exemplo e a crença de Mozi na bondade inata da natureza humana. Tinha, em vez disso, uma visão cínica, na qual as pessoas agiam naturalmente para evitar punições e alcançar ganhos pessoais. A única forma de controlar isso, argumentavam os legalistas, era por meio de um sistema que enfatizasse o bem-estar do Estado sobre os direitos do indivíduo, com leis severas que punissem comportamentos indesejados.

A administração dessas leis era feita pelos ministros do governante, os quais, por sua vez, estavam sujeitos a leis que os forçavam a prestar contas, o que lhes garantia punições e favores dados pelo governante. Dessa forma, poderia ser mantida a hierarquia com o governante no topo, e a corrupção e a intriga burocrática poderiam ser controladas. Era muito importante para a segurança do Estado em tempos de guerra que o governante pudesse se apoiar em seus ministros e que eles agissem conforme os interesses nacionais em vez do seu benefício pessoal. ■

Governar o Estado pela lei é louvar o certo e censurar o errado.
**Han Fei Tzu**

**Veja também:** Confúcio 20–7 ▪ Sun Tzu 28–31 ▪ Mozi 32–3 ▪ Thomas Hobbes 96–103 ▪ Mao Tsé-tung 260–5

# O GOVERNO É JOGADO DE UM LADO PARA O OUTRO, COMO UMA BOLA

## CÍCERO (106-43 A.C.)

IDEOLOGIA
**Republicana**

FOCO
**Constituição mista**

ANTES
**c. 380 A.C.** Platão escreve *A república*, esboçando suas ideias de uma cidade-estado ideal.

**Século II A.C.** A obra do historiador grego Políbio *História* descreve a ascensão da República Romana e sua constituição com a separação de poderes.

**48 A.C.** Júlio César recebe poderes sem precedentes, e sua ditadura marca o fim da República Romana.

DEPOIS
**27 A.C.** Otaviano é proclamado Augusto e se torna, de fato, o primeiro imperador de Roma.

**1734** Montesquieu escreve *Grandeza e decadência dos romanos*.

A República Romana foi fundada por volta de 510 a.C. de modo similar às cidades-estado gregas. Com pequenas mudanças, funcionou por quase quinhentos anos. Esse sistema de governo combinava elementos de três diferentes regimes — a monarquia (substituída pelos cônsules), a aristocracia (o senado) e a democracia (a assembleia popular) —, cada um com distintas áreas de poder que se equilibravam entre si. Conhecida uma constituição mista, foi considerada pela maioria dos romanos como uma forma ideal de governo que garantia estabilidade e prevenia a tirania.

### Controles e equilíbrios

O político romano Cícero era um árduo defensor do sistema, em especial quando foi ameaçado pelos poderes ditatoriais concedidos a Júlio César. Ele advertiu que um rompimento da República provocaria a volta de um ciclo destrutivo de governos. Dizia que, de uma monarquia, o poder poderia ser passado a um tirano; de um tirano, seria tomado pela aristocracia ou pelo povo; e, do povo, seria conquistado pelos oligarcas ou tiranos. Achava que, sem os controles e equilíbrios de uma constituição mista, o governo seria "jogado de um lado para o outro, como uma bola". Fiel às previsões de Cícero, Roma passou a ser controlada por um imperador, Augusto, logo após a morte de César, e o poder foi passado dele para uma sucessão de governantes tirânicos. ■

**O estandarte romano** trazia a legenda SPQR (o senado e o povo de Roma), celebrando as principais instituições da constituição mista.

**Veja também:** Platão 34–9 ■ Aristóteles 40–3 ■ Montesquieu 110–1 ■ Benjamin Franklin 112–3 ■ Thomas Jefferson 140–1 ■ James Madison 150–3

# POLÍTIC
# MEDIEV
## 30-1515

A

AL

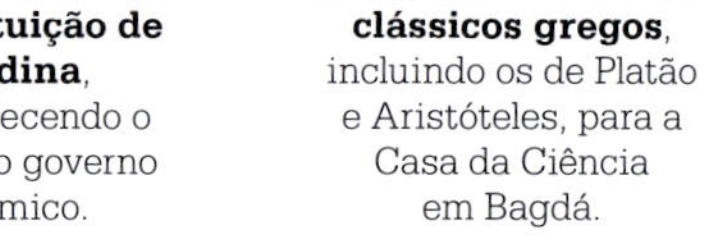
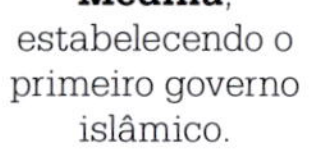

**c. 30**

De acordo com a tradição católica, São Pedro torna-se o primeiro **bispo de Roma**, e seus sucessores passam a ser conhecidos como papas.

**306**

Constantino I torna-se o primeiro **imperador cristão** do Império Romano.

**380**

O imperador Teodósio I estabelece o cristianismo como a **religião oficial** de Roma.

**c. 413**

Agostinho de Hipona descreve um **governo sem justiça** como sendo nada mais que um bando de ladrões.

**622**

Maomé escreve a **Constituição de Medina**, estabelecendo o primeiro governo islâmico.

**800**

Carlos Magno é coroado imperador de Roma, fundando o **Sacro Império Romano**.

**900**

Al-Kindi traz os **textos clássicos gregos**, incluindo os de Platão e Aristóteles, para a Casa da Ciência em Bagdá.

**c. 940-950**

Na *Cidade virtuosa*, Al-Farabi usa as ideias de **Platão** e **Aristóteles** para imaginar um Estado islâmico ideal.

Desde o seu início, no século I a.C., o Império Romano cresceu em força, se estendendo por toda Europa, África mediterrânea e Oriente Médio. Por volta do século II, estava no ápice de seu poder, e a cultura imperial romana, com sua ênfase na prosperidade e na estabilidade, ameaçava substituir os valores eruditos e filosóficos associados às repúblicas de Atenas e Roma. Ao mesmo tempo, uma nova religião se arraigava dentro do império: o cristianismo.

No milênio seguinte, o pensamento político foi dominado pela Igreja na Europa, e a teoria política durante a Idade Média foi moldada pela teologia cristã. No século VII, surgiu outra religião poderosa, o islã. Ele se espalhou da Arábia até a Ásia e África e também influenciou o pensamento político na Europa cristã.

## O impacto do cristianismo

Filósofos romanos como Plotino resgataram as ideias de Platão, e o movimento "neoplatônico" influenciou os primeiros pensadores cristãos. Agostinho de Hipona interpretou as ideias de Platão à luz da fé cristã, para examinar questões tais como a diferença entre as leis divinas e humanas, bem como se poderia haver algo como uma guerra justa.

O Império Romano pagão simplesmente não tinha muito tempo para filosofia e teoria, mas, no começo da Europa cristã, o pensamento político estava subordinado ao dogma religioso, e as ideias da Antiguidade clássica foram negligenciadas. Um fator primordial na substituição de ideias era a ascensão do poder político da Igreja e do papado. A Europa medieval foi, de fato, governada pela Igreja, uma situação que acabou sendo formalizada em 800 com a criação do Sacro Império Romano sob Carlos Magno.

## Influência islâmica

Enquanto isso, na Arábia, Maomé estabeleceu o islã como uma religião com um propósito imperialista e que rapidamente se estabeleceu como uma grande força tanto política quanto religiosa. Diferentemente do cristianismo, o islã estava aberto ao pensamento político secular e encorajava uma ampla educação e o estudo de pensadores não islâmicos. Abriram-se bibliotecas em cidades por todo o Império Islâmico para preservar os textos clássicos, e

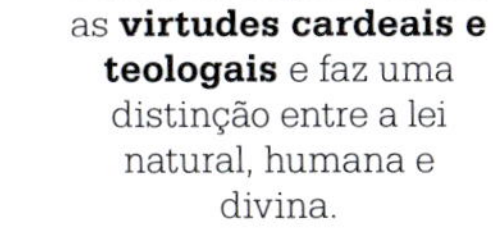
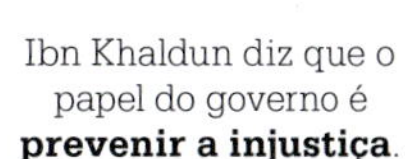

Avicena incorpora a **filosofia racional** à teologia islâmica, abrindo espaço para novas ideias políticas.

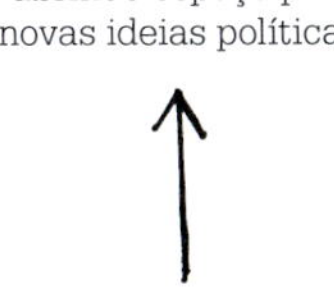

**c. 980-1037**

Os cristãos lançam a **primeira cruzada** para recuperar o controle de Jerusalém e da Terra Santa do domínio islâmico.

**1095**

Tomás de Aquino define as **virtudes cardeais e teologais** e faz uma distinção entre a lei natural, humana e divina.

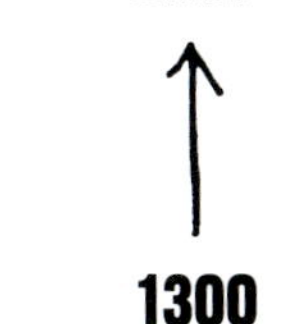

**1300**

Ibn Khaldun diz que o papel do governo é **prevenir a injustiça**.

**1377**

**1086**

O rei William I da Inglaterra ordena a compilação do ***Domesday book*** num dos primeiros censos governamentais no mundo.

**1100**

Henrique I da Inglaterra proclama o ***Charter of liberties***, sujeitando o monarca às leis que evitariam o abuso de poder.

**1328**

Marsílio de Pádua alia-se ao imperador do Sacro Império Romano, Luís IV, e ao **governo secular** no conflito de forças com o papa João XII.

**1513**

Nicolau Maquiavel escreve *O príncipe*, dando início, de fato, à **ciência política moderna**.

estudiosos integraram as ideias de Platão e Aristóteles à teologia islâmica. Cidades como Bagdá se transformaram em centros de aprendizado, e estudiosos como Al-Kindi, Al-Farabi, Ibn Sina (Avicena), Ibn Rushd (Averróis) e Ibn Khaldun surgiram como teóricos políticos.

No mesmo período, na Europa, a educação se tornou prerrogativa do clero, e a estrutura da sociedade foi prescrita pela Igreja, não havendo muito espaço para discórdia. Seria necessária a influência islâmica para trazer ideias novas à Europa medieval, conforme os eruditos redescobriam textos clássicos. No século XII, os textos que os eruditos islâmicos haviam preservado e traduzido começaram a ser notados pelos eruditos cristãos, em especial na Espanha, onde as duas fés coexistiram.

Notícias da redescoberta se espalharam pelo mundo cristão, e, a despeito da desconfiança das autoridades da Igreja, havia pressa por achar e traduzir tanto os textos quanto os comentários islâmicos.

## Questões difíceis

Uma nova geração de filósofos cristãos passou a se acostumar com o pensamento clássico. Tomás de Aquino tentou integrar as ideias de Aristóteles à teologia cristã. Isso levantou questões que até então haviam sido evitadas sobre assuntos como o direito divino dos reis e reacendeu o debate sobre a lei secular *versus* a lei divina. A introdução do pensamento secular na vida intelectual teve um profundo efeito no Sacro Império Romano. Vários estados-nação afirmaram sua independência, e os governantes entraram em conflito com o papado. A autoridade da Igreja nos assuntos civis foi posta em xeque, e filósofos como Egídio Romano e Marsílio de Pádua tiveram de escolher um lado ou outro.

Conforme a Idade Média chegava ao fim, novas nações desafiaram a autoridade da Igreja, e o povo também passou a questionar o poder de seus monarcas. Na Inglaterra, o rei João foi forçado por seus barões a ceder parte de seus poderes. Na Itália, dinastias tirânicas foram substituídas pelas repúblicas, como a de Florença, onde começou o Renascimento. Foi lá que Nicolau Maquiavel, um forte símbolo do pensamento renascentista, chocou o mundo ao produzir uma filosofia política totalmente pragmática em sua moralidade. ■

# NÃO HAVENDO JUSTIÇA, O QUE SÃO OS GOVERNOS SENÃO UM BANDO DE LADRÕES?

## AGOSTINHO DE HIPONA (354-430)

**EM CONTEXTO**

IDEOLOGIA
**Cristianismo**

FOCO
**Governo justo**

ANTES
**Século IV a.C.** Nas obras *A república* e *Leis*, Platão enfatiza a importância da justiça em um Estado ideal.

**Século I a.C.** Cícero se opõe à queda da República romana e à substituição por um imperador.

**306** Constantino I se torna o primeiro imperador cristão do Império Romano.

DEPOIS
**Século XIII** Tomás de Aquino usa os argumentos de Agostinho para definir uma guerra justa.

**Século XIV** Ibn Khaldun diz que o papel do governo é prevenir injustiças.

**c. 1600** Francisco Suárez e a Escola de Salamanca criam a filosofia da lei natural.

Em 380, o cristianismo foi adotado, de fato, como a religião oficial do Império Romano, e, conforme o poder e a influência da Igreja cresciam, sua relação com o Estado se tornou uma questão de disputa. Um dos primeiros filósofos políticos a abordar essa questão foi Agostinho de Hipona, um intelectual e professor que se converteu ao cristianismo. Em sua tentativa de integrar a filosofia clássica à religião, foi fortemente influenciado por Platão, o que também formou a base de seu pensamento político.

Como cidadão romano, Agostinho acreditava na tradição de um Estado sujeito ao estado de direito, mas, como erudito, concordava com

Os estados têm um governante ou governo, e as leis regulam a **conduta e a economia**.

↓

Os estados governados por dirigentes injustos declaram guerra aos seus vizinhos **para conquistar territórios e recursos**.

↓

Ladrões se reúnem sob um líder e têm regras de **disciplina e divisão dos saques**.

↓

Cada bando tem seu **próprio território** e **rouba** os territórios vizinhos.

↓

**Não havendo justiça, o que são os governos senão um bando de ladrões?**

**Veja também:** Platão 34–9 ▪ Cícero 49 ▪ Tomás de Aquino 62–9 ▪ Francisco Suárez 90–1 ▪ Thomas Hobbes 96–103

Sem justiça, uma associação de homens unidos pela lei não tem como progredir.
**Agostinho**

Aristóteles e Platão que a meta do Estado deveria ser permitir ao povo viver uma vida digna e virtuosa. Para um cristão, isso significava viver pelas leis divinas prescritas pela Igreja. No entanto, Agostinho acreditava que, na prática, poucos homens viviam de acordo com as leis divinas, e a maioria vivia em pecado. Ele fazia a distinção entre dois reinos: a *civitas Dei* (cidade de Deus) e a *civitas terrea* (cidade terrena). No segundo reino, predominaria o pecado. Agostinho via a influência da Igreja no Estado como o único meio de garantir que as leis da terra fossem feitas como referência às leis divinas, permitindo ao povo viver na *civitas Dei*. A presença de tais leis justas distinguiria o Estado de um bando de ladrões. Ladrões e piratas se juntam sob um líder para roubar o próximo. Os ladrões podem ter regras, mas essas não são justas. No entanto, Agostinho acrescentou que, mesmo na pecaminosa *civitas terrea*, a autoridade estatal pode garantir a ordem por meio do estado de direito, e que a ordem é algo que todos temos razão em querer.

## Guerra justa

A ênfase de Agostinho na justiça, com suas raízes na doutrina cristã, também se aplicava aos assuntos da guerra. Se por um lado ele acreditava que todas as guerras eram más e que atacar e saquear outros estados era injusto, fazia concessão à possibilidade de uma "guerra justa" travada por uma causa justa, tal como a defesa de um Estado contra uma agressão, ou para restaurar a paz, apesar de dever ser enfrentada com remorso e só em última instância.

Esse conflito entre as leis secular e a divina, e a tentativa de reconciliá-las, deu início à luta de poder entre a Igreja e o Estado que durou toda a Idade Média. ■

**A visão de Agostinho** de um Estado vivendo de acordo com os princípios cristãos foi delineada em sua obra *Cidade de Deus*, na qual ele descreveu a relação entre o Império Romano e as leis divinas.

## Agostinho de Hipona

Aurélio Agostinho nasceu em Tagaste (atual Souk-Ahras, na Argélia) na África romana do norte, de pai pagão e mãe cristã. Estudou literatura latina em Madaura e retórica em Cartago, onde se defrontou com a religião maniqueísta dos persas e se interessou pela filosofia por meio das obras de Cícero. Ensinou em Tagaste e Cartago até 373, quando se mudou para Roma e Milão, onde foi inspirado pelo teólogo e bispo Ambrósio a explorar a filosofia de Platão e, mais tarde, a se tornar cristão. Foi batizado em 387 e ordenado padre em Tagaste em 391. Fixou-se em Hipona (atual Bone, na Argélia), estabelecendo uma comunidade religiosa e tornando-se seu bispo em 396. Com as suas *Confissões* autobiográficas, também escreveu uma série de obras sobre teologia e filosofia. Morreu durante o cerco de Hipona pelos vândalos em 430.

### Principais obras

**387-395** *O livre-arbítrio*
**397-401** *Confissões*
**413-425** *Cidade de Deus*

# ESTÁ-VOS PRESCRITA A LUTA, EMBORA A REPUDIEIS

## MAOMÉ (570-632)

### EM CONTEXTO

IDEOLOGIA
**Islã**

FOCO
**Guerra justa**

ANTES
**Século VI A.C.** Na *Arte da guerra,* Sun Tzu argumenta que o poder militar é essencial ao Estado.

**c. 413** Agostinho descreve um governo sem justiça como sendo tão ruim quanto um bando de ladrões.

DEPOIS
**Século XIII** Tomás de Aquino define as condições de uma guerra justa.

**1095** Cristãos lançam a primeira cruzada para tirar dos muçulmanos o controle de Jerusalém e da Terra Santa.

**1932** Em *Para compreender o islamismo,* Abul Ala Maududi insiste em que o islã incorpore todos os aspectos da vida humana, inclusive a política.

O islã é uma **religião pacífica**, e os muçulmanos querem viver em paz.

↓

Mas mesmo os fiéis no islã precisam se **defender** de invasões...

↓

... e **atacar os infiéis** que ameaçam sua paz e religião.

↓

**Está-vos prescrita a luta, embora a repudieis.**

Reverenciado pelos muçulmanos como o profeta da fé islâmica, Maomé também lançou os fundamentos para o Império Islâmico. Foi seu líder político e militar, além de guia espiritual. Exilado de Meca por conta de sua fé, em 622 viajou para Yathrib (numa jornada que mais tarde ficou conhecida como Hégira), onde juntou um grande número de seguidores, organizando, por fim, uma cidade-estado islâmica unificada. A cidade mudou de nome para Medina ("cidade do Profeta") e tornou-se o primeiro Estado islâmico do mundo. Maomé criou a Constituição de Medina, que estabeleceu a base para uma tradição política islâmica.

Essa relacionava os direitos e deveres de cada grupo dentro da comunidade, o estado de direito e a questão da guerra. Reconhecia a comunidade judaica de Medina como separada e estabelecia obrigações recíprocas com ela. Dentre suas leis, obrigava toda a comunidade — membros de todas as religiões de Medina — a lutar junta no caso de ser ameaçada. As principais metas eram a paz dentro do Estado

**Veja também:** Agostinho de Hipona 54–5 ▪ Al-Farabi 58–9 ▪ Tomás de Aquino 62–9 ▪ Ibn Khaldun 72–3 ▪ Abul Ala Maududi 278–9 ▪ Ali Shariati 323

**Peregrinos muçulmanos** rezam perto da Mesquita do Profeta Maomé na cidade santa de Medina, na Arábia Saudita, onde Maomé fundou o primeiro Estado islâmico.

islâmico de Medina e a construção de uma estrutura política que ajudaria Maomé a reunir seguidores e soldados para conquistar a Península Arábica.

A autoridade da constituição era tanto espiritual quanto secular, na qual se lia: "Sempre que discordarem sobre um assunto, devem se voltar para Deus e Maomé". Já que Deus falou através de Maomé, sua palavra detinha autoridade inquestionável.

## Pacífica, mas não pacifista

A constituição confirma boa parte do livro sagrado do islã, conhecido como Corão, escrito antes dela. No entanto, este é mais detalhado quanto aos deveres religiosos em relação às questões práticas da política. No Corão, o islã é descrito como uma religião pacífica, mas não pacifista. Maomé enfatizou diversas vezes que o islã deveria ser defendido dos infiéis, o que implica que isso pode, em alguns casos, demandar uma ação preventiva. Apesar de a violência ser algo repulsivo a um seguidor do islã, ela pode ser um mal necessário para proteger e impulsionar a religião, e Maomé disse que é uma obrigação moral de todos os muçulmanos defender a fé.

Esse dever está contido na ideia islâmica de *jihad* (literalmente "disputa" ou "luta"), a qual foi direcionada contra as cidades vizinhas que atacavam o Estado islâmico. Como foram conquistadas uma a uma, lutar tornou-se uma forma de espalhar a fé e, em termos políticos, expandir o Império Islâmico.

Se por um lado o Corão descreve a *jihad* como um dever religioso e lutar como algo odioso, mas necessário, também diz que existem regras estritas governando a conduta da guerra. As condições para uma "guerra justa" (causa justa, boa intenção, autoridade adequada e última instância) são bastante parecidas com as que evoluíram na Europa cristã. ■

## Maomé

**Maomé nasceu em Meca em 570, logo após a morte de seu pai. Sua mãe morreu quando tinha seis anos, e foi entregue aos cuidados de seus avós e de um tio, que o empregou como chefe do comércio de caravanas com a Síria. Quase aos quarenta anos, fez visitas frequentes a uma gruta no Monte Hira para rezar, e em 610 diz-se que recebeu sua primeira revelação do anjo Gabriel. Começou a pregar e aos poucos arrebanhou seguidores, mas acabou sendo expulso de Meca com seus discípulos. Sua fuga para Medina em 622 é celebrada como o começo do calendário muçulmano. Por ocasião da sua morte em 632, quase toda a Arábia estava sob seu governo.**

**Principais obras**

**c. 622** *Constituição de Medina*
**c. 632** *Corão*
**Séculos VIII e IX** *Hadith*

Lutem em nome de Alá e segundo Alá. Lutem contra aqueles que não acreditam em Alá.
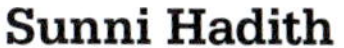
**Sunni Hadith**

# O POVO RECUSA O GOVERNO DE HOMENS VIRTUOSOS

## AL-FARABI (c. 870-950)

**EM CONTEXTO**

IDEOLOGIA
**Islã**

FOCO
**Virtude política**

ANTES
**c. 380-360 A.C.** Platão propõe o governo de "reis-filósofos" em *A república*.

**Século III** Filósofos como Plotino reinterpretam as obras de Platão, introduzindo ideias teológicas e místicas.

**Século IX** O filósofo árabe Al-Kindi leva os textos clássicos gregos para a Casa da Ciência em Bagdá.

DEPOIS
**c. 980-1037** O escritor persa Avicena incorpora a filosofia racional à teologia islâmica.

**Século XIII** Tomás de Aquino define as virtudes cardeais e teologais e distingue as leis naturais, humanas e divinas.

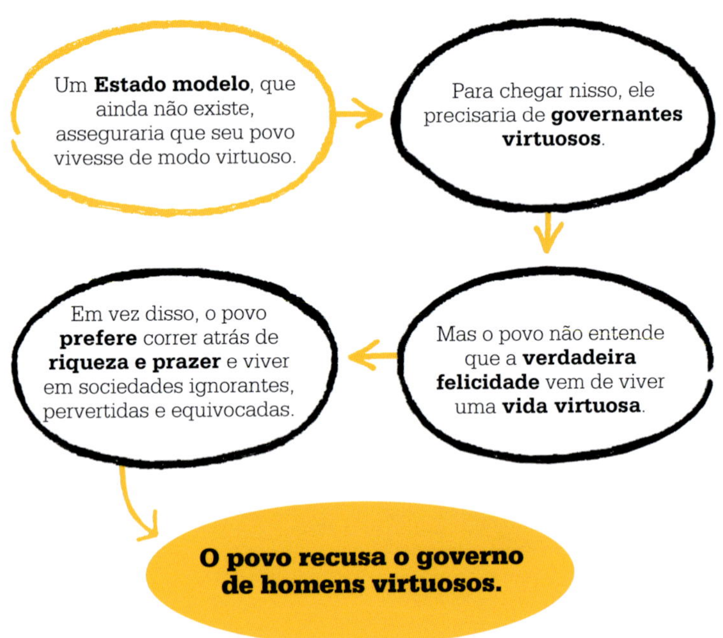

Um **Estado modelo**, que ainda não existe, asseguraria que seu povo vivesse de modo virtuoso.
Para chegar nisso, ele precisaria de **governantes virtuosos**.
Mas o povo não entende que a **verdadeira felicidade** vem de viver uma **vida virtuosa**.
Em vez disso, o povo **prefere** correr atrás de **riqueza e prazer** e viver em sociedades ignorantes, pervertidas e equivocadas.
**O povo recusa o governo de homens virtuosos.**


Com a difusão do Império Islâmico nos séculos VII e VIII, houve um florescimento da cultura e da educação conhecidos como a era de ouro islâmica. Bibliotecas foram abertas em muitas das principais cidades do império, onde textos dos grandes pensadores gregos e romanos foram guardados e traduzidos. Bagdá, em especial, se tornou um famoso centro de ensino e foi lá que Al-Farabi conquistou sua reputação como filósofo e comentarista das obras de Aristóteles. Assim como este último, Al-Farabi acreditava que o homem, por natureza, precisa viver em

**Veja também:** Platão 34–9 ▪ Aristóteles 40–3 ▪ Agostinho de Hipona 54–5 ▪ Tomás de Aquino 62–9

O objetivo de um Estado modelo não é apenas prover a prosperidade material para seus cidadãos, mas também seu destino futuro.
**Al-Farabi**

uma estrutura social como numa cidade-estado para ter uma vida digna e feliz. Também acreditava que a cidade era apenas o menor local onde isso era possível. Achava que os mesmos princípios poderiam ser aplicados aos estados-nação, impérios e até mesmo a um estado-mundo. Mas foi o mestre de Aristóteles, Platão, quem mais influenciou o pensamento político de Al-Farabi, em especial com a sua visão de Estado ideal e de como esse deveria ser governado. Assim como Platão defendia o governo dos "reis-filósofos", capazes de entender a verdadeira natureza das virtudes como a justiça, Al-Farabi, em *The virtuous city*, descreveu uma cidade modelo governada por um líder virtuoso que guiasse e instruísse o seu povo a viver de maneira virtuosa, capaz de lhe trazer felicidade.

## Sabedoria divina

Al-Farabi diferiu de Platão em sua concepção da natureza e da origem da virtude do governante ideal, a qual, para Al-Farabi, era a sabedoria divina. Em vez de um rei-filósofo, Al-Farabi defendia o governo de um "profeta-filósofo" ou, como ele mesmo o descreveu, simplesmente um imã.

No entanto, Al-Farabi deixou claro que a sua cidade virtuosa é uma utopia política. Ele também descreveu as diversas formas de governo existentes no mundo real, apontando suas falhas. Identificou três grandes razões pelas quais elas não chegam ao seu ideal: são ignorantes, enganadoras ou pervertidas. Num Estado ignorante, o povo não tem o conhecimento de como a verdadeira felicidade vem de uma vida virtuosa. Num Estado enganador, o povo não entende a natureza da virtude. Num Estado pervertido, ele sabe o que constitui uma vida virtuosa, mas escolhe não segui-la. Em todos os três tipos imperfeitos, o povo busca a riqueza e o prazer em vez da vida digna. Al-Farabi acreditava que a alma dos ignorantes e dos enganados simplesmente desapareceria depois da morte, ao passo que a dos pervertidos sofreria uma punição eterna. Só a alma dos homens da

**Al-Farabi desenvolveu** suas ideias em Bagdá, no Iraque, que foi um centro de ensino durante a era de ouro e ainda se gaba de ter algumas das universidades mais antigas do mundo.

cidade virtuosa poderia desfrutar a felicidade eterna. Mas já que os cidadãos ignorantes, enganados e pervertidos e seus líderes buscam os prazeres terrenos, eles rejeitam o governo de um líder virtuoso, uma vez que ele não lhes dará aquilo que acreditam ser o que querem. Assim, o modelo da cidade virtuosa ainda precisaria ser alcançado. ■

## Al-Farabi

Conhecido como o "Segundo Mestre" (depois de Aristóteles) entre os filósofos islâmicos, pouco se sabe com certeza a respeito da vida de Abu Nasr al-Farabi.

É provável que tenha nascido em Farab (atual Otrar, no Cazaquistão) por volta de 870 e lá frequentado a escola, assim como em Bucara, atual Uzbequistão, antes de viajar para Bagdá a fim de continuar seus estudos em 901. Em Bagdá, estudou alquimia e filosofia com mestres cristãos e islâmicos. Também se tornou um famoso músico e linguista. Apesar de ter passado a maior parte da vida em Bagdá como um *qadi* (juiz) e professor, Al-Farabi também viajou para vários lugares, visitando o Egito, Damasco, Harã e Alepo, trabalhando para a corte de Saif al-Daoula, governante da Síria.

### Principais obras

**c. 940–950**
*The virtuous city*
*Epistle on the intellect*
*Book of letters*

# NENHUM HOMEM PODE SER PRESO, EXCETO PELA LEI DA TERRA

## BARÕES DO REI JOÃO (COMEÇO DO SÉCULO XIII)

**EM CONTEXTO**

IDEOLOGIA
**Parlamentarismo**

FOCO
**Liberdade**

ANTES
**c. 509 A.C.** A monarquia em Roma é derrubada e substituída por uma república.

**Século I A.C.** Cícero defende a volta da república romana após Júlio César tomar o poder do Senado.

DEPOIS
**1640** A Guerra Civil inglesa e a posterior derrubada da monarquia definem que um monarca não pode governar sem a aprovação do Parlamento.

**1776** A Declaração da Independência dos EUA registra "vida, liberdade e a busca da felicidade" como direitos inalienáveis.

**1948** A Assembleia Geral das Nações Unidas adota a Declaração Universal dos Direitos Humanos em Paris.

O rei João da Inglaterra tornou-se cada vez mais impopular durante o seu reinado por conta da maneira errada como lidou com as guerras com a França e da sua atitude arbitrária em relação aos seus barões feudais, os quais o garantiam tanto como seus cavaleiros quanto por suas receitas de impostos. Por volta de 1215, ele se defrontou com uma rebelião e foi forçado a negociar com os seus barões quando chegaram a Londres. Eles lhe apresentaram um documento, tendo como modelo a *Charter of liberties* de cem anos antes, publicada pelo rei Henrique I, detalhando suas exigências que reduziam consideravelmente o poder de João e aumentavam os privilégios deles. Os "Articles of the barons" incluíam cláusulas relativas às suas propriedades, aos direitos e deveres, mas também fizeram com que o rei se sujeitasse às leis da terra.

A ninguém venderemos, a ninguém recusaremos ou atrasaremos, direito ou justiça.
**Magna Carta, cláusula 40**

### Liberdade da tirania

A cláusula 39, em especial, tinha profundas implicações: "Nenhum homem livre será perseguido, aprisionado ou destituído de seus direitos ou posses, ou exilado ou privado de sua posição sob qualquer circunstância, nem usaremos de força contra ele, ou enviaremos outros para que o façam, exceto pelo julgamento legal por seus pares ou pela lei da terra". O conceito de *habeas corpus* estava implícito nas demandas dos barões, exigindo que uma pessoa presa fosse levada diante de um tribunal, protegendo assim os indivíduos do abuso arbitrário da força. Pela primeira vez, a liberdade de um indivíduo diante de um governante tirânico foi explicitamente garantida. João não tinha outra opção senão aceitar os termos e aplicar o seu selo ao que mais tarde ficaria conhecido como a *Magna Carta* (latim para "Grande Carta").

Infelizmente, a concordância de João foi apenas simbólica, e boa parte do documento foi, mais tarde, ignorada ou rejeitada. No entanto, as principais cláusulas foram mantidas, e o espírito

**Veja também:** Cícero 49 ▪ John Locke 104–9 ▪ Montesquieu 110–1 ▪ Jean-Jacques Rousseau 118–25 ▪ Oliver Cromwell 333

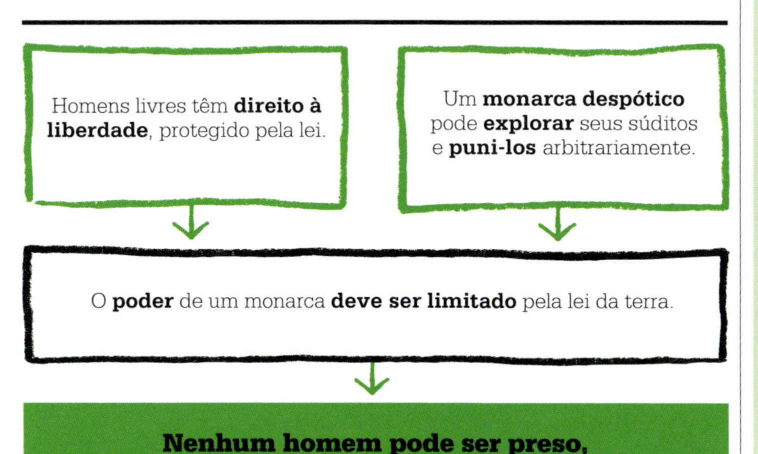


da *Magna Carta* influenciou muito o desenvolvimento político da Grã-Bretanha. A restrição do poder do monarca em favor dos direitos do "homem livre" — o que na época se aplicava apenas aos senhores feudais, não aos servos — estabeleceu os alicerces para um parlamento independente. O rebelde Parlamento De Montfort, em 1265, foi a primeira dessas instituições, constituído por representantes municipais eleitos e cavaleiros, bem como os barões.

Homens livres têm **direito à liberdade**, protegido pela lei.
Um **monarca despótico** pode **explorar** seus súditos e **puni-los** arbitrariamente.
O **poder** de um monarca **deve ser limitado** pela lei da terra.
**Nenhum homem pode ser preso, exceto pela lei da terra.**

### A caminho de um parlamento

No século XVII, a ideia de fazer com que o monarca inglês fosse restrito pela lei da terra amadureceu com a Guerra Civil inglesa, e a *Magna Carta* simbolizava a causa dos parlamentaristas sob o comando de Oliver Cromwell. Apesar de, na época, somente ter sido aplicada a uma minoria de cidadãos já privilegiados, a *Magna Carta* foi pioneira na ideia de leis para proteger a liberdade do indivíduo da autoridade despótica. Ela também inspirou a declaração de direitos preservada em muitas constituições modernas, em especial as das ex-colônias da Grã-Bretanha, bem como na Declaração dos Direitos Humanos. ■

**O Parlamento de Londres** teve origem no empenho dos barões, em 1215, para que o monarca não pudesse arrecadar impostos adicionais sem o consentimento de seus conselheiros.

## Os barões feudais da Inglaterra

Criado por William, o Conquistador (1028-87), o baronato era um título agrário feudal dado pelo rei, com certos deveres e privilégios para seu possuidor. Os barões pagavam impostos para o rei em troca do uso da terra, mas também tinham uma obrigação, o *servitium debitum* ("serviço devido"), de garantir ao rei uma cota de cavaleiros sempre que requisitado. Em troca, os barões receberam o privilégio de participar do conselho do rei, ou parlamento — mas apenas quando convocados para tal pelo rei. Eles não se reuniam com regularidade e, já que a corte do rei mudava com frequência de lugar, não tinham um local fixo. Apesar de os barões no tempo do rei João (figura acima) imporem a *Magna Carta* ao seu rei, o poder do baronato feudal enfraqueceu durante o século XII, ficando obsoleto durante a Guerra Civil inglesa.

### Principais obras

**1100** *Charter of liberties*
**1215** *Magna Carta*

# PARA QUE UMA GUERRA SEJA JUSTA, É NECESSÁRIA UMA CAUSA JUSTA

## TOMÁS DE AQUINO (1225-1274)

## EM CONTEXTO

IDEOLOGIA
**Lei natural**

FOCO
**Guerra justa**

ANTES
**44 a.C.** Em *De Officiis*, Cícero argumenta contra a guerra, exceto como última instância para defender o Estado e restaurar a paz.

**Século V** Agostinho de Hipona defende que o Estado deve promover a virtude.

**620** Maomé convoca os muçulmanos a lutar em defesa do islã.

DEPOIS
**1625** Hugo Grócio insere a teoria da guerra justa no contexto da lei internacional em *De Jure Belli ac Pacis*.

**1945** A carta das Nações Unidas (ONU) proíbe o uso de força em conflitos internacionais, exceto quando autorizado pela ONU.

A Igreja Católica Romana manteve o monopólio sobre o ensino por vários séculos na Europa medieval. Desde a adoção do cristianismo como a religião oficial do Império Romano por Constantino ao final do século IV, o pensamento político tem sido dominado pela doutrina católica. A relação entre o Estado e a Igreja ocupou filósofos e teólogos, em especial Agostinho de Hipona, que lançou os alicerces do debate ao integrar a análise política de Platão em *A república* à doutrina cristã. No entanto, conforme as traduções dos textos clássicos gregos foram disponibilizadas na Europa no século XII, por meio do contato com eruditos islâmicos, alguns pensadores europeus começaram a se interessar por outras filosofias — em particular por Aristóteles e seu intérprete islâmico, o polímato andaluz Averróis.

### Um método racional

De longe o mais importante pensador cristão a surgir ao final da Idade Média, o italiano Tomás de Aquino foi membro da recém-formada ordem religiosa dominicana. Por ser uma ordem que valorizava as tradições da escolástica, usava a razão e a inferência como método educacional, em vez de simplesmente ensinar o dogma cristão. Nesse espírito, Aquino se propôs a reconciliar a teologia cristã aos argumentos racionais apresentados por filósofos como Platão e Aristóteles. Por ser um padre, suas preocupações eram primordialmente teológicas, mas como a Igreja era o poder político dominante da sua época, a distinção entre teológico e político não era tão clara como é hoje. Ao argumentar a favor de uma integração entre o

A paz é indiretamente obra da justiça, uma vez que remove o obstáculo. Mas é diretamente obra da caridade, causa, por essência, da paz.
**Tomás de Aquino**

O propósito do Estado é capacitar o povo a levar uma vida digna...
... assim, o Estado só pode julgar a guerra necessária quando ela promove o bem e evita o mal.
A guerra só pode ser combatida com a autoridade do soberano ou governante.
Para ter autoridade, o soberano ou governante deve governar com justiça.
Para que uma guerra seja justa, é necessária uma causa justa.

**Veja também:** Aristóteles 40–3 ▪ Cícero 49 ▪ Agostinho de Hipona 54–5 ▪ Maomé 56–7 ▪ Marsílio de Pádua 71 ▪ Francisco Suárez 90–1 ▪ Michael Walzer 324–5

racional e o dogmático, da filosofia com a teologia, Aquino se ocupou da questão do poder secular *versus* a autoridade divina e do conflito entre Igreja e Estado que crescia em vários países. Também usou seu método para examinar questões éticas, como quando seria justificável declarar guerras.

## Justiça, a principal virtude

Em sua filosofia moral, Aquino examinava questões políticas, enfatizando que a razão é tão importante ao pensamento político quanto os argumentos teológicos. Como ponto de partida, tomou os livros de Agostinho de Hipona, que havia, com sucesso, integrado às suas crenças cristãs a noção clássica grega de que o propósito do Estado era promover uma vida digna e virtuosa. Agostinho argumentava que isso estava em harmonia com a lei divina — a qual, se seguida, preveniria a injustiça. Para Aquino, conhecedor profundo das obras de Platão e Aristóteles, a justiça era a principal virtude política que sustentava toda a sua filosofia, e a noção de justiça era o elemento-chave da governança. Leis justas eram o que distinguia um bom governo de um mau, garantindo-lhe a legitimidade para governar. Também era a justiça que determinava a moralidade das ações »

**A guerra** como proteção dos valores cristãos pode ser justificada no pensamento de Aquino, inclusive a Primeira Cruzada de 1096-99, na qual Jerusalém foi tomada e milhares massacrados.

## Tomás de Aquino

Filho do Conde de Aquino, nasceu em Roccasecca, na Itália, e estudou em Monte Cassino e na Universidade de Nápoles. Apesar das expectativas para que se tornasse um monge beneditino, juntou-se à ordem dominicana em 1244 e se mudou para Paris um ano depois. Por volta de 1259, lecionou em Nápoles, Orvieto e na nova escola de Santa Sabina, além de atuar como conselheiro papal em Roma. Foi enviado de volta a Paris em 1269, provavelmente por causa da disputa quanto à compatibilidade das filosofias de Averróis e de Aristóteles com a doutrina cristã. Em 1272, estabeleceu uma universidade dominicana em Nápoles. Enquanto esteve por lá, teve uma experiência mística que o levou a dizer que tudo o que havia escrito lhe parecia "como palha". Aquino foi escolhido para participar do Concílio de Lyon em 1274, mas adoeceu e morreu num acidente no caminho.

### Principais obras

**1254-1256** *Scriptum supersententiis*

**c. 1258-1260** *Suma contra os gentios*

**1267-1273** *Suma teológica*

A única desculpa para a guerra, portanto, é que vivamos ilesos em paz.
**Cícero**

do Estado, um princípio que pode ser com mais clareza visto na teoria de Aquino sobre a "guerra justa".

## Definindo uma guerra justa

Usando os argumentos de Agostinho como ponto de partida, Aquino concordava que, apesar do cristianismo pregar o pacifismo para os seus seguidores, às vezes era necessário lutar para preservar ou restaurar a paz diante de uma agressão. No entanto, tal guerra deveria ser defensiva, não preventiva, e declarada apenas depois de algumas condições serem cumpridas. Ele chamava essas condições de *jus ad bellum*, ou "direito à guerra" — que era diferente do *jus in bello*, as regras da conduta justa numa guerra —, e acreditava que elas garantiriam a justiça da guerra.

Aquino identificava três exigências básicas para uma guerra justa: intenção correta, autoridade do soberano e causa justa. Esses princípios mantiveram o critério básico da teoria da guerra justa até hoje. A "intenção correta" para o cristão significava uma única coisa — a restauração da paz —, mas são nas outras duas condições que podemos ver uma abordagem mais secular. A "autoridade do soberano" implicava que a guerra só poderia ser declarada por uma autoridade como o Estado ou seu governante, enquanto a "causa justa" limitava seu poder de lutar apenas ao benefício do povo, em vez de ganhos pessoais ou glória. Para esses critérios serem cumpridos, deveria haver um governo, ou governante, adequadamente estabelecido, limitado por leis que garantissem a justiça de suas ações, o que deveria ser, por sua vez, baseado na teoria da governança legítima, levando em conta as demandas tanto da Igreja quanto do Estado.

**A Convenção de Genebra** consiste em quatro tratados assinados entre 1864 e 1949 — baseados nos conceitos de guerra justa — definindo tratamento justo aos soldados e aos civis em tempos de guerra.

## Leis naturais e humanas

Esse reconhecimento do papel do Estado e sua autoridade distinguia o pensamento político de Aquino do de outros pensadores de seu tempo. Sua ênfase na justiça como uma virtude essencial, influenciada por seus estudos de Platão e Aristóteles, o levou a considerar o papel da lei na sociedade, e tal interesse nas regras formou a base para o seu pensamento político. Como era de se esperar, dada a crescente pluralidade da sociedade na

## Os direitos da guerra

Para Aquino, a única **intenção justa** para uma guerra justa é a restauração da paz.

Uma guerra justa só pode ser declarada sob a **autoridade de um soberano**.

Para que uma guerra seja combatida segundo uma **causa justa**, ela deve beneficiar o povo.

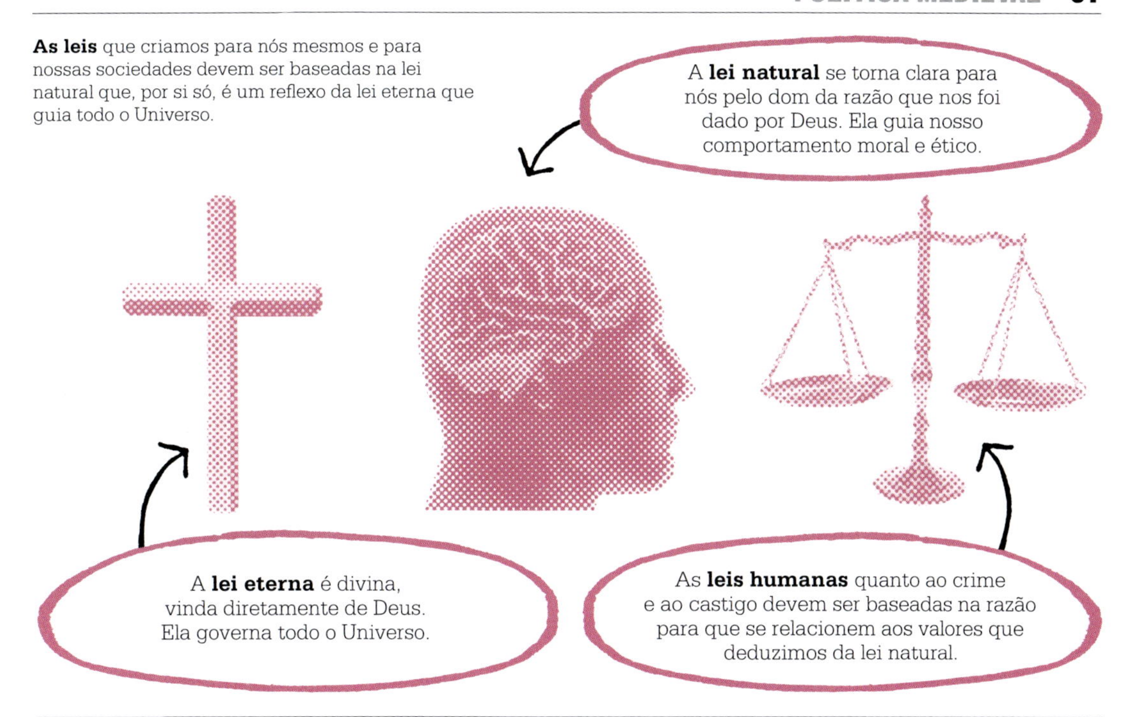


época, isso envolvia um exame das diferenças entre as leis divinas e humanas e, por conseguinte, das leis da Igreja e do Estado.

**As leis** que criamos para nós mesmos e para nossas sociedades devem ser baseadas na lei natural que, por si só, é um reflexo da lei eterna que guia todo o Universo.
A **lei natural** se torna clara para nós pelo dom da razão que nos foi dado por Deus. Ela guia nosso comportamento moral e ético.
A **lei eterna** é divina, vinda diretamente de Deus. Ela governa todo o Universo.
As **leis humanas** quanto ao crime e ao castigo devem ser baseadas na razão para que se relacionem aos valores que deduzimos da lei natural.

Como cristão, Aquino acreditava num Universo governado por uma lei divina eterna e que os humanos — as únicas criaturas racionais — tinham uma relação única com ela. Por conta da nossa habilidade de raciocinar, estaríamos sujeitos àquilo que ele chamou de "lei natural", à qual chegaríamos ao examinar a natureza humana e inferir um código de comportamento moral. Longe de ser uma contradição da lei de Deus, no entanto, Aquino a explicava como uma participação na lei eterna.

A razão, argumentou, seria uma habilidade dada por Deus que nos capacitaria a entender a lei natural, a qual seria — de fato — a aplicação da lei eterna aos seres humanos de acordo com a natureza como animais sociais. No entanto, a lei natural, vinculada à moralidade e à virtude, não deveria ser confundida com as leis humanas que governam as questões cotidianas, as quais foram criadas para garantir o funcionamento tranquilo das comunidades. Essas leis feitas pelos homens eram falíveis, assim como seus criadores, pela sua própria natureza, de modo que poderiam levar à injustiça, e sua autoridade só poderia ser julgada pela comparação com a lei natural.

A razão no homem
é como Deus no mundo.
**Tomás de Aquino**

## A propensão à comunidade

Enquanto Aquino atribui à lei natural nossa propensão ao pensamento racional, o surgimento das leis humanas é explicado por outro aspecto da natureza humana — a necessidade de formar comunidades. Essa ideia é muito próxima da proposta por Aristóteles na *Política* — sobre a qual Aquino escreveu um longo comentário —, na qual o homem é, por natureza, um "animal político". A propensão a formar comunidades é algo que nos define como humanos, diferentes de outros animais. Assim como Aristóteles, Aquino reconheceu que os humanos formam naturalmente unidades familiares, as quais, por »

**O Pacto de Kellogg-Briand**, assinado em 1928 por quinze países, proibia seus signatários de começar guerras. Isso coadunava com o princípio de Aquino que dizia que guerras só deviam ser usadas para restaurar a paz.

sua vez, se tornam vilas, gerando, por fim, sociedades políticas, tais como as cidades-estado e os estados-nação, garantindo um arcabouço de ordem natural. Apesar de concordar, a princípio, com Aristóteles que tal Estado era uma comunidade perfeita, sua concepção desse não era a mesma do entendimento grego antigo, o qual não era compatível com as visões da Igreja no século XIII.

De acordo com os filósofos gregos, a meta de tal sociedade era capacitar seus cidadãos a levar uma "vida digna" conforme a virtude e a razão. A interpretação de Aquino era sutilmente diferente, alinhando-a com a teologia cristã e com suas próprias ideias da lei natural. Para ele, o papel da sociedade política era capacitar seus cidadãos a desenvolver a razão e, por meio dela, adquirir o entendimento de um senso moral — em outras palavras, a lei natural. Eles seriam, então, capazes de viver bem, de acordo com a lei natural e, como cristãos, de acordo com a lei divina.

## Governando de forma justa

A questão que se seguia era: qual forma de governo se adaptaria melhor a garantir as aspirações dessa sociedade política? Mais uma vez, Aquino usou uma dica de Aristóteles, classificando vários tipos de regimes baseado no número de governantes e, mais importante, se o seu governo era justo ou injusto. O governo por um único indivíduo seria conhecido como monarquia quando justo, e tirania quando injusto. De modo similar, um governo justo liderado por alguns seria conhecido como aristocracia, mas quando injusto, como oligarquia. E o governo justo pelo povo seria chamado de república ou politeia, em oposição ao injusto, a democracia.

O que define se essas formas de governo são justas ou injustas são as leis por meio das quais se ordena o Estado. Aquino definiu lei como "uma ordenança da razão para o bem comum, promulgada por alguém que se importa com a comunidade", o que resume o seu critério para um governo justo. As leis devem ser baseadas na razão, em vez da lei divina imposta ao Estado pela Igreja, de modo que possam satisfazer a necessidade humana de deduzir por si a lei natural.

Uma guerra justa, no longo prazo, é muito melhor para a alma do homem que a mais próspera paz.
**Theodore Roosevelt**

## Mantendo a ordem

Aquino foi além ao explicar que leis puramente humanas também seriam necessárias para a manutenção da ordem na sociedade. A lei natural guia decisões quanto ao certo, ao errado e ao código moral que determina o que constitui um crime ou injustiça, mas é a lei humana que decide qual deveria ser o castigo e como ele deveria ser dado. Essas leis humanas são essenciais para uma sociedade ordeira, civilizada, e oferecem obstáculos e incentivos aos possíveis malfeitores a agirem com respeito pelo bem comum — a ponto de "fazerem por disposição aquilo que fariam por medo e tornarem-se virtuosos". A justiça das leis humanas é julgada pelo quão bem elas medem a lei natural. Se ficarem aquém dela, elas nem sequer devem ser consideradas leis.

A segunda parte da definição de Aquino, no entanto, é, talvez, o fator decisivo no julgamento da justiça de um sistema de governo. As leis impostas deveriam ser do interesse do povo como um todo, não do governante. Só com tais leis o Estado poderia prover um arcabouço no qual seus cidadãos buscariam livremente seu desenvolvimento intelectual e moral. Mas a questão se mantém: quem deveria governar? Aquino, assim como Aristóteles, acreditava que a maioria não tinha o poder racional de apreciar plenamente a moralidade necessária para governar, o que implicava que o governo não deveria estar nas mãos do povo, mas na de um indivíduo, monarca ou aristocracia justos. Aquino, porém, também reconhecia o potencial de esses indivíduos se corromperem e defendia, em oposição, alguma forma de constituição mista.

Surpreendentemente, tendo em vista sua noção da existência do Estado na promoção da vida de acordo com os princípios cristãos, Aquino não rejeitava a possibilidade de um governante não cristão legítimo. Apesar do seu governo não ser perfeito, um pagão poderia governar de maneira justa, permitindo aos cidadãos desenvolverem suas potencialidades racionais e, por fim, deduzirem um código moral. Vivendo, assim, de acordo com a lei natural, eles se tornariam, com o tempo, uma sociedade cristã.

**As Nações Unidas** foram estabelecidas em 1945, após a II Guerra Mundial, com a intenção de manter a paz internacional e promover os princípios que Aquino teria chamado de lei natural.

## Um pensador radical

Quando considerado do nosso ponto de vista moderno, quase novecentos anos depois, pode parecer que Aquino estava simplesmente redescobrindo e repetindo as teorias políticas de Aristóteles. Mas quando vistas em contexto, em oposição ao cristianismo medieval, suas visões revelam uma mudança radical no pensamento político que desafiava o poder convencional da Igreja Católica Romana. Apesar disso, graças aos seus estudos e à sua devoção, suas ideias foram rapidamente aceitas pela Igreja estabelecida e se mantiveram em grande parte a base da filosofia política católica até hoje.

Nos critérios para uma guerra justa — intenção correta, autoridade do soberano e causa justa —, podemos ver como esses princípios se encaixam nas visões mais amplas de Aquino sobre a justiça política baseada na lei natural e o princípio da razão em vez da autoridade divina. Além de influenciar muito as teorias posteriores sobre a guerra justa, a noção de Aquino sobre a lei natural foi aceita tanto por teólogos quanto por especialistas no direito. Por séculos, a necessidade da lei humana se tornou um tema-chave no crescente conflito entre a Igreja e os poderes seculares na Europa, conforme estados--nação emergentes declaravam sua independência do papado. ■

**A opinião de Aquino** quanto às exigências de uma guerra justa — intenção justa, autoridade e causa justa — ainda se mantém e motiva muitos movimentos pacifistas.

# VIVER POLITICAMENTE SIGNIFICA VIVER CONFORME BOAS LEIS

## EGÍDIO ROMANO (c. 1243-1316)

### EM CONTEXTO

IDEOLOGIA
**Constitucionalismo**

FOCO
**Estado de direito**

ANTES
**c. 350 A.C.** Na *Política* Aristóteles diz que o homem é um animal político.

**Século XIII** Tomás de Aquino incorpora as ideias de Aristóteles à filosofia e ao pensamento político cristão.

DEPOIS
**1328** Marsílio de Pádua alia-se ao imperador romano Luís IV e ao governo secular no conflito de forças com o papa João XII.

**c. 1600** Francisco Suárez questiona o direito divino dos reis no *Tractatus de legibus ac deo legislatore*.

**1651** O *Leviatã* de Thomas Hobbes descreve a vida num estado de natureza como "solitária, pobre, sórdida, embrutecida e curta" e defende um contrato social que proteja os cidadãos.

Os ensinamentos de Aristóteles, por muito tempo ignorados na Europa, foram aceitos pela Igreja no século XIII graças, em boa parte, à obra do padre dominicano Tomás de Aquino e de seu protegido Egídio Romano. Além de escrever comentários importantes sobre as obras do filósofo grego, Egídio levou suas ideias mais além, em especial a noção do homem como um "animal político" — "político" no sentido aristotélico de viver numa *polis*, ou comunidade civil, em vez de se referir a um regime político.

Para Egídio, ser parte de uma sociedade civil é "viver politicamente" e é essencial para ter uma vida digna de acordo com a virtude. Isso ocorre porque as comunidades civis são reguladas por leis que garantem e protegem a moralidade de seus, cidadãos. Egídio sugeriu que boas leis deveriam induzir virtudes, tais como a justiça. Ser um membro da sociedade, vivendo politicamente, exigiria a obediência a essas leis. Não segui-las significaria se apartar da sociedade. Disso resultaria que o estado de direito distingue a vida

**O rei Felipe IV** da França organizou uma fogueira pública para queimar o *Unam Sanctam*. Esse documento tentava submeter o rei ao papado — um princípio com o qual Egídio concordava.

"política" da tirania, já que um tirano se excluiria da sociedade civil ao não se sujeitar à lei.

Apesar de Egídio acreditar que a monarquia hereditária era a forma de governo mais adequada para conduzir uma sociedade política, por ser um arcebispo, sua lealdade se dividia entre os poderes seculares e a Igreja. Por fim, tomou partido do papa ao declarar que os reis deveriam se subordinar à Igreja. ■

**Veja também:** Aristóteles 40–3 ▪ Tomás de Aquino 62–9 ▪ Marsílio de Pádua 71 ▪ Francisco Suárez 90–1 ▪ Thomas Hobbes 96–103

# A IGREJA DEVERIA SE DEDICAR A IMITAR CRISTO E ABANDONAR SEU PODER SECULAR

## MARSÍLIO DE PÁDUA (1275-1343)

### EM CONTEXTO

IDEOLOGIA
**Secularismo**

FOCO
**Papel da Igreja**

ANTES
**c. 350 A.C.** A *Política* de Aristóteles descreve o papel do cidadão na administração e jurisdição da cidade-estado.

**c. 30** De acordo com a crença católica, São Pedro torna-se o primeiro bispo de Roma. Os bispos seguintes são conhecidos por "papas".

**800** Carlos Magno é coroado imperador de Roma, dando início ao Sacro Império Romano.

DEPOIS
**1328** Ludwig da Baviária, recém-coroado imperador do Sacro Império Romano, depõe o papa João XXII.

**1517** O teólogo alemão Martinho Lutero critica as doutrinas e os rituais da Igreja Católica dando início à Reforma Protestante.

Como um erudito, em vez de um membro do clero, Marsílio de Pádua estava numa posição melhor que a dos teólogos para dizer abertamente o que a maioria deles acreditava: a Igreja, e o papado em particular, não deveria ter poder político.

No seu tratado *Defensor Pacis* (Defensor da Paz) — escrito em defesa do recém-eleito imperador do Sacro Império Romano, Ludwig da Baviária, em seu conflito com o papa João XXII — ele argumentou, de maneira convincente, que não é função da Igreja governar. Refutou a premissa defendida por sucessivos papas de uma "plenitude de poder" dada por Deus, crendo ser essa destrutiva ao Estado.

Usando argumentos da *Política* de Aristóteles, Marsílio descreveu um governo eficiente com origem no povo, cujos direitos incluem escolher o governante e participar do processo legislativo. O gerenciamento dos assuntos humanos seria mais bem conduzido por meio da legislação, não imposto pela lei divina, o que nem mesmo a Bíblia sancionou. O próprio Cristo, apontou ele, negou ao clero qualquer poder coercitivo sobre as pessoas deste mundo, enfatizando seu papel como mestres. A Igreja deveria, portanto, seguir o exemplo de Jesus e seus discípulos e devolver o poder político para o Estado secular, que poderia, então, gerenciar melhor as áreas especializadas do governo, tais como a lei e a ordem, as questões econômicas e militares, sob o comando de um governante escolhido pela maioria do povo. ■

Nenhum governante que deriva sua autoridade apenas das eleições precisa de qualquer outra confirmação ou aprovação.
**Marsílio de Pádua**

**Veja também:** Aristóteles 40–3 ▪ Agostinho de Hipona 54–5 ▪ Egídio Romano 70 ▪ Nicolau Maquiavel 74–81

# O GOVERNO EVITA A INJUSTIÇA, MENOS A QUE ELE MESMO COMETE

## IBN KHALDUN (1332-1406)

**EM CONTEXTO**

IDEOLOGIA
**Islã**

FOCO
**Corrupção do poder**

ANTES
**1027-256 a.C.** Historiadores na China, durante a dinastia Zhou, descrevem o "Ciclo Dinástico" dos impérios em seu declínio e substituição.

**c. 950** Al-Farabi baseia-se em Platão e Aristóteles para escrever *A cidade virtuosa*, sua noção de um Estado ideal islâmico e das fraquezas dos governos.

DEPOIS
**1776** *A riqueza das nações*, do economista britânico Adam Smith, explica os princípios por trás da divisão do trabalho.

**1974** O economista americano Arthur Laffer usa as ideias de Ibn Khaldun a respeito da tributação para produzir a curva de Laffer, que demonstra a relação entre as alíquotas de impostos e a receita governamental.

A unidade de uma sociedade política vem da *asabiyyah*, ou **espírito comunitário**.

↓

Essa é a **base do governo** e previne a injustiça.

↓

Conforme uma sociedade avança, diminui a coesão social e o **governo fica negligente**...

↓

... **explorando seus cidadãos** em proveito próprio, causando injustiça.

↓

Por fim, **surge outro governo** que assume o lugar do regime decadente.

↓

**O governo evita a injustiça, menos a que ele mesmo comete.**

**Veja também:** Aristóteles 40–3 ▪ Maomé 56–7 ▪ Al-Farabi 58–9 ▪ Nicolau Maquiavel 74–81 ▪ Karl Marx 188–93

Descrita pelo antropólogo britânico Ernest Gellner como a melhor definição de governo na história da teoria política, a frase de Ibn Khaldun, "o governo evita a injustiça, menos a que ele mesmo comete", poderia ser tomada como um comentário cínico moderno das instituições políticas, ou como o realismo de Maquiavel. De fato, essa definição está no cerne de uma análise inovadora do século XIV sobre as causas da instabilidade política.

## Comunidade construída

Diferentemente de muitos outros pensadores do seu tempo, Ibn Khaldun assumiu uma postura histórica, sociológica e econômica para examinar a ascensão e queda de instituições políticas. Assim como Aristóteles, ele reconheceu que os humanos formam comunidades sociais às quais aplicou o conceito árabe de *asabiyyah* — que pode ser traduzida por "espírito comunitário", "solidariedade de grupo" ou, simplesmente, "tribalismo". Essa coesão social chega até à instituição do Estado, cujo propósito é proteger os interesses dos seus cidadãos e defendê-los de ataques.

Independentemente do formato que esse governo venha a ter, ele contém as sementes de sua própria destruição. Conforme ganha mais poder, torna-se menos preocupado com o bem-estar de seus cidadãos e começa a agir cada vez mais em seu interesse próprio, explorando as pessoas e gerando injustiça e desunião. Aquilo que começou como uma instituição para evitar as injustiças, passa então a cometê-las. A *asabiyyah* da comunidade diminui, amadurecendo as condições para que outro governo surja e assuma o lugar daquele então decadente. Civilizações surgem e se vão dessa forma, argumentou Ibn Khuldan, num ciclo de dinastias políticas.

## A corrupção leva ao declínio

Ibn Khaldun também apontou para as consequências econômicas da existência de uma elite poderosa. No começo de uma sociedade política, os impostos são usados apenas para suprir as necessidades de manter a *asabiyyah*, mas, conforme ela fica mais civilizada, os governantes exigem impostos maiores para manterem o seu estilo de vida cada vez mais opulento. Essa injustiça não apenas ameaça a unidade do Estado como também é contraproducente — a taxação maior desencoraja a produção e leva, a longo prazo, a uma arrecadação menor, não maior. Essa ideia foi redescoberta no século XX pelo economista americano Arthur Laffer. As teorias de Ibn Khaldun sobre a divisão do trabalho e a teoria do valor trabalho também surgiram muito antes dessa "descoberta" pelos economistas convencionais.

Apesar de achar que o ciclo contínuo de mudanças políticas fosse inevitável, Ibn Khaldun caracterizou algumas formas de governo como melhores que outras. Para ele, a *asabiyyah* seria mais bem mantida por um único governante, assim como o califa num Estado islâmico (o qual ainda possui a vantagem da religião para garantir a coesão social). Por um tirano, ela não seria bem mantida. O governo, achava, seria um mal necessário, mas já que ele implicaria uma injustiça inerente de controlar homens por outros homens, seu poder deveria ser mantido no mínimo. ■

Quando uma nação se torna vítima de uma derrota psicológica, isso marca o início do seu fim.
**Ibn Khaldun**

## Ibn Khaldun

Nascido em Túnis, na Tunísia, em 1332, Ibn Khaldun cresceu numa família politicamente ativa e estudou o Corão e a lei islâmica. Assumiu postos públicos na região do Magrebe, no norte da África, onde viu de primeira mão a instabilidade política de muitos regimes. Enquanto trabalhava em Fez, foi preso depois de uma mudança de governo e, depois de solto, se mudou para Granada, no sul da Espanha, onde liderou as negociações de paz com o rei castilho Pedro, o Cruel. Mais tarde voltou a servir várias cortes no norte da África, mas fugiu em busca da proteção de uma tribo berbere no deserto, quando suas tentativas de reforma foram rejeitadas. Em 1384, estabeleceu-se no Cairo onde terminou sua *História*. Em 1401, fez uma última viagem a Damasco a fim de negociar a paz entre o Egito e o mongol Khan Timur.

### Principais obras

**1377** *Introdução à história*
**1377-1406** *História do mundo*
**1377-1406** *Autobiografia*

# UM GOVERNANTE PRUDENTE NÃO PODE E NÃO DEVE MANTER A SUA PALAVRA

NICOLAU MAQUIAVEL (1469-1527)

## EM CONTEXTO

IDEOLOGIA
**Realismo**

FOCO
**Estadismo**

ANTES
**Século IV a.C.** Kautilya aconselha os governantes a fazer o que for necessário para alcançar o bem-estar do Estado.

**Século III a.C.** Han Fei Tzu presume ser da natureza humana buscar o ganho próprio e evitar a punição, e seu movimento legalista cria leis severas.

**51 a.C.** O político romano Cícero defende o governo republicano em *Da república*.

DEPOIS
**1651** O *Leviatã* de Thomas Hobbes descreve a vida no estado de natureza como "sórdida, embrutecida e curta".

**1816-1830** Carl von Clausewitz discute os aspectos políticos das batalhas em *Da guerra*.

Nicolau Maquiavel, talvez o mais famoso (e, com frequência, mal compreendido) de todos os filósofos políticos, cunhou com sua obra o termo "maquiavélico", o qual representa com perfeição o político manipulador, traiçoeiro que em geral, age em próprio benefício, e acredita que "os fins justificam os meios". No entanto, esse termo peca por não incluir uma filosofia política muito mais ampla e inovadora proposta por Maquiavel em seu tratado *O príncipe*.

Maquiavel viveu em tempos políticos turbulentos no começo do Renascimento. Foi um momento decisivo na história europeia, quando o conceito medieval de um mundo cristão governado com orientação divina foi substituído pela ideia de que os humanos poderiam controlar o seu próprio destino. Conforme o poder da Igreja era corroído pelo humanismo renascentista, as prósperas cidades-estados italianas, como Florença, a terra natal de Maquiavel, já eram repúblicas estabelecidas, mas eram, com frequência, ameaçadas e dominadas por famílias ricas e poderosas — como os Médici — buscando ampliar sua influência. Com sua experiência como diplomata e servidor público da República Florentina, e influenciado pelos estudos da sociedade e da política romana clássica, Maquiavel desenvolveu uma abordagem não convencional ao estudo da teoria política.

### Uma abordagem realista

Em vez de conceber a sociedade como ela deveria ser, Maquiavel tentou "ir diretamente à efetiva verdade do que comprazer-me em imaginá-la", o que significa que ele buscava ir ao cerne da questão e tratar a política não como uma parte da filosofia moral ou ética, mas simplesmente em termos práticos e realistas.

Ao contrário dos pensadores políticos anteriores, ele não achava que o propósito do Estado fosse nutrir a moralidade de seus cidadãos, preferindo vê-lo como a instituição que garantisse o seu bem-estar e segurança. Por isso, substitui os conceitos de certo e errado por noções de utilidade, necessidade, sucesso, perigo e dano. Ao colocar a utilidade acima da moralidade, suas ideias para as qualidades desejáveis de um líder

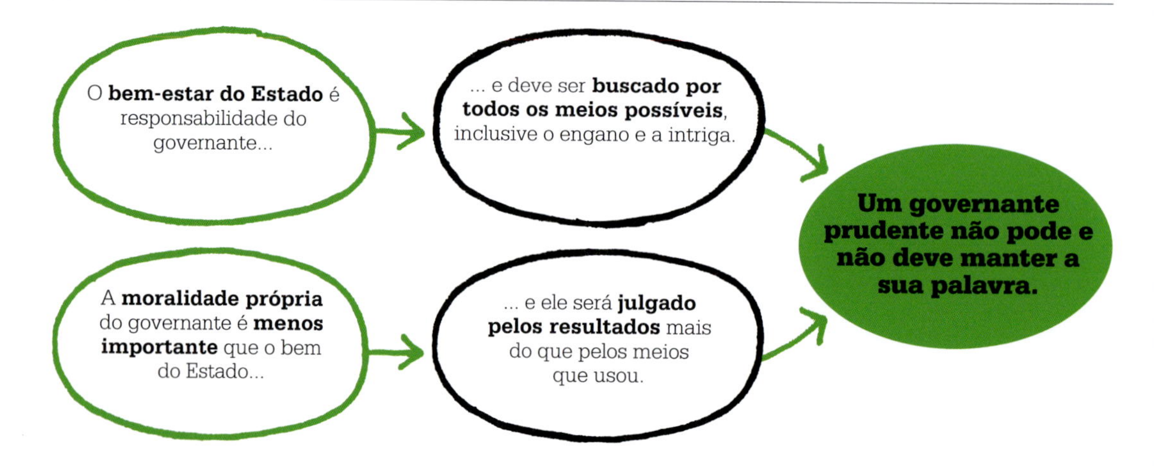

O bem-estar do Estado é responsabilidade do governante...
... e deve ser buscado por todos os meios possíveis, inclusive o engano e a intriga.
A moralidade própria do governante é menos importante que o bem do Estado...
... e ele será julgado pelos resultados mais do que pelos meios que usou.
Um governante prudente não pode e não deve manter a sua palavra.

**Veja também:** Kautilya 44–7 ▪ Han Fei Tzu 48 ▪ Ibn Khaldun 72–3 ▪ Thomas Hobbes 96–103 ▪ Carl von Clausewitz 160 ▪ Antonio Gramsci 259

**Um líder efetivo** pode se aproveitar bastante das fraquezas de seu povo, assim como um cão pastor é capaz de manipular um rebanho de ovelhas.

bem-sucedido se baseavam na eficiência e na prudência em vez de qualquer ideologia ou retidão moral.

No centro de sua filosofia política, está a concepção renascentista que via a sociedade humana em termos terrenos, separada dos ideais religiosos impostos pela Igreja cristã. Para chegar lá, seu ponto de partida é a análise da natureza humana baseada em suas observações do comportamento humano ao longo da história, o que o levou à conclusão de que a maioria das pessoas é, por natureza, egoísta, de visão curta, volúvel e facilmente enganável. Sua visão é realista, cínica de certa forma, e muito diferente dos pensadores políticos que o precederam. Se, por um lado, essas pessoas poderiam parecer um obstáculo para a criação de uma sociedade estável e eficiente, Maquiavel argumentou que algumas dessas falhas humanas poderiam, de fato, ser úteis ao estabelecimento de uma sociedade bem-sucedida, apesar de se exigir uma liderança correta.

## Usando a natureza humana

O interesse próprio do homem, por exemplo, pode ser visto em seu instinto de autopreservação. Mas, quando ameaçado por agressões ou um ambiente hostil, ele reage com atos de coragem, trabalho e cooperação. Maquiavel fez uma distinção entre a natureza humana original, ou fundamental, que não tem virtudes, e uma natureza adquirida socialmente, que age de maneira virtuosa e é benéfica para a sociedade. Outros traços humanos negativos também poderiam ser transformados no bem comum, tais como a tendência individual de imitar em vez de pensar. Maquiavel notou que isso levava as pessoas a seguirem o exemplo de um líder e agirem de modo cooperativo. Além disso, traços como a volatilidade e a credulidade permitiriam aos humanos serem facilmente manipulados por um líder habilidoso para que se comportassem de modo benevolente. Traços como o egoísmo, manifestado no desejo humano em obter ganhos pessoais e na ambição, poderiam ser uma força motora, se canalizados corretamente, e seriam características especialmente úteis num governante.

Os dois principais elementos para a transformação da natureza humana original, indesejável, numa natureza social benevolente seriam a organização social e aquilo que Maquiavel chamou de liderança "prudente" que, pare ele, era a liderança útil para o sucesso do Estado.

## Conselho para os novos governantes

O famoso (e agora infame) tratado de Maquiavel, *O príncipe*, foi escrito no »

***A adoração dos magos***, de Sandro Botticelli, pintado em 1475, inclui representações da poderosa família Médici, a qual governou Florença enquanto Maquiavel escrevia *O príncipe*.

estilo de guias práticos para os líderes, conhecidos como "Espelhos de Príncipes", comuns na Idade Média e no Renascimento. Foi dirigido a um novo governante — e é dedicado a um membro da poderosa família Médici — com conselhos sobre como a natureza humana básica poderia ser transformada e manipulada para o bem do Estado. Interpretações posteriores, no entanto, levam a crer que Maquiavel usou esse gênero com esperteza ao expor a uma audiência mais ampla os segredos já conhecidos das classes dominantes. Tendo explicado a natureza humana essencialmente focada em si mesma, apesar de maleável, ele voltou sua atenção às qualidades necessárias para um governante agir de forma prudente.

Nunca faltará ao príncipe razões legítimas para quebrar sua promessa.
**Nicolau Maquiavel**

## Qualidades de liderança

De modo confuso, Maquiavel usou a palavra *virtù* para descrever essas qualidades de liderança, mas isso é muito diferente da nossa ideia moderna de virtude moral, bem como o conceito de virtude conforme entendido pela Igreja. Maquiavel era um cristão e, como tal, defendia as virtudes cristãs na vida diária, mas, quando se referia às ações de um governante, acreditava que a moralidade deveria ficar em segundo plano para a utilidade e a segurança do Estado. Quanto a isso, suas ideias valorizavam a qualidade romana da "virtude" corporificada num líder militar motivado pela ambição e pela busca da glória, propriedades quase opostas à virtude cristã da modéstia. Maquiavel notou, no entanto, que essas motivações seriam também uma manifestação do interesse próprio inerente à natureza humana e, de maneira similar, poderiam ser usadas para o bem comum.

Maquiavel foi além em sua analogia entre os líderes militares e políticos, apontando aspectos da *virtù* como ousadia, disciplina e organização. Ele também enfatizou a importância de analisar uma situação racionalmente antes de agir e basear essa ação não em como as pessoas deveriam de fato ser, mas em como elas vão se comportar (ou seja, em interesse próprio). Na opinião de Maquiavel, o conflito social é um desdobramento inevitável do egoísmo da natureza humana (em contraste com a visão medieval cristã que não considerava o egoísmo uma condição natural). Para lidar com esse egoísmo, o líder deveria lançar mão das táticas de guerra.

Apesar de Maquiavel acreditar que em larga escala o homem é senhor do seu próprio destino, ele reconheceu que também existe um componente de sorte em jogo, ao qual chamou *fortuna*. O governante deveria lutar contra essa possibilidade, bem como contra a volatilidade da natureza humana, a qual também tem a ver com a *fortuna*. Ele encarou a vida política, em especial, como uma disputa constante entre os elementos da *virtù* e da *fortuna*, sendo análogas a um estado de guerra.

## A conspiração é útil

Ao analisar a política usando a teoria militar, Maquiavel concluiu que a essência da maior parte da vida política seria a conspiração. Assim como a vitória na guerra dependia de espionagem, inteligência,

Ao julgar políticas, devemos considerar os resultados alcançados por elas em vez dos meios pelos quais elas foram executadas.
**Nicolau Maquiavel**

contrainteligência e engano, o sucesso político exigia segredos, intriga e dissimulação. A ideia de conspiração já era havia muito tempo conhecida dos teóricos militares e praticada por muitos líderes políticos, mas Maquiavel foi o primeiro no Ocidente a propor explicitamente uma teoria de conspiração política. O engano era considerado contrário à ideia de que um Estado deveria proteger a moralidade de seus cidadãos, e as sugestões de Maquiavel foram um choque quando comparadas às do pensamento tradicional.

De acordo com Maquiavel, se por um lado a intriga e a dissimulação não seriam justificáveis moralmente na vida privada, elas seriam prudentes para o sucesso da liderança e desculpáveis quando usadas para o bem comum. Mais que isso, Maquiavel afirmou que, para moldar os aspectos indesejáveis da natureza humana, seria essencial que um governante fosse enganoso e — longe da prudência — não honrasse a sua palavra, já que, agindo assim, ele colocaria em risco o seu governo, ameaçando a estabilidade do Estado. Para o líder, então, compelido a lidar com os inevitáveis conflitos em seu caminho, os fins de fato justificariam os meios.

### O fim é o que importa

O sucesso de um príncipe como governante é julgado pelas consequências de suas ações e seu benefício para o Estado, não por sua moralidade ou ideologia. Conforme Maquiavel escreveu no *Príncipe*: "Nas atitudes de todos os homens, sobretudo dos príncipes, em que não existe tribunal a que recorrer, o fim é o que importa. Trate, portanto, um príncipe de vencer e conservar o Estado. Os meios que empregar serão sempre julgados honrosos e louvados por todos, pois as massas se deixam levar por aparências e pelas consequências dos fatos consumados, e o mundo é formado pelas massas". Ele enfatizou, no entanto, que essa seria uma questão de conveniência, não um modelo de comportamento social. Só seria desculpável quando feita para o bem público. Também seria importante que os métodos de intriga e engano fossem os meios para um fim e não se tornassem um fim em si mesmos, de modo que esses métodos precisariam estar restritos aos líderes militares e políticos e severamente controlados.

Outra tática que Maquiavel tomou emprestada dos militares é o uso da força e da violência, igualmente indefensável na vida privada, mas desculpável quando aplicado para o bem comum. Tal política cria o temor, que é um meio de garantir a segurança do governante. Com seu pragmatismo característico, Maquiavel abordou a questão se seria melhor para um líder ser temido ou amado. Num mundo ideal, ele deveria ser tanto amado quanto temido, mas na realidade os dois raramente seguiriam juntos. O temor manteria o líder numa posição muito mais forte, sendo portanto melhor para o »

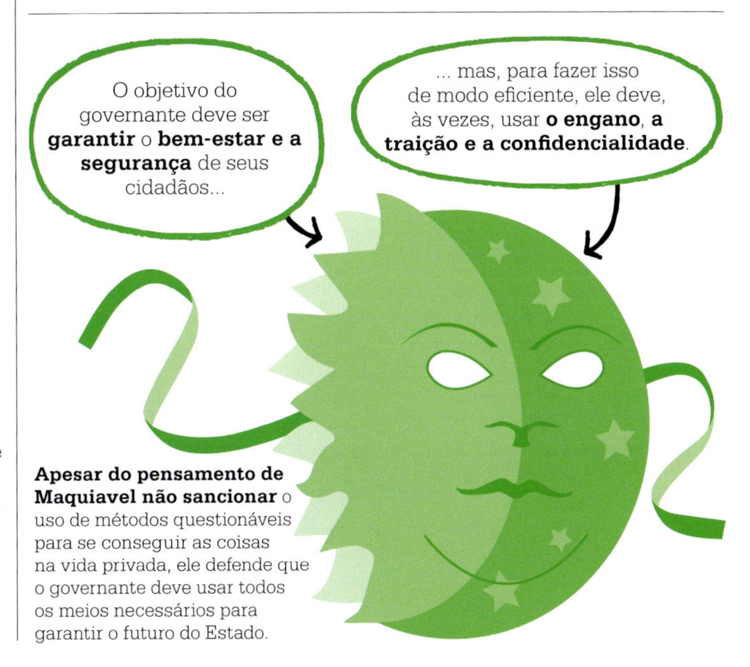

O objetivo do governante deve ser **garantir** o **bem-estar e a segurança** de seus cidadãos...
... mas, para fazer isso de modo eficiente, ele deve, às vezes, usar **o engano, a traição e a confidencialidade**.


**Apesar do pensamento de Maquiavel não sancionar** o uso de métodos questionáveis para se conseguir as coisas na vida privada, ele defende que o governante deve usar todos os meios necessários para garantir o futuro do Estado.

Já que o amor e o medo dificilmente podem coexistir, se temos de escolher entre eles, é mais seguro ser temido que amado.
**Nicolau Maquiavel**

O **ditador italiano** Benito Mussolini foi um lider enérgico e cruel, mais temido que amado. Ele alegava ter se inspirado em *O príncipe*.

bem-estar do Estado. Governantes que conquistaram o poder por meio do exercício de sua *virtù* estão na posição mais segura, tendo derrotado qualquer oposição e ganhado o respeito do povo. Mas, para preservar esse apoio e se manter no poder, eles devem continuamente afirmar a sua autoridade.

## Uma república ideal

Embora *O príncipe* seja voltado ao sucesso do futuro monarca, Maquiavel era um estadista na República de Florença e, em seu muito menos conhecido *Discursos sobre Lívio*, defendeu fortemente a república em vez de qualquer outra forma de monarquia ou oligarquia. Apesar de ser um católico de longa data, ele também se opunha a qualquer interferência da Igreja na vida política. Sua forma de governo favorita tinha como modelo a República romana, com um misto de constituição e participação de todos os cidadãos, protegidos por um exército constituído pelos cidadãos em oposição a uma milícia de mercenários contratados. Isso, dizia ele, protegeria a liberdade dos cidadãos e diminuiria qualquer conflito entre o povo e a elite governante. Mas fundar tal república ou reformar um Estado já existente exigiria a liderança de um indivíduo que possuísse a *virtù* e a prudência adequadas. Apesar de ser necessário um líder forte e alguns meios obtusos para começar, uma vez que tal sociedade política fosse estabelecida, o governante poderia, então, apresentar as leis e a organização social necessárias para capacitá-la a seguir sendo uma república ideal — isso seria um meio necessário para atingir fins desejados.

A filosofia de Maquiavel, baseada na experiência pessoal e no estudo objetivo da história, desafiou o domínio da Igreja e as ideias convencionais de moralidade política, fazendo com que suas obras fossem banidas pela autoridade da Igreja. Ao tratar a política como um tema de estudo prático e não uma questão filosófica ou ética, ele substituiu a moralidade pela utilidade como o propósito do Estado e mudou a ênfase da intenção moral da ação política para focar suas consequências.

## Legado duradouro

*O príncipe* foi muito influente nos séculos que seguiram a morte de Maquiavel, em especial entre líderes como Henrique VIII, da Inglaterra, Carlos V, do Sacro Império Romano, Oliver Cromwell e Napoleão, e o livro foi reconhecido como inspiração por figuras tão díspares como o teórico marxista Antonio Gramsci e o ditador fascista Benito Mussolini.

Os críticos de Maquiavel também surgiram de todos os lados do espectro político, e os católicos o acusaram de apoiar a causa protestante, e vice-versa. Sua importância para o pensamento político dominante foi imensa — ele era um importante expoente do Renascimento, com sua ênfase no humanismo em vez da religião, e no empirismo em vez da fé e do dogma, sendo o primeiro a usar uma abordagem objetiva e científica para a história política.

Tal objetividade também se mostra presente em sua eventual análise cínica da natureza humana, sendo uma precursora da brutal descrição de Thomas Hobbes da vida num estado de natureza. Seu conceito de utilidade tornou-se um apoio ao liberalismo do século XIX. Num sentido mais amplo, ao separar a moralidade e a ideologia da política, sua obra foi a base para o movimento mais tarde conhecido como realismo político, com especial importância para as relações internacionais.

## Comportamento "maquiavélico"

O termo "maquiavélico" é de uso comum hoje e em geral aplicado, de modo pejorativo, aos políticos vistos

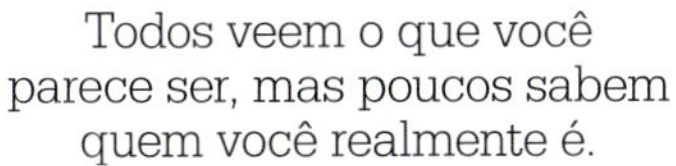

Todos veem o que você parece ser, mas poucos sabem quem você realmente é.
**Nicolau Maquiavel**

(ou pegos) agindo de maneira manipuladora ou enganosa. O presidente americano Richard Nixon, que tentou encobrir a invasão e a escuta telefônica no quartel-general de seu oponente, sendo forçado a renunciar pelo escândalo causado, é um exemplo moderno de tal comportamento dissimulado. Também é possível que Maquiavel possa ter deixado uma ideia menos óbvia no *Príncipe*: talvez estivesse dizendo que os governantes bem-sucedidos se comportaram de maneira igualmente "maquiavélica", mas suas ações não foram examinadas com cuidado. A maneira como atingiram seu sucesso teria sido ignorada porque o foco talvez tenha mudado para aquilo que conseguiram atingir. Parece que tendemos a julgar os líderes pelos seus resultados em vez dos meios que usaram para atingi-los.

Levando esse argumento adiante, talvez possamos reconsiderar a maneira como, com frequência, julgamos os perdedores de uma guerra moralmente questionáveis, ao passo que os vitoriosos são vistos como irrepreensíveis — a noção de que a história é escrita pelos vencedores. Criticar Maquiavel nos leva a examinar até que ponto estamos preparados para ignorar as maquinações dúbias de nossos governos se o resultado nos favorecer. ■

**Richard Nixon** renunciou à presidência dos EUA em 1974. Ele autorizou a invasão e a escuta telefônica no quartel-general do Comitê Nacional Democrata: ações descritas como "maquiavélicas".

## Nicolau Maquiavel

Nascido em Florença, era filho de um advogado e acredita-se que tenha estudado na Universidade de Florença, mas pouco se sabe da sua vida até ter se tornado funcionário público em 1498 no governo da República de Florença. Passou os catorze anos seguintes viajando pela Itália, França e Espanha em assuntos diplomáticos. Em 1512, Florença foi atacada, voltando ao governo da família Médici. Maquiavel foi preso e torturado injustamente por uma suposta conspiração contra os Médici e, quando solto, mudou-se para uma fazenda fora de Florença. Lá dedicou seu tempo a escrever, inclusive *O príncipe* e outros livros políticos e filosóficos. Tentou recuperar sua fama com os Médici, mas sem sucesso. Depois que foram depostos, em 1527, foi-lhe negado um cargo no novo governo republicano por causa dos vínculos com eles. Morreu mais tarde, naquele mesmo ano.

### Principais obras

**c. 1513** (publicado em 1532) *O príncipe*
**c. 1517** (publicado em 1531) *Discursos sobre Lívio*
**1519-1521** *A arte da guerra*

# RACIONA ILUMINIS 1515-1770

LISMO E
MO

Martinho Lutero prega suas **95 teses** na porta da igreja de Wittenberg, questionando a autoridade da Igreja Católica.

**1517**

**1532**

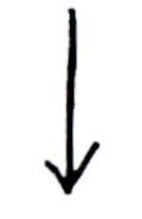

O explorador espanhol Francisco Pizarro **derrota os incas** na América do Sul.

Jean Bodin descreve a **melhor forma de governo** nos *Seis livros da república*.

**1576**

**1590**

Em seguida ao cerco de Odawara, o **Japão é unificado** sob o comando de Toyotomi Hideyoshi que impõe um estrito sistema de classes.

Em *Disputationes metaphysicae*, Francisco Suárez revisita as **ideias políticas de Tomás de Aquino**.

**1597**

**1602**

A Companhia Holandesa das Índias Orientais é fundada, tornando-se a **primeira corporação multinacional**.

Os Pais Peregrinos fundam a **colônia de Plymouth** em Massachusetts, EUA.

**1620**

**1625**

Hugo Grócio lança os **fundamentos do direito internacional** em *De Jure Belli ac Pacis*.

As raízes para o pensamento político ocidental mais moderno estão no esclarecimento da "Idade da Razão" que se seguiu à Idade Média na Europa. A invenção da imprensa, a ascensão dos estados-nação e a descoberta das Américas foram alguns dos fatores que influenciaram a transição entre essas eras. O questionamento da ortodoxia religiosa — iniciado com as *95 teses* de Martinho Lutero em 1517 — levou à Reforma Protestante, à qual se seguiu a contrarreforma católica.

Esferas sobrepostas de autoridade e governança na Europa levaram a terríveis batalhas entre e dentro de grupos civis e religiosos. Na falta de uma doutrina religiosa, as pessoas precisavam de uma nova forma para organizar e legitimar a ordem política. Dois conceitos tornaram-se fundamentais: "o direito divino dos reis" para governar e a "lei natural", que analisava o comportamento humano buscando princípios morais válidos. Ambos os conceitos foram usados para defender um Estado absolutista.

## Soberania absoluta

Na França, Jean Bodin defendeu um poder central forte com soberania absoluta, para evitar a luta de facções que acompanhou o declínio da autoridade papal na Europa. Thomas Hobbes escreveu durante uma sangrenta guerra civil na Inglaterra. Ele concordou com Bodin quanto à necessidade de um soberano forte, mas não sobre o direito divino dos reis, o qual a obra de Bodin foi usada para legitimar. Para Hobbes, o poder de governar era garantido não por Deus, mas pelo contrato social com os governados. A ideia de que o poder para governar era dado pelo povo por meio de um contrato implícito ou explícito — e que os governantes podiam ser legitimamente destituídos do poder caso quebrassem o contrato — se mantém central no entendimento moderno dos sistemas políticos.

Outras percepções vieram de Johannes Althusius que via a política como a arte de unir as pessoas em associações para garantir a paz e a prosperidade, e de Montesquieu que enfatizava que o governo deveria ser baseado no princípio da separação dos poderes legislativo e executivo. Todos esses pensadores falavam contra um Estado forte e centralizado.

## Rumo ao Iluminismo

Teólogos como Francisco de Vitória e Francisco Suárez, ambos da Escola de

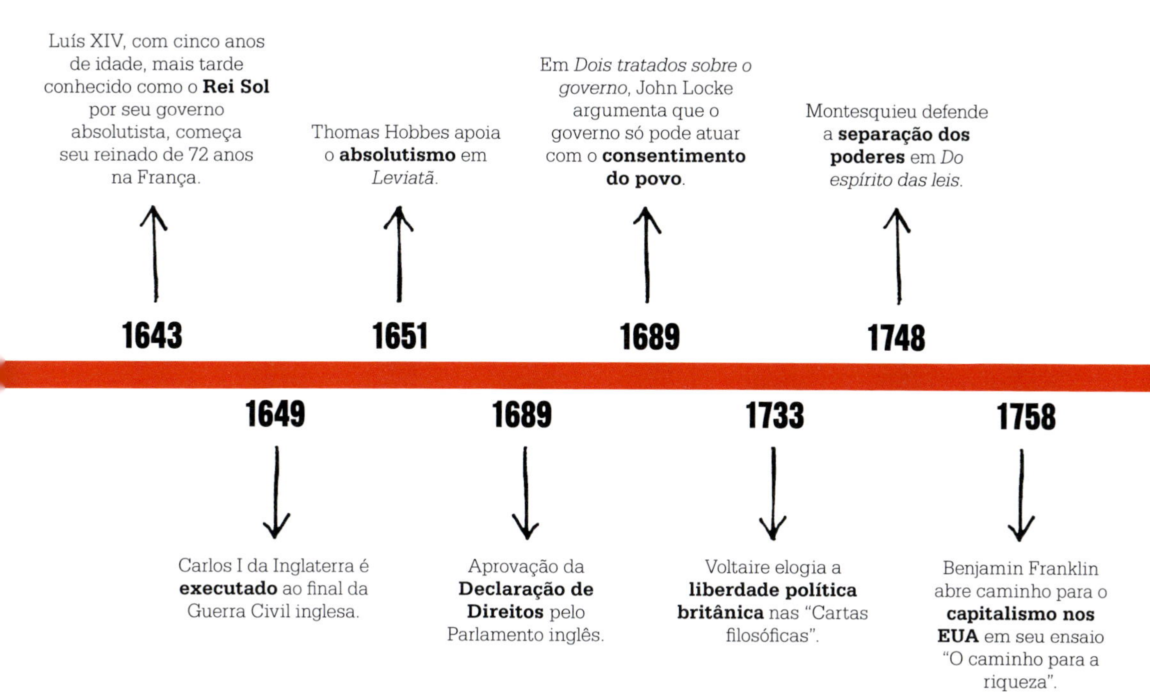


Salamanca, começaram a interpretar a Bíblia usando argumentos baseados na racionalidade. Isso levou De Vitória a criticar as conquistas coloniais da época, feitas pela Igreja. Suárez distinguiu as leis feitas pelos homens das leis naturais e da orientação divina. Ele criticou o direito divino dos reis como uma mescla confusa das três fontes das leis.

Luís XIV, com cinco anos de idade, mais tarde conhecido como o **Rei Sol** por seu governo absolutista, começa seu reinado de 72 anos na França.
1643
Thomas Hobbes apoia o **absolutismo** em *Leviatã*.
1651
Em *Dois tratados sobre o governo*, John Locke argumenta que o governo só pode atuar com o **consentimento do povo**.
1689
Montesquieu defende a **separação dos poderes** em *Do espírito das leis*.
1748
1649
Carlos I da Inglaterra é **executado** ao final da Guerra Civil inglesa.
1689
Aprovação da **Declaração de Direitos** pelo Parlamento inglês.
1733
Voltaire elogia a **liberdade política britânica** nas "Cartas filosóficas".
1758
Benjamin Franklin abre caminho para o **capitalismo nos EUA** em seu ensaio "O caminho para a riqueza".

Mais tarde, eruditos do período basceariam suas análises não na teologia, mas na razão pura. Elas estão mais perto dos assim chamados "ideais iluministas". Immanuel Kant cunhou o termo Iluminismo em 1784 para descrever a capacidade e liberdade de se usar a própria inteligência sem a orientação de outros.

Enquanto acadêmicos como Bodin e Hobbes focavam na estabilidade política e usavam o conceito de lei natural para defender o absolutismo, os escritores iluministas usavam a lei natural como alicerce das teorias liberais e do direito internacional, dizendo que os humanos tinham direitos que excediam as leis feitas pelos homens.

## Direitos individuais

Hugo Grócio, considerado o pai do direito internacional, colocou a liberdade e os direitos como posses exclusivas dos indivíduos, em oposição à ideia de eles serem qualidades dadas por Deus. Essa ideia era essencial para o desenvolvimento do liberalismo e a separação conceitual dos direitos e deveres em questões jurídicas. John Locke defendeu com mais vigor os direitos e a liberdade individuais. Ele argumentou que o propósito do governo e das leis era preservar e ampliar a liberdade humana. Assim como Hobbes, ele acreditava no contrato social, mas sua visão mais otimista quanto à natureza humana o levou a concluir que o governo deveria ser limitado e protetor, não absoluto.

O Iluminismo americano não apenas delineou a Declaração de Independência, como também a aproximou da Revolução Francesa de 1789, a qual costuma ser vista como o apogeu do Iluminismo europeu. Benjamin Franklin foi uma figura central desse período, e suas visões do empreendedorismo como uma virtude cívica tiveram uma forte influência no desenvolvimento do capitalismo.

Direitos humanos, liberdade, controles e equilíbrios, direito internacional, democracia representativa e a razão são todos conceitos modernos que foram explorados, pela primeira vez e de maneira plena, pelos pensadores dessa era. ■

# NO COMEÇO, TUDO ERA COMUM A TODOS

## FRANCISCO DE VITÓRIA (c. 1483-1546)

**EM CONTEXTO**

IDEOLOGIA
**Guerra justa**

FOCO
**Colonialismo**

ANTES
**1267-1272** Tomás de Aquino escreve a *Summa Theologica*, a obra mais influente na teologia cristã no Ocidente.

**1492** O explorador genovês Cristóvão Colombo chega ao Novo Mundo, liderando, no Velho Mundo, a corrida pela conquista.

DEPOIS
**1625** Baseado nos ensinamentos de Francisco de Vitória, Hugo Grócio publica *De Jure Belli ac Pacis*, uma obra inspiradora para a formulação do direito internacional.

**1899** Acontece a primeira Conferência de Haia, resultando na primeira convenção formal sobre as leis da guerra e seus crimes subsequentes.

Francisco de Vitória destacou-se entre o grupo de teólogos na Universidade de Salamanca, na Espanha, tendo fundado a Escola de Salamanca no começo do século XVI. Eles revolucionaram o conceito de direito natural, enfatizando a liberdade individual, os direitos e a igualdade.

Com a descoberta do Novo Mundo e o declínio da autoridade papal, os estados europeus passaram a concorrer para colonizar o máximo que pudessem as novas terras conquistadas. A Escola de Salamanca foi a primeira e a mais intensa força intelectual a criticar tais atos. De Vitória acreditava que a origem da lei emanava da própria natureza, dado que todos os humanos nascem da e compartilham a mesma natureza. Seu argumento era que todos tinham direitos iguais à vida e à liberdade.

### Conquistas ilegítimas

O princípio da lei natural de De Vitória e a universalidade dos direitos confrontaram a visão dominante da Igreja e das potências coloniais europeias. Derivando do dogma cristão, a moralidade dominante dizia que era legítimo conquistar e governar os nativos americanos. De Vitória considerava as conquistas indevidas, baseado na

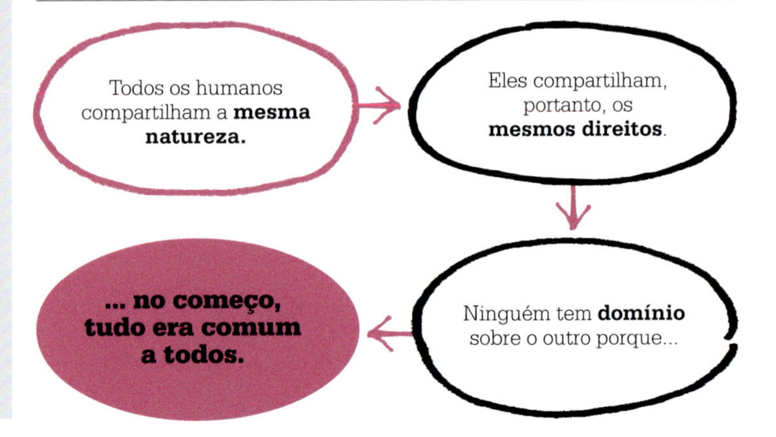

**Veja também:** Tomás de Aquino 62–9 ▪ Francisco Suárez 90–1 ▪ Hugo Grócio 94–5 ▪

lógica de que "no começo tudo era comum a todos". Se os incrédulos não eram necessariamente maus, e os cristãos podiam cometer atos assim classificados, não era lógico considerar os cristãos como tendo direitos sobre os incrédulos.

Tal visão também minou o direito divino dos reis de governar. Ela levou a uma série de conflitos entre De Vitória e Carlos V, rei da Espanha e imperador do Sacro Império Romano, mas mesmo assim o rei se valia dos conselhos do teólogo.

## A guerra pode ser justa?

O princípio da lei natural e dos direitos das pessoas de De Vitória também estava relacionado aos seus estudos sobre a teoria da guerra justa. As justificativas morais e religiosas para a guerra levaram a debates acalorados na época da conquista do Novo Mundo. A questão central era como os ensinamentos de Cristo poderiam ser reconciliados com a realidade política. A partir da obra de Tomás de Aquino, que distingue entre uma causa e uma conduta justas na guerra, a Escola de Salamanca desenvolveu com mais rigor esse corpo de ideias. De Vitória não aceitava os argumentos religiosos como justificativa para a guerra. Essa não era justificada porque os povos eram incrédulos ou porque se recusavam a se converter. A crença não poderia ser forçada — era um ato de livre-arbítrio dado por Deus.

De Vitória não apenas separou as questões da justiça e da moralidade da religião, como também lançou os alicerces para os estudos futuros do direito internacional e dos direitos humanos. A doutrina em que estados beligerantes têm responsabilidades e que os não combatentes têm direitos — preservados nas convenções de Haia e Genebra — se originou em seus ensinamentos. Hoje, a doutrina de De Vitória ainda é citada quando se discutem os direitos dos povos indígenas no direito internacional. ■

A propriedade e o domínio estão baseados ou na lei natural ou na lei humana; logo, não podem ser destruídos pela vontade ou pela fé.
**Francisco de Vitória**

**De Vitória lamentou** a conquista das Américas, rejeitando a presumida superioridade dos cristãos conquistadores sobre a população indígena não convertida.

## Francisco de Vitória

Nasceu na pequena vila basca de Vitória. Antes de assumir o seu posto na Universidade de Salamanca, passou dezoito anos em Paris, onde estudou na Universidade Sorbonne e lecionou numa faculdade dominicana.
De Vitória tornou-se frei dominicano, professor de teologia na Universidade de Salamanca e foi eleito chefe da cátedra de teologia — a posição mais alta no departamento — em 1526. Foi fundador da Escola de Salamanca — um influente grupo de acadêmicos que incluiu Domingo de Soto, Martin de Azpilcueta, Tomas de Mercado e Francisco Suárez —, preocupada em redefinir a relação do homem com Deus dentro da tradição católica. De Vitória estudou os ensinamentos de seu colega dominicano e teólogo, Tomás de Aquino, cuja obra foi o alicerce da Escola de Salamanca.

### Principais obras

**1532** *De Indis*
**1532** *De Jure Belli Hispanorum in Barbaros*
**1557** *Reflectiones Theologicae*

# A SOBERANIA É O PODER ABSOLUTO E PERPÉTUO DE UMA COMUNIDADE

## JEAN BODIN (1529-1596)

**EM CONTEXTO**

IDEOLOGIA
**Absolutismo**

FOCO
**Poder do soberano**

ANTES
**380 A.C.** Em *A república*, Platão defende que o Estado ideal deveria ser governado por um rei-filósofo.

**1532** *O príncipe* de Nicolau Maquiavel é publicado, dando conselhos práticos aos soberanos.

DEPOIS
**1648** A Paz de Westfália cria o sistema moderno de estados-nação europeus.

**1651** Em *Leviatã*, Thomas Hobbes defende que o governo de um soberano absoluto envolve um contrato social com o povo.

**1922** Carl Schmitt insiste que o soberano tem o direito de suspender a lei em circunstâncias excepcionais como a guerra.

Estruturas de poder em conflito levam **à guerra civil e ao caos**...

... de modo que deve haver um **único soberano com poder absoluto**, respondendo somente a Deus.

Para que o poder de um soberano seja absoluto, ele deve ser **perpétuo**, não garantido pelos outros e limitado no tempo.

**A soberania é o poder absoluto e perpétuo de uma comunidade.**

A ideia de que os estados devem ser soberanos em seu próprio território deve muito à obra do jurista francês Jean Bodin. Depois de ter vivido as Guerras Religiosas na França (1562-98), um período de guerra civil principalmente entre os católicos e os protestantes huguenotes, Bodin testemunhou os perigos das estruturas de poder complexas e nocivas de seu tempo. A Igreja, a nobreza e o monarca lutavam entre si pela aliança com seus súditos, e essa luta com frequência resultava em guerra civil e desordem. O teólogo alemão Martinho Lutero e os pensadores que o seguiram, tais como o filósofo inglês John Locke e o patriarca fundador americano Thomas Jefferson, defendiam a separação entre Igreja e Estado de modo a evitar tal conflito. Para Bodin, no entanto, um poder soberano central forte era a chave para garantir a paz e a prosperidade.

Em seu tratado *Seis livros da república*, Bodin argumentou que a soberania teria de ser absoluta e perpétua para ser efetiva. Ela criaria uma autoridade central forte sobre o seu território. Para evitar conflitos, o soberano não deveria ser restrito por leis, obrigações ou condições, quer por grupos externos, quer pelos

**Veja também:** Platão 34–9 ▪ Tomás de Aquino 62–3 ▪ Nicolau Maquiavel 74–81 ▪ Thomas Hobbes 96–103 ▪ John Locke 104–9 ▪ Carl Schmitt 254–7

O príncipe soberano presta contas somente a Deus.
**Jean Bodin**

seus próprios súditos. A insistência de Bodin na necessidade de soberania absoluta formou o pilar intelectual da ascensão da monarquia absolutista na Europa. Ele também defendia que a soberania deveria ser perpétua. O poder não poderia ser concedido por outros ao soberano, nem poderia ser limitado no tempo, já que isso seria contraditório ao princípio do absolutismo. Bodin usou o termo latino *res publica* ("república", em português, ou "commonwealth", em inglês) para assuntos de lei pública e acreditava que qualquer sociedade política precisava ter um soberano livre para fazer e quebrar leis a fim de promover a prosperidade.

## O direito divino dos reis

Para Bodin, a fonte da legitimidade do soberano era a lei natural e o direito divino dos reis — o código moral da sociedade e o direito do monarca de governar, ambos vindos direto de Deus. Nisso, Bodin se opunha ao conceito de que a legitimidade soberana viria de um contrato social entre o governante e seus súditos, uma ideia mais tarde desenvolvida pelos pensadores iluministas como o filósofo francês Jean-Jacques Rousseau. Apesar de Bodin não gostar da democracia como forma de governo popular, ele não concordava com a posição maquiavélica de que o soberano poderia agir e governar sem limites. Os governantes precisavam ter poder absoluto, mas, em troca, teriam de prestar contas a Deus e à lei natural.

A Paz de Westfália, uma série de tratados entre potências europeias em 1648, baseou-se na visão de Bodin sobre a supremacia da soberania em cada território e moveu a Europa de seu sistema político medieval de hierarquia local para um sistema de Estado moderno. O sistema de Westfália foi o arcabouço organizacional para as relações internacionais a partir de então, baseado nos princípios da autodeterminação política dos territórios soberanos, seu mútuo reconhecimento e na não interferência nos assuntos domésticos de outros Estados. ■

## Jean Bodin

Filho de alfaiate rico, Jean Bodin nasceu em Angers, no noroeste da França, em 1529. Entrou na ordem religiosa carmelita ainda muito jovem e foi para Paris em 1545 para estudar com o filósofo Guillaume Prévost. Depois, estudou direito em Toulouse, voltando a Paris em 1560, onde se tornou conselheiro real, mais tarde assumindo o papel de promotor do rei.

Bodin escreveu sobre vários assuntos, incluindo história, economia, história natural, direito, bruxaria e religião. Suas obras foram influentes durante sua vida e bem depois também, mas suas visões religiosas não eram nada ortodoxas e causavam muito debate. Apesar de Bodin ser católico, ele questionava a autoridade do papa e, anos depois, tentou começar um diálogo construtivo com outras religiões.

### Principal obra

**1576** *Seis livros da república*

**Nas guerras religiosas francesas**, forças católicas viam o papa como o poder supremo, enquanto os protestantes apoiavam a autoridade do rei.

# A LEI NATURAL É O FUNDAMENTO DA LEI HUMANA

## FRANCISCO SUÁREZ (1548-1617)

**EM CONTEXTO**

IDEOLOGIA
**Filosofia do direito**

FOCO
**Lei natural e humana**

ANTES
**1274** Tomás de Aquino distingue lei natural e lei humana em sua *Suma teológica*.

**1517** A Reforma Protestante questiona as doutrinas da Igreja Católica e é usada para justificar o direito divino dos reis.

DEPOIS
**1613** O rei James I da Inglaterra bane o tratado de Suárez contra o anglicanismo, já que critica o direito divino dos reis.

**1625** Hugo Grócio escreve o primeiro tratado sistemático do direito internacional.

**1787** A constituição dos Estados Unidos se refere à lei natural como a base para a lei positiva.

Na Europa do século XVI, eventos como a Reforma Protestante, a descoberta da América e a ascensão do humanismo questionaram a ideia das leis derivarem da natureza, de Deus ou de outros seres humanos. Tomás de Aquino ligou a lei natural à divina, dizendo que as leis humanas deveriam ser julgadas por sua conformidade à lei natural, a qual deveria ser entendida no contexto da lei divina. A lei natural refere-se às regras universais da moralidade que podem ser deduzidas ao se analisar a natureza — incluindo os humanos como parte dessa —, ao passo que a lei humana (também chamada de lei positiva) se refere às regras feitas pelos homens numa sociedade em particular.

### Quebrando as leis humanas

O filósofo espanhol Francisco Suárez seguiu a tradição de Aquino argumentando que a lei natural é o fundamento da lei humana. Ele descreveu como as regras humanas poderiam ser injustas e enfatizou a liberdade humana. As leis feitas pelos homens poderiam, segundo

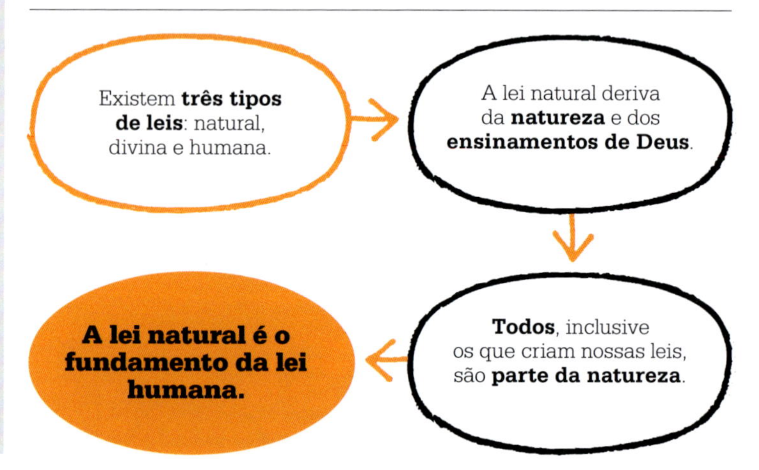
Existem **três tipos de leis**: natural, divina e humana.
A lei natural deriva da **natureza** e dos **ensinamentos de Deus**.
**Todos**, inclusive os que criam nossas leis, são **parte da natureza**.
**A lei natural é o fundamento da lei humana.**

**Veja também:** Tomás de Aquino 62–9 ▪ Francisco de Vitória 86–7 ▪ Hugo Grócio 94–5 ▪ John Locke 104–9

**A Universidade de Salamanca** foi o berço da Escola de Salamanca, um grupo de teólogos, incluindo Suárez, que procurou adequar as ideias de Aquino a um mundo em transformação.

Suárez, ser quebradas em certos casos. Por exemplo, poder e autoridade podem ser conferidos a um governante pelo povo, mas também podem ser tomados dele se as aplicações forem injustas. Nenhuma lei feita pelos homens poderia sobrepor o direito natural do povo à vida e à liberdade. E, uma vez que a origem da autoridade do Estado e do poder é humana, ela deveria se sujeitar à autoridade sagrada.

## Um direito divino?

As ideias de Suárez eram controversas, já que monarcas por todo o norte da Europa alegavam autoridade divina e absoluta — o assim chamado "direito divino" dos reis. As conclusões de Suárez desafiavam a noção de que o governante prestava contas apenas a Deus, e não à Igreja ou a seus súditos. Ao distinguir entre as diferentes fontes de leis — natural, divina e humana —, Suárez rejeitou a junção do secular ao sagrado e separou as esferas de poder. Ele também apresentou a noção do contrato social, propondo que o governante agisse com o consentimento do povo, o qual poderia ser retirado legitimamente, também sob o consenso do povo, se não respeitasse as demandas da lei natural.

## Lei internacional

Suárez fez uma distinção entre o direito internacional e a lei natural, vendo o primeiro como baseado, em essência, na lei e no costume positivos em vez de regras universais. Hoje, ainda há distinção entre a lei natural e a positiva, tanto na jurisdição nacional quanto no direito internacional. A lei comum inglesa foi muito influenciada pelas teorias da lei natural, e tanto a Declaração de Independência dos EUA quanto sua Constituição se referem à lei natural. ■

Não há dúvida que Deus é a causa suficiente e, assim, o mestre da lei natural. Mas disso não se deduz que seja Ele quem dá as leis.
**Francisco Suárez**

## Francisco Suárez

Nasceu no sul da Espanha e se tornou seminarista jesuíta em Salamanca aos dezesseis anos. Teólogo e filósofo, escreveu segundo a tradição escolástica de Tomás de Aquino e teve influência considerável no desenvolvimento do direito internacional e da teoria da guerra justa. Sua obra mais influente foi *Disputationes metaphysicae*, mas também foi um estudioso com vasta obra, escrevendo diversos outros tratados importantes sobre o relacionamento entre a lei natural, o Estado e a Igreja, e a teologia. Suárez foi um jesuíta dedicado — esforçado, disciplinado, humilde e piedoso. Era considerado pelos seus contemporâneos um dos maiores filósofos vivos. O papa Paulo V chamou-o Doctor Eximius et Pius, um título honorário, e diz-se que o papa Gregório XIII assistiu à sua primeira palestra em Roma.

### Principais obras

**1597** *Disputationes metaphysicae*
**1612** *Tractatus de legibus*
**1613** *De Defensio Fidei Catholicae adversus Arglicanae sectal errores*

# POLÍTICA É A ARTE DE UNIR OS HOMENS ENTRE SI

## JOHANNES ALTHUSIUS (1557-1638)

### EM CONTEXTO

IDEOLOGIA
**Federalismo**

FOCO
**Consociação**

ANTES
**c. 350 a.C.** Aristóteles defende que os humanos são seres naturalmente sociáveis.

**1576** Jean Bodin defende a soberania dos estados por toda a Europa, centralizando o poder e a autoridade no monarca.

DEPOIS
**1762** Jean-Jacques Rousseau diz que a ideia central do contrato social deve ser que a soberania pertence ao povo.

**1787** Os últimos quatro artigos da Constituição dos Estados Unidos expressam os princípios de seu sistema de governo federalista.

**1789** A Revolução Francesa derruba o rei e exige a soberania para o povo.

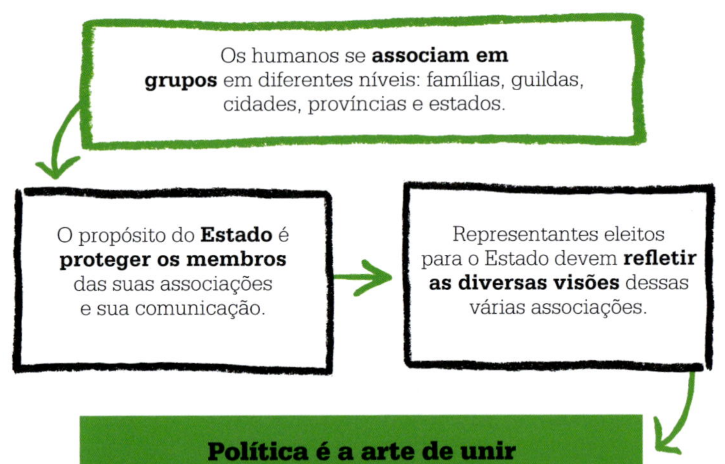

Os humanos se **associam em grupos** em diferentes níveis: famílias, guildas, cidades, províncias e estados.
O propósito do **Estado** é **proteger os membros** das suas associações e sua comunicação.
Representantes eleitos para o Estado devem **refletir as diversas visões** dessas várias associações.
**Política é a arte de unir os homens entre si.**


Pensadores políticos já ponderavam havia tempos sobre o equilíbrio de poder entre o governo, as comunidades e os indivíduos. Nos séculos XVI e XVII, a ideia dominante era de um Estado centralizado com o poder no soberano. No entanto, as visões radicais do filósofo político calvinista Johannes Althusius sobre o papel do Estado, da soberania e da política abriram caminho para o conceito moderno de federalismo. Althusius redefiniu a política: de uma atividade relacionada apenas ao Estado para algo que permeia muitos aspectos da vida social e que se revela em associações políticas subjacentes ao Estado. No primeiro capítulo de sua principal obra, *Politica*, ele apresenta a ideia de "consociação", a qual serviu de base ao pensamento federalista.

Althusius defendia que as comunidades humanas — desde as privadas, como famílias e guildas, às públicas, como as cidades — eram

**Veja também:** Aristóteles 40–3 ▪ Jean Bodin 88–9 ▪ Thomas Hobbes 96–103 ▪ Jean-Jacques Rousseau 118–25 ▪ Thomas Jefferson 140–1 ▪ Michel Foucault 310–1

**Os aspectos comuns** da vida em uma vila, como as danças, são um exemplo da ideia de Althusius sobre a consociação: indivíduos formam grupos baseados em necessidades, serviços e valores comuns.

entidades autônomas que se formaram por meio de uma forma de contrato social. Assim como Aristóteles, Althusius acreditava que as pessoas eram sociáveis e, para viver em paz juntas, se dispunham a compartilhar, com alegria, bens e serviços e a respeitar os direitos uns dos outros. Cada associação de indivíduos começa quando alguém reconhece uma necessidade, um serviço ou um grupo de valores compartilhados e está disposto a contribuir para o bem-estar do grupo.

## Da base para o topo, não do topo para a base

A soberania absoluta, como defendida por Bodin e Hobbes, era vista por Althusius como ilógica e repressiva. Ele acreditava que o poder e a autoridade deveriam se mover em direção ao topo através das consociações, não do topo a partir de um soberano. Ao serem subordinadas independentemente ao Estado, as consociações seriam superiores a ele. O governo ficaria no topo de uma hierarquia de consociações, e seu papel seria administrar a comunidade feita de vários grupos em interação. Ele seria, também, uma parte do contrato social, reconhecendo e compartilhando metas, valores, bens e serviços de seu povo e coordenando sua comunicação.

Na teoria de Althusius, a soberania pertenceria ao povo, não ao monarca. Os representantes do governo eleitos não representariam indivíduos ou uma vontade comum única, mas uma pluralidade de vontades de todas as comunidades existentes dentro do grupo maior, que é a nação.

O foco de Althusius na associação simbiótica distinguiu sua ideia de federalismo dos governos federais que conhecemos hoje, como a Constituição dos Estados Unidos. O federalismo moderno é baseado no individualismo, não em grupos sociais. No entanto, ambos os conceitos encaram o Estado como uma associação política, não como uma simples entidade independente de suas unidades constitutivas. ■

A comunicação mútua, ou iniciativa comum, envolve coisas, serviços e direitos comuns.
**Johannes Althusius**

## Johannes Althusius

Nasceu em 1557 em Diedenshausen, na Westfália, uma área calvinista na Alemanha. Apoiado por um conde local, começou a estudar direito, filosofia e teologia, a partir de 1581, em Colônia. Depois de uma série de cargos acadêmicos, em 1602 tornou-se diretor da Faculdade de Herborn. Em 1604, um ano após publicar *Politica*, sua obra mais importante, foi eleito oficial municipal na cidade de Emden.

Mais tarde, Althusius tornou-se membro do conselho local, atuando como diplomata e advogado para a cidade até sua morte em 1638. Apesar de sua obra já ser muito popular quando estava vivo, ela não recebeu muita atenção nos dois séculos seguintes, já que contradizia o princípio, então dominante, da soberania absoluta. No século XIX, Otto von Gierke resgatou o interesse pelas ideias de Althusius, hoje considerado o pai do federalismo.

### Principais obras

**1603** *Politica methodice digesta*
**1617** *Dicaelogicae*

# LIBERDADE É O PODER QUE TEMOS SOBRE NÓS MESMOS

## HUGO GRÓCIO (1583-1645)

**EM CONTEXTO**

IDEOLOGIA
**Lei natural**

FOCO
**Direitos individuais**

ANTES
**1517** A proteção da liberdade é vista por Nicolau Maquiavel em seus *Discursos* como a tarefa política fundamental de uma república.

**1532** Francisco de Vitória ensina os direitos do povo na Universidade de Salamanca.

DEPOIS
**1789** A Revolução Francesa — com o seu clamor por liberdade, igualdade e fraternidade — transforma a França e o restante da Europa.

**1958** O teórico político Isaiah Berlin diferencia os dois conceitos de liberdade: a liberdade negativa (sem interferência e a oportunidade de ser livre) e a liberdade positiva (a habilidade de ser o seu próprio senhor).

A vida e a propriedade são **direitos naturais** de todos os indivíduos.

As pessoas têm o **poder de reivindicar** esses direitos.

O Estado **não tem poderes legítimos** para tirar essas liberdades.

**Liberdade é o poder que temos sobre nós mesmos.**

As noções de liberdade e direitos individuais vieram à tona razoavelmente tarde na história humana. Durante a era medieval, os direitos eram coletivos e julgados conforme a lei natural ou divina. Os indivíduos não possuíam direitos, os quais derivavam da natureza ou de Deus. A liberdade quase nunca era discutida em relação aos indivíduos. Em vez disso, os homens tinham o dever de cumprir o plano de Deus. No século XVI, na Universidade de Salamanca, primeiro Francisco de Vitória e depois Francisco Suárez começaram a teorizar os direitos naturais dos indivíduos. No entanto, foi Hugo Grócio quem mudou o pensamento medieval ao dizer com todas as letras que a liberdade e os direitos pertenciam aos indivíduos. Grócio redefiniu a lei natural e

**Veja também:** Francisco de Vitória 86–7 ▪ Francisco Suárez 90–1 ▪ John Locke 104–9 ▪ John Stuart Mill 174–81

estabeleceu uma nova concepção de direitos e liberdade. A ideia de influência divina na lei natural foi descartada. Em seu lugar, o estudo da natureza humana foi visto como suficiente para formatar as leis e as políticas. Em poucas palavras, o comportamento humano produz a lei natural. As pessoas têm certos direitos naturais que lhes são intrínsecos e que não lhes são concedidos por Deus ou pelo soberano. Em vez disso, a liberdade é um direito natural.

### Poder sobre nós mesmos

Ao entender a liberdade como o poder que temos sobre nós mesmos, Grócio distinguiu entre a habilidade de alguém fazer algo e sua liberdade das limitações. Já que o homem tem direito à vida e à propriedade, Grócio dizia, também lhe é dado o poder de tomar as atitudes necessárias para exercer esses direitos. O Estado não tem uma autoridade superior legítima em tais circunstâncias. Assim, ao conectar os direitos aos indivíduos, o conceito de liberdade individual se torna mais que uma questão de livre-arbítrio. Ele também inclui a liberdade de agir sem limitações. Esse foco na decisão humana marcou uma ruptura com as ideias do passado.

Grócio considerava os direitos como habilidades ou poderes dos indivíduos, e sua filosofia também permitiu a "mercadorização" dos direitos. Eles poderiam ser "trocados" com um soberano, por exemplo. Nesse caso, o poder do Estado viria da transferência voluntária dos direitos pelos indivíduos. Grócio distinguiu entre duas classes de relações. As relações entre desiguais poderiam ser aquelas entre "pais e filhos, mestres e servos, reis e súditos", ao passo que as relações entre iguais seriam aquelas entre "irmãos, cidadãos, amigos e aliados".

A versão de Grócio de que as pessoas são portadoras naturais dos direitos tornou-se o alicerce da teoria do liberalismo. No entanto, sua crença de que algumas pessoas tinham direito a serem superiores certamente não bate com o pensamento liberal moderno. ■

**A liberdade dos mares** era considerada por Grócio um direito natural. Ele usava essa crença para justificar o direito da frota da Companhia Holandesa das Índias Orientais de quebrar o monopólio estabelecido por outras nações.

## Hugo Grócio

Nasceu em 1583 na cidade de Delft, no sul da Holanda, durante a Revolta Holandesa contra a Espanha. Considerado por muitos uma criança prodígio, Grócio entrou na Universidade de Leiden aos onze anos e concluiu seu doutorado aos dezesseis. Aos 24, era o advogado geral da Holanda. Durante um período tumultuado da história holandesa, Grócio foi sentenciado à prisão perpétua no castelo de Loevestein por suas opiniões a respeito da limitação dos poderes da Igreja nas questões civis.

Fugiu para Paris, segundo alguns num baú, e lá escreveu sua obra mais famosa, *De Jure Belli ac Pacis*. Grócio é reconhecido como o pai do direito marítimo e internacional. Os temas lei natural e liberdade individual foram, mais tarde, assumidos pelos filósofos liberais como John Locke.

### Principais obras

**1605** *De Jure Praedae Commentarius*
**1609** *Mare Liberum* (originalmente parte do *De Jure Praedae Commentarius*)
**1625** *De Jure Belli ac Pacis*

# A CONDIÇÃO DO HOMEM É A CONDIÇÃO DE GUERRA

THOMAS HOBBES (1588-1679)

## EM CONTEXTO

IDEOLOGIA
**Realismo**

FOCO
**Contrato social**

ANTES

**1578** Surgem os conceitos de soberania e direito divino dos reis, influência dos *Seis livros da república* de Jean Bodin.

**1642-1651** A Guerra Civil inglesa estabelece o precedente temporário de um monarca não poder governar sem o Parlamento consentir.

DEPOIS

**1688** A Revolução Gloriosa na Inglaterra leva à Declaração de Direitos, que limita por lei os poderes do monarca.

**1689** John Locke se opõe ao governo absolutista, argumentando que o governo deveria representar o povo e proteger seus direitos a vida, saúde, liberdade e posses.

O período do Iluminismo na sequência da Idade Média na Europa apresentou novas visões da natureza humana que não eram baseadas em doutrinas religiosas, mas fundadas no pensamento racional. O desentendimento entre alguns pensadores iluministas com frequência derivava das diferenças de opinião sobre a verdadeira natureza da condição e do comportamento humano. Para pôr fim a tais diferenças fundamentais abstratas, eruditos passaram a expressar suas visões do assim chamado "estado de natureza" — a condição teórica da humanidade antes da introdução das estruturas e normas sociais.

Muitos pensadores acreditavam que, ao analisar os "instintos" e comportamentos humanos desse estado de natureza, seria possível desenvolver um sistema de governo que satisfizesse as necessidades dos cidadãos, promovesse bons comportamentos e enfrentasse os maus. Por exemplo, se os humanos fossem capazes de ver além de seus mesquinhos interesses próprios e trabalhassem para o bem público, eles poderiam desfrutar dos benefícios dos direitos democráticos. No entanto, se ainda se importassem com seus próprios interesses e maximizassem seu poder, então uma autoridade forte, controladora, seria necessária para prevenir o caos. O escritor inglês Thomas Hobbes foi um dos pensadores iluministas a basear seu argumento numa visão articulada do estado de natureza. A visão de Hobbes era que os seres humanos precisavam ser governados já que o estado de natureza era terrível, um mundo de "cada um por si".

### O cruel estado de natureza

Em sua obra mais famosa, *Leviatã*, Hobbes apresentou os humanos como agentes racionais que buscam maximizar seu poder e agir de acordo

Sem um poder comum capaz de mantê-los em temor respeitoso, os homens se encontram naquela condição a que se chama guerra.
**Thomas Hobbes**

## Thomas Hobbes

Nascido em 1588, foi educado na Universidade de Oxford na Inglaterra, tendo trabalhado posteriormente como tutor de William Cavendish, conde de Devonshire. Por causa da Guerra Civil inglesa, passou uma década no exílio em Paris onde escreveu o *Leviatã*, que teve uma profunda influência na maneira como percebemos o papel do governo e o contrato social como os alicerces para a legitimidade de governo.
A filosofia política de Hobbes foi influenciada por seu interesse na ciência e por suas cartas com filósofos, incluindo René Descartes (1596-1650). Partindo de escritos científicos, Hobbes acreditava que tudo poderia ser reduzido a seus componentes primários, mesmo a natureza humana. Ele foi inspirado pela simplicidade e elegância da geometria e da física e revolucionou a teoria política ao aplicar tal método científico à sua razão. Voltou à Inglaterra em 1651, morrendo em 1679.

### Principais obras

**1628** *History of the Peloponnesian War*
**1650** *Treatise on human nature*
**1651** *Leviatã*

**Veja também:** Platão 34–9 ▪ Jean Bodin 88–9 ▪ John Locke 104–9 ▪ Jean-Jacques Rousseau 118–25 ▪ John Rawls 298–303

**O frontispício** de *Leviatã* mostra um governante composto por pequenas faces, levantando-se da terra e segurando uma espada e um cetro, simbolizando poderes terrenos e eclesiásticos, respectivamente.

Deixados sem governo, os homens aterrorizam uns aos outros num **estado de natureza**...

... no qual os indivíduos não se detêm por nada em sua busca de **autopreservação ou autopromoção**.

**No estado de natureza, a condição do homem é a condição de guerra de todos contra todos.**

Para evitar chegar ao estado de natureza, os homens devem **entrar num contrato social**, submetendo-se à autoridade e à proteção do soberano.

O soberano deve ser um governante absoluto **com poderes indivisíveis e ilimitados** para prevenir a luta sectária e o caos.

Se um soberano falhar em seu dever, **rompe-se o contrato social**, e os indivíduos podem agir, o que os leva de volta ao estado de natureza.

com seus interesses próprios, já que agir de outra forma colocaria em risco sua autopreservação. O título sugere a opinião de Hobbes sobre o Estado e a natureza humana. Leviatã é o nome de um monstro no livro bíblico de Jó, e, para Hobbes, o Estado é o "grande Leviatã... que não é senão um homem artificial, embora de maior estatura e força que o homem natural, para cuja proteção e defesa foi projetado. Nele, a soberania é uma alma artificial, pois dá vida e movimento ao corpo inteiro". O Estado seria, assim, uma cruel construção artificial, contudo necessária para o bem e a proteção dos cidadãos.

O livro foi escrito durante a Guerra Civil inglesa (1642-51), e seu argumento é contra o questionamento da autoridade real. O estado de natureza — a guerra de todos contra todos — era comparado por Hobbes à guerra civil e só podia ser evitado se os homens entregassem suas armas a um terceiro — o soberano — por meio de um contrato social que garantiria que todos os outros também o fizessem. O motivo para os agentes racionais entregarem sua liberdade a um governante absoluto era que a vida no estado de natureza seria tão "solitária, pobre, sórdida, embrutecida e curta" que a liberdade seria sempre uma » preocupação secundária, um luxo obtido a duras penas. Hobbes dizia que, se por um lado as pessoas teriam direitos naturais em tal estado de natureza, por outro, a preocupação seria fazer o necessário para garantir a sobrevivência. Todos os atos poderiam ser justificados — os direitos não protegeriam o indivíduo.

## Governar pelo contrato social

Sem nenhuma autoridade comum para resolver as disputas ou proteger os fracos, caberia a cada indivíduo decidir o que precisasse — e o que deveria fazer — para sobreviver. No estado de natureza, os homens são naturalmente livres e independentes, sem deveres para com os outros. Hobbes supunha que sempre haveria escassez de bens e que as pessoas seriam igualmente vulneráveis. Algumas entrariam em conflito para garantir comida e abrigo, enquanto outras estariam dispostas a agir assim para obter poder e glória. Um estado de constante temor se instalaria, levando a ataques preventivos.

Hobbes via esse estado de guerra e caos como o fim natural da liberdade descontrolada dos humanos. Para preveni-lo, o Estado precisaria ter poder e autoridade indivisíveis a fim de controlar seus súditos. Isso é similar à descrição de soberania feita pelo jurista francês Jean Bodin, que também nasceu num período de guerra civil. No entanto, Hobbes não sustentava a autoridade no direito divino dos reis, mas na ideia de um contrato social sobre o qual todas as pessoas racionais concordariam.

Se por um lado o conceito de estado de natureza do homem estava arraigado entre os contemporâneos de Hobbes e os teóricos políticos futuros, por outro ele era, com frequência, interpretado de maneira diferente. Hobbes usava o estado de natureza para se referir a uma situação hipotética, um tipo de reconstrução racional de como seria a vida sem ordem e governo. Isso diferia de como pensadores posteriores, incluindo John Locke e Jean-Jacques Rousseau, usariam o conceito em suas próprias obras quanto ao contrato social e as formas ideais de governo. Locke e Rousseau não consideravam o estado de natureza como uma construção racional, mas como um estado de coisas real.

## Um mal necessário

Os pensadores iluministas se referiam ao conceito de contrato social entre o governado e o governante para responder às questões de legitimidade política de vários modos de governança. Para governar de forma legítima, deveria haver um acordo explícito ou tácito em que o soberano protegeria seus cidadãos e seus direitos naturais se eles concordassem em entregar sua liberdade individual e se subordinassem.

Hobbes argumentou que os humanos tinham duas grandes escolhas na vida: poderiam viver sem o governo (estado de natureza) ou com o governo. Para ele, um contrato social dando autoridade indivisível a um soberano era um mal necessário para evitar o destino cruel que aguardaria o homem se um poder maior não conseguisse deter os impulsos destrutivos dos indivíduos em questão. Hobbes acreditava que "durante o tempo em que vivem sem um poder comum capaz de mantê-los em temor respeitoso, os homens se encontram naquela condição a que se chama guerra; e uma guerra que é de todos contra todos". Mas, diferentemente de eruditos anteriores que defendiam o direito divino dos reis, Hobbes via a relação entre o governado e o governante como contratual. O contrato era estabelecido entre os indivíduos

**Hobbes escreveu** o *Leviatã* durante a Guerra Civil inglesa. Sua visão do "estado de natureza", contra o qual o soberano protegia, parece ter vindo da selvageria da guerra.

**Hobbes via o estado de natureza** como indesejável, afirmando que o povo deve, por livre vontade, se sujeitar ao governante ou soberano para proteger a sociedade.

No estado de natureza, todos os **homens estão em guerra** uns contra os outros e vivem num constante **estado de medo** de seus companheiros.

Com o contrato social, o povo investe todo o poder num terceiro elemento, o soberano, em troca de **segurança e do estado de direito**.

numa sociedade, sendo o soberano um ente externo, alguém à parte.

### Ação coletiva

Já que as pessoas são racionais, elas podem ver que o estado de natureza é indesejável e que a paz é boa. Mas surge um "problema de ação coletiva", uma vez que todo indivíduo precisa proteger o seu próprio interesse no estado de natureza. Apesar de Hobbes não haver cunhado esse termo, seu dilema de indivíduos num estado de natureza, desconfiando uns dos outros quanto a abandonarem suas armas, é muito parecido com esse conceito moderno, em que um problema só pode ser resolvido se os indivíduos — todos querendo ganhar com um resultado favorável — agirem de forma coletiva. A solução de Hobbes era radical: investir todos os poderes em alguém à parte — o soberano. Eruditos contemporâneos identificaram muitas formas nas quais indivíduos resolvem problemas de ação coletiva sem a necessidade de um governo forte. A filósofa inglesa Margaret Gilbert sugeriu que a ação coletiva envolve um compromisso comum quanto a um curso de ação no qual, de fato, as pessoas agem como partes de um só corpo, com um único objetivo. No entanto, os governos ainda são os principais reguladores de conflitos e provedores de bens públicos.

A visão contratual de Hobbes da autoridade governamental também afetou os deveres do soberano. Somente enquanto pudesse proteger seus súditos eles estariam limitados pelo contrato social. Mas Hobbes não encorajava revoluções populares, nem a influência religiosa em questões de Estado, e não era favorável a um governo democrático. O principal objetivo do governo era a estabilidade e a paz, não a liberdade individual.

> Entende-se que a obrigação dos súditos com o soberano tem a mesma duração do poder mediante o qual ele é capaz de protegê-los.
> **Thomas Hobbes**

### Política pragmática

A visão de Hobbes sobre o contrato social legitimava mudanças no governo. Quando o rei inglês Carlos I foi destituído em 1649 por Oliver Cromwell, de acordo com a opinião de Hobbes o contrato social ficou intacto, já que um governante estava simplesmente substituindo o outro. Em outras palavras, Hobbes era um »

**Oliver Cromwell** liderou as forças antirrealeza que depuseram o rei Carlos I em 1649. Hobbes acreditava que o contrato social se mantivera intacto, já que o governo fora inteiramente transferido ao Parlamento.

antidemocrata e um absolutista, mas também era um pragmático. Apesar de não ter assumido nenhum lado quanto ao melhor modo de governo, era nítido que preferia a monarquia de Carlos I como uma forma boa e estável de governo. Entretanto, ele também considerava a soberania parlamentar uma forma de governo adequada, desde que a assembleia legislativa tivesse um número ímpar de membros para prevenir uma situação de impasse político.

A lógica subjacente à versão de Hobbes do contrato social foi questionada por muitos eruditos. John Locke fez uma crítica sarcástica ao questionar por que alguém poderia acreditar que "os homens são tolos o bastante para se proteger dos danos que podem sofrer por parte das doninhas ou das raposas, mas ficam contentes e tranquilos em ser devorados por leões". Para Locke, o governo autoritário seria tão perigoso quanto a desordem civil — ele preferia o estado de natureza à subordinação. Hobbes acreditava, no entanto, que apenas governos com poder indivisível e ilimitado poderiam prevenir outra forma inevitável de desintegração da sociedade, como a guerra civil. Para Hobbes, qualquer um que defendesse as liberdades e os direitos individuais não havia compreendido que a segurança básica tida como certa vida civilizada somente duraria com a existência de um poder centralizado, forte. A obediência política era necessária para manter a paz. Os cidadãos tinham o direito de se defender se sua vida estivesse ameaçada, mas, em todas as outras questões, o governo deveria ser obedecido para prevenir lutas sectárias ou paralisia política.

## Contra um estado de natureza

Hobbes usou um forte argumento a favor do absolutismo baseado em suas deliberações sobre a natureza humana. Seus oponentes — lutando contra o absolutismo — contra-argumentaram ao desafiar seu retrato de seres humanos como sedentos por poder e luta. Jean-Jacques Rousseau considerava inocente e simples a vida do homem num estado de natureza, sob um prisma romântico, em contraste com a vida na sociedade moderna, que era desonesta. Portanto, ninguém deveria tentar fugir do estado de natureza, que teria de ser recriado da melhor maneira possível no modo de governo. Rousseau, portanto, defendia a democracia direta em pequenas comunidades. Enquanto Hobbes tomava a Guerra Civil inglesa como referência, Rousseau vivia na tranquila cidade de Genebra, na Suíça. É digno de nota como a diferença de contexto moldou suas teorias políticas. Diferente de Hobbes, Rousseau considerava o estado de natureza uma descrição histórica do

O Contrato Social
Nós, o povo, concordamos em obedecer à lei e respeitar a autoridade do soberano, cujo poder é indivisível e ilimitado.

Nada é mais dócil do que o homem em seu estado primitivo, quando colocado pela natureza a igual distância da estupidez dos brutos e das luzes funestas do homem civil.
**Jean-Jacques Rousseau**

homem num estado de natureza pré-social. Os teóricos políticos têm, desde então, oscilado entre os extremos de Hobbes e Rousseau, vendo a condição do homem ora na guerra, ora como pessoas vivendo em harmonia com a natureza.

Dois outros filósofos influentes, Locke e o escocês David Hume, também criticaram Hobbes. Locke escreveu sobre o estado de natureza em seus dois tratados sobre o governo (1690) e se referiu às leis da natureza que governam essa condição. Em contraste com Hobbes, ele disse que, mesmo no estado de natureza, nenhum homem tem o direito de causar dano a outro. Hume enriqueceu o debate ao dizer que os seres humanos são naturalmente sociais e que a condição selvagem descrita por Hobbes é, portanto, improvável.

### O método de Hobbes

Hoje, eruditos continuam a usar o método de Hobbes e o conceito de estado de natureza para defender ou atacar diferentes sistemas políticos. John Rawls usou a noção de Hobbes sobre a estabilidade de uma sociedade ao formular com quais tipos de coisas as pessoas racionais seriam capazes de concordar. Em *Teoria da justiça* (1971), Rawls argumentou que as pessoas escolheriam uma condição em que todas tivessem alguns direitos básicos e salvaguardas econômicas se fossem forçadas a decidir cobertas por um "véu de ignorância", sem saber se teriam uma posição privilegiada nessa sociedade imaginada. Hobbes não teorizou, no entanto, sobre a sociedade ideal, mas sobre a necessidade de um governo forte.

Desta guerra de todos os homens contra todos os homens... nada pode ser injusto... Onde não há poder comum não há lei, e onde não há lei não há injustiça.
**Thomas Hobbes**

Independentemente de muitos eruditos hoje considerarem pessimista a visão da condição humana de Hobbes, ele segue tendo forte influência no pensamento político. A tradição realista em relações internacionais, que enfatiza o estudo do poder, foge da premissa de Hobbes de que a condição do homem é de guerra. No entanto, a condição anárquica que Hobbes descreve no estado de natureza também é considerada verdadeira para o sistema internacional, em que os estados são os protagonistas. As visões realistas do sistema internacional ainda hoje são dominantes, mesmo com o fim da Guerra Fria. A principal diferença da teoria de Hobbes é que, no nível internacional, não é possível se basear no Leviatã do Estado para subjugar desejos destrutivos de poder e interesse próprio. Os estados não podem confiar em si mesmos, estando, portanto, destinados a corridas armamentistas e guerras. ■

Em ***O triunfo da morte*** (1562), de Pieter Bruegel, o Ancião descreve a anarquia irrompendo quando a Morte chega tanto aos ricos quanto aos pobres. Hobbes também via o estado de natureza como anárquico e brutal.

# O OBJETIVO DA LEI É PRESERVAR E AUMENTAR A LIBERDADE

JOHN LOCKE (1632-1704)

## EM CONTEXTO

IDEOLOGIA
**Liberalismo**

FOCO
**O estado de direito**

ANTES
**1642** Eclode uma série de conflitos conhecida como a Guerra Civil inglesa, fruto do temor que Carlos I tentasse introduzir o absolutismo na Inglaterra.

**1661** Luís XIV dá início ao seu reinado pessoal na França, incorporando o absolutismo na frase *"L'état, c'est moi"*, dizendo que ele era o Estado.

DEPOIS
**1689** A Declaração de Direitos inglesa assegura os direitos do Parlamento e eleições livres de interferência da realeza.

**Século XVIII** Revoluções populares na França e na América levam à criação de repúblicas baseadas em princípios liberais.

Uma importante questão na teoria política diz respeito ao papel do governo e às funções que deve desempenhar. Igualmente importante é a questão do que dá ao governo o direito de governar, bem como dos limites da autoridade governamental. Alguns eruditos medievais argumentavam que os reis tinham o direito de governar dado por Deus, enquanto outros proclamavam que a nobreza tinha um direito de nascença para governar. Pensadores iluministas começaram a desafiar essas doutrinas. Mas se o poder de governar não foi dado pela vontade divina ou por nascimento, então eram necessárias outras fontes de legitimidade.

O filósofo inglês John Locke foi o primeiro a articular os princípios liberais de governo, a saber, que o propósito do governo era preservar os direitos dos cidadãos à liberdade, à vida e à propriedade, buscar o bem público e punir quem violasse os direitos dos outros. Legislar tornou-se, portanto, a função suprema do governo. Para Locke, uma das principais razões pelas quais as pessoas estariam dispostas a entrar num contrato social e se submeter ao governo é que elas esperariam que o governo regulasse os desacordos e conflitos com neutralidade. Seguindo essa lógica, Locke também foi capaz de descrever as características de um governo ilegítimo. Depreendeu disso que o governo que não respeitasse e protegesse os direitos naturais dos indivíduos — ou limitasse desnecessariamente sua liberdade — não seria legítimo. Locke se opunha, então, ao governo absoluto. Ao contrário de seu contemporâneo Thomas Hobbes, que acreditava que um soberano absoluto era necessário para salvar o povo de um brutal "estado de natureza", Locke defendia que os poderes e funções do governo deveriam ser limitados.

### A centralidade das leis

A maior parte dos escritos de Locke sobre a filosofia política estava centralizada nos direitos e nas leis. Ele definiu o poder político como "um direito de fazer leis com penas de morte". Discordava da ideia de que uma das principais razões para as pessoas, por vontade própria, deixarem um estado de natureza sem lei seria o fato de não existir um juiz independente em tal situação. Era preferível garantir ao governo o monopólio da violência e das

## John Locke

Viveu e deu forma a um dos mais transformadores séculos da história inglesa. Uma série de guerras civis colocou protestantes, anglicanos e católicos em oposição, uns contra os outros, e o poder oscilou entre o rei e o Parlamento. Locke nasceu em 1632, próximo a Bristol, na Inglaterra. Viveu exilado na França e Holanda por um longo tempo, por ser suspeito de ter se envolvido num plano de assassinato do rei Carlos II. *Dois tratados sobre o governo* forneceu a base intelectual para a revolução gloriosa de 1688, que transferiu o equilíbrio de poder, de modo permanente, do rei para o Parlamento. Ele promoveu a teoria de que as pessoas não nascem com ideias inatas, mas com a mente similar a um quadro em branco, uma perspectiva bastante moderna de ver o próprio eu.

### Principais obras

**1689** *Dois tratados sobre o governo*
**1689** *Carta sobre a tolerância*
**1690** *Ensaio sobre o entendimento humano*

**Veja também:** Thomas Hobbes 96–103 ▪ Montesquieu 110–1 ▪ Jean-Jacques Rousseau 118–25 ▪ Thomas Jefferson 140–1 ▪ Robert Nozick 326–7

Os humanos são **agentes racionais e independentes**, com direitos naturais.

→

Eles se juntam a uma sociedade política para **serem protegidos** pelo estado de direito.

→

**O objetivo da lei é preservar e aumentar a liberdade.**

condenações para assegurar um justo estado de direito. Além disso, para Locke, um governo legítimo manteria o princípio da separação dos poderes legislativo e executivo. O poder legislativo seria superior ao executivo — o primeiro teria o poder supremo de estabelecer regras gerais nos assuntos do governo, enquanto o último só seria responsável por impor a lei em casos específicos.

Uma das razões da centralidade das leis nos escritos de Locke é que elas protegem a liberdade. O propósito da lei não é abolir ou restringir, mas preservar e aumentar a liberdade. Na sociedade política, Locke acreditava que "onde não há lei não há liberdade". As leis, portanto, restringem e garantem a liberdade. Viver em liberdade não é viver sem leis num estado de natureza. Locke disse que a liberdade "não é, como nos foi dito, uma permissão para todo homem agir como lhe apraz. (Quem poderia ser livre se outras pessoas pudessem lhe impor seus caprichos?) Ela se define como a liberdade, para cada um, de dispor e ordenar sobre sua própria pessoa, ações, possessões e tudo aquilo que lhe pertence, dentro da permissão das leis". Em outras palavras, as leis não são apenas capazes de preservar, mas também garantir que a liberdade seja exercida. Sem leis, nossa liberdade estaria limitada por um estado de natureza anárquico, incerto, impedindo que, na prática, houvesse liberdade.

Em todas as situações de seres criados aptos à lei, onde não há lei não há liberdade.
**John Locke**

## A condição inicial do homem

Locke disse que as leis deveriam ser desenvolvidas — e aplicadas — tendo em mente a condição e a natureza inicial do homem. Assim como muitos teóricos do contrato social, ele considerou os homens iguais, livres e independentes. De acordo com Locke, o estado de natureza seria uma situação na qual as pessoas coexistiriam, em relativa harmonia boa parte do tempo, mas na qual não haveria um poder político legítimo, ou juiz, para arbitrar disputas com neutralidade. Locke escreveu que os "homens vivendo juntos segundo a razão, sem um superior comum na terra com autoridade para julgar entre eles, eis efetivamente o estado de natureza".

Ao contrário de Hobbes, Locke não igualou o estado de natureza à guerra. Um estado de guerra ou uma situação na qual as pessoas não manteriam a lei natural, ou a lei da razão, como Locke a chamou. Enquanto Hobbes via os seres humanos agindo como "maximizadores de poder", preocupados com a autopreservação, Locke achou que as pessoas poderiam agir de acordo com a razão e com a tolerância no estado de »

**Em oposição ao governo absolutista**, Locke, ainda criança, foi testemunha da execução do rei Carlos I, em 1649, por ser um "tirano, traidor, assassino e inimigo público do bem desta nação".

## O papel do governo

O governo deve **desenvolver boas leis**...

... que **protegem os direitos** do povo...

... e **as impor** tendo o bem público em mente.

natureza. Os conflitos não seriam, portanto, necessariamente comuns num estado de natureza. No entanto, quando a densidade populacional crescesse, os recursos se tornariam escassos e, com o surgimento do dinheiro, surgiria a desigualdade econômica, cresceriam os conflitos, e a sociedade humana passaria a precisar de leis, reguladores e juízes para arbitrar disputas de modo objetivo.

### O propósito do governo

A questão da legitimidade era central no pensamento político de Locke. Seguindo o exemplo de Hobbes, ele buscou deduzir o legítimo papel do governo baseado num entendimento do estado humano de natureza.

Locke concordou com Hobbes que um governo legítimo seria baseado num contrato social entre os indivíduos na sociedade. O problema com o estado de natureza é que não haveria juízes ou uma polícia para impor a lei. As pessoas estariam dispostas a entrar na sociedade civil para que o governo assumisse esse papel. Esse seria, portanto, um papel legítimo para o governo. Outro aspecto importante de um governo legítimo seria o comando por meio do consenso do povo. Para Locke, isso não significava, necessariamente, uma democracia — a maioria poderia, de forma racional, decidir que um monarca, uma aristocracia ou uma assembleia democrática deveria governar. Uma questão importante era que o povo garantisse o direito de governar e pudesse, por sua vez, revogar esse privilégio.

**A Declaração dos Direitos**, ratificada pelo rei William III, em 1689, estabeleceu limites ao poder do rei, de acordo com a alegação de Locke que o monarca somente governa com o consentimento do povo.

Locke era contra um soberano absolutista, forte — conforme defendido por Hobbes —, já que tal figura poderosa limitaria a liberdade de maneira desnecessária. Para Locke, a subordinação total era perigosa. Ele escreveu: "Tenho razão em concluir que aquele que me colocasse sob seu poder sem meu consentimento me usaria como lhe aprouvesse quando me visse naquela situação e prosseguiria até me destruir; pois ninguém pode desejar ter-me em seu poder absoluto, a não ser para me obrigar à força a algo que vem contra meu direito de liberdade, ou seja, fazer de mim um escravo".

Em vez disso, Locke foi favorável a um papel limitado para o governo. O governo deveria proteger a propriedade privada das pessoas, manter a paz, garantir mercadorias comuns para todo o povo e, o tanto quanto possível, proteger os cidadãos contra invasões estrangeiras. Para Locke, "são essas a origem, o uso e as limitações do poder legislativo (que é o poder supremo) em toda comunidade". O propósito do governo seria ajustar o que falta no estado de natureza para garantir a liberdade e a prosperidade do povo. Não haveria necessidade de escravizar as pessoas sob um governo absoluto. A função primária do governo seria fazer boas leis para proteger os direitos do povo e impô-las com o bem público em mente.

## O direito à revolta

A distinção de Locke entre governos legítimos e ilegítimos também carrega em si a ideia de que a oposição a um governo ilegítimo é aceitável. Locke descreveu um leque de cenários nos quais o povo teria o direito de se revoltar de modo a recuperar o poder concedido ao governo. Por exemplo, o povo poderia legitimamente se rebelar se: seus representantes legítimos não pudessem participar da assembleia; poderes estrangeiros passassem a exercer autoridade sobre o povo; o sistema ou os procedimentos eleitorais fossem alterados sem o consentimento público; o estado de direito deixasse de existir; ou se o governo tentasse tirar do povo os seus direitos. Locke considerava um governo ilegítimo o mesmo que escravidão. Até ultrapassou alguns limites ao consentir com o regicídio — a execução de um monarca — em circunstâncias em que o monarca tivesse quebrado o contrato social com seu povo. Tendo sido filho de puritanos que apoiaram a causa parlamentarista na Guerra Civil inglesa, essa não era uma questão apenas teórica: os textos de Locke justificam a execução de Carlos I.

## O legado de Locke

A filosofia política de John Locke tornou-se, desde sua época, conhecida como liberalismo — a crença nos princípios da liberdade e da igualdade. As revoluções na França e na América do Norte no final do século XVIII tinham como base os ideais liberais. De fato, Thomas Jefferson, um dos articuladores da Constituição Americana e de sua Declaração de Independência, reverenciava Locke e usou muitas de suas frases nos documentos que fundaram o país. A ênfase na proteção da "vida, liberdade e propriedade" encontrada na Declaração de Direitos na Constituição e os direitos inalienáveis à "vida, liberdade e a busca da felicidade" na Declaração podem ser diretamente identificados na filosofia de John Locke um século antes. ■

Uma Declaração de Direitos é a garantia do povo contra qualquer governo, e contra a qual nenhum governo pode se opor ou inferir.
**Thomas Jefferson**

**Para um governo** ser legítimo, de acordo com Locke, assembleias de representantes eleitos pelo povo, como a Câmara dos Comuns, devem ser permitidas para reuniões e debates.

# QUANDO OS PODERES LEGISLATIVO E EXECUTIVO ESTÃO JUNTOS, NÃO PODE HAVER LIBERDADE

## MONTESQUIEU (1689-1755)

### EM CONTEXTO

IDEOLOGIA
**Política constitucional**

FOCO
**Separação de poderes**

ANTES
**509 A.C.** Depois do destronamento do rei Lúcio Tarquínio, o Soberbo, funda-se a República romana, na qual se desenvolve um sistema tripartido de governo.

**1689** Depois da "Revolução Gloriosa" na Inglaterra, é estabelecida uma monarquia constitucional.

DEPOIS
**1787** Adota-se a Constituição dos Estados Unidos na Filadélfia.

**1789-1799** Durante a Revolução Francesa, uma república democrática secular substitui o governo da monarquia e da Igreja.

**1856** Alexis de Tocqueville publica *O antigo regime e a revolução*, uma análise da queda da monarquia francesa.

Durante a era do Iluminismo no século XVIII, a autoridade tradicional da Igreja foi minada pelas descobertas científicas e questionou-se a ideia de monarcas governando segundo o direito divino. Na Europa, em especial na França, muitos filósofos políticos começaram a investigar o poder da monarquia, do clero e da aristocracia. Destacando-se entre eles, estavam Voltaire, Jean-Jacques Rousseau e Montesquieu.

Rousseau defendia que o poder passasse da monarquia para o povo, e Voltaire, que houvesse a separação entre Igreja e Estado. Montesquieu

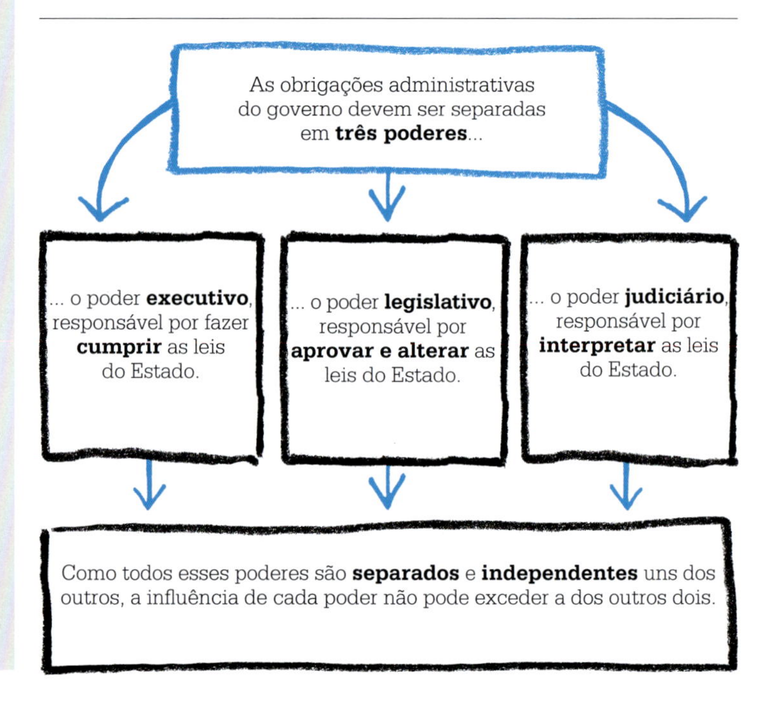

As obrigações administrativas do governo devem ser separadas em **três poderes**...
... o poder **executivo**, responsável por fazer **cumprir** as leis do Estado.
... o poder **legislativo**, responsável por **aprovar e alterar** as leis do Estado.
... o poder **judiciário**, responsável por **interpretar** as leis do Estado.
Como todos esses poderes são **separados** e **independentes** uns dos outros, a influência de cada poder não pode exceder a dos outros dois.

**Veja também:** Cícero 49 ▪ Jean-Jacques Rousseau 118–25 ▪ Thomas Jefferson 140–1 ▪ James Madison 150–3 ▪ Alexis de Tocqueville 170–1 ▪ Henry David Thoreau 186–7 ▪ Noam Chomsky 314–5

A deterioração de um governo quase sempre começa pela decadência de seus princípios.
**Montesquieu**

pensava menos na figura do governante. Para ele, era mais importante a existência de uma constituição que evitasse o despotismo. Isso se daria, argumentava, pela separação dos poderes dentro do governo.

Montesquieu dizia que o despotismo era a maior ameaça individual à liberdade dos cidadãos, e tanto as monarquias quanto as repúblicas corriam o risco de degenerar no despotismo, a menos que fossem reguladas por uma constituição capaz de prevenir tal destino. No cerne desse argumento estava a divisão do poder administrativo do Estado em três categorias distintas: o executivo (responsável pela administração e aplicação das leis), o legislativo (responsável por aprovar, rejeitar e propor emendas às leis) e o judiciário (responsável por interpretar e aplicar as leis).

## Separação de poderes

A distinção entre os diversos poderes de governo, às vezes conhecida por *trias politica*, não era nova — os gregos e romanos antigos reconheciam divisão similar. Montesquieu inovava na defesa de instituições separadas para exercer esses poderes. Isso criaria um equilíbrio, garantindo um governo estável com um risco mínimo de descambar no despotismo. A separação de poderes garantiria que nenhuma das instituições administrativas pudesse assumir todo o poder, já que cada uma delas conseguiria restringir qualquer abuso de poder das outras. Apesar de as ideias de Montesquieu terem enfrentado a hostilidade das autoridades na França, seu princípio de separação de poderes foi muito influente, especialmente na América, onde se tornou o alicerce da Constituição dos Estados Unidos. Depois da Revolução Francesa, tal separação também se tornou modelo para a nova república, e, conforme se formavam novas democracias ao redor do mundo no século seguinte, suas constituições mantinham, em geral, alguma variação desse sistema tripartite. ■

O **Congresso dos Estados Unidos** é o poder legislativo do governo federal dos EUA. Seus poderes são separados e distintos dos do presidente (poder executivo) e do judiciário.

## Montesquieu

Nascido Charles-Louis de Secondat perto de Bordeaux, na França, herdou o título de barão de Montesquieu com a morte de seu tio em 1716. Estudou direito em Bordeaux, mas foi o seu casamento em 1715 que lhe garantiu um grande dote, o qual, com sua herança, lhe permitiu se concentrar na carreira literária, que teve início com a sátira *Cartas persas*.

Montesquieu foi eleito para a Academia de Paris em 1728 e deu início a uma série de viagens pela Itália, Hungria, Turquia e Inglaterra. Depois de voltar a Bordeaux, em 1731, trabalhou na sua história do Império Romano bem como em sua obra-prima, *O espírito das leis*, publicada anonimamente em 1748. Apesar de consagrado em toda a Europa, teve uma recepção hostil na França. Montesquieu morreu vítima de febre em Paris em 1755.

### Principais obras

**1721** *Cartas persas*
**1734** *Considerações sobre as causas da grandeza dos romanos e da sua decadência*
**1748** *O espírito das leis*

# EMPREENDEDORES INDIVIDUAIS SÃO BONS CIDADÃOS

## BENJAMIN FRANKLIN (1706-1790)

### EM CONTEXTO

IDEOLOGIA
**Liberalismo**

FOCO
**Cidadãos empreendedores**

ANTES
**1760** A Grã-Bretanha toma da França as colônias na América do Norte, aumentando a importância de suas aquisições de terras no Novo Mundo.

**1791** Treze colônias declaram sua independência da Grã--Bretanha e se tornam os Estados Unidos da América.

DEPOIS
**1791** O livro de Thomas Paine *Os direitos do homem* é publicado na França.

**1868** Os negros recebem cidadania nos Estados Unidos, seguindo a ratificação da 14ª emenda à Constituição americana.

**1919** As mulheres ganham o direito de voto nos Estados Unidos por causa da 19ª emenda.

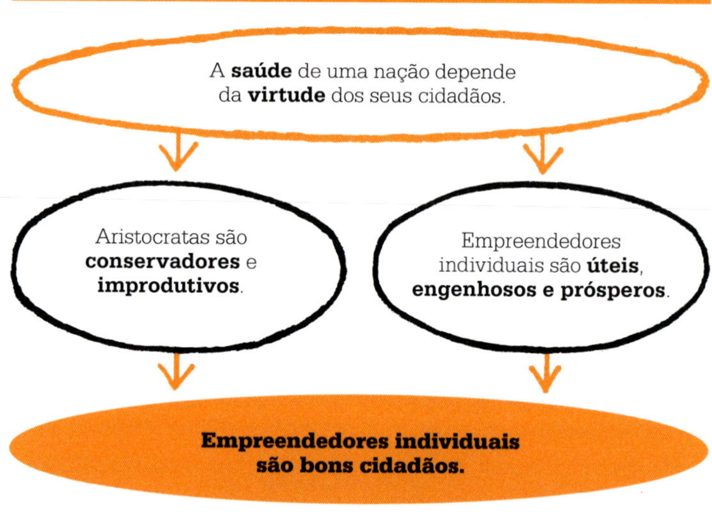

A saúde de uma nação depende da virtude dos seus cidadãos.
Aristocratas são conservadores e improdutivos.
Empreendedores individuais são úteis, engenhosos e prósperos.
Empreendedores individuais são bons cidadãos.


O período anterior e posterior à independência dos Estados Unidos do controle britânico foi revolucionário tanto intelectual quanto politicamente. Rotulado de Iluminismo americano, seus principais pensadores foram inspirados por escritores iluministas europeus, como John Locke, Edmund Burke, Jean-Jacques Rousseau, Voltaire e Montesquieu. Ao desenvolver seu novo sistema de governo, os Pais Fundadores do novo Estado deram preferência aos princípios liberais e republicanos. Eles se opuseram à autoridade centralizada e absoluta, bem como aos privilégios aristocráticos. Em vez disso, serviram de alicerce os ideais pluralistas, a proteção dos direitos dos indivíduos e a cidadania universal. A visão de natureza humana subjacente a esse novo sistema de governo brotou do republicanismo clássico que via a virtude cívica como o fundamento de uma boa sociedade. Na visão de um dos Pais Fundadores, Benjamin Franklin, empreendedores individuais

**Veja também:** John Locke 104–9 ▪ Montesquieu 110–1 ▪ Edmund Burke 130–3 ▪ Thomas Paine 134–9 ▪ Thomas Jefferson 140–1

seriam cidadãos bons e virtuosos. Nisso, Franklin articulou o futuro espírito capitalista dos Estados Unidos.

## Virtude empreendedora

Enquanto os liberais tendem a focar nos direitos individuais — por exemplo, à vida e à propriedade —, republicanos clássicos dão mais ênfase aos deveres do indivíduo com a comunidade, como cidadãos, e nas virtudes que precisam ter para cumprir esse papel. O conceito de virtude era importante aos primeiros republicanos clássicos, como Nicolau Maquiavel, ao descrever as características dos governantes. Porém, as virtudes dos cidadãos quase nunca eram discutidas.

Franklin discutiu a virtude nesse nível individual. Segundo ele, uma nação próspera seria construída sobre as virtudes dos cidadãos individuais, trabalhadores e produtivos, não sobre as características do governante ou de uma classe social como a aristocracia.

O **espírito empreendedor** e filantrópico mostrado por Bill Gates, o fundador da Microsoft — a pioneira na fabricação de PCs —, é o cerne da noção de bom cidadão defendida por Franklin.

Não perca tempo. Esteja sempre envolvido com algo útil. Descarte todas as ações desnecessárias.
**Benjamin Franklin**

Em comum com vários pensadores iluministas europeus, Franklin acreditava que os mercadores e os cientistas eram as principais forças motoras da sociedade, mas também dava ênfase à importância de traços pessoais e responsabilidades individuais. Ele considerava o empreendedorismo um importante traço pessoal de virtude.

## Promovendo o bem público

O empreendedorismo hoje é bastante associado ao sistema capitalista. Por exemplo, para o economista austríaco Joseph Schumpeter, o empreendedorismo foi crucial para o processo de "destruição criativa" que moldou o sistema capitalista. No entanto, a visão de Franklin dos empreendedores diferia, e muito, da imagem moderna de um empresário capitalista. Primeiro, ele via o empreendedorismo como uma virtude apenas nos casos em que promovia o bem comum, como na filantropia. Em segundo lugar, ele via um importante papel para as organizações voluntárias, capazes de restringir o individualismo. ■

## Benjamin Franklin

Primogênito de um fabricante de velas e sabão, Franklin prosperou e se tornou estadista, cientista e inventor. Nascido em 1706 em Boston, desempenhou um papel-chave no longo processo de criação dos Estados Unidos. Como estadista, Franklin se opôs à Lei do Selo britânica, foi embaixador dos EUA em Londres e Paris e é considerado um dos mais importantes Pais Fundadores dos Estados Unidos. Como cientista, ficou mais conhecido por seus experimentos com a eletricidade. Dentre suas várias invenções, estão o para-raios, o aquecedor, as lentes bifocais e o cateter de urina flexível. Como empreendedor, foi editor de jornais bem-sucedido, gráfico e autor de literatura popular. Apesar de nunca ter ocupado o mais alto cargo nos Estados Unidos, pouquíssimos outros americanos tiveram influência tão duradoura no cenário político do país.

### Principais obras

**1733** *Poor Richard's almanack*
**1787** *Constituição dos Estados Unidos*
**1790** *Autobiografia*

# PENSAME
# REVOLUC
## 1770-1848

# NTOS
# IONÁRIOS

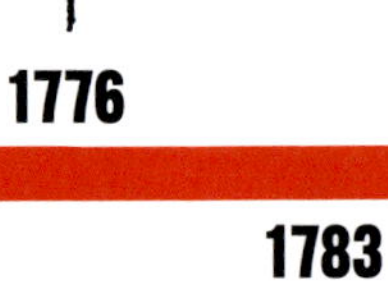

**1776**

Em *Senso comum*, Thomas Paine exige **liberdade** para as colônias americanas **do domínio britânico**.

**1783**

As colônias americanas vencem a **Guerra da Independência** contra o Império Britânico.

**1788**

A *Crítica da razão prática* de Immanuel Kant defende que os julgamentos morais e políticos sejam **regidos pela razão**.

**1789**

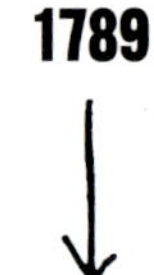

A Bastilha, prisão de Paris, é **tomada pela multidão**, dando início à Revolução Francesa.

**1790**

Edmund Burke denuncia a **violência da revolução** em *Reflexões sobre a revolução na França*.

**1792**

A **república é proclamada** na França pela recém-empossada Convenção Nacional.

**1798**

A Rebelião Irlandesa, inspirada pelas revoluções francesa e americana, **fracassa em derrotar** o domínio britânico.

**1804**

O Haiti declara a independência da França, tornando-se a **primeira república negra** das Américas.

O século XVII presenciou um imenso progresso no entendimento do mundo natural. As descobertas científicas permitiram novas abordagens para os problemas existentes e mostraram diferentes caminhos para lidar com os problemas sociais. O filósofo inglês Thomas Hobbes introduziu a noção de "contrato social" baseado em suas ideias de como indivíduos racionais (mas egoístas) agiam no estado de natureza, enquanto outro inglês, John Locke, apresentou um argumento racional para a propriedade privada. Esses esforços iluministas iniciais para racionalizar a estrutura social seriam, no entanto, subvertidos por escritores que também se consideravam atuantes na tradição conhecida por Iluminismo. Esse foi um grande movimento intelectual que buscava transpor séculos de escolasticismo do conhecimento humano e reformar a sociedade usando a razão em lugar da fé.

## Soberania para o povo

O filósofo francês nascido na Suíça Jean-Jacques Rousseau usou o contrato social para oferecer uma nova visão radical de como a política operaria na era moderna. Enquanto muitos pensadores iluministas — dentre eles, o filósofo francês Voltaire — encorajavam déspotas esclarecidos a governarem de maneira sábia, sendo contra o governo da massa, Rousseau argumentava que a verdadeira soberania só existia a partir do povo. Ele não foi o primeiro a fazer uma crítica da autoridade existente, mas foi o primeiro a fazê-lo dentro de um arcabouço intelectual oriundo de fontes iluministas. Longe de ser um movimento da elite, a ênfase do Iluminismo na racionalidade e no progresso fez dele, segundo Rousseau, um movimento para as massas.

As décadas que seguiram a morte de Rousseau em 1778 foram marcadas por conflitos vinculados a essas novas visões da sociedade. Os ideais iluministas começaram a moldar eventos na última parte do século XVIII, merecendo destaque as revoluções americana e francesa dos anos 1770 e 1780. Por exemplo, o singelo argumento de Thomas Paine a favor de independência, república e democracia em *Senso comum* popularizou as demandas dos revolucionários americanos, e a publicação tornou-se um best-seller rapidamente. Na França, a facção mais radical da revolução, os jacobinos, idolatrava Rousseau e providenciou a mudança de seu túmulo para o Panteão em Paris, agora como

Depois de quase mil anos, **dissolve-se o Sacro Império Romano** pelo Tratado de Pressburg.

**1806**

**1810**

Começam as guerras da independência na **América Latina** lideradas pelo oficial do exército venezuelano Simón Bolívar.

O imperador francês **Napoleão Bonaparte é derrotado** por uma coalizão liderada pela Grã-Bretanha na Batalha de Waterloo.

**1815**

**1820**

Georg Hegel, em sua obra *Princípios da filosofia do direito*, defende que a liberdade deriva de **complexos arranjos sociais**.

Começa a guerra da independência da Grécia contra o domínio otomano, dando início a mais **revoltas nacionalistas** nos Bálcãs.

**1821**

**1831**

O levante dos mineiros de Merthyr, no País de Gales, é reprimido; a **bandeira vermelha**, como símbolo da revolução, é levantada pela primeira vez.

A rebelião do Alto Canadá, liderada pelos republicanos, fracassa na tentativa de derrotar o **domínio britânico no Canadá**.

**1837**

**1839**

A Carta do Povo para a reforma democrática é lançada na Grã-Bretanha, incluindo o **voto secreto** e o **sufrágio masculino adulto universal**.

herói nacional, bem ao lado do igualmente icônico Voltaire.

A crença de que a sociedade poderia ser reconstruída em termos racionais, até mesmo com uma ruptura radical com o passado, ganhava terreno no começo do século XIX. Por volta de 1850, revoluções abalaram a Europa, e movimentos de libertação nacional tiveram sucesso por toda a América Latina. A escritora inglesa Mary Wollstonecraft ajudou a ampliar o argumento de que os ideais da liberdade iluminista não deveriam excluir metade da humanidade e que os direitos das mulheres eram uma parte importante de uma sociedade justa.

## O novo conservadorismo

Em reação a esses e outros pensadores radicais, desenvolveu-se um novo, e mais sofisticado, estilo de pensamento conservador exemplificado pelo filósofo e político irlandês Edmund Burke.

Burke usava a linguagem da liberdade e dos direitos para justificar o governo dos mais sábios e acreditava que era mais importante manter a estabilidade social que tentar uma reforma radical. Sociedades saudáveis, acreditava Burke, somente poderiam se desenvolver ao longo de muitas gerações. O sangrento Reino do Terror que se seguiu à revolução na França demonstrava para Burke as falhas do radicalismo.

Enquanto isso, um estilo distinto de argumento liberal em defesa dos direitos também começou a se desenvolver. Baseado em simples argumentos a respeito do desejo humano por felicidade, o filósofo inglês Jeremy Bentham elaborou uma justificativa para liberdades democráticas limitadas que respeitariam a propriedade e identificavam os limites do governo. Certos direitos haviam sido conquistados no passado, mas a necessidade de um governo que equilibrasse as exigências em conflito limitaria, dizia Bentham, qualquer maior alcance desses direitos no futuro.

Uma variante mais ambígua das mesmas conclusões foi dada pelo filósofo alemão Georg Hegel. A princípio um admirador da Revolução Francesa, ele defendia a necessidade de entender a liberdade como possível apenas numa sociedade civil plenamente desenvolvida, terminando por apoiar, no fim de sua vida, o Estado autocrático da Prússia. Seus complexos argumentos forneciam um arcabouço com o qual a próxima geração de pensadores tentaria entender as falhas do mundo pós-revolucionário. ■

# RENUNCIAR À LIBERDADE É RENUNCIAR A SER HOMEM

JEAN-JACQUES ROUSSEAU (1712-1778)

**EM CONTEXTO**

IDEOLOGIA
**Republicanismo**

FOCO
**A vontade geral**

ANTES
**1513** *O príncipe*, de Nicolau Maquiavel, oferece uma forma moderna de política na qual a moralidade dos governantes e as preocupações do Estado estão separadas.

**1651** O *Leviatã*, de Thomas Hobbes, defende a fundação do Estado sobre a base de um contrato social.

DEPOIS
**1789** O clube jacobino começa a se reunir em Paris. Seus membros extremistas tentam aplicar os princípios de Rousseau à política revolucionária.

**1791** Na Grã-Bretanha, Edmund Burke culpa Rousseau pelos "excessos" da Revolução Francesa.

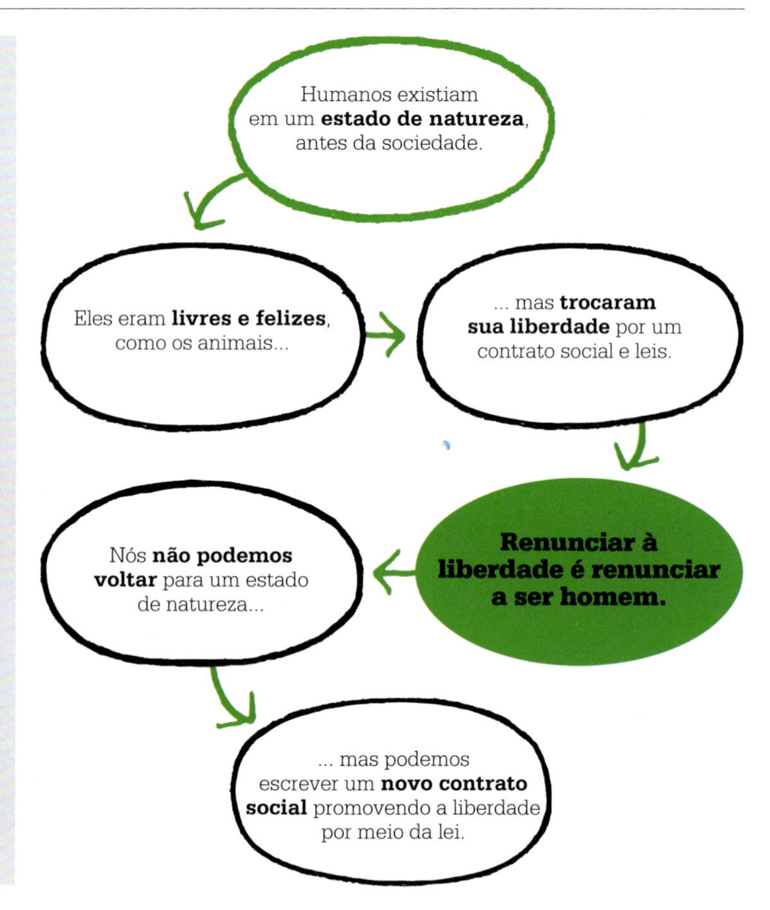

Humanos existiam em um **estado de natureza**, antes da sociedade.
Eles eram **livres e felizes**, como os animais...
... mas **trocaram sua liberdade** por um contrato social e leis.
**Renunciar à liberdade é renunciar a ser homem.**
Nós **não podemos voltar** para um estado de natureza...
... mas podemos escrever um **novo contrato social** promovendo a liberdade por meio da lei.


Por séculos, na Europa Ocidental, prevaleceu um determinado estilo de pensamento a respeito das questões humanas. Sob a influência da Igreja católica, os escritos clássicos gregos e romanos foram cuidadosamente recuperados e estudados, e intelectuais de destaque como Agostinho de Hipona e Tomás de Aquino foram responsáveis por redescobrir pensadores antigos. Uma abordagem escolástica, tratando a história e a sociedade como imutáveis e os propósitos mais elevados da moralidade como sendo fixados por Deus, dominou a maneira de pensar sobre a sociedade. Foram necessários os levantes associados ao desenvolvimento do capitalismo e da vida urbana para começar a romper essa abordagem.

### Repensando o *status quo*

No século XVI, Nicolau Maquiavel, numa ruptura radical com o passado, virou a tradição escolástica de ponta-cabeça com *O príncipe*, usando exemplos antigos não para estabelecer um guia para a vida moral, mas para demonstrar como desempenhar, de forma cínica, mas eficiente, o governo do Estado e a política. Thomas Hobbes, ao escrever *Leviatã* durante a Guerra Civil inglesa de meados do século XVII, usou o método científico da dedução, em vez da leitura de textos antigos, para defender a necessidade de um Estado forte para preservar a segurança do povo.

No entanto, foi Jean-Jacques Rousseau, um idiossincrático exilado suíço de Genebra, cuja vida pessoal escandalizava a sociedade bem-educada, quem propôs a mais radical ruptura com o passado. As *Confissões* autobiográficas de Rousseau, publicadas após sua

**Veja também:** Ibn Khaldun 72–3 ▪ Nicolau Maquiavel 74–81 ▪ Hugo Grócio 94–5 ▪ Thomas Hobbes 96–103 ▪ Edmund Burke 130–3 ▪ Hannah Arendt 282–3

Estareis perdidos se esquecerdes que os frutos são de todos e que a Terra não pertence a ninguém.
**Jean-Jacques Rousseau**

morte, revelam que foi durante sua estada no porto italiano de Veneza — enquanto trabalhava como secretário diplomático e era mal pago — que ele decidiu que "tudo dependia inteiramente da política". As pessoas não eram más por natureza, mas poderiam ficar assim sob maus governos. As virtudes que viu em Genebra e os vícios em Veneza — em especial, o triste declínio da cidade--estado em relação ao seu glorioso passado — teriam sua origem não no caráter, mas nas instituições.

## A sociedade moldada pela política

Em *Discurso sobre a desigualdade,* de 1754, Rousseau rompeu com a filosofia política anterior. Os gregos antigos e outros escritos sobre a sociedade, incluindo Ibn Khaldun no século XIV, viam os processos políticos como sujeitos às suas próprias leis, operando com uma natureza humana imutável. Os gregos, em especial, tinham uma visão cíclica da mudança política, na qual modos de governo virtuosos ou bons — monarquia, democracia ou aristocracia — degenerariam em várias formas de tirania antes de o ciclo novamente se renovar. A sociedade, por si, não mudava, só a sua forma de governo.

Rousseau discordava. Se, conforme ele dizia, a sociedade podia ser moldada por suas instituições políticas, não haveria, na teoria, nenhum limite para a habilidade da ação política em transformar a sociedade em algo melhor.

Essa afirmação marcou Rousseau como um pensador distintamente moderno. Ninguém antes dele havia pensado de modo sistemático na sociedade como algo separado de suas instituições políticas, como uma entidade que poderia, ela mesma, ser estudada e mudada pela ação. Rousseau foi o primeiro, mesmo entre os filósofos do Iluminismo, a raciocinar em termos de relações sociais. Essa nova teoria clamava por uma pergunta óbvia: se a sociedade estava aberta para a mudança política, por que, então, ela era tão imperfeita?

## Sobre a propriedade e a desigualdade

Rousseau ofereceu, uma vez mais, uma resposta excepcional, que escandalizou seus colegas filósofos. Como ponto de partida, ele pediu que considerássemos os humanos sem a sociedade. Thomas Hobbes dizia que tais pessoas seriam selvagens, com uma existência "pobre, sórdida, embrutecida e curta", mas Rousseau defendia o oposto disso. Os seres humanos longe da sociedade eram bem-dispostos, felizes, contentes com o seu estado de natureza. Somente dois princípios os guiavam: o primeiro, um amor-próprio natural e um desejo de autopreservação; o segundo, uma compaixão pelos outros seres humanos. A combinação dos dois garantia que a humanidade se »

A **corrupção** encontrada por Rousseau em Veneza exemplificou para ele como um mau governo torna o povo mau. Ele comparou isso com a decência de sua cidade natal, Genebra.

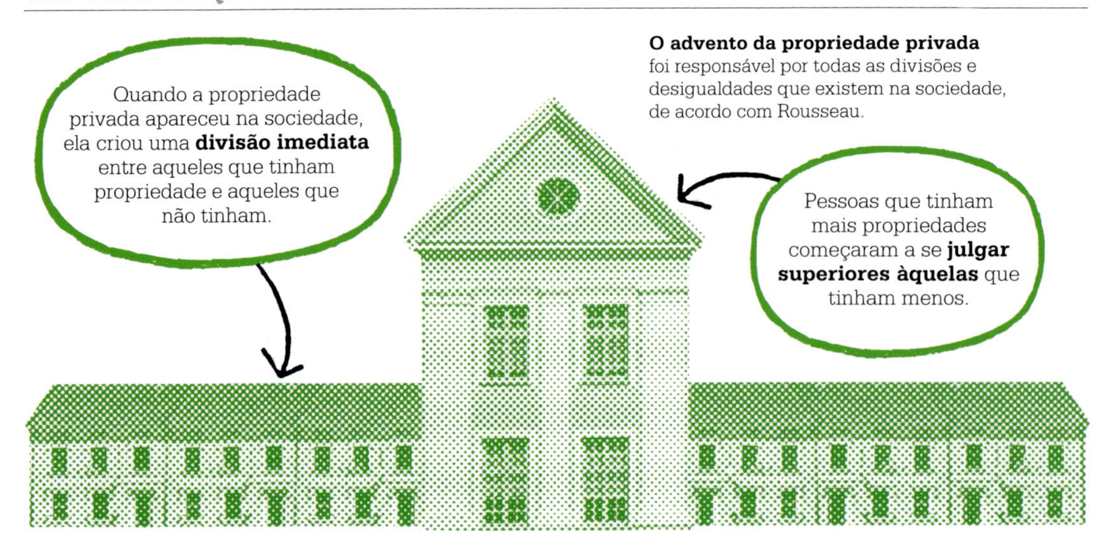

Quando a propriedade privada apareceu na sociedade, ela criou uma **divisão imediata** entre aqueles que tinham propriedade e aqueles que não tinham.
Pessoas que tinham mais propriedades começaram a se **julgar superiores àquelas** que tinham menos.

**O advento da propriedade privada** foi responsável por todas as divisões e desigualdades que existem na sociedade, de acordo com Rousseau.

reproduzisse, geração após geração, numa existência próxima dos outros animais. Essa condição feliz acabou, no entanto, pela criação da sociedade civil e, em particular, pelo desenvolvimento da propriedade privada. O advento dessa impôs uma desigualdade imediata à humanidade, que nunca havia existido, entre aqueles que a possuíam e os que não a possuíam. Ao instituir essa desigualdade, a propriedade privada fundamentou mais divisões na sociedade — entre o amo e o escravo, e as separações em famílias. Na base dessas novas divisões, garantiu um mecanismo pelo qual um amor-próprio natural se transformou num destrutivo culto ao ego, agora guiado pela inveja e o orgulho e capaz de se voltar contra outros seres humanos. Tornou-se possível possuir, adquirir e julgar-se em relação aos outros tendo por base a riqueza material. A sociedade civil era o resultado da divisão e do conflito em oposição à harmonia natural.

O mero impulso de apetite é escravidão, enquanto a obediência a uma lei que prescrevemos a nós mesmos é a liberdade.
**Jean-Jacques Rousseau**

## A perda da liberdade

Rousseau baseou-se nesse argumento em *Contrato social*, publicado em 1762. "O homem nasce livre e, por toda a parte, é posto a ferros", escreveu. Se, por um lado, em seus primeiros escritos o tom é sombrio em sua oposição à sociedade convencional, em *Contrato social* ele busca oferecer os fundamentos positivos para a política. Assim como seus antecessores Hobbes e Hugo Grócio, Rousseau viu o surgimento de um poder soberano na sociedade como resultado de um contrato social. O povo podia abrir mão de seus próprios direitos em favor do governo, entregando toda a sua liberdade a um soberano em troca — segundo Hobbes — de segurança e proteção dadas pelo rei. Hobbes dizia que a vida sem um soberano empurrava a humanidade de volta ao vil estado de natureza. Ao abrir mão de um pouco de liberdade — em particular, a liberdade de usar a força — e jurando obediência, um povo poderia garantir a paz, já que o soberano daria fim às disputas e se encarregaria dos castigos.

Rousseau rejeitava tal argumento. Era impossível, pensava, para qualquer pessoa ou grupo entregar sua liberdade sem com isso renunciar a sua própria humanidade, acabando assim com a moral. Um soberano não poderia ter autoridade absoluta, já que era impossível para um homem livre escravizar a si mesmo. Ao estabelecer um governante acima da sociedade, transformava-se a igualdade natural numa desigualdade política permanente. Para Rousseau, o contrato social imaginado por Hobbes era uma armadilha dos ricos contra os pobres — não haveria outra forma de os pobres concordarem com uma situação na qual o contrato social preservava a desigualdade.

As sociedades que existiam, então, não foram formadas no estado de natureza, derivando sua legitimidade de melhorias que se deram a partir daquela época. Rousseau defendia, em vez disso, que elas foram formadas após o abandono do estado de natureza e o estabelecimento dos direitos de propriedade com suas desigualdades. Uma vez instituídos os direitos de propriedade, haveria conflitos quanto à distribuição desses. Foram a sociedade civil e a propriedade que levaram à guerra, e o Estado foi o agente que instaurou os conflitos.

### Revisando o contrato social

O que Rousseau oferecia no *Contrato social* era a possibilidade de essa situação calamitosa se transformar no seu oposto. O Estado e a sociedade civil eram um peso sobre os indivíduos, privando-os da liberdade natural. Mas eles poderiam ser transformados em extensões positivas de nossa liberdade se as instituições políticas e a sociedade fossem organizadas de modo eficiente. O contrato social, em vez de ser um pacto escrito por medo de nossa natureza má, poderia ser estabelecido na esperança de melhorarmos a nós mesmos. O estado de natureza talvez tenha sido livre, mas ele implicava que as pessoas não tivessem ideais mais elevados que seus apetites animais. Desejos mais sofisticados somente poderiam aparecer fora do estado de natureza, na sociedade civil. Para alcançar isso, um novo tipo de contrato social seria firmado.

Se Hobbes viu a lei apenas como uma limitação e a liberdade vinculada apenas à ausência da lei, Rousseau argumentou que as leis poderiam ser uma extensão de nossa liberdade, dado que aqueles subjugados à lei também eram os responsáveis por ela. A liberdade poderia ser conquistada dentro do Estado, e não fora dele. Para se chegar a isso, o povo inteiro teria de ser soberano. Um Estado legítimo oferece liberdade maior que aquela obtida no estado de natureza original. Para assegurar essa liberdade positiva, as pessoas também deveriam ser iguais. No mundo novo de Rousseau, liberdade e igualdade marcham juntas em vez de em caminhos opostos.

### A soberania popular

Em *Contrato social,* Rousseau listou, em linhas gerais, muitas das exigências que serviriam de base para o desenvolvimento da esquerda na política pelos séculos seguintes: a crença de que a liberdade e a igualdade eram parceiras, não inimigas; a crença na habilidade da lei e do Estado de melhorarem a sociedade; e a crença no povo como a »

## A comparação de Hobbes e Rousseau

| | No estado de natureza... | O contrato social.... | Liberdade... |
|---|---|---|---|
| **Hobbes** |  ... a vida é sórdida, embrutecida e curta. |  ... é necessário para garantir a paz e evitar o estado de natureza. |  ... pode existir apenas com a ausência da lei. |
| **Rousseau** |  ... as pessoas são satisfeitas e felizes. |  ... preserva as desigualdades e destrói a humanidade pessoal. | 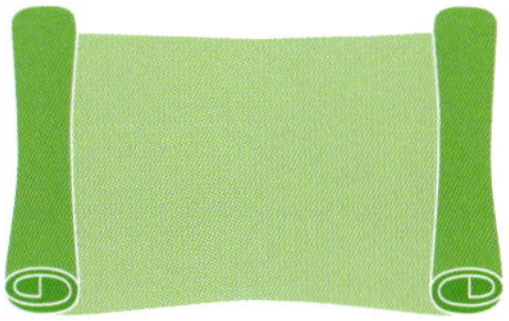 ... pode ser conquistada dentro dos limites da lei. |

**Rousseau não era contra** a propriedade, desde que distribuída com justiça. Ele considerava uma pequena república agrária, onde todos os cidadãos eram proprietários, a forma ideal de Estado.

entidade soberana, a partir da qual o Estado ganhava sua legitimidade. Apesar da veemência de seu ataque à propriedade privada, Rousseau não era socialista. Ele acreditava que a abolição total da propriedade privada criaria um embate entre a liberdade e a igualdade, ao passo que uma distribuição razoavelmente justa da propriedade poderia reforçar a liberdade. Mais tarde, ele defendeu uma república agrária de pequenos fazendeiros. Mas, naquela época, as ideias de Rousseau eram radicais. Ao considerar o povo a fonte da soberania e ao igualar a soberania à igualdade, desafiou uma tradição existente no pensamento político ocidental.

## Um novo contrato

Rousseau não igualou essa ideia de soberania popular à própria democracia, pois temia que um governo democrático direto, que exigisse a participação de todos os cidadãos, estaria propenso à corrupção e à guerra civil. Na verdade, ele vislumbrava a soberania sendo investida nas assembleias populares capazes de delegar as tarefas de governo — por meio de um novo contrato social ou constituição — para um poder executivo. O povo soberano corporificaria a "vontade geral", uma expressão do consentimento popular. O governo do dia a dia, no entanto, dependeria de decisões específicas que exigiriam uma "vontade particular".

Foi nessa própria distinção, pensou Rousseau, que o conflito entre as vontades "geral" e "particular" abriu caminho para a corrupção do povo soberano. E foi essa corrupção que marcou o mundo da época de Rousseau, segundo seu ponto de vista. Em vez de agir como um grupo, um corpo soberano, o povo foi consumido pela busca de interesses particulares. No lugar da liberdade da soberania popular, a sociedade havia separado o povo em esferas distintas e privadas, tanto nas artes, na ciência e na literatura quanto na divisão do trabalho. Isso o anestesiou, levando-o à sua habitual submissão e injetando nele um espírito de passividade.

Para garantir que o governo fosse a autêntica expressão da vontade popular e geral, Rousseau acreditava que a participação nas assembleias e iniciativas deveria ser obrigatória, removendo — tanto quanto possível — as tentações da vontade privada. Mas foi exatamente nessa crença na necessidade de combater os desejos privados que os críticos liberais posteriores a Rousseau encontraram sua falha mais grave.

## Vontade privada *versus* vontade geral

A "vontade geral", mesmo sendo desejada na teoria, poderia com

## Jean-Jacques Rousseau

Nascido em Genebra, na Suíça, filho de um homem livre autorizado a votar nas eleições municipais, Rousseau nunca vacilou quanto à sua apreciação das instituições liberais de Genebra. Herdeiro de uma enorme biblioteca e com um voraz apetite pela leitura, não teve uma educação formal. Aos quinze anos, ao ser apresentado à nobre Françoise-Louise de Warens, converteu-se ao catolicismo, foi exilado de Genebra e deserdado pelo pai.
Começou a estudar aos vinte anos e foi secretário do embaixador em Veneza em 1743. Logo depois, partiu para Paris, onde criou uma reputação de ensaísta controverso. Quando seus livros foram banidos da França e de Genebra, fugiu por um breve período para Londres, voltando logo para a França, onde passou o resto de sua vida.

### Principais obras

**1754** *Discurso sobre a origem e os fundamentos da desigualdade entre os homens*
**1762** *Emílio*
**1762** *O contrato social*
**1770** *As confissões*

Estamos próximos de um estado de crise e da era das revoluções.
**Jean-Jacques Rousseau**

**A Revolução Francesa** começou quando uma multidão enfurecida invadiu a Bastilha, em Paris, em 14 de julho de 1789. A fortaleza e prisão medieval era símbolo do poder real.

facilidade ser dotada dos acordos mais opressivos. Além disso, havia a dificuldade de identificar a "vontade geral" de fato. O caminho para um indivíduo ou grupo clamar para si a expressão da vontade geral, quando na verdade só exerciam sua própria vontade particular, era bem amplo. Rousseau, querendo fazer do povo soberano, poderia ser apresentado como o pai do totalitarismo. Qual regime repressivo desde a sua época não tentou clamar o apoio do "povo"?

De fato, as facções e divisões entre o povo previstas por Rousseau — as quais ele, assim como Maquiavel, via como sabotagens ao Estado — poderiam se transformar numa tirania, na qual minorias impopulares sofreriam nas mãos daqueles que exercessem a "vontade geral". A recomendação de Rousseau para lidar com esse dilema era reconhecer a impossibilidade de se evitar facções, multiplicando-as indefinidamente. Dessa forma, seriam criadas tantas vontades particulares que nenhuma delas poderia alegar ser a representante da vontade geral, e nenhuma das facções seria dominante o suficiente para se opor à vontade geral.

Os estados formados sob contratos sociais ilegítimos, baseados na fraude dos poderosos, não seriam capazes de expressar essa vontade porque seus súditos estariam ligados a eles apenas por submissão à autoridade, não por consentimento. No entanto, se os supostos contratos entre os governantes e os governados fossem ilegítimos, baseados na negação da soberania do povo, esse teria todo o direito de depor tais governantes. Mais tarde, os seguidores mais radicais de Rousseau viriam a interpretá-lo assim. O próprio Rousseau era, no mínimo, ambíguo quanto à questão das revoltas sinceras, com frequência denunciando a violência e a desordem civil e cobrando respeito às leis em vigor.

## Um ícone revolucionário

A crença de Rousseau na soberania do povo e no aperfeiçoamento das pessoas e da sociedade teve um imenso impacto. Na Revolução Francesa, os jacobinos o adotaram como o estandarte da necessidade de uma transformação completa, impiedosa e igualitária, da sociedade francesa. Em 1794, seus restos mortais foram transferidos para o Panteão, em Paris, como um herói nacional. Nos dois séculos seguintes, a obra de Rousseau também serviu de alicerce para quem queria ver a sociedade transformada para o bem comum, começando por Karl Marx.

De modo similar, os argumentos contra Rousseau, durante sua vida e depois dela, ajudaram a moldar tanto o pensamento conservador quanto o liberal. Em 1791, Edmund Burke, um dos fundadores do conservadorismo moderno, o considerou responsável pela Revolução Francesa e por seus excessos. Quase duzentos anos depois, Hannah Arendt acreditava que os erros no pensamento de Rousseau desviaram a Revolução de suas raízes liberais. ■

# NENHUM PRINCÍPIO DE LEI VÁLIDO PODE SER BASEADO NA FELICIDADE

## IMMANUEL KANT (1724-1804)

**EM CONTEXTO**

IDEOLOGIA
**Liberdade**

FOCO
**Responsabilidade pessoal**

ANTES
**380 a.C.** Platão defende em *A república* que o principal objetivo do Estado é garantir a felicidade de todas as pessoas.

**1689** Em *Segundo tratado sobre o governo*, John Locke diz que por meio de um "contrato social" o povo delega seu direito de autoproteção para o governo.

DEPOIS
**1851** Pierre-Joseph Proudhon defende que o contrato social deveria ser entre indivíduos, não entre os indivíduos e o governo.

**1971** Em *Uma teoria da justiça*, John Rawls combina a ideia de autonomia de Kant com a Teoria da Escolha Social.

Em 1793, o grande filósofo alemão Immanuel Kant escreveu um ensaio intitulado "Sobre a expressão corrente: aquilo que pode ser correto na teoria, mas nada vale na prática", o qual ficou mais conhecido como *Teoria e prática*. O ensaio foi escrito num ano de enormes mudanças políticas: George Washington tornara-se o primeiro presidente americano, a cidade alemã de Mainz havia se declarado uma república independente, e a Revolução Francesa atingira o seu ápice com a execução do rei Luís XVI e Maria Antonieta. O ensaio de Kant examinava não apenas a teoria e a prática política, mas também a

**Veja também:** Platão 34–9 ▪ Thomas Hobbes 96–103 ▪ John Locke 104–9 ▪ Jean-Jacques Rousseau 118–25 ▪ Jeremy Bentham 144–9 ▪ John Rawls 298–303

**Felicidade** é obtida e sentida de **diferentes maneiras** por diferentes pessoas.

Isso significa que ela **não pode** ser usada para **gerar princípios fixos** aplicados do mesmo modo para todos.

Já que se deve concordar que as **leis** devem ser **aplicadas a todos** e ser reflexo de uma **vontade geral**...

**... nenhum princípio de lei válido pode ser baseado na felicidade.**

legitimidade do próprio governo. Esse tópico se tornou, literalmente, uma questão de vida ou morte.

Ao dizer que "nenhum princípio de lei válido pode ser baseado na felicidade", Kant se expressou a partir de uma posição assumida pelo filósofo grego Platão quase 2 mil anos antes. O ensaio de Kant diz que a felicidade não funciona como base para a lei. Ninguém pode — ou deve — tentar definir o que a felicidade quer dizer para outra pessoa, de modo que uma regra baseada na felicidade não pode ser aplicada de maneira consistente. "Porque... as ilusões variáveis e conflitantes a respeito do que é felicidade", escreveu Kant, "tornam impossível todos os princípios fixos, de modo que a felicidade, por si só, jamais pode ser um princípio aplicável às leis." Em vez disso, ele acreditava que o importante era que o Estado garantisse a liberdade das pessoas dentro da lei "de modo que cada um fique livre para buscar sua felicidade naquilo que julgar melhor, desde que não viole a liberdade e os direitos dos outros sujeitos". Kant ponderou o que aconteceria numa sociedade onde as pessoas vivessem "num estado de natureza", livres para satisfazer seus próprios desejos. Ele considerou o conflito de interesses o maior problema. O que você faria, por exemplo, se o seu vizinho se mudasse para a sua casa e o expulsasse, e não houvesse nenhuma lei que o impedisse de reagir? Kant apontou que o estado de natureza é uma condição para a anarquia, na qual as disputas não poderiam ser resolvidas de maneira pacífica. Por essa razão, as pessoas, por sua própria vontade, "deixam o estado de natureza... de modo a se sujeitarem à coerção externa do público e da lei". A posição de Kant vai em direção à ideia anterior do filósofo inglês John Locke a respeito do contrato social, segundo a qual o povo faria um contrato com o Estado em que cada um abriria mão livremente de parte de sua liberdade em troca de proteção.

## O consentimento de todos

Kant disse que os governos deveriam »

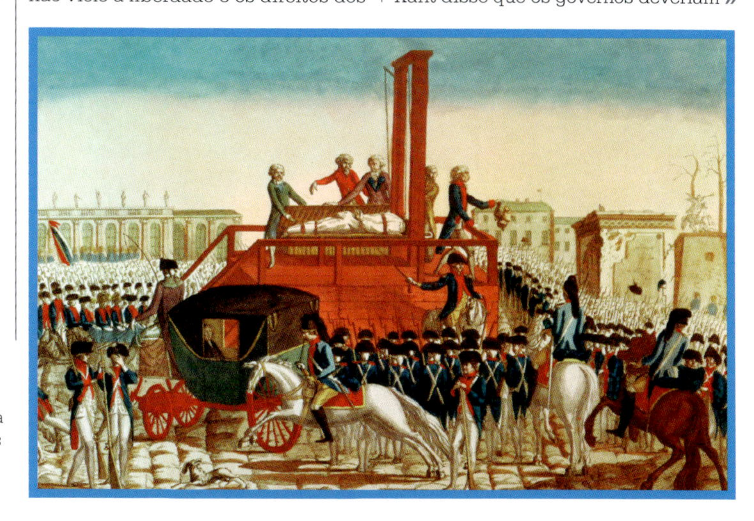

**O rei Luís XVI** foi executado em 1793. Para Kant, a Revolução Francesa foi um aviso aos governantes que primassem pelo bem de todas as pessoas.

se lembrar de que só governam com o consentimento do povo — não o de algumas pessoas, nem da maioria, mas de toda a população. Considera-se também que ninguém poderia se opor a uma lei proposta. "Pois, se a lei não fosse tal que todo o povo pudesse concordar com ela, ela seria injusta; mas, se fosse pelo menos possível que o povo pudesse concordar com ela, seria nosso dever considerá-la justa."

A ideia de Kant funcionaria como um importante guia para o cidadão e para o governo, porque ele também postulou que se um governo aprovasse uma lei considerada errada, ainda assim seria obrigação moral obedecer a ela. Talvez o sujeito considerasse errado pagar impostos para que o governo financiasse uma guerra, mas ele não poderia deixar de pagá-los só porque acha a guerra injusta ou desnecessária visto que "há uma possibilidade de a guerra ser inevitável e o imposto, indispensável".

No entanto, para Kant, apesar de as pessoas terem a obrigação de obedecer à lei, elas ainda precisariam assumir a responsabilidade individual por suas escolhas morais. Ele considerou que a moral era "categoricamente imperativa". Com isso, ele queria dizer que um indivíduo só deveria seguir regras ou preceitos que acreditasse se aplicarem a todo mundo. Cada pessoa deveria se comportar como se fosse a legisladora em cada escolha moral que fizesse.

A maioria das pessoas concordaria que **atravessar o sinal vermelho** não seria uma boa coisa se todo mundo fizesse isso.

**A categoria imperativa de Kant** diz que o indivíduo deveria agir apenas de acordo com regras ou máximas que gostaria que fossem universalmente aplicáveis. O Estado não deveria sancionar leis que não reconhecessem esse critério.

Ninguém pode me forçar a ser feliz de acordo com a sua concepção do bem-estar de todos.
**Immanuel Kant**

## A vontade do povo

No centro da filosofia de Kant, podendo ser aplicada tanto à moralidade quanto à política, está a noção de autonomia. Tal ideia prevê que a vontade humana é, e deve ser, independente. A liberdade não é estar livre de qualquer lei, mas estar limitado pelas leis feitas pela própria pessoa. A conexão entre a moralidade e as leis do Estado é direta: a legitimidade tanto da moral quanto das leis depende de elas estarem firmadas nos desejos racionais das pessoas. O contrato social é "baseado numa coalizão das vontades de todos os indivíduos numa nação". As leis do Estado devem ser, literalmente, "a vontade do povo". Assim, se concordamos em sermos governados, devemos racionalmente concordar em obedecer a todas as leis aprovadas pelo governo. Nesse mesmo sentido, porém, as leis de um governo estrangeiro, tais como as leis de uma força de ocupação ou potência colonial, não têm qualquer legitimidade. Kant se perguntava se seria papel do governo promover a felicidade de seu povo. Ele foi bem claro ao dizer que, como cabe a um indivíduo decidir aquilo que o faz feliz, qualquer legislação feita para melhorar a situação do povo deveria ser baseada no verdadeiro desejo do povo. Tampouco caberia ao governo obrigar os indivíduos a fazer as outras pessoas felizes. Ele não poderia, por exemplo, forçar ninguém a visitar sua avó frequentemente, mesmo que pudesse ser bom para a felicidade geral de um país que as avós fossem amadas.

## Um Estado sem felicidade?

Alguns estudiosos já defenderam a ideia de que Kant não detectava que a felicidade desempenhasse qualquer papel no ideário do governo. Se fosse assim, no entanto, o Estado não faria nada além de proteger fisicamente os seus cidadãos. Não caberia a ele oferecer

> Toda equidade consiste somente na restrição da liberdade dos outros.
> **Immanuel Kant**

educação, construir hospitais, galerias de arte e museus, estradas e ferrovias, ou se importar, de qualquer forma, com o bem-estar do povo. Talvez essa posição tenha uma consistência lógica, mas não é a receita para um Estado no qual muitos de nós gostariam de viver.

Ainda assim, nos últimos cinquenta anos, alguns pensadores têm usado a interpretação de Kant como a justificativa para a privatização de vários setores do Estado e para o desmantelamento de um sistema de bem-estar social supondo que seria uma violação da liberdade individual esperar que o povo pague impostos para a felicidade de outros. No entanto, outros estudiosos acreditam que essa seja uma interpretação errada da posição de Kant. Eles argumentam que o filósofo não disse necessariamente que a promoção da felicidade não deveria fazer parte das preocupações do Estado. Ela só não deveria ser o único critério. Além disso, Kant lembrou que a felicidade só poderia ser alcançada depois que uma constituição forte, resumindo o papel do Estado, estivesse em vigor. Em *Teoria e prática*, afirmou que "a doutrina que diz que 'o bem-estar público é a lei suprema do Estado' ainda é válida e tem autoridade. Mas o bem-estar público que exige a primazia se encontra, precisamente, naquela constituição legal que garante a todos a sua liberdade dentro da lei".

## Direitos e felicidade

Dois anos antes de *Teoria e prática*, num ensaio chamado "Paz perpétua", Kant apresentou os dois deveres dos governos: proteger os direitos e as liberdades do povo como uma questão de justiça e promover a felicidade do povo, desde que pudessem fazê-lo sem diminuir os direitos e a liberdade das pessoas.

Atualmente, estudiosos têm se perguntado se os governos, talvez ainda fortes e influenciados pela estrita interpretação do conselho de Kant, têm se concentrado demais na economia e na justiça e negligenciado a felicidade. Respondendo a essa crítica, em 2008, o então presidente da França, Nicolas Sarkozy, encomendou um estudo feito por uma equipe liderada pelo economista americano Joseph Stiglitz para medir o "bem-estar" de seu país. ■

**A intervenção no Afeganistão** pode ser impopular para o público dos EUA e da Europa, mas, de acordo com Kant, esse descontentamento não dá direito aos indivíduos de sonegar seus impostos.

## Immanuel Kant

O filósofo alemão Immanuel Kant nasceu em Königsberg, na Prússia (hoje Caliningrado, na Rússia), e lá viveu toda a sua vida. Foi o quarto entre os nove filhos de um casal luterano e estudou numa escola luterana, onde se apaixonou por latim, mas criou uma forte aversão à introspecção religiosa. Aos dezesseis anos, matriculou-se num curso de teologia, mas rapidamente se interessou por filosofia, matemática e física. Kant trabalhou na universidade de Königsberg como professor voluntário e bibliotecário assistente por quinze anos antes de se tornar professor de lógica e metafísica aos 46 anos. Ganhou fama internacional com a publicação de sua *Crítica* e seguiu ensinando até o fim da vida. É considerado por muitos o maior pensador do século XVIII.

### Principais obras

**1781** *Crítica da razão pura* (revisado em 1787)
**1788** *Crítica da razão prática*
**1793** *Teoria e prática*

# AS PAIXÕES INDIVIDUAIS DEVEM SER SUBJUGADAS

## EDMUND BURKE (1729-1797)

**EM CONTEXTO**

IDEOLOGIA
**Conservadorismo**

FOCO
**Tradição política**

ANTES
**1688** Proprietários de terras ingleses forçam a renúncia de James II durante a Revolução Gloriosa.

**1748** Montesquieu diz que é mantida a liberdade na Inglaterra por meio do equilíbrio de forças de diversas partes da sociedade.

DEPOIS
**1790-1791** Os livros *Direitos do homem,* de Paine, e *A vindication of the rights of woman*, de Wollstonecraft, se opõem à obra de Burke.

**1867-1894** *O capital*, de Marx, declara que a derrubada do *status quo* é inevitável.

**1962** Michael Oakeshott defende a importância da tradição nas instituições públicas.

Em 1790, o estadista e teórico político Edmund Burke escreveu uma das primeiras e mais convincentes críticas da revolução na França, iniciada um ano antes. Seu panfleto intitulado *Reflexões sobre a revolução em França* sugeria que as paixões dos indivíduos não deveriam ter relevância ao se fazer julgamentos políticos.

Quando a revolução começou, Burke foi pego de surpresa, mas ainda não a criticava abertamente. Ficou chocado com a ferocidade dos insurgentes, mas admirava seu espírito revolucionário — assim como admirava os revolucionários americanos em sua luta contra a

**Veja também:** Jean-Jacques Rousseau 118–25 ▪ Thomas Paine 134–9 ▪ Thomas Jefferson 140–1 ▪ Georg Hegel 156–9 ▪ Karl Marx 188–93 ▪ Vladimir Lênin 226–33 ▪ Michel Foucault 310–1

Coroa britânica. Conforme Burke escrevia seu panfleto, a revolução se fortalecia. Faltava comida e sobravam rumores de que o rei e os aristocratas derrubariam o Terceiro Estado (o povo rebelado). Os camponeses se levantaram contra os seus senhores que — temendo por sua vida — lhes concederam a liberdade por meio da Declaração dos Direitos do Homem e do Cidadão. Ela afirmava que todo o povo tinha "direitos naturais" a liberdade, propriedade, segurança e à resistência à opressão.

No entanto, o rei se recusou a sancionar a Declaração, e no dia 5 de outubro de 1789 uma multidão de parisienses marchou até Versalhes para se juntar aos camponeses e obrigar o rei e sua família a voltarem a Paris. Para Burke, esse evento passou dos limites e o provocou a escrever seu panfleto crítico — o qual tem sido, desde então, a refutação clássica a potenciais revolucionários.

## O governo como um organismo

Burke era um *whig*, membro de um partido político britânico que defendia o progresso gradual da sociedade — em contraste ao partido *Tory* que lutava para manter o *status quo*. Burke defendia a emancipação dos católicos na Irlanda e na Índia em relação à corrupta Companhia das Índias Orientais. Mas, diferentemente de outros *whigs*, ele achava que a continuidade do governo era algo sagrado. Em *Reflexões*, ele defendeu que o governo é como um ser vivo, com um passado e um futuro. Não seria possível matá-lo e reiniciá-lo, como os revolucionários franceses queriam fazer.

Burke compreendia governo como um complexo organismo que crescera ao longo do tempo até chegar à sua forma sutil e viva de então. As nuances de seu ser político — desde o comportamento dos monarcas aos códigos de conduta herdados pelos aristocratas — se desenvolveram por gerações de forma tão elaborada que ninguém seria capaz de entender seu funcionamento. O hábito do governo estava tão arraigado na classe dominante, ele diz, que ela nem precisava pensar nele. Qualquer um que acreditasse que poderia usar seus poderes racionais para destruir a sociedade e construí-la de novo e melhor a partir do nada — tal como o pensador iluminista Jean-Jacques Rousseau — seria tolo e arrogante.

## Direitos abstratos

Burke condenou, em especial, o »

**John Bull** é tentado pelo diabo na "Árvore da Liberdade", simbolizando o pavor do zelo revolucionário francês que se espalhou para a Inglaterra no período em que Burke escrevia.

O governo é uma **invenção humana** para supervisionar as necessidades das pessoas na sociedade.
Mas algumas necessidades e desejos **conflitam** com os de outras pessoas.
O governo deve **julgar** entre desejos conflitantes para alcançar o **resultado mais justo**.
**As paixões individuais devem ser subjugadas às leis governamentais.**

conceito iluminista de direitos naturais. Eles poderiam ser muito bons na teoria, disse, mas esse era o problema: "sua perfeição abstrata é seu defeito prático". Também para Burke, um direito teórico a um bem ou serviço não serviria para nada se não houvesse os meios para consegui-los. Não haveria um fim para aquilo que as pessoas pudessem racionalmente exigir como direitos. Na verdade, os direitos seriam simplesmente aquilo que as pessoas quisessem, e seria tarefa do governo mediar os desejos das pessoas. Algumas poderiam até querer restringir as vontades de outras.

Uma regra fundamental de qualquer sociedade civil, para Burke, seria "que nenhum homem deve ser juiz em sua própria causa". Para viver numa sociedade livre e justa, um homem deveria abrir mão de seu direito de determinar muitas coisas que julgasse essenciais. Ao defender que "as paixões individuais devem ser subjugadas", Burke queria dizer que a sociedade deveria controlar a vontade selvagem do indivíduo para o bem dos outros. Se fosse permitido a todos se comportarem como quisessem, expressando cada paixão e capricho, o resultado seria o caos. De fato, não só os indivíduos, mas as massas como um todo, deveriam ser limitados "por um poder vindo deles mesmos".

Esse papel de juiz exigiria "um profundo conhecimento da natureza humana e das necessidades humanas", e seria tão complexo que os direitos teóricos seriam uma distração.

## Hábito e preconceito

Burke era cético quanto aos direitos individuais, defendendo, em vez deles, a tradição e o hábito. Ele via o governo como uma herança a ser levada em segurança até o futuro e fez distinção entre a Revolução Gloriosa inglesa de 1688 e o conflito na França.

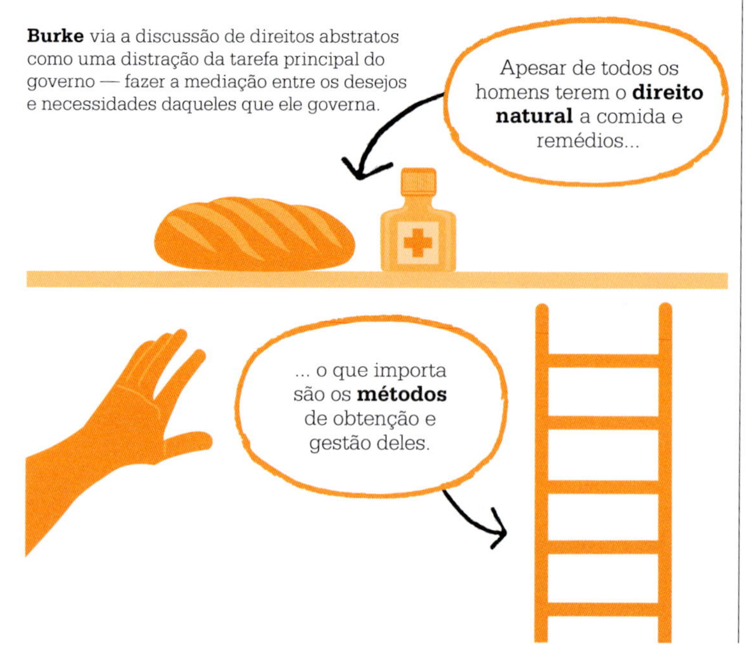

Apesar de todos os homens terem o **direito natural** a comida e remédios...
... o que importa são os **métodos** de obtenção e gestão deles.

**Burke** via a discussão de direitos abstratos como uma distração da tarefa principal do governo — fazer a mediação entre os desejos e necessidades daqueles que ele governa.

O contrato social... é entre os que estão vivos, os que estão mortos e os que ainda vão nascer.
**Edmund Burke**

A revolução inglesa, que substituiu o rei James II, favorável aos católicos, pelos protestantes William e Mary, tinha a ver com a preservação do *status quo* contra um monarca voluntarioso, não com a fabricação de um novo governo, o que deixaria Burke tomado de "desgosto e horror".

Burke defendia uma inconsciente resposta emocional de respeito pelo rei e o parlamento como "o banco geral e o capital das nações". Considerava isso muito superior aos caprichos da razão individual, mas entendia o preconceito como uma velha sabedoria capaz de produzir uma resposta automática nas emergências que deixariam um homem racional hesitante.

As consequências de ignorar essas tradições poderiam ser calamitosas, advertiu Burke. Novos homens entrando numa rixa política não seriam capazes de governar, muito menos um novo sistema. A luta entre facções tentando ocupar o vácuo do poder inevitavelmente levaria a um banho de sangue e terror — e a um caos tão devastador que forçaria os militares a assumir o poder.

## A revolução de Burke

A previsão de Burke, tanto em relação ao terror na Revolução Francesa, que se deu entre 1793 e 1794, quanto à

**Napoleão Bonaparte** subiu ao poder em 1799, confirmando a previsão de Edmund Burke de 1790 que dizia que uma ditadura militar se seguiria à derrubada revolucionária da monarquia na França.

ascensão de Napoleão Bonaparte em 1799, garantiu-lhe uma reputação de visionário. Seus argumentos agradavam à direita, mas também surpreendiam a esquerda. Thomas Jefferson, à época vivendo na França como diplomata americano, escreveu: "A Revolução na França não me surpreende tanto quanto a revolução no sr. Burke". Na Inglaterra, Thomas Paine imediatamente escreveu *Os direitos do homem* — publicado em 1791 — para desafiar o argumento de Burke contra os direitos naturais.

## O poder da propriedade

Burke acreditava que a estabilidade social se apoiava na propriedade herdada, em especial as da aristocracia agrária. Só esses ricos donos de terras tinham o poder, o interesse e a habilidade política, dizia Burke, para prevenir que a monarquia se excedesse. As grandes extensões de terra que possuíam também serviam de proteção natural para as propriedades menores ao seu redor. De qualquer forma, ele argumentava, a redistribuição de poucos para muitos somente resultaria em ganhos "incomparavelmente menores".

Apesar da derrota de Napoleão, as revoluções que se sucederam por toda a Europa muito depois da morte de Burke deram às suas ideias destaque entre os que temiam os levantes. A reivindicação de Burke em favor da continuidade do governo e da sociedade pareceu a muitos um refúgio de sanidade num mundo louco. Porém, para Karl Marx — crítico das ideias de Burke sobre a propriedade — e muitos outros, sua defesa da desigualdade era inaceitável. Ele lutou contra o desprezo pela tradição, mas, de acordo com seus críticos, isso levava, por fim, à defesa de sociedades nas quais a maioria era mantida numa vida de servidão, sem perspectivas de melhora ou direito a voz quanto ao seu futuro. A defesa de Burke do preconceito pode vir a ser um argumento a favor da intolerância cega. Suas premissas sobre a submissão das paixões dos indivíduos podem ser uma justificativa para a censura e um Estado repressor. ■

Os grandes senhores feudais criaram um incomparavelmente grande proletariado ao expulsarem os camponeses da terra.
**Karl Marx**

## Edmund Burke

Nascido em Dublin, na Irlanda, em 1729, Burke teve uma educação protestante, enquanto sua irmã Juliana cresceu católica. Começou como advogado, mas logo largou a carreira de direito para se tornar escritor. Em 1756, publicou *A vindication of natural society*, uma sátira das visões religiosas do líder *tory* Lord Bolingbroke. Pouco depois, tornou-se secretário particular de Lord Rockingham, o primeiro ministro *whig*.

Em 1774, Burke tornou-se membro do Parlamento, perdendo seu cargo mais tarde por causa de seus pontos de vista impopulares a respeito da emancipação dos católicos. Sua luta pelo fim da pena de morte lhe garantiu uma reputação progressista. Mas sua crítica da Revolução Francesa causou um racha com a ala radical do partido *Whig*, sendo hoje mais lembrado pela visão conservadora do que a liberal.

### Principais obras

**1756** *A vindication of natural society*
**1770** *Thoughts on the cause of the present discontents*
**1790** *Reflexões sobre a revolução em França*

# OS DIREITOS QUE DEPENDEM DA PROPRIEDADE SÃO OS MAIS PRECÁRIOS

## THOMAS PAINE (1737-1809)

**EM CONTEXTO**

IDEOLOGIA
**Republicanismo**

FOCO
**Sufrágio masculino universal**

ANTES
**508 A.C.** A democracia em Atenas dá a todos os cidadãos homens o direito ao voto.

**1647** Uma parte radical do Exército de Novo Tipo de Oliver Cromwell exige o sufrágio masculino universal e o fim da monarquia.

**1762** Jean-Jacques Rousseau publica o *Contrato social*, defendendo que a soberania vem do povo.

DEPOIS
**1839-1848** O cartismo, um movimento de massa na Grã-Bretanha, exige o sufrágio masculino universal.

**1917-1919** Com o fim da I Guerra, repúblicas democráticas substituem as monarquias por toda a Europa.

O direito ao voto depende de a pessoa **possuir alguma propriedade**.

Os donos de propriedades **abusam da sua posição privilegiada** para governar a sociedade em **seu benefício**.

Isso causa descontentamento entre os pobres, que **se rebelarão contra os ricos** se suas necessidades forem negligenciadas.

**Os direitos que dependem da propriedade são os mais precários.**

**Os direitos devem ser garantidos** sem nenhuma qualificação quanto à propriedade.

A Revolução Inglesa, que chegou ao ápice do seu radicalismo com o julgamento e a execução do rei Carlos I em 1649, perdeu sua força no final do século XVII. A "Revolução Gloriosa" de 1688 presenciou a restauração da monarquia, então sujeita ao Parlamento, e a estabilização do Estado britânico. Não se escreveu nenhuma constituição formal, e a breve experiência republicana sob Oliver Cromwell havia chegado ao fim. O novo governo era um híbrido da corrupta e não representativa Câmara Baixa dos Comuns, da corrupta e não eleita Câmara Alta dos Lordes e de um monarca que ainda era, nominalmente, chefe de Estado.

A Declaração dos Direitos de 1689, que estabeleceu os parâmetros para o novo governo, era um acordo que satisfazia apenas uns poucos, e menos ainda aqueles mais excluídos dela: os irlandeses, os católicos e os não conformistas; os pobres e os artesãos; e até mesmo as classes médias mais prósperas e os funcionários públicos. Foi desse meio que surgiu Thomas Paine, depois de ter emigrado para a América em 1774. Numa série de panfletos incendiários e extremamente populares, ele buscava retomar os argumentos a favor da democracia e do republicanismo muito comuns no tempo de Cromwell.

## A defesa da democracia

Em *Senso comum*, publicado anonimamente na Filadélfia em 1776, Paine defendeu uma ruptura radical pelos colonos da América do Norte britânica tanto do Império Britânico quanto de sua monarquia constitucional. Assim como Hobbes e Rousseau antes dele, Paine dizia que as

**Veja também:** Thomas Hobbes 96–103 ▪ John Locke 104–9 ▪ Jean-Jacques Rousseau 118–25 ▪ Edmund Burke 130–3 ▪ Thomas Jefferson 140–1 ▪ Oliver Cromwell 333 ▪ John Lilburne 333 ▪ George Washington 334

Quando nos planejamos para a posteridade, devemos nos lembrar de que a virtude não é hereditária.
**Thomas Paine**

pessoas se agrupam naturalmente, criando uma sociedade. Conforme esses agrupamentos de famílias, amigos ou comerciantes se tornam mais complexos, cria-se uma necessidade de regulação. Essas regulações são sistematizadas em leis, e forma-se um governo para criá-las e implementá-las. Essas deveriam servir ao povo, mas há pessoas demais para se tomar decisões coletivas. É preciso democracia para se eleger representantes.

A democracia, defendia Paine, era a forma mais natural de equilibrar as necessidades da sociedade com as do governo. O voto funcionaria como um instrumento regulador entre a sociedade e o governo, permitindo à sociedade moldar o governo para que ele correspondesse mais diretamente às necessidades sociais. As instituições como a monarquia não eram naturais, já que o princípio da hereditariedade se distinguia da sociedade, e os monarcas poderiam agir em seu próprio interesse. Mesmo um Estado misto com uma monarquia constitucional, como defendido por John Locke, seria perigoso, já que um monarca poderia, facilmente, aumentar seu poder e se desviar das leis. Paine acreditava que era melhor acabar de vez com a monarquia.

Seguiu-se disso que o melhor curso de ação para os Estados Unidos em sua guerra contra o Império Britânico era se recusar a qualquer acordo relacionado à monarquia. Somente com uma independência plena é que se poderia construir uma sociedade democrática. O clamor claro e inequívoco de Paine por uma república democrática teve sucesso imediato no meio da guerra revolucionária contra o Império Britânico. Voltando à Inglaterra em 1787, ele visitou a França dois anos depois, tornando-se um forte defensor da Revolução Francesa.

## Reflexões sobre a revolução

Ao voltar da França, Paine teve uma terrível surpresa. Edmund Burke, representante de Brissol no Parlamento, e um dos fundadores do moderno pensamento conservador, apoiou os direitos das colônias americanas à independência. Burke e Paine continuaram amigos desde o retorno deste último, mas Burke condenou de modo implacável a Revolução Francesa, dizendo, em 1790, em suas *Reflexões sobre a revolução em França* que, por seu radicalismo, ela ameaçava a própria ordem da sociedade. Burke via a sociedade como um todo orgânico, não sujeita a mudanças bruscas. A Revolução Americana e a "Revolução Gloriosa" britânica não ameaçaram os direitos estabelecidos havia tempos, mas corrigiram algumas deformidades no sistema. Em particular, elas não ameaçaram os direitos de propriedade. Mas a situação na França, com a derrubada violenta do antigo regime, era sem dúvida diferente. »

**Os juízes desatentos** na sátira *The bench* (1758), de William Hogarth, são retratados como membros de um judiciário preguiçoso, incompetente e corrupto.

**A Assembleia Nacional Francesa** tem origem na Convenção Nacional da Revolução Francesa que foi a primeira assembleia governante a ser eleita pelo sufrágio universal masculino.

A oposição de Burke fez com que Paine assumisse uma posição. Sua resposta veio em *Os direitos do homem*, publicado no começo de 1791. Apesar da censura oficial, ela se tornou a mais difundida de todas as defesas inglesas da revolução na França. Paine valorizou os direitos de toda geração refazer suas instituições políticas e sociais como julgasse direito, não sendo limitada pela autoridade existente. Um monarca hereditário não poderia exigir superioridade a esse direito. Os direitos, não a propriedade, eram o único princípio hereditário transmitido de geração em geração. Uma segunda parte desse panfleto, publicada em 1792, defendia um grande programa de bem-estar social. Ao final do ano, os dois volumes haviam vendido 200 mil cópias.

## O fim da monarquia

Correndo o risco de ser processado e com uma grande massa de defensores do "rei e da Igreja" queimando sua imagem publicamente, Paine deu um passo ainda mais radical. Sua obra *Letter addressed to the addresses on the late proclamation* foi escrita contra "os numerosos burgos e empresas" que publicaram a proclamação real contra as "difamações subversivas" — textos que atacavam o Estado. Paine, denunciando esses e outros abusos como uma nova tirania, convocou uma Convenção Nacional a ser eleita para propor uma constituição republicana para a Inglaterra. Esse foi um chamado direto à revolução, usando a Convenção Nacional republicana francesa por modelo. Paine havia recém-voltado à França pouco antes da publicação de *Address* e na sua ausência fora condenado por difamação subversiva. O argumento em *Address* é curto, mas atacou Burke diretamente. Apesar de a Declaração dos Direitos da Inglaterra de 1689 garantir os direitos que todos os súditos desfrutariam numa monarquia constitucional, ela permitia algumas formas de abuso. Paine detalhou alguns dos mais repulsivos casos de corrupção, mas ele queria ir além e derrubar o próprio sistema. Ao defender a propriedade hereditária como a lei suprema, esse sistema mantinha a corrupção e o abuso. A tirania do governo de William Pitt foi resultado direto de sua defesa da propriedade. No topo do regime, estava um monarca hereditário, e o Parlamento apenas agia em defesa da Coroa e da propriedade. A reforma do Parlamento corrupto não era suficiente: o sistema todo tinha de ser transformado, de cima a baixo.

**As qualificações de propriedade para votar** criam desigualdades entre os ricos e os pobres, levando à corrupção e ao monopólio do poder.

**O sufrágio universal masculino** muda o equilíbrio — os direitos dos ricos e dos pobres devem ser considerados ao se fazer qualquer política.

Sempre se verá que quando o rico protege os direitos do pobre, o pobre protegerá a propriedade do rico.
**Thomas Paine**

## Sufrágio masculino universal

Paine insistia que a soberania não deveria pertencer ao monarca, mas ao povo, que tem o direito absoluto de fazer e desfazer leis e governos como lhe aprouver. O sistema existente não previa nenhum mecanismo que permitisse ao povo trocar o governo. Portanto, era necessário passar por cima do sistema elegendo uma nova assembleia — uma Convenção Nacional parecida com a da França.

Paine tentou popularizar uma ideia de Rousseau: a "vontade geral" do povo deveria ser soberana numa nação, e, com eleições transparentes e justas para a Convenção, os interesses privados e as práticas corruptas seriam esmagados. O sufrágio masculino universal escolheria os delegados da Convenção e caberia a eles elaborar uma nova constituição para a Grã-Bretanha. Paine considerava a exigência de propriedade para votar na Inglaterra a responsável pela corrupção do sistema eleitoral. Somente num sistema em que os direitos de ricos e pobres fossem igualmente considerados haveria respeito e justiça.

## Um legado para a reforma

Os curtos panfletos de Paine jamais tiveram o mesmo sucesso que o *Senso comum* ou *Os direitos do homem*, mas o argumento radical apresentado em *Address* formou o núcleo das demandas dos reformadores na Grã-Bretanha nos cinquenta anos seguintes. A London Corresponding Society, a partir de 1790, clamava por uma Convenção Nacional. Os cartistas de 1840 de fato fizeram uma Convenção Nacional, o que alarmou demais as autoridades. E a odiosa exigência de propriedade para votar foi removida pela *Second Reform Act* de 1867.

**A Convenção Cartista** fez uma reunião de massa em Kennington Common em Londres, em 10 de abril de 1848, exigindo reformas eleitorais como as defendidas por Thomas Paine.

Nos Estados Unidos e na França suas ideias tiveram mais impacto — em especial naquele, onde ele é considerado um dos Pais Fundadores da independência e da Constituição, e onde seus escritos influenciaram milhares de pessoas em favor da democracia e do republicanismo. ■

## Thomas Paine

Thomas Paine nasceu em Thetford, Inglaterra. Emigrou para a América em 1774 ao perder seu emprego de coletor de impostos depois de liderar manifestações por melhores salários e condições. Sendo recomendado por Benjamin Franklin, tornou-se editor de uma revista local na Pensilvânia. *Senso comum* foi publicado em 1776, vendendo 100 mil cópias em três meses, em meio a uma população colonial de 2 milhões de pessoas. Em 1781, Paine ajudou a negociar enormes recursos do rei da França para a Revolução Americana. Voltando a Londres em 1790 inspirado pela Revolução Francesa, escreveu *Os direitos do homem*, pelo qual foi processado por difamação subversiva. Depois de fugir para a França, foi eleito para a Convenção Nacional, fugindo da execução no período do Terror. Voltou aos Estados Unidos em 1802 a convite do presidente Jefferson e morreu sete anos depois em Nova York.

### Principais obras

**1776** *Senso comum*
**1791** *Os direitos do homem*
**1792** *Letter addressed to the addresses on the late proclamation*

# TODOS OS HOMENS SÃO IGUAIS

## THOMAS JEFFERSON (1742-1826)

### EM CONTEXTO

IDEOLOGIA
**Nacionalismo**

FOCO
**Direitos universais**

ANTES
**1649** O rei da Inglaterra Carlos I é julgado e executado por agir "contra o interesse público, o direito comum, a liberdade, a justiça e a paz do povo".

**1689** John Locke refuta o direito divino dos reis e insiste que a soberania pertence ao povo.

DEPOIS
**1789** A Declaração dos Direitos do Homem e do Cidadão da Revolução Francesa diz que todos os homens "nascem e permanecem livres com direitos iguais".

**1948** A ONU adota a Declaração Universal dos Direitos Humanos.

**1998** Evidência de DNA sugere que Jefferson talvez tenha sido o pai dos filhos de sua escrava Sarah Hemings.

A Declaração da Independência Americana é um dos textos mais famosos em língua inglesa. Sua afirmação de que todas as pessoas têm o direito à "vida, à liberdade e à busca da felicidade" ainda ajuda a definir a maneira como pensamos a vida digna e as condições para torná-la possível.

A declaração foi rascunhada durante a Revolução Americana, uma revolta das treze colônias britânicas nos Estado Unidos contra o governo da Coroa. Em 1763, a Grã-Bretanha ganhou uma série de guerras contra a França pela posse dessas colônias e então cobrava impostos delas para pagar os enormes custos de guerra. O Parlamento britânico não tinha nenhum representante das colônias americanas, mas ainda assim tomava decisões em seu nome. Protestos em Boston contra a cobrança sem o direito a um representante levou à intervenção militar britânica, que se tornou uma guerra. No Primeiro Congresso Continental de 1774, os rebeldes coloniais exigiram o seu próprio parlamento. Um ano mais tarde, no Segundo Congresso, com o rei George III desprezando suas exigências, eles pressionaram pela independência.

O Deus que nos deu a vida nos deu a liberdade ao mesmo tempo. A mão da força pode destruí-las, mas não pode separá-las.
**Thomas Jefferson**

### Do Velho para o Novo Mundo

Thomas Jefferson, representante do Segundo Congresso, foi escolhido para rascunhar a declaração de independência. Ele era uma figura ilustre do Iluminismo americano.

Os colonos vindos da Europa podiam avaliar o Velho Mundo e constatar as monarquias absolutas e as oligarquias corruptas governando sociedades na miséria, desiguais, frequentemente em guerra, desprezando a tolerância religiosa e as liberdades mínimas. Jefferson e outros intelectuais no Novo Mundo se interessaram por pensadores como John Locke, que enfatizava os "direitos naturais" da humanidade e a

**Veja também:** Hugo Grócio 94–5 ▪ John Locke 104–9 ▪ Jean-Jacques Rousseau 118–25 ▪ Thomas Paine 134–9 ▪ George Washington 334

Todos os homens são iguais. A eles foram dados direitos inerentes e inalienáveis.
A regra de hereditariedade desconsidera os direitos inalienáveis dos homens.
Só a república é compatível com os direitos inalienáveis dos homens.
As colônias devem romper com a regra hereditária europeia e se tornarem repúblicas independentes.

necessidade do “contrato social” entre governo e governados.

Se por um lado Locke defendia a monarquia constitucional britânica, Jefferson e outros detectaram uma mensagem muito mais radical em seus escritos. Somado ao apoio à propriedade privada e à liberdade de pensamento, Jefferson incluiu o republicanismo. Nisso foi influenciado por Thomas Paine, cujo *Senso comum* popularizou os argumentos a favor da república. A Declaração de Independência marcou uma ruptura com o colonialismo e com o governo hereditário, considerado incompatível com a noção de que “todos os homens são iguais”, além de transgredir seus “direitos inalienáveis”.

Assinado em 4 de julho de 1776 por representantes dos treze estados, o texto ainda mantém sua força original na denúncia do governo arbitrário dos monarcas. Ele ajudou a moldar a Revolução Francesa e, de Gandhi a Ho Chi Minh, inspirou líderes de movimentos pela independência. ■

**Jefferson apresentou** o primeiro rascunho da Declaração da Independência ao Congresso. A versão final foi lida em voz alta nas ruas de modo a inspirar os homens a se alistarem para lutar.

## Thomas Jefferson

Nascido em Shadwell, Virgínia, Jefferson foi fazendeiro e, mais tarde, advogado, tendo se tornado o terceiro presidente dos Estados Unidos em 1801. Figura-chave do Iluminismo, foi escolhido como principal autor da Declaração da Independência em junho de 1776 enquanto representava a Virgínia no Segundo Congresso Continental. Por ser fazendeiro, Jefferson tinha bem mais que cem escravos, mas tentou conciliar tal posição com suas crenças na igualdade. Seu texto denunciando a escravidão no rascunho original da Declaração foi cortado pelo Congresso. Depois da vitória sobre a Inglaterra em 1783, sua ação seguinte visando abolir a escravidão na nova república foi derrotada por um único voto no Congresso. Depois de perder a presidência em 1808, Jefferson continuou ativo na vida pública, fundando a Universidade da Virgínia em 1819. Morreu em 4 de julho de 1826.

**Principais obras**

**1776** *Declaração da Independência*
**1785** *Notes on the State of Virginia*

# CADA NACIONALIDADE ABRANGE SUA ESSÊNCIA DE FELICIDADE EM SI MESMA

## JOHANN GOTTFRIED HERDER (1744-1803)

**EM CONTEXTO**

IDEOLOGIA
**Nacionalismo**

FOCO
**Identidade cultural**

ANTES
**98 a.C.** O senador e historiador romano Tácito saúda as virtudes germânicas em *Germania*.

**1748** Montesquieu defende que o caráter nacional e a natureza do governo são reflexos do clima.

DEPOIS
**1808** O filósofo alemão Johan Fichte desenvolve o conceito de *Volk*, ou "povo", no movimento a favor do nacionalismo romântico.

**1867** Karl Marx critica o nacionalismo como uma "falsa consciência" que impede o povo de perceber que merece algo melhor do que tem.

**1925** Adolf Hitler defende a supremacia racial da nação germânica em *Minha luta*.

As pessoas são **moldadas** pelo lugar onde crescem...

... porque uma língua e uma terra natal ajudam a criar um **espírito nacional**, ou *Volksgeist*.

Esse espírito nacional forja a comunidade com um **caráter nacional específico**.

As pessoas dependem dessa **comunidade nacional** para serem felizes.

**Cada nacionalidade abrange sua essência de felicidade em si mesma.**

Na Europa do século XVIII, filósofos iluministas tentaram mostrar como a razão poderia conduzir a raça humana para longe da superstição. Johann Herder, no entanto, acreditava que a busca por verdades universais baseada na razão era falha, já que negligenciava o fato de que a natureza humana varia de acordo com o ambiente cultural e físico. As pessoas precisam se sentir pertencendo a algo, e seu futuro é moldado pelos lugares onde crescem.

### Espírito nacional

Herder argumentava que a língua é fundamental na formação do eu e que o agrupamento natural para a humanidade é a nação — não necessariamente o Estado, mas uma nação cultural com sua língua compartilhada, seus costumes e memória folclórica. Ele acreditava que a comunidade é forjada por um espírito nacional — o *Volksgeist* — que emerge do idioma e reflete o caráter físico da terra natal. Para ele, a natureza e o cenário local supriam e apoiavam as pessoas, unindo-as em seu caráter nacional.

Os indivíduos dependem dessa comunidade nacional para serem felizes. "Cada nação tem sua essência

**Veja também:** Montesquieu 110–1 ▪ Giuseppe Mazzini 172–3 ▪ Karl Marx 188–93 ▪ Friedrich Nietzsche 196–9 ▪ Theodor Herzl 208–9 ▪ Marcus Garvey 252 ▪ Adolf Hitler 337

É a natureza que educa as pessoas: o estado mais natural, portanto, é uma nação, uma família estendida com um caráter nacional.
**Johann Gottfried Herder**

de felicidade em si mesma", defendeu Herder, "assim como cada esfera tem seu próprio centro na gravidade." Se as pessoas forem arrancadas de seu ambiente nacional, elas perdem contato com seu eixo e são privadas dessa felicidade natural. Herder não se importava apenas com a emigração, mas também com a imigração que julgava ser um distúrbio na unidade orgânica da cultura nacional — a única base verdadeira para o governo. "Nada é tão manifestamente contrário ao propósito do governo político que o aumento antinatural de estados, a mistura de várias raças e nacionalidades sob um mesmo cetro." Herder se referia aos perigos do colonialismo e do surgimento de impérios, mas suas ideias têm a ver com o moderno multiculturalismo.

## Nacionalismo crescente

As ideias de Herder foram uma inspiração para a crescente onda de nacionalismo romântico que varreu a Europa no século XIX, quando vários povos — desde os gregos até os belgas — defendiam sua ideia de nação e autodeterminação. Mas a superioridade nacional ou racial quase sempre era presumida, culminando na perseguição alemã dos judeus e na "limpeza étnica". Apesar de Herder não poder ser culpabilizado pelo Holocausto, ele chegou a afirmar que os judeus eram "estrangeiros nesta parte do mundo [a Alemanha]". Sua ideia de um eixo nacional também ignora a diversidade de visões e culturas dentro de cada nação e leva ao estereótipo nacional. Sua ênfase na cultura nacional negligencia outras influências — tais como as econômicas, políticas e os contatos sociais entre povos distintos —, tornando suas visões menos plausíveis num mundo moderno, globalizado. Pode-se dizer que ele superestimou a importância da nacionalidade nas prioridades das pessoas, as quais podem ser influenciadas por qualquer coisa, desde laços familiares a visões religiosas. ■

**O nacionalismo**, como defendido por Herder, tornou-se importante na ideologia do partido nazista. Esse guia de viagem de 1938 mostra uma dança folclórica tradicional.

## Johann Gottfried Herder

Herder nasceu em Mohrungen, na Prússia (hoje Morag, na Polônia) em 1744. Aos dezessete anos, estudou com Kant e teve Johan Hamann como mentor na Universidade de Königsberg. Ao se graduar, lecionou em Riga antes de viajar a Paris e depois Estrasburgo, onde conheceu Goethe, pelo qual foi profundamente influenciado. O movimento literário romântico germânico, liderado por Goethe, foi inspirado em parte pela afirmação de Herder de que os poetas são os criadores de nações. Isso fez com que Herder conseguisse um posto no tribunal de Weimar, onde desenvolveu suas ideias de linguagem, nacionalidade e a resposta das pessoas ao mundo. Começou a colecionar músicas folclóricas capturando o *Volksgeist* — o "espírito" — do povo alemão. Recebeu o grau de nobreza do príncipe-eleitor da Baviera, podendo assim se chamar "von" Herder. Morreu em Weimar em 1803.

### Principais obras

**1772** *Ensaio sobre a origem da linguagem*
**1773** *Stimmen der Völker in Liedern*

# GOVERNAR NÃO PASSA DE UMA OPÇÃO ENTRE MALES

JEREMY BENTHAM (1748-1832)

## EM CONTEXTO

IDEOLOGIA
**Utilitarismo**

FOCO
**Políticas públicas**

ANTES
**1748** Montesquieu afirma em *Espírito das leis* que a liberdade na Inglaterra é mantida pelo equilíbrio das forças entre diferentes partes da sociedade.

**1748** David Hume sugere que o bem e o mal podem ser vistos em termos de sua utilidade.

**1762** Jean-Jacques Rousseau defende no *Contrato social* que qualquer lei que o povo não tenha ratificado pessoalmente não é uma lei.

DEPOIS
**1861** John Stuart Mill adverte sobre a "tirania da maioria" e diz que o governo somente deveria interferir nas liberdades individuais quando essas prejudicarem outros.

A ideia de que governar não passa de uma opção entre males perpassa toda a obra do filósofo inglês Jeremy Bentham, desde 1769, quando ainda era recém-formado em direito, até o fim de sua vida cinquenta anos mais tarde, quando já havia se transformado numa figura muitíssimo influente no pensamento político britânico e europeu.

O ano de 1769, escreveu Bentham meio século depois, foi "deveras interessante". Naquela época, ele estava lendo as obras de filósofos como Montesquieu, Beccaria e Voltaire — todos pensadores progressistas, líderes do Iluminismo continental. Mas foram as obras de dois escritores britânicos — David Hume e Joseph Priestley — que despertaram uma grande centelha de revelação na mente do jovem Bentham.

### Moralidade e felicidade

Em *Investigação sobre o entendimento humano* (1748), Hume disse que uma forma de distinguir o bem do mal seria por intermédio da sua utilidade. Uma boa qualidade só seria realmente boa se fosse usada para um bom fim. Mas, para Bentham, um advogado astuto e de bom-senso, isso ainda era muito vago. E se fosse considerada uma qualidade moral? E se a decisão sobre a natureza boa ou má de uma ação fosse baseada em sua utilidade, caso ela produzisse um bom efeito — mais importante ainda, caso ela fizesse as pessoas felizes ou não?

Vista assim, toda moralidade, em sua raiz, trataria de gerar felicidade e evitar a miséria. Qualquer outra descrição seria desnecessária, ou pior, algo que ocultaria a verdade. As religiões seriam, com frequência, culpadas por essa cegueira, disse Bentham, mas também seriam culpados os idealistas políticos avoados defensores dos direitos das pessoas e afastados da questão crucial que é fazer as pessoas felizes.

Isso seria verdade, argumentou Bentham, não apenas no nível pessoal e moral, mas também no público e político. E se tanto a moralidade privada como as políticas públicas fossem reduzidas a esse único alvo, todos estariam de acordo — e os homens e as mulheres de boa vontade poderiam trabalhar juntos para atingir o mesmo fim.

Então, qual seria um resultado útil, feliz? Bentham era um realista e aceitou que mesmo a melhor ação

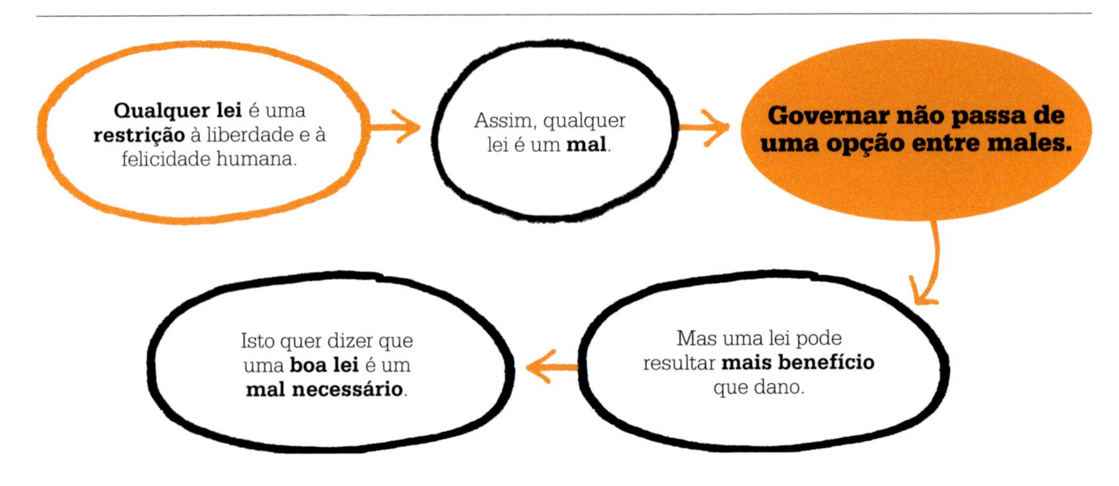

**Qualquer lei** é uma **restrição** à liberdade e à felicidade humana.
Assim, qualquer lei é um **mal**.
**Governar não passa de uma opção entre males.**
Mas uma lei pode resultar **mais benefício** que dano.
Isto quer dizer que uma **boa lei** é um **mal necessário**.

**Veja também:** Jean-Jacques Rousseau 118–25 ▪ Immanuel Kant 126–9 ▪ John Stuart Mill 174–81 ▪ Friedrich Hayek 270–5 ▪ John Rawls 298–303

traria consigo alguns males ao lado do bem. Se uma criança tivesse dois doces, outra tivesse um e uma terceira não tivesse nenhum, a ação mais justa dos pais dessas crianças seria pegar um doce daquela que tinha dois e dar para a que não tinha nenhum. Isso faria com que uma das crianças ficasse com um doce a menos. De modo parecido, qualquer ação do governo beneficiaria alguns, mas traria desvantagens para outros. Para Bentham, tais ações deveriam ser julgadas de acordo com o seguinte critério: uma ação é boa se ela produzir mais prazer do que dor.

### O bem maior

Ler o livro *An essay on the first principles of government* (1768) de Priestley fez com que Bentham tivesse sua segunda grande revelação em 1769. Ele tirou de Priestley a ideia de que um ato bom é aquele que produz a maior felicidade para o maior número de pessoas. Em outras palavras, tudo se resumiria à aritmética. A política poderia ser simplificada numa única questão: ela faz mais pessoas felizes do que tristes? Bentham desenvolveu um método matemático que chamou de "felicific calculus" para decidir se uma ação do governo produzia mais ou menos felicidade.

Foi nesse ponto que surgiu a ideia de que "governar não passa de uma opção entre males". Qualquer lei é uma restrição à liberdade humana, defendeu Bentham — uma interferência na liberdade de um indivíduo, impedindo-o de agir da maneira como realmente queria. Portanto, toda lei seria necessariamente um mal. A decisão caberia à aritmética. Uma nova lei poderia ser justificada se, e apenas se, ela causasse mais bem do que mal.

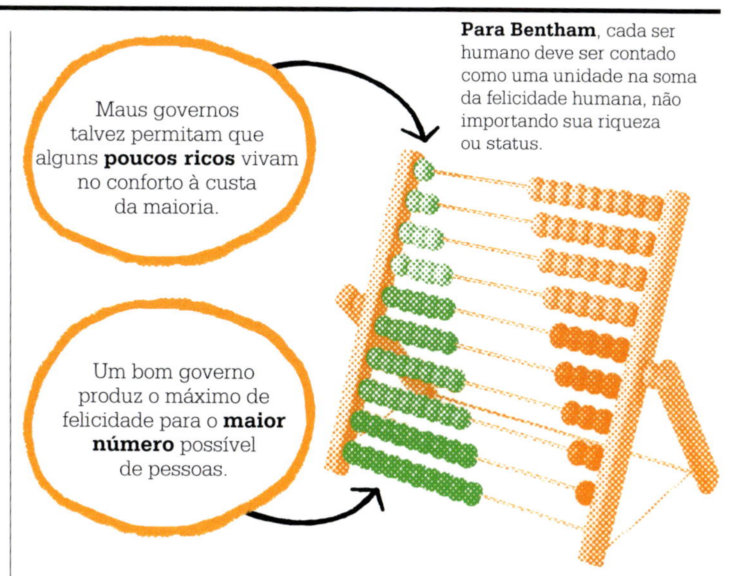

Maus governos talvez permitam que alguns **poucos ricos** vivam no conforto à custa da maioria.
Um bom governo produz o máximo de felicidade para o **maior número** possível de pessoas.


**Para Bentham**, cada ser humano deve ser contado como uma unidade na soma da felicidade humana, não importando sua riqueza ou status.

Ele comparou o governo a um médico que somente deveria intervir se tivesse certeza de que o tratamento traria mais benefício que dano — uma boa analogia para o tempo de Bentham, quando os médicos geralmente faziam o paciente piorar com uma sangria, tirando parte de seu sangue para curar a doença. Ao decidir a punição de um criminoso, por exemplo, o legislador deveria levar em conta não apenas os efeitos diretos de sua má conduta, mas os efeitos secundários também — um roubo não causa dano só à vítima, mas também alarma a comunidade. A punição deveria, além disso, piorar a situação do ladrão de modo que fosse maior que o lucro obtido com o crime.

### Não intervenção do governo

Bentham ampliou sua ideia para o campo da economia, endossando a visão do economista escocês Adam Smith que argumentava que os mercados funcionam melhor sem as restrições do governo. Desde o tempo de Bentham, muitos têm usado sua advertência aos legisladores como uma justificativa para o governo não intervir — a favor da diminuição da burocracia e da desregulação. Seus pontos de vista têm até mesmo sido usados a favor de um governo conservador que evite propor »

A medida do certo e do errado é o maior bem para o maior número de pessoas.
**Jeremy Bentham**

O bom é o prazer ou a ausência de dor... o mal é a dor ou a ausência do prazer.
**Jeremy Bentham**

novas leis, em especial aquelas que tentem mudar o comportamento das pessoas. No entanto, os argumentos de Bentham têm implicações ainda mais radicais. Os governos não devem descansar até que todos estejam felizes, o que jamais acontecerá. Isso significa que sempre haverá o que ser feito. Assim como a maioria das pessoas continua a busca pela felicidade por toda a vida, os governos devem constantemente lutar para fazer com que mais pessoas sejam felizes.

A aritmética moral de Bentham enfatiza não apenas os benefícios da felicidade, mas também os seus custos. Ela deixa claro que para algumas pessoas serem felizes alguém precisa pagar o preço. Para que alguns poucos ricos vivam em conforto, por exemplo, muitos outros vivem em desconforto. Cada pessoa conta apenas como uma unidade na soma da felicidade humana de Bentham. Isso quer dizer que esse desequilíbrio é imoral, e é dever de todo governo trabalhar para mudar essa situação.

**Desigualdades sociais** significam que uma minoria rica coexiste com os pobres. Para Bentham, isso é inaceitável, e o governo deve garantir um equilíbrio.

## Democracia pragmática

Assim, como persuadir os governantes a espalhar as riquezas quando isso faria com que eles ficassem menos felizes? A resposta, disse Bentham, seria mais democracia, ou seja, a extensão do voto. Se os governantes falhassem em aumentar a felicidade para o maior número de pessoas, eles não deveriam receber mais votos na próxima eleição. Numa democracia, os políticos têm um interesse pessoal no aumento da felicidade da maioria para garantir que sejam reeleitos. Enquanto outros pensadores, de Rousseau a Paine, defendiam a democracia como um direito natural — sem a qual um homem perderia sua humanidade —, Bentham argumentava a seu favor de maneira muito pragmática: ela é um meio visando a um fim. A ideia de leis e direitos naturais, para Bentham, não passava de "tolice".

Com seus custos e benefícios, lucros e perdas, os argumentos de Bentham para o aumento dos direitos de voto chamaram a atenção dos arrogantes industriais e empresários britânicos — a nova e crescente base de poder na Revolução Industrial —, em dissonância com o idealismo e o princípio dos direitos naturais do homem. Os argumentos "utilitários" e práticos de Bentham ajudaram na mudança da Grã-Bretanha em direção à reforma parlamentar e ao liberalismo nos anos 1830. Hoje, uma abordagem benthamiana é uma referência diária útil para as decisões de políticas públicas, encorajando os governos a considerarem se suas políticas são, em média, boas para a maioria.

**As ideias de Bentham** foram satirizadas por Charles Dickens, cujo personagem sr. Gradgrind, no romance *Tempos difíceis*, dirige uma escola baseado em fatos frios e duros, sem espaço para diversão.

## Dura realidade

No entanto, existem alguns problemas reais no modelo utilitário, livre de ideais, de Bentham. O autor inglês Charles Dickens odiava a nova leva de utilitários que vieram depois de Bentham e os satirizou sem dó em seu romance *Tempos difíceis* (1854), descrevendo-os como estraga--prazeres pisoteando a imaginação e minando o espírito humano com a sua insistência em reduzir a vida à dura realidade. Essa não é uma imagem que Bentham, um homem muito compreensivo, reconheceria, mas era uma clara referência à sua redução de todos os problemas à aritmética. Uma crítica recorrente às ideias de Bentham é que elas encorajam a escolha de "bodes expiatórios". O grande princípio da felicidade é capaz de permitir enormes injustiças, se o efeito final for o contentamento geral. Após um atentado à bomba, por exemplo, a polícia estaria sob enorme pressão para encontrar os culpados. A população em geral estaria muito mais feliz e menos alarmada se a polícia prendesse qualquer um que se encaixasse como suspeito, mesmo se ele não fosse de fato o culpado (desde que não houvesse mais ataques).

Seguindo o argumento de Bentham, dizem alguns de seus críticos, seria moralmente aceitável punir um inocente se o seu sofrimento fosse menor que o aumento na felicidade da maioria. Os que apoiam Bentham poderiam se livrar dessa acusação ao dizer que a população estaria infeliz de viver numa sociedade na qual pessoas inocentes são escolhidas como bodes expiatórios. Mas esse problema só viria à tona se a população descobrisse a verdade. Se a escolha fosse mantida em segredo, isso seria justificado segundo a lógica de Bentham. ■

**Argumentos utilitários** servem para justificar a perseguição de pessoas inocentes — tais como Gerry Conlon, acusado de ter explodido bombas para o IRA — segundo a premissa de contentar a maioria.

## Jeremy Bentham

Jeremy Bentham nasceu em Houndsditch, Londres, em 1748, numa família em boas condições financeiras. Esperava-se dele que se tornasse advogado. Foi para a Universidade de Oxford com apenas doze anos, onde formou-se em direito e começou a exercer a profissão em Londres, com quinze anos. Mas a trapaça do direito o deprimiu, o que o fez se interessar por ciência legal e filosofia.

Bentham deixou Londres e foi para Westminster para escrever e, pelos quarenta anos seguintes, produziu comentários e ideias sobre questões legais e morais. Começou por criticar a principal autoridade jurídica, William Blackstone, que julgava não haver nada de errado com as leis britânicas. Em seguida, desenvolveu uma teoria completa a respeito da moral e da política. Essa foi a base da ética utilitária que passou a dominar a vida política britânica a partir de sua morte em 1832.

### Principais obras

**1776** *Fragment on Government*
**1780** *Uma introdução aos princípios da moral e da legislação*
**1787** *O panóptico*

# O POVO TEM O DIREITO DE TER E PORTAR ARMAS

## JAMES MADISON (1751-1836)

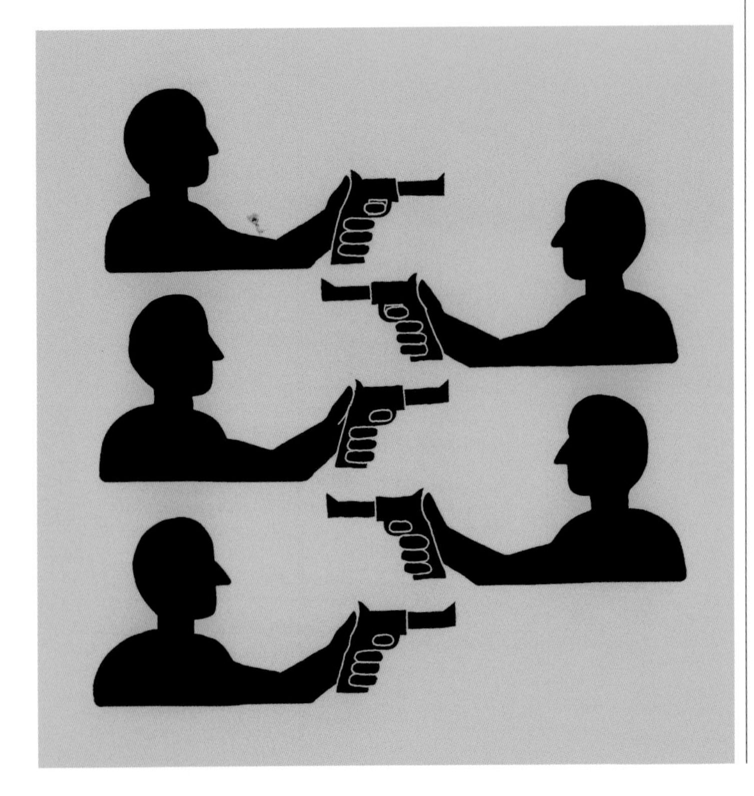

**EM CONTEXTO**

IDEOLOGIA
**Federalismo**

FOCO
**Cidadania armada**

ANTES

**44-43 A.C.** Cícero defende em suas *Filípicas* que as pessoas devem ser capazes de se defender da mesma maneira que os animais selvagens na natureza.

**1651** Thomas Hobbes argumenta em *Leviatã* que, por natureza, os homens têm o direito de se defender usando a força.

DEPOIS

**1968** Depois do assassinato de Robert Kennedy e Martin Luther King nos EUA, surgem restrições federais à compra de armas.

**2008** A Suprema Corte dos EUA decide que a Segunda Emenda protege o direito individual de ter uma arma em casa para autodefesa.

Ao mesmo tempo que os Pais Fundadores davam os últimos retoques na Constituição norte-americana em 1788, surgiram pedidos para que se incluísse uma Declaração de Direitos. A ideia de que o povo tem o direito de ter e portar armas aparece com a Segunda Emenda nessa Declaração com as palavras "o direito do povo de manter e portar armas não deve ser infringido". As palavras exatas são importantes já que se tornaram o foco do atual debate sobre o controle de armas e do alcance da liberdade dada aos cidadãos dos Estados Unidos, por lei, para portá-las.

O responsável pela Declaração de Direitos foi James Madison, nascido

**Veja também:** Cícero 49 ▪ Thomas Hobbes 96–103 ▪ John Locke 104–9 ▪ Montesquieu 110–1 ▪ Pierre-Joseph Proudhon 183 ▪ Jane Addams 211 ▪ Mahatma Gandhi 220–5 ▪ Robert Nozick 326–7

O governo federal pode oscilar pelo **poder da maioria**.

Levado pela maioria, o governo federal talvez use um exército regular para **impor sua vontade** aos estados da federação.

Às pessoas em cada Estado deve ser permitido formar milícias **para se defenderem** de um exército federal opressor.

**O direito do povo de ter e portar armas não deve ser infringido.**

no estado da Virgínia, que também participou da elaboração da Constituição. Isso talvez faça dele um dos únicos pensadores políticos que teve a chance de colocar suas ideias em prática — as quais ainda são, dois séculos depois, a base da vida política da nação mais poderosa do mundo. De fato, ao se tornar mais tarde presidente dos Estados Unidos, Madison subiu até o topo do edifício político que ele mesmo criou.

A Declaração de Direitos é considerada por alguns a própria corporificação da ideia iluminista sobre os direitos naturais, iniciada com John Locke e que culminou nos chamados Direitos do Homem, inspiração de Thomas Paine.

Apesar de ter enfatizado em seu tratado, mais tarde, a importância da democracia como um princípio, os objetivos de Madison eram mais pragmáticos. Estavam arraigados na tradição da política inglesa, em que o parlamento buscava mais prevenir o soberano de extrapolar o seu poder do que lutar para proteger liberdades universais básicas.

## Defesa da maioria

Conforme admitiu numa carta a Thomas Jefferson, a única razão de Madison ter feito a Declaração de Direitos foi para satisfazer os pedidos de outros. Ele acreditava que a Constituição, por si só, e a criação de um governo adequado teriam sido suficientes para garantir que os direitos fundamentais fossem protegidos. Na verdade, ele chegou a admitir que a inclusão da Declaração de Direitos implicava que a Constituição tinha falhas e era incapaz de proteger por si mesma esses direitos. Também havia o risco de a definição de direitos específicos atrapalhar a proteção de direitos que não estivessem mencionados. Além disso, Madison reconheceu que declarações de direitos não tiveram uma história feliz nos Estados Unidos.

Mas também havia fortes motivos para crer que uma declaração de direitos fosse uma boa ideia. Assim como a maioria dos Pais Fundadores, Madison temia pelo poder da maioria. "Uma democracia", escreveu Thomas Jefferson, "nada mais é que o governo da massa em que 51% do povo talvez tire os direitos dos outros 49%." Uma Declaração de Direitos talvez ajudasse a proteger a minoria da massa popular.

"Em nossos governos", escreveu Madison, "o poder verdadeiro reside na maioria da comunidade, e a invasão dos direitos privados deve ser entendida não como atos do governo contrários ao senso dos seus constituintes, mas como atos nos quais o governo é um mero »

**A Revolta de Shay** em 1786-1787 incluía uma milícia rebelde que tomou os tribunais de Massachusetts. Esmagada pelas forças do governo, ela encorajou o princípio de um governo forte na Constituição dos Estados Unidos.

**Embora Madison acreditasse** que a Constituição garantiria a proteção dos direitos básicos, ele formulou a Declaração dos Direitos como uma medida adicional para neutralizar o poder da maioria na democracia.

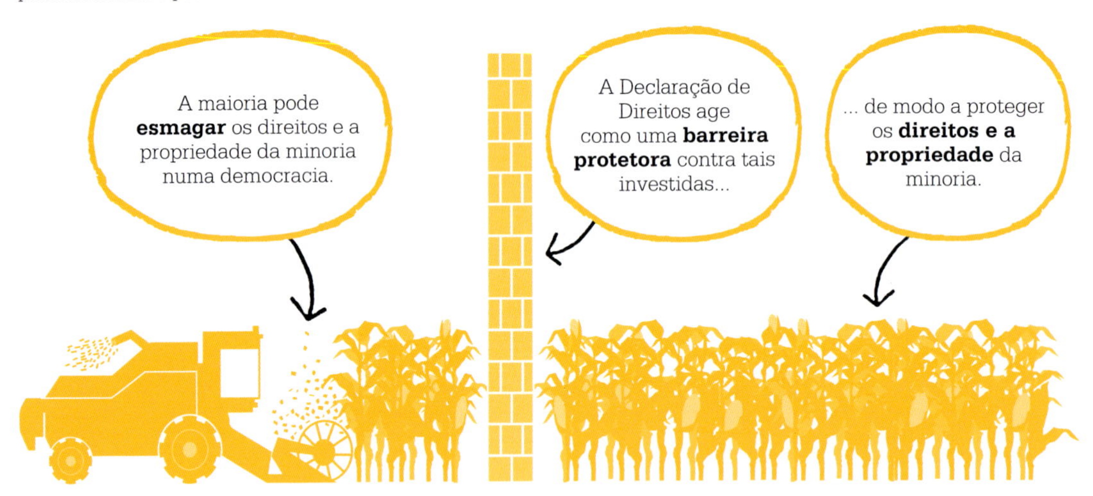

A maioria pode **esmagar** os direitos e a propriedade da minoria numa democracia.
A Declaração de Direitos age como uma **barreira protetora** contra tais investidas...
... de modo a proteger os **direitos e a propriedade** da minoria.

instrumento do maior número de seus constituintes." Em outras palavras, a Declaração de Direitos pretendia, de fato, proteger os donos de propriedades contra os instintos democráticos da maioria.

## A legitimação das milícias

Madison também tinha um simples motivo político para criar a Declaração de Direitos. Ele sabia que, se não o fizesse, não conseguiria o apoio total para a Constituição dos delegados de alguns estados. Afinal, a Guerra da Independência havia acontecido para desafiar a tirania do poder centralizado, e, por isso, esses delegados temiam um novo governo central. Eles somente ratificariam a Constituição se tivessem algumas garantias de proteção contra ela. Assim, os direitos não eram leis naturais, mas a proteção dos estados (e dos donos de propriedades) contra o governo central.

Foi nesse ponto que surgiu a Segunda Emenda. Madison garantiu que não se tiraria dos estados ou cidadãos o direito à autoproteção e de formar uma milícia contra um governo nacional controlador, como haviam acabado de fazer contra a Coroa britânica. Tal situação previa uma comunidade unindo-se para resistir a um exército opressor. A Segunda Emenda na verdade diz em sua versão final: "Havendo uma milícia bem regulada, necessária para a segurança de um Estado livre, não se deve infringir o direito do povo de ter e portar armas". A emenda, portanto, tinha a ver com uma milícia e "o povo" (em outras palavras, a comunidade) protegendo o Estado, não o povo como indivíduos.

A autoridade definitiva está no povo, e só nele.
**James Madison**

## A autodefesa

Madison não estava falando de indivíduos usarem armas para se defender contra atos criminosos específicos. Foi, porém, dessa forma que as suas palavras na Segunda Emenda vieram a ser usadas, e muitos americanos agora defendem que o direito de ter armas está preservado na Constituição — alegando que qualquer tentativa de instituir controles seja inconstitucional.

Tentativas de derrubar essa interpretação nas cortes, em várias oportunidades, não tiveram sucesso, havendo uma insistência que a Constituição dos Estados Unidos garante os direitos dos cidadãos de pegar em armas para defender a si mesmos e ao Estado. Muitos argumentam, indo mais além, que independentemente das intenções de Madison, ter e portar uma arma deveria ser considerada uma liberdade básica.

Um século antes da declaração de Madison, John Locke, ao identificar o direito de autodefesa como natural, se baseou num tempo hipotético "natural" anterior à civilização. Assim como um animal selvagem se defenderia com violência se fosse encurralado, o mesmo se aplicaria aos humanos, argumentou Locke. Disso se conclui que o governo é, de alguma forma, uma imposição não natural da qual o povo precisa se proteger. Em retrospecto, alguns comentaristas conseguem ver a influência de Locke na Declaração de Direitos e pressupõem que isso se dê ao confirmar a autodefesa por meios violentos como um direito natural, inalienável.

No entanto, é possível que Madison e os outros Pais Fundadores estivessem mais de acordo com o ponto de vista sobre o governo de David Hume do que com o de Locke. Hume foi pragmático demais para dar atenção à ideia de um tempo de liberdade antes dos direitos terem sido restringidos pela civilização. Para Hume, o povo quer governo porque isso faz sentido, e os direitos são algo negociado, sobre o qual há um acordo, como todos os outros aspectos da lei. Assim, não há nada fundamental a respeito do direito de portar armas. Isso é apenas uma questão de o povo ter chegado a um acordo ou não. Conforme Hume, as liberdades e os direitos são exemplos dos princípios com que o povo poderia concordar — talvez decidindo mutuamente preservar na lei algo que eles já praticam. Assumindo essa postura, não há nenhum princípio fundamental em jogo no direito de portar armas — trata-se de um consenso, o qual não exige, necessariamente, uma maioria democrática.

## Controvérsia duradoura

O controle de armas ainda é um assunto discutível nos Estados Unidos, com lobbies poderosos — como a National Rifle Association (NRA) — fazendo campanha contra qualquer restrição ao porte de armas. Os que se opõem ao controle parecem estar ganhando, já que a maioria dos estados permite às pessoas terem armas de fogo. Além disso, existem alguns poucos estados onde a posse de armas não sofre nenhuma regulação, e existem debates sobre a possibilidade, por exemplo, de as pessoas poderem portá-las escondidas. O alto índice de crimes com armas nos Estados Unidos e o aumento frequente nos casos de massacres levaram muitos a se questionar se a posse de armas sem restrições seja apropriada para um país que já tenha suas fronteiras definidas.

**A autodefesa usada** pelos animais selvagens é citada por expoentes da lei natural para justificar o direito de um indivíduo de proteger-se com todos os meios.

Merece destaque o fato de a Declaração de Direitos ainda estar, com poucas mudanças, no centro do sistema político americano. Alguns, até mesmo o próprio Madison, talvez defendessem que um bom governo teria protegido esses direitos mesmo sem uma declaração. Ainda assim, essa se mantenha talvez a compilação mais importante da teoria e da prática política já feita. ■

### James Madison

James Madison nasceu em Port Conway, na Virgínia. Seu pai era dono da Montpelier, a maior fazenda de tabaco no Condado de Orange, tocada por mais ou menos cem escravos. Em 1769, Madison se matriculou na Faculdade de Nova Jersey, hoje Universidade de Princeton. Durante a Guerra de Independência americana, ele serviu na legislatura de Virgínia e foi apoiado por Thomas Jefferson. Aos 29 anos, tornou-se o mais jovem representante do Congresso Continental de 1780 e foi respeitado por sua habilidade de propor leis e formar coalizões. Seu esboço — o Plano Virgínia — foi a base da Constituição americana. Foi coautor do texto *O federalista*, que explicava a teoria da Constituição e garantia sua ratificação. Madison foi um dos líderes do recém-criado Partido Democrático-Republicano. Ele substituiu Jefferson ao se tornar o quarto presidente dos EUA em 1809, sendo reeleito uma vez.

### Principais obras

**1787** *Constituição dos Estados Unidos*
**1788** *O federalista*
**1789** *Declaração de direitos*

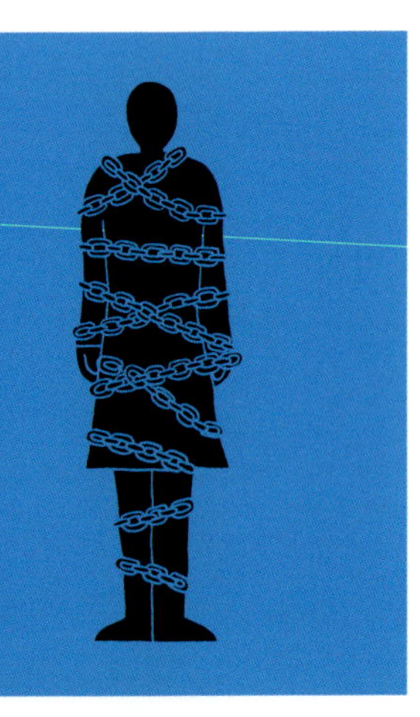

# AS MULHERES MAIS RESPEITOSAS SÃO AS MAIS OPRIMIDAS

## MARY WOLLSTONECRAFT (1759-1797)

**EM CONTEXTO**

IDEOLOGIA
**Feminismo**

FOCO
**A emancipação feminina**

ANTES
**1589** O panfleto de Jane Anger *Her protection for women* repreende os homens por verem as mulheres apenas como objetos de desejo sexual.

**1791** Em *Declaração dos direitos da mulher*, a dramaturga francesa Olympe de Gouges escreve: "A mulher nasce livre e é igual ao homem".

DEPOIS
**1840s** Nos EUA e no Reino Unido, a propriedade das mulheres é legalmente protegida de seus maridos.

**1869** Em *Sujeição das mulheres*, John Stuart Mill argumenta que as mulheres deveriam ter o direito de voto.

**1893** Na Nova Zelândia, as mulheres obtêm o direito de votar — um dos primeiros países a fazer isso.

As mulheres dependem do **sustento financeiro** dos homens.

As mulheres são **educadas** só para servir aos homens.

As mulheres aprendem a usar a **sedução** para ganhar o sustento dos homens.

As mulheres respeitosas que **não exploram** sua sedução **não conseguem o sustento dos homens**, mas não têm a educação para conseguirem se sustentar.

**As mulheres mais respeitosas são as mais oprimidas.**

Publicado em 1792, a obra da escritora britânica Mary Wollstonecraft *A vindication of the rights of woman* é vista como o primeiro grande tratado feminista. Foi escrita numa época de efervescência intelectual e política. O Iluminismo havia colocado os direitos dos homens no centro do debate político, culminando, na França, com a Revolução Francesa no mesmo ano que Wollstonecraft escreveu *A vindication*. Mas pouco se falava sobre a posição das mulheres na sociedade. De fato, Jean-Jacques Rousseau, um ferrenho defensor da liberdade política, reconheceu em sua obra *Emílio* que as mulheres somente

**Veja também:** John Stuart Mill 174–81 ▪ Emmeline Pankhurst 207 ▪ Simone de Beauvoir 284–9

Mais respeitosa é a mulher que ganha o seu próprio pão ao cumprir qualquer dever, em vez daquela mais bonita.
**Mary Wollstonecraft**

deveriam ser educadas para fazê-las melhores esposas, capazes de agradar aos homens.

## Liberdade para trabalhar

Wollstonecraft escreveu *A vindication* para mostrar o quão errado Rousseau estava a respeito das mulheres. O mundo só se revitalizaria, dizia, se as mulheres fossem felizes, como os homens. Ainda assim, as mulheres estavam presas a uma série de expectativas por causa de sua dependência dos homens. Elas eram forçadas a valorizar sua aparência e conspirar para ganhar a atenção masculina. Mulheres respeitosas — que não concordassem com esse jogo de sedução — ficavam em desvantagem.

Wollstonecraft argumentava que as mulheres precisavam ter a liberdade de ganhar seu próprio dinheiro, conquistando a autonomia dos homens. Para isso era preciso educação. Em relação àqueles que argumentavam que as mulheres eram inferiores intelectualmente aos homens, ela insistia que esse equívoco se devia à falta de instrução das mulheres. Defendia que havia uma série de ocupações que elas poderiam assumir caso tivessem acesso a educação e oportunidades. "Quantas mulheres desperdiçaram sua vida, vítimas do desgosto, e que poderiam ter sido médicas, administradoras de fazendas, gerentes de loja, capazes de se manter sozinhas, por sua própria capacidade?" Essas conquistas também seriam boas para os homens porque os casamentos seriam baseados no afeto mútuo e no respeito. Wollestonecraft propôs reformas, como a combinação da educação privada com a pública, e uma abordagem mais democrática e participativa nas escolas. As propostas de Wollstonecraft passaram despercebidas durante sua vida, e, por um tempo após sua morte, ela ficou mais conhecida por seu estilo de vida não convencional do que por suas ideias. Mas outras depois dela — como Emily Davies, que fundou a Girton College para mulheres na Universidade de Cambridge em 1869 — foram influenciadas por suas ideias. A mudança, no entanto, custou a chegar. Foi só após 150 anos da publicação de *A vindication* que a Universidade de Cambridge garantiu títulos acadêmicos plenos para mulheres. ■

**O charme feminino** era essencial para que a mulher progredisse na sociedade europeia do século XVIII. Wollstonecraft odiava o fato de a mulher ter de atrair um homem para sustentá-la.

## Mary Wollstonecraft

Wollstonecraft nasceu em 1759 numa família de fortuna decadente. Aos vinte e poucos anos, fundou uma escola progressista em Londres, depois se tornou governanta, na Irlanda, dos filhos de lady Kingsborough, cuja vaidade e desdém ajudaram a aperfeiçoar a visão de Mary sobre as mulheres. Em 1787, voltou a Londres para escrever na radical revista *Analytical Review*. Em 1792, foi para a França para celebrar a Revolução e se apaixonou pelo autor americano Gilbert Imlay. Tiveram um menino, mas não se casaram, e a relação acabou. Depois de se mudar para a Suécia, e de uma fracassada tentativa de suicídio, voltou para Londres e se casou com William Godwin. Morreu em 1797 dando à luz a sua única filha, Mary, que escreveu o romance *Frankenstein* usando seu sobrenome de casada, Shelley.

### Principais obras

**1787** *Thoughts on the education of daughters*
**1790** *A vindication of the rights of men*
**1792** *A vindication of the rights of woman*
**1796** *The wrongs of woman, ou Maria*

# O ESCRAVO SENTE A AUTOEXISTÊNCIA COMO ALGO EXTERNO

## GEORG HEGEL (1770-1831)

**EM CONTEXTO**

IDEOLOGIA
**Realismo**

FOCO
**Consciência humana**

ANTES
**350 a.C.** Aristóteles defende que a escravidão é natural porque algumas pessoas são líderes naturais, enquanto outras são subservientes.

**1649** René Descartes argumenta que a consciência é autoevidente porque não se pode negar a existência da mente ao mesmo tempo que se usa a mente para negá-la.

DEPOIS
**1840** Karl Marx usa o método da dialética de Hegel em sua análise da luta de classes.

**1883** Friedrich Nietzsche cria a sua imagem do *Übermensch* (super-homem) que confia em seu próprio senso intuitivo do que é bom e mal.

A grande obra do filósofo alemão Georg Hegel *A fenomenologia do espírito* parece, a princípio, ter pouco a ver com a política, já que lida com argumentos abstratos a respeito da natureza da consciência humana. No entanto, suas conclusões sobre a maneira como se chega a um estado de consciência de si têm profundas implicações para o modo como a sociedade é organizada e colocam difíceis questões acerca da natureza das relações humanas.

A filosofia de Hegel é focada em como a mente que pensa vê o mundo. Ele queria entender como a

**Veja também:** Aristóteles 40–3 ▪ Hugo Grócio 94–5 ▪ Jean-Jacques Rousseau 118–25 ▪ Karl Marx 188–93 ▪ Friedrich Nietzsche 196–9

Quando dois espíritos ou consciências se encontram, eles **lutam por reconhecimento**.

↓

O espírito que **prefere a liberdade à vida** torna-se o **Senhor**; o espírito que **prefere a vida à liberdade** torna-se o **Escravo**.

↓

A existência da **consciência do Senhor é afirmada** por meio do Escravo.

↓

O Escravo **descobre sua consciência** por meio do seu trabalho para o Senhor num mundo tangível e externo.

↓

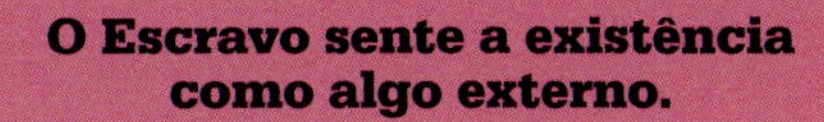
O Escravo sente a existência como algo externo.

consciência de cada indivíduo cria a sua própria visão do mundo. Crucial a esse argumento é a ênfase na consciência de si. Para Hegel, a mente humana, ou espírito, deseja reconhecimento e, de fato, precisa dele para alcançar a consciência de si. É por isso que a consciência humana depende de um processo social, interativo. É possível viver em isolamento sem estar plenamente consciente, acreditava Hegel. Mas, para que a mente exista na sua plenitude — para que seja livre —, ela deve ser consciente de si e só consegue esse objetivo ao ver outra consciência reagir a ela.

**Senhor-Escravo**

De acordo com Hegel, quando duas mentes se encontram, o que importa para ambas é se sentirem reconhecidas ao receber da outra a confirmação da sua própria existência. No entanto, só há espaço para uma visão do mundo na mente de cada indivíduo, de modo que há uma luta sobre quem reconhece quem — qual visão deve triunfar. Hegel descreveu como cada mente tentaria anular a outra. O problema, no entanto, é que se uma destruísse a outra, a derrotada não seria mais capaz de afirmar as necessidades da vencedora. A saída desse dilema seria »

## Georg Hegel

Georg Hegel nasceu em Stuttgart no ducado alemão de Württemberg. Passou boa parte de sua vida no calmo sul protestante da Alemanha, em contraste com a Revolução Francesa. Estudou na Universidade de Tübingen no auge da Revolução e encontrou-se com Napoleão em Jena, onde terminou *A fenomenologia do espírito*.

Depois de oito anos como reitor do Gymnasium em Nuremberg, casou-se com Marie von Tucher e trabalhou em seu grande livro sobre a lógica. Em 1816, depois da morte prematura de sua mulher, mudou-se para Heidelberg, e muitas de suas ideias estão contidas nas notas das palestras proferidas para estudantes de filosofia. Morreu em 1831, depois de voltar a Berlim durante uma epidemia de cólera. Talvez apropriadas para um pensador tão complexo, dizem que suas últimas palavras foram "E ele não me entendeu".

**Principais obras**

**1807** *A fenomenologia do espírito*
**1812-1816** *Ciência da lógica*
**1821** *Princípios da filosofia do direito*

a relação Senhor-Escravo, na qual uma pessoa "se renderia" à outra. O que valorizasse a liberdade mais que a vida se tornaria o Senhor; o que valorizasse mais a vida que a liberdade se tornaria o Escravo. Essa relação evoluiria não apenas nas situações literais de senhor e escravo, mas em qualquer situação em que duas mentes se encontrassem.

Hegel parecia sugerir que os escravos só são escravos porque preferem se submeter em vez de morrer, e eles conspiram com seus senhores. Ele escreveu: "a liberdade só se conquista ao colocar a vida em risco". Ele afirmou que o terror da morte é a causa da opressão por toda a história e está na raiz da distinção de escravos e de classes. Ele admirava Napoleão por esse motivo e louvava a disposição do general de arriscar sua vida para alcançar seus objetivos. Hegel sugeriu que a escravidão é, em primeiro lugar, um estado mental, o que encontra eco na história do escravo americano foragido Frederick Douglass (1818-1890). Devolvido a seu senhor, Douglass decidiu se rebelar e lutar, mesmo que isso significasse sua morte, e escreveu mais tarde: "não importa quanto tempo eu continue sendo escravo na prática, pois já passou para sempre o dia que serei escravo de fato".

**A visão de Napoleão Bonaparte** sobre uma nova ordem e sua coragem na batalha fizeram dele um homem "impossível de não se admirar", segundo Hegel, para quem ele era um "Mestre" intelectual.

## Relação dialética

Hoje, a escolha entre morte e escravidão parece inaceitável para alguém. Mas é possível que os argumentos de Hegel sobre a relação Senhor-Escravo sejam muito menos literais, muito mais sutis e complexos. Ele sugeriu formas nas quais o Escravo pudesse, de fato, se beneficiar mais da relação que o Senhor. Ele descreveu o desenvolvimento dessa relação como dialética. Com isso, ele propôs um tipo específico de argumento que começa com uma tese (a mente) e sua antítese (o resultado do encontro entre mentes), as quais juntas produzem uma síntese (a resolução Senhor e Escravo). Essa dialética não é necessariamente a descrição de uma luta real entre o senhor e o escravo. Hegel referia-se à luta pela dominação entre duas mentes — e não havia espaço em sua concepção para a cooperação: haveria uma solução Senhor e Escravo. Ele foi além mostrando os desdobramentos dessa relação. A síntese parece

**Hegel dizia que** um Escravo, por estar engajado no trabalho tangível, chegaria à experiência da percepção de sua própria existência (se tornando, portanto, "livre") de uma forma que o Senhor não conseguiria.

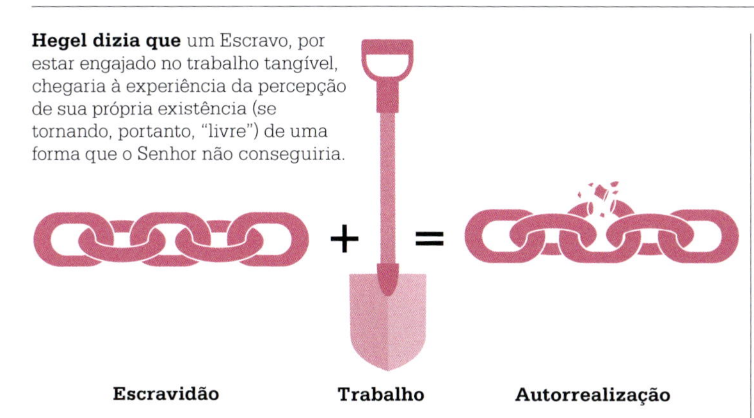


confirmar a existência da mente do Senhor. A princípio, tudo parece se concentrar ao seu redor, e sua habilidade de fazer com que o Escravo sirva suas necessidades confirma sua própria liberdade e consciência de si. A consciência independente de si do Escravo, enquanto isso, está totalmente dissolvida. Mas nesse ponto se desenvolve uma nova relação dialética.

Já que o Senhor não faz nada, ele depende do Escravo para afirmar sua existência e liberdade. Ele está, de fato, numa relação dependente do Escravo, o que significa que ele é tudo, menos livre. O Escravo, no entanto, trabalha com coisas reais — como a natureza —, mesmo que seja somente para o Senhor. Isso reafirma sua existência de um modo tangível e externo que o seu Senhor não consegue copiar: "No [seu trabalho para] o Senhor, o Escravo sente a existência como algo externo, um fato objetivo". Ao fazer as coisas, e ao fazê-las acontecer, "a autoexistência é sentida explicitamente, como o seu próprio ser, e [o Escravo] chega à consciência de ser ele mesmo em si e para si". Então a situação entre eles se inverte — o Senhor desaparece como mente independente, enquanto o Escravo emerge como uma. Por fim, para Hegel, a dialética Senhor-Escravo pode causar mais dano ao Senhor que ao Escravo.

## Ideologias escravas

Então, o que acontece quando o Escravo alcança esse novo tipo de autorrealização, mesmo não estando pronto para uma luta até a morte? Nesse ponto, argumentou Hegel, o Escravo encontra "ideologias escravas" que justificam sua posição, incluindo o estoicismo (na qual ele rejeita a liberdade externa em troca da mental), o ceticismo (na qual ele duvida do valor da liberdade externa) e a consciência infeliz (na qual ele encontra a religião e escapa, só que em outro mundo).

Se um homem é um escravo, sua própria vontade é responsável por sua condição... o erro da escravidão não está nos que escravizam ou conquistam, mas nos próprios escravos e conquistados.
**Georg Hegel**

Hegel detectava essa relação Senhor-Escravo em diversos lugares — nas guerras entre estados mais fortes e mais fracos, e nos conflitos entre classes sociais e outros grupos. Para ele, a existência humana seria uma luta sem fim até a morte por reconhecimento, e essa luta nunca poderia ser adequadamente resolvida.

## A influência de Hegel

Karl Marx foi muito influenciado pelas ideias de Hegel e adotou sua ideia de dialética, mas achava Hegel muito abstrato e místico em sua ênfase na consciência. Ao contrário, Marx optou pela abordagem materialista. Alguns acham inspiração no argumento de Hegel de que só o medo mantém as pessoas escravas. Outros consideram que a sua insistência na submissão como uma escolha é um exemplo de como culpar a vítima e não se aplica ao mundo real, no qual as relações de poder são complexas. Hegel ainda é um dos filósofos políticos mais difíceis de se entender e um dos mais controversos. ■

**Um escravo** prestes a ser chicoteado por seu senhor poderia ser responsável pela sua posição, segundo a lógica de Hegel. Os críticos do filósofo argumentam que essa posição é injusta.

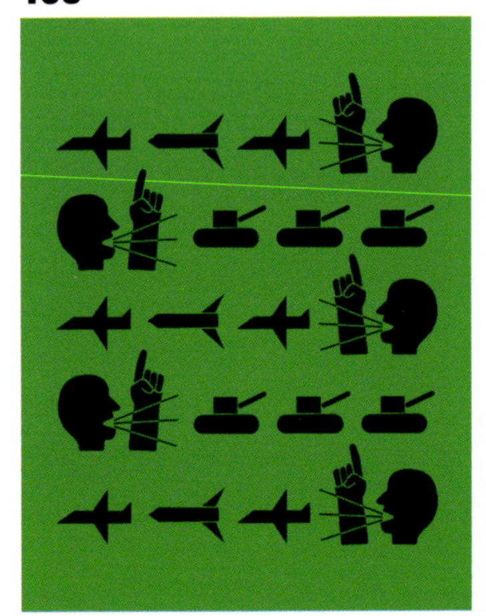

# A GUERRA É A CONTINUAÇÃO DA POLÍTICA POR OUTROS MEIOS

## CARL VON CLAUSEWITZ (1780-1831)

**EM CONTEXTO**

IDEOLOGIA
**Realismo**

FOCO
**Diplomacia e guerra**

ANTES
**Século V a.C.** Sun Tzu diz que a arte da guerra é vital para o Estado.

**1513** Nicolau Maquiavel argumenta que, mesmo em tempos de paz, um príncipe deve estar pronto e armado para a guerra.

**1807** Georg Hegel diz que a história é uma luta por reconhecimento que leva a uma relação de Senhor e Escravo.

DEPOIS
**1935** O general alemão Erich Friedrich Wilhelm Ludendorff desenvolve a noção de "Guerra Total" que mobiliza todas as forças físicas e morais de uma nação.

**1945** Adolf Hitler cita "o grande Clausewitz" em seu último testamento no bunker.

Poucas frases da teoria militar têm sido tão influentes como a declaração do soldado prussiano Carl von Clausewitz de que "a guerra é a continuação da política *(Politik)* por outros meios", tirada de seu livro *Da guerra*, publicado após sua morte, em 1832. A frase é uma dentre uma série de truísmos cunhados por Clausewitz ao tentar contextualizar a guerra por meio do exame das suas bases filosóficas, similar ao que os filósofos fazem ao explorar o papel do Estado.

A palavra alemã *Politik* é a mesma para política e políticas, cobrindo tanto os princípios da governança quanto seus aspectos práticos.

### A guerra leva à política

Para Clausewitz, a guerra é o confronto de vontades opostas. "A guerra nada mais é do que um duelo em grande escala", escreveu, "um ato de força para obrigar o inimigo a fazer a nossa vontade". O objetivo é desarmar o inimigo, para se tornar o senhor. Mas não há nenhum golpe decisivo numa guerra — um Estado derrotado tenta recuperar os danos usando a política.

**Otto von Bismarck** declarou Wilhelm I da Prússia o imperador da Alemanha em 1871. Bismarck havia provocado a guerra com a França para alcançar esse fim político.

Clausewitz foi astuto ao enfatizar que o negócio da guerra é sério, não uma mera aventura. Ela é sempre, disse ele, um ato político porque um Estado quer impor sua vontade sobre outro — ou arriscar-se à submissão.

A guerra é simplesmente o meio para um fim político que também poderia ser alcançado por outros meios. Seu argumento não é enfatizar o cinismo dos políticos que vão à guerra, mas garantir que aqueles que declaram guerra estão sempre cientes do seu objetivo primordialmente político. ■

**Veja também:** Sun Tzu 28–31 ▪ Nicolau Maquiavel 74–81 ▪ Thomas Hobbes 96–103 ▪ Georg Hegel 156–9 ▪ Smedley D. Butler 247

# A ABOLIÇÃO E A UNIÃO NÃO PODEM COEXISTIR

## JOHN C. CALHOUN (1794-1850)

### EM CONTEXTO

IDEOLOGIA
**Direitos do Estado**

FOCO
**Escravidão**

ANTES
**Século V a.C.** Aristóteles diz que alguns povos são naturalmente escravos e que a escravidão ajuda a desenvolver habilidades e virtudes.

**426** Agostinho declara que a causa primária da escravidão é o pecado, o que faz com que alguns se sujeitem à dominação de outros como uma punição divina.

**1690** John Locke discorda da ideia de escravos naturais e de que os prisioneiros de guerra podem ser escravizados.

DEPOIS
**1854** Em seu discurso em Peoria, Illinois, Abraham Lincoln lista seus argumentos morais, econômicos, políticos e legais contra a escravidão.

**1865** Os escravos são libertados nos Estados Unidos.

Em 1837, o senador dos Estados Unidos John C. Calhoun fez um acalorado discurso sobre o problema da escravidão. Durante a década de 1830, houve um aumento na pressão pela abolição da escravatura no país, e os senhores de escravos sulistas se sentiam incomodados. Em retaliação, argumentavam que havia desigualdades naturais ordenadas por Deus, o que significava que alguns eram mais aptos para comandar, enquanto outros eram para trabalhar. Além disso, diziam, a escravidão negra poderia evitar conflitos entre trabalhadores e patrões, e a tirania de se pagar salários aos escravos ameaçaria o bem-estar da nação tanto quanto a causa abolicionista.

### Bom para ambas as raças

A chegada do assunto ao Senado foi o estopim para Calhoun enfatizar que não cabia ao Congresso interferir no direito básico de ter escravos garantido pela Constituição. Seguir a trilha da abolição significaria que os estados escravocratas e os não escravocratas viveriam sob sistemas políticos diferentes. "Os elementos em conflito dividiriam a União, já que são poderosas as conexões que a mantêm unida. A abolição e a União não podem coexistir." Em vez de defender a escravidão como um mal necessário, ele afirmou que a escravidão negra era, de fato, positiva para ambas as raças. "Nunca antes a raça negra na África Central", disse ele, "alcançou uma condição tão civilizada e boa, não apenas fisicamente, como também moral e intelectualmente". ■

A relação que hoje existe nos estados escravocratas... é um bem positivo.
**John C. Calhoun**

**Veja também:** Aristóteles 40–3 ▪ Thomas Jefferson 140–1 ▪ Abraham Lincoln 182 ▪ Henry David Thoreau 186–7 ▪ Marcus Garvey 252 ▪ Nelson Mandela 294–5

# UM ESTADO GRANDE DEMAIS ACABA, POR FIM, DECADENTE

## SIMÓN BOLÍVAR (1783-1830)

### EM CONTEXTO

IDEOLOGIA
**Republicanismo liberal**

FOCO
**Guerra revolucionária**

ANTES
**1494** No Tratado de Tordesilhas, os territórios das Américas foram divididos entre Espanha e Portugal.

**1762** Jean-Jacques Rousseau discorda do direito divino dos reis de governar.

DEPOIS
**1918** Após a I Guerra Mundial, o presidente americano Woodrow Wilson apresenta um plano de reconstrução para a Europa baseado em princípios nacionalistas liberais.

**1964** Che Guevara discursa nas Nações Unidas, argumentando que a América Latina não havia ainda obtido sua verdadeira independência.

**1999** Hugo Chávez torna-se presidente da Venezuela com uma ideologia política que ele descreve como bolivariana.

Uma **pequena república**...
... não tem motivos para expandir suas fronteiras...
... de modo **a evitar a injustiça e a instabilidade**.
Um **império**...
... precisa fazer das terras conquistadas **colônias**.
Isso leva a uma **degeneração da justiça** e ao **despotismo**.
**Um Estado grande demais em si mesmo, ou em virtude de suas dependências, acaba, por fim, decadente.**


Cristóvão Colombo reivindicou a América para a Espanha em 1492, abrindo caminho para um império que se estenderia por cinco continentes. Os espanhóis contariam com a colaboração das elites locais para gerenciar suas terras. O revolucionário venezuelano Simón Bolívar viu esse aspecto de seu império como uma fonte de dinamismo, mas também como uma potencial fraqueza.

### Repúblicas pequenas, mas fortes

O poder da Espanha começou a se desfazer em 1808 quando Napoleão a

**Veja também:** Nicolau Maquiavel 74–81 ▪ Jean-Jacques Rousseau 118–25 ▪ Jeremy Bentham 144–9 ▪ Che Guevara 312–3

O traço distinto das pequenas repúblicas é a sua permanência.
**Simón Bolívar**

invadiu e colocou seu irmão no trono. Bolívar reconheceu esse fato como uma oportunidade para os países da América espanhola se livrarem do jugo do colonialismo. Durante dezoito anos de luta pela liberdade, Bolívar foi exilado por um ano na Jamaica. Conforme planejava o futuro, ponderou como poderia garantir um Estado grande o suficiente para governar, mas pequeno a ponto de oferecer uma vida melhor para seu povo.

Bolívar tratou desse assunto em "Carta da Jamaica". Nela, explicou as razões para rejeitar monarquias: os reinos expansionistas eram guiados por monarcas com "desejo constante de aumentar suas posses". Uma república, por outro lado, "limitava-se a garantir sua preservação, prosperidade e glória".

Bolívar acreditava que a América espanhola deveria se tornar dezessete repúblicas independentes, cujos intuitos seriam educar, ajudar o povo em sua justa ambição e proteger os direitos de todos os cidadãos. Nenhuma delas teria motivo para expandir suas fronteiras porque isso usaria recursos valiosos, não traria vantagens. Além disso, "um Estado grande demais em si mesmo, ou em virtude de suas dependências, acaba, por fim, decadente". Pior ainda, "seu governo livre torna-se uma tirania", seus princípios fundadores são desrespeitados, e ele "degenera em despotismo". Pequenas repúblicas, dizia ele, durariam. As grandes tendiam ao império e à instabilidade.

## Repúblicas americanas

As repúblicas independentes que surgiram na América espanhola depois das guerras de libertação refletiam a visão de Bolívar quanto ao seu tamanho, mas não quanto à sua liberdade, já que o poder político foi monopolizado por elites. Nisso talvez elas tenham refletido os próprios instintos elitistas e as ambivalências de Bolívar quanto a uma democracia plena.

Sua visão ainda é respeitada na América Latina, apesar de seu nome ter sido mal apropriado por políticos para sancionar ações que ele próprio teria deplorado. ▪

**O retrato de Bolívar** é carregado durante uma passeata pró-Chávez na Venezuela. Chávez descreveu seu movimento político como uma revolução bolivariana, enfatizando sua faceta anti-imperialista.

## Simón Bolívar

Nascido de pais aristocráticos na Venezuela, Simón Bolívar teve como tutor o famoso erudito Simón Rodríguez que o apresentou aos ideais do Iluminismo europeu. Aos dezesseis anos, depois de completar seu treinamento militar, Bolívar viajou por México e França, depois pela Espanha, onde se casou, mas sua esposa morreu oito meses depois. Em 1804, Bolívar testemunhou Napoleão Bonaparte tornar-se imperador da França. Foi inspirado pelas ideias nacionalistas que encontrou na Europa e jurou não descansar até que a América do Sul conseguisse sua independência da Espanha. Bolívar liderou a libertação dos atuais Equador, Colômbia, Venezuela, Panamá, norte do Peru e noroeste do Brasil. Abandonando seu idealismo anterior, Bolívar viu-se forçado a se declarar ditador do novo Estado de Gran Colombia em 1828. Morreu dois anos depois, desiludido com os resultados das revoluções que inspirou.

**Principais obras**

**1812** *El manifiesto de Cartagena*
**1815** *Carta de Jamaica*

# UM GOVERNO INSTRUÍDO E SÁBIO RECONHECE AS NECESSIDADES DE DESENVOLVIMENTO DE SUA SOCIEDADE

## JOSÉ MARIA LUIS MORA (1780-1850)

**EM CONTEXTO**

IDEOLOGIA
**Liberalismo**

FOCO
**Modernização**

ANTES
**1776** Os líderes da Revolução Americana declaram que estão reorganizando o sistema político para o benefício da humanidade.

**1788** Immanuel Kant argumenta que o progresso não é automático, devendo ser impulsionado pela educação.

DEPOIS
**1848** Auguste Comte sugere que a sociedade progride, em três estágios, em direção a uma era racionalmente iluminada da ciência.

**1971** O padre peruano Gustavo Gutiérrez escreve *A teologia da libertação*, defendendo que os cristãos devem liderar a libertação das condições econômicas, políticas e sociais injustas.

O México em 1830 era um lugar turbulento. A prolongada Guerra de Independência deixou o país amargurado e dividido. Apesar de finalmente ter-se tornado independente da Espanha em 1821, o México viria a ter 75 presidentes nos próximos 55 anos, e o poder dos ricos proprietários de terras, do Exército e da Igreja continuou sólido como antes. Influenciados pelos iluministas do século XVIII, bem como pelos desenvolvimentos políticos na França e nos Estados Unidos, os liberais latino--americanos acreditavam que esses poderes entrincheirados bloqueavam o progresso da sociedade. O jovem liberal mexicano José Maria Luis Mora desafiou o obstinado conservadorismo que encontrou em seu país. Ele argumentava que, se a sociedade não fosse em frente, ela morreria. Da mesma forma como uma criança precisa de alimento para crescer, "um governo sábio reconhece as necessidades de desenvolvimento de sua sociedade".

O chamado de Mora para a modernização encontrou ouvidos surdos. Ele foi preso por se opor à ascensão do imperador Maximiliano e exilado na França depois de incomodar o presidente Santa Anna. Cinquenta anos depois da independência, o México estava mais pobre, per capita, que nunca. ■

**O imperador Maximiliano** foi coroado monarca do México em 1854, com forte oposição dos liberais como Mora. Três anos mais tarde, Maximiliano foi deposto e executado.

**Veja também:** Platão 34–9 ▪ Immanuel Kant 126–9 ▪ Auguste Comte 165 ▪ Karl Marx 188–93 ▪ Antonio Gramsci 259

# A TENDÊNCIA DE ATACAR "A FAMÍLIA" É SINTOMA DE CAOS SOCIAL

## AUGUSTE COMTE (1798-1857)

### EM CONTEXTO

IDEOLOGIA
**Positivismo**

FOCO
**A família**

ANTES
**Século XIV** A obra *Muqaddimah* de Ibn Khaldun usa a razão científica para examinar coesão social e conflito.

**1821** Na França, um dos primeiros socialistas, Henri de Saint-Simon, argumenta que a nova sociedade industrial trará a Utopia original com um novo tipo de política liderada por homens da ciência.

**1835** O filósofo belga Adolphe Quetelet desenvolve a ideia de uma ciência social para estudar o homem médio.

DEPOIS
**1848** Karl Marx defende a abolição da família no *Manifesto comunista*.

**1962** Michael Oakeshott argumenta que a sociedade não pode ser entendida racionalmente.

A defesa da família pelo filósofo francês Auguste Comte em seu *Curso de filosofia positiva* (1830-1848) está baseada em algo além do simples apego sentimental. A filosofia "positiva" de Comte assume a visão de que, em qualquer entendimento verdadeiro da sociedade, as únicas fontes de informação válidas são os sentidos e a análise lógica dessa informação. A sociedade, argumentou, opera de acordo com as leis, assim como o mundo físico da ciência natural. É tarefa do cientista social estudá-la e esmiuçar essas leis.

### A família é a unidade social

Seria crucial, acreditava Comte, olhar para as leis gerais e não ficar obcecado pelas visões individuais idiossincráticas. "O espírito científico nos proíbe de considerar a sociedade como composta por indivíduos. A verdadeira unidade social é a família." É sobre a família que a sociedade é construída — uma ciência social que começa com as demandas dos indivíduos está fadada ao fracasso. Também é dentro da família que os caprichos individuais são contidos para o bem da sociedade. Os humanos são guiados tanto por instintos pessoais quanto sociais. "Numa família, os instintos sociais e pessoais são mesclados e reconciliados. Também é numa família que o princípio de subordinação e cooperação mútua é exemplificado." A posição de Comte enfatiza os vínculos sociais, mas está em conflito com o socialismo — os marxistas que defendem a abolição da família estão, no ponto de vista de Comte, defendendo a própria destruição da sociedade. ■

As famílias viram tribos, e as tribos, nações.
**Auguste Comte**

**Veja também:** Ibn Khaldun 72–3 ▪ Karl Marx 188–93 ▪ Max Weber 214–5 ▪ Michael Oakeshott 276–7 ▪ Ayn Rand 280–1

# A ASCEN MASSAS 1848-1910

# SÃO DAS

**1848**

Karl Marx e Friedrich Engels publicam o *Manifesto comunista* enquanto a **agitação varre a Europa**.

**1864**

A **rebelião de Taiping** na China entra em colapso após ceifar 20 milhões de vidas.

**1865**

A vitória do Norte na Guerra Civil dos EUA leva à **abolição da escravatura** em todo o país.

**1868**

A restauração Meiji no Japão põe **fim ao governo** do xogunato.

**1871**

É estabelecida a **Comuna de Paris**, proclamada como o primeiro governo dos trabalhadores.

**1871**

A **Alemanha é unificada** como um único estado-nação sob o kaiser Wilhelm.

**1872**

A primeira grande obra de **Friedrich Nietzsche**, *O nascimento da tragédia,* é publicada.

**1873**

Uma crise financeira é o estopim de uma severa e **longa Depressão** na Europa e nos EUA.

As revoluções e guerras do final do século XVIII e começo do XIX deixaram um legado incerto na Europa. O Tratado de Paris em 1815 acabou com as Guerras Napoleônicas, e por quase um século houve poucos conflitos entre as potências europeias. A economia mundial continuou a crescer, guiada pela industrialização e o rápido crescimento das ferrovias e das telecomunicações. Já era quase possível acreditar que os acordos políticos feitos na primeira metade do século XIX ofereceriam um arcabouço institucional estável para a humanidade. O filósofo alemão Georg Hegel pensava que a forma mais perfeita de Estado havia sido alcançada na Prússia nos anos de 1830, enquanto o colonialismo europeu foi apresentado por muitos como uma missão civilizadora para o restante do mundo. Uma vez que os direitos políticos e civis fossem assegurados, surgiria uma sociedade justa.

### Pensamentos comunistas

Dois jovens estudiosos de Hegel, Friedrich Engels e Karl Marx, discordavam violentamente de suas conclusões. Eles apontavam para a criação — por meio da industrialização — de uma nova classe de trabalhadores sem propriedades que desfrutavam de uma crescente liberdade política, mas sofriam de uma escravidão econômica. Usando as ferramentas de análise desenvolvidas por Hegel, achavam que podiam mostrar como essa classe tinha o potencial de levar os direitos civis e políticos para dentro da esfera econômica.

Marx e Engels escreveram o *Manifesto comunista* conforme os movimentos revolucionários ganhavam força por toda a Europa. Tentaram oferecer um modelo radical por meio do qual um novo tipo de política de massa emergeria. Novos partidos de trabalhadores, tais como o SPD da Alemanha, adotaram o manifesto como referência e olhavam com confiança para um futuro no qual a grande massa popular exerceria o poder político e econômico. A política mudou de uma preocupação das elites para uma atividade de massa, com milhões de pessoas juntando-se a organizações políticas, e — conforme o direito ao voto se espalhava — muitos milhões mais participando das eleições.

### A velha ordem em retirada

Nos Estados Unidos, as diferenças acerca da escravidão nos novos territórios levaram a uma guerra civil. A vitória da União pôs fim à escravidão por todo o país e revigorou a nação, marcando o

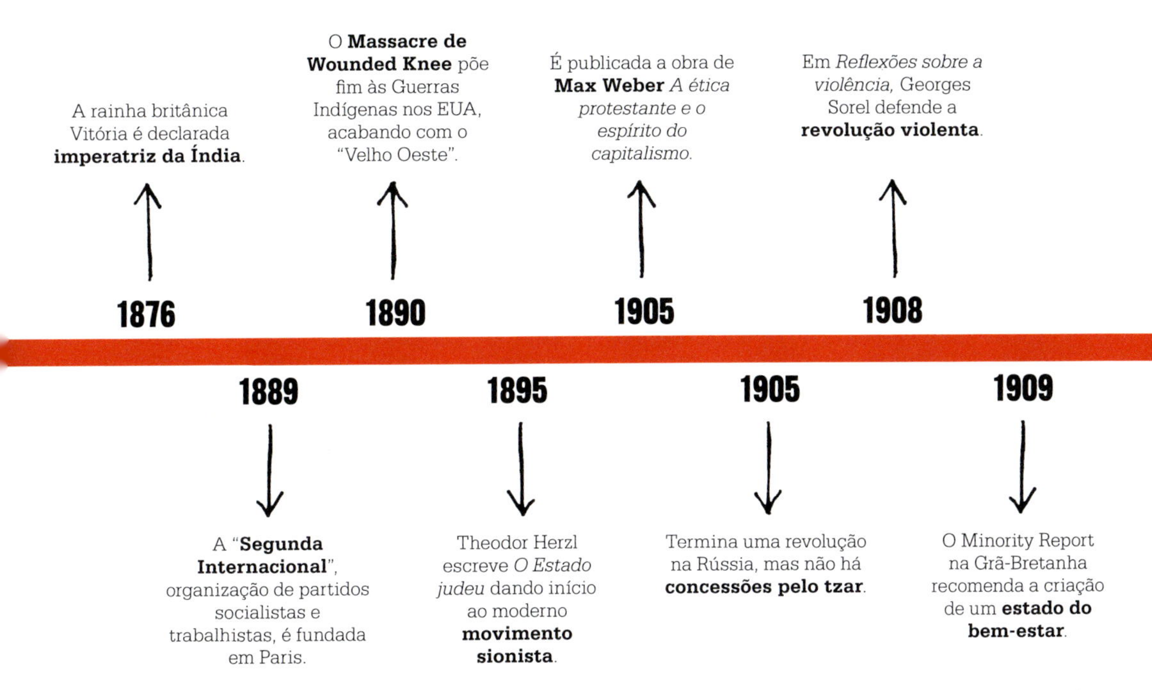


começo de sua ascensão como potência econômica e política. Mais ao sul, as novas repúblicas da América Latina lutavam para alcançar a estabilidade política prometida por suas constituições, e o poder passava de mão em mão entre setores de uma pequena elite. A maior parte da região estagnou, mas demandas por reformas levariam ao estouro da revolução no México em 1910.

1876
A rainha britânica Vitória é declarada imperatriz da Índia.
1889
A "Segunda Internacional", organização de partidos socialistas e trabalhistas, é fundada em Paris.
1890
O Massacre de Wounded Knee põe fim às Guerras Indígenas nos EUA, acabando com o "Velho Oeste".
1895
Theodor Herzl escreve O Estado judeu dando início ao moderno movimento sionista.
1905
É publicada a obra de Max Weber A ética protestante e o espírito do capitalismo.
1905
Termina uma revolução na Rússia, mas não há concessões pelo tzar.
1908
Em Reflexões sobre a violência, Georges Sorel defende a revolução violenta.
1909
O Minority Report na Grã-Bretanha recomenda a criação de um estado do bem-estar.

Na Ásia, estabeleceram-se as primeiras organizações anticoloniais lutando por direitos políticos, e uma parte dos tradicionais governantes do Japão implantou uma enorme modernização que encerrou a velha ordem feudal. Por todo o mundo, parecia que os velhos regimes estavam em retirada.

No entanto, a despeito do que alguns marxistas acreditavam, o progresso em direção ao poder político para as massas não estava garantido. Friedrich Nietzsche ganhou destaque entre os que expressavam um profundo cinismo a respeito da eficácia da sociedade ser reformada pelas massas. Suas ideias foram adotadas mais tarde por Max Weber que tentou repensar a sociedade não como um lugar de luta de classes, segundo julgavam os marxistas, mas como uma batalha pelo poder entre sistemas de crenças em conflito.

## Movimentos de reforma

Liberais e conservadores se adaptaram a um mundo transformado, criando seus próprios partidos com muitos membros, e buscaram gerenciar as crescentes demandas da esquerda por bem-estar e justiça econômica. A filosofia liberal ganhou uma firme base teórica composta por pensadores, como o britânico John Stuart Mill, que defendiam os direitos do indivíduo como a base para uma sociedade justa, em vez da luta de classes dos marxistas.

Cada vez mais, socialistas buscando a posse da produção também começaram a ver possibilidades de reforma dentro do sistema capitalista. Eduard Bernstein defendia a reforma por meio das urnas, aproveitando-se do sufrágio universal masculino recém-estabelecido na nova Alemanha unificada. Na Grã-Bretanha, socialistas reformistas como Sidney e Beatrice Webb apoiavam um amplo sistema de bem-estar para proteger os pobres.

Enquanto isso, na Rússia, Vladimir Lênin e outros defendiam sem trégua o ideal de uma revolução socialista. Tensões entre as velhas elites da Europa também começaram a crescer. O palco estava pronto para tumultuadas mudanças prestes a varrer o mundo. ■

# O SOCIALISMO É UM NOVO SISTEMA DE SERVIDÃO

## ALEXIS DE TOCQUEVILLE (1805-1859)

**EM CONTEXTO**

IDEOLOGIA
**Liberalismo**

FOCO
**Sociedade sem classes**

ANTES
**380 A.C.** Platão argumenta que a democracia é inferior a outras formas de governo.

**1789** Começa a Revolução Francesa, levando ao estabelecimento de uma república.

**1817** O teórico socialista Henri de Saint-Simon defende um novo tipo de sociedade baseada em princípios socialistas.

DEPOIS
**1922** Surge a União Soviética dando início ao governo comunista em quase todo o Leste Europeu.

**1989** Cai o muro de Berlim, anunciando o fim do socialismo em todo o Leste Europeu e a crescente expansão de sistemas de governo capitalistas e democráticos.

O socialismo **ignora** as mais elevadas virtudes humanas.

O socialismo **mina** a propriedade privada.

O socialismo **sufoca** o indivíduo.

**O socialismo é um novo sistema de servidão.**

Em setembro de 1848, Alexis de Tocqueville fez um inflamado discurso na Assembleia Constituinte da França, a qual havia sido eleita após a derrubada do rei Louis-Philippe em fevereiro. Ele argumentou que os ideais da Revolução Francesa de 1789 traziam implícitos um futuro democrático para a França e a rejeição do socialismo.

Tocqueville atacou esse sistema por três frentes. Primeiro, ele argumentou que o socialismo jogava com as "paixões materiais dos homens" — sua meta seria a geração de riqueza; ignoraria os mais elevados ideais humanos como a generosidade e a virtude, que eram as sementes da revolução. Em segundo lugar, o socialismo minaria o princípio da propriedade privada, visto por ele como vital para a liberdade. Mesmo que os estados socialistas não tomassem a propriedade, eles a enfraqueceriam. Finalmente, sua crítica mais forte era que o socialismo desprezava o indivíduo.

Sob o socialismo, acreditava Tocqueville, a iniciativa individual seria sufocada por um Estado dominador, que dirigiria toda a sociedade, mas pouco a pouco se tornaria o "senhor de cada homem". Enquanto a democracia pretendia aumentar a autonomia pessoal, o socialismo a reduziria. O socialismo e a democracia jamais poderiam seguir juntos — eles são opostos.

### Uma sociedade sem classes

Tocqueville acreditava que os ideais da Revolução Francesa haviam sido

**Veja também:** Platão 34–9 ▪ Aristóteles 40–3 ▪ Montesquieu 110–1 ▪ Jean-Jacques Rousseau 118–25 ▪ John Stuart Mill 174–81 ▪ Max Weber 214–5

A democracia visa à igualdade na liberdade. O socialismo deseja a igualdade na limitação e na servidão.
**Alexis de Tocqueville**

traídos. A revolução de 1789 buscava liberdade para todos, o que significava a abolição das divisões de classes. Mas, desde então, as classes mais altas haviam obtido mais privilégios e se tornado corruptas. As classes mais baixas, descontentes, eram, portanto, seduzidas com mais facilidade pelas ideias socialistas.

A solução, defendia Tocqueville, não seria encontrada no socialismo, mas numa reafirmação do ideal revolucionário original de uma sociedade livre, sem classes. O socialismo, ao atiçar os donos de propriedades contra o proletariado, recriaria divisões sociais, traindo tal visão. O estabelecimento desse sistema seria como uma reversão à monarquia pré-revolucionária. O Estado socialista dominador era, para Tocqueville, incompatível com a liberdade e a concorrência.

Tocqueville almejava uma sociedade democrática na qual empresas pudessem florescer, mas os pobres e os vulneráveis seriam protegidos pela caridade cristã. Como modelo disso, ele apontou os Estados Unidos, que haviam alcançado a versão mais avançada de democracia.

O contraste de Tocqueville entre democracia como liberdade e socialismo como confinamento voltou à tona diversas vezes nos debates dos séculos XIX e XX. Seu discurso foi feito num ano no qual revoluções e levantes se espalhavam por toda a Europa, fomentados em parte pelas ideias socialistas. No entanto, depois de 1848, os levantes esfriaram, e, por um tempo, o socialismo fracassou em fincar raízes do jeito que ele temia. ■

**Sob o socialismo,** dizia Tocqueville, os trabalhadores seriam engrenagens na sufocante máquina do Estado.

## Alexis de Tocqueville

Tocqueville nasceu em Paris, de pais aristocráticos. Quando Louis-Philippe d'Orléans subiu ao trono, em 1830, Tocqueville assumiu um posto no novo governo, mas as mudanças políticas complicaram sua vida, por isso deixou a França e foi para os Estados Unidos. O resultado disso foi sua obra mais famosa, *Da democracia na América*, na qual ele argumentava que a democracia e a igualdade haviam progredido nos Estados Unidos mais do que em outros lugares. Ele também advertiu sobre os perigos da democracia — o materialismo e o excesso de individualismo.

Depois da revolução de 1848, Tocqueville se tornou membro da Assembleia Constituinte da França, responsável por desenvolver a constituição da Segunda República. Deixou a política depois que sua oposição ao golpe de Louis-Napoleão Bonaparte, em 1851, o fez passar uma noite na prisão. Sofrendo de péssima saúde por toda a vida, morreu de tuberculose oito anos mais tarde, aos 53 anos.

### Principais obras

**1835, 1840** *Da democracia na América*
**1856** *O antigo regime e a revolução*

# NÃO DIGA EU, MAS NÓS

## GIUSEPPE MAZZINI (1805-1872)

### EM CONTEXTO

IDEOLOGIA
**Nacionalismo**

FOCO
**Direitos e deveres**

ANTES
**1789** Elaborada durante a Revolução Francesa, é proposta a *Declaração dos direitos do homem e do cidadão.*

**1793** O filósofo alemão Johann Gottfried von Herder defende a importância da nação.

DEPOIS
**1859** Em *Ensaio sobre a liberdade,* John Stuart Mill defende os direitos do indivíduo.

**1861** A Itália é unificada.

**1950** Os movimentos nacionalistas crescem por todo o mundo conforme as colônias obtêm independência.

**1957** O Tratado de Roma, assinado por seis nações europeias, funda a Comunidade Econômica Europeia.

A **busca de direitos individuais** é insuficiente para o bem social...
... porque **nem todo mundo** é capaz de **exercer** seus direitos.
... porque a busca de interesses individuais leva à **cobiça e ao conflito**.
Os direitos individuais devem **estar sujeitos** ao **dever** das pessoas **com seu país.**
**Não diga eu, mas nós.**


O pensador político e ativista Giuseppe Mazzini convocou o povo a se unir em torno da ideia de estado-nação. Em *Deveres do homem,* ele pediu ao povo que colocasse o dever com seu país acima dos interesses individuais. O nacionalismo de Mazzini surgiu de uma crítica das mudanças políticas que aconteceram na Europa no século anterior. A inspiração por trás desses levantes havia sido a liberdade, que seria obtida pela busca dos direitos individuais. As massas trabalhadoras

**Veja também:** Johann Gottfried von Herder 142–3 ▪ Simón Bolívar 162–3 ▪ John Stuart Mill 174–81 ▪ Theodor Herzl 208–9 ▪ Gianfranco Miglio 296

Ao trabalharmos por nosso próprio país sob o princípio correto, trabalhamos para a humanidade.
**Giuseppe Mazzini**

esperavam que os direitos trariam bem-estar material.

Mazzini acreditava que o avanço da liberdade não fora acompanhado pelo progresso nas condições dos trabalhadores, a despeito da expansão geral da riqueza e do comércio. O desenvolvimento econômico beneficiara os poucos privilegiados, não a maioria. Para Mazzini, a estreita busca de direitos individuais levantou dois problemas. Primeiro, a liberdade era uma "ilusão e uma amarga ironia" para a maioria das pessoas que não estavam em posição de exercê-la: o direito à educação, por exemplo, não significava nada para aqueles que não tivessem recursos ou tempo para obtê-la. Em segundo lugar, a luta por interesses materiais fomentou discórdias, enfraquecendo os laços comuns da humanidade.

### Dever antes dos direitos

Mazzini argumentava que a busca de direitos ficava em segundo plano em relação ao chamado mais elevado do dever com a humanidade. Essa tarefa exigia que os indivíduos cooperassem com os objetivos comuns. No entanto, seria difícil para um indivíduo, agindo sozinho, servir toda a humanidade. Em vez disso, de acordo com Mazzini, Deus havia criado países separados, dividindo a humanidade em setores. Um país seria a "oficina" por meio do qual o indivíduo poderia servir à humanidade. Ter um dever com o país — pensando em "nós", não em "mim" — ligaria os indivíduos ao coletivo mais amplo que é a humanidade. Para Mazzini, um país era muito mais que um grupo de

**Uma marcha** pelas ruas de Turim marcou a unificação da Itália em 1861. Mazzini é visto como um fundador do moderno Estado italiano.

indivíduos numa área geográfica: era uma associação de pessoas unidas pela irmandade. As ideias de Mazzini inspiraram revolucionários nos levantes europeus de 1848, num tempo em que a Itália surgia como um Estado unificado. No século XX, elas incitavam os nacionalistas durante as lutas contra o domínio colonial. O sonho de Mazzini com a cooperação entre as nações europeias se realizou com a criação da Comunidade Econômica Europeia, em 1957. ■

## Giuseppe Mazzini

Filho de médico, Giuseppe Mazzini nasceu em Gênova, na Itália. Por volta dos vinte anos, envolveu-se com a política do submundo e em 1831 foi preso e exilado por suas atividades. Fundou uma organização política, a Jovem Itália, que lutava por uma nação unificada por meio de agitações e levantes. Seguindo seu exemplo, ativistas por toda a Europa criaram organizações similares.

No despertar dos levantes europeus de 1848, Mazzini voltou à Itália para liderar uma república em Roma. Depois da queda dessa república, foi exilado mais uma vez. No começo dos anos 1860, voltou à Itália quando o reino do norte estava sendo criado. Isso destoava da visão republicana de Mazzini, e ele se recusou a assumir no novo Parlamento. Morreu em Pisa em 1872, dois anos depois de a unificação da Itália ter sido concluída com a Captura de Roma.

### Principais obras

**1852** *On nationality*
**1860** *Os deveres do homem e outros ensaios*

# QUE TÃO POUCOS OUSEM SER EXCÊNTRICOS MARCA O PERIGO DOMINANTE DA ÉPOCA

## JOHN STUART MILL (1806-1873)

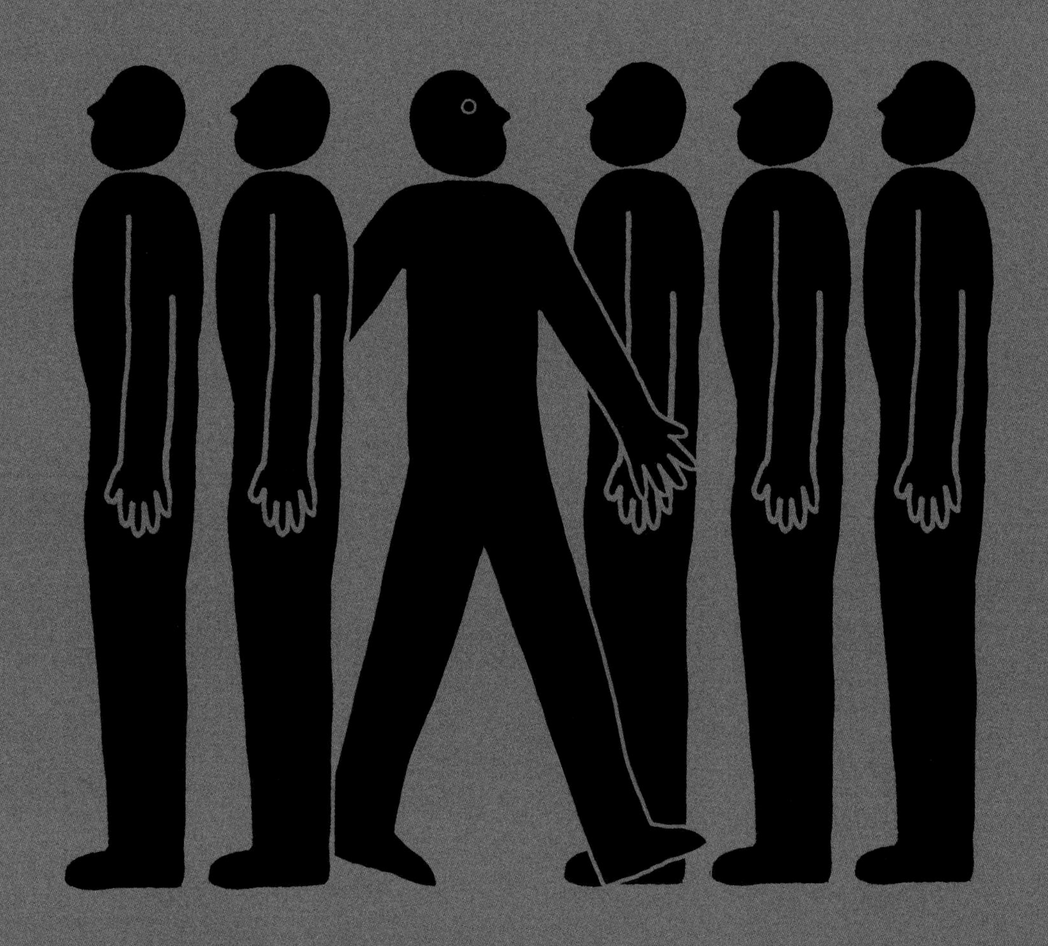

## EM CONTEXTO

IDEOLOGIA
**Liberalismo**

FOCO
**Liberdade individual**

ANTES
**1690** John Locke, um opositor de governos autoritários, é pioneiro no pensamento liberal.

**1776** A Declaração da Independência americana diz que todos os homens são criados iguais, com direito a liberdade, vida e felicidade.

DEPOIS
**Anos 1940** Liberais perdem a fé nos livres mercados depois da Grande Depressão e defendem um Estado de bem-estar.

**1958** O erudito britânico Isaiah Berlin distingue a liberdade "negativa" da "positiva".

**1974** O filósofo americano Robert Nozick argumenta que as liberdades pessoais são sacrossantas.

Em *Ensaio sobre a liberdade,* John Stuart Mill fez uma famosa defesa de um importante princípio do liberalismo: a individualidade é o alicerce de uma sociedade saudável. Suas investigações eram motivadas por uma questão básica da teoria política — a que diz respeito ao equilíbrio entre a liberdade individual e o controle social.

Mill argumentou que as transformações das condições políticas de meados do século XIX precisavam de um novo olhar. Antigamente, quando as monarquias absolutas exerciam o poder, a voracidade dos governantes não podia ser posta em xeque pelas urnas. Por causa disso, os interesses do Estado eram considerados opostos aos do indivíduo, e a interferência do governo era vista com desconfiança.

Presumia-se que a expansão dos sistemas de governo democráticos no século XIX resolveria essa tensão. Eleições regulares fizeram das massas os governantes definitivos, alinhando os interesses do Estado com os do povo. Nesse contexto, pensava-se que a interferência do governo não poderia acontecer em detrimento dos indivíduos que o elegeram.

### Tirania da maioria

Mill advertiu sobre a complacência dessa visão. Ele disse que o governo eleito selecionaria as visões da maioria, e que essa talvez acabasse querendo oprimir a minoria. A "tirania da maioria" significava que havia um risco de a interferência de um governo, mesmo que justamente eleito, ter efeitos danosos. Talvez tão séria quanto a tirania política era o risco da tirania social da opinião pública que tende a levar à conformidade de crença e de ação. Essas formas de tirania eram as mais sérias, argumentava Mill, porque as opiniões do povo eram com frequência impensadas, arraigadas em pouco mais que interesse próprio e preferência pessoal. No fim das contas, a sabedoria recebida não era nada mais que os interesses dos grupos dominantes da sociedade.

A Grã-Bretanha na época ainda passava pela transição para uma democracia moderna, e Mill dizia que o povo ainda não reconhecia os perigos. A desconfiança predominante no governo era uma herança da época na qual o Estado era visto como uma ameaça aos indivíduos, e o potencial para a tirania

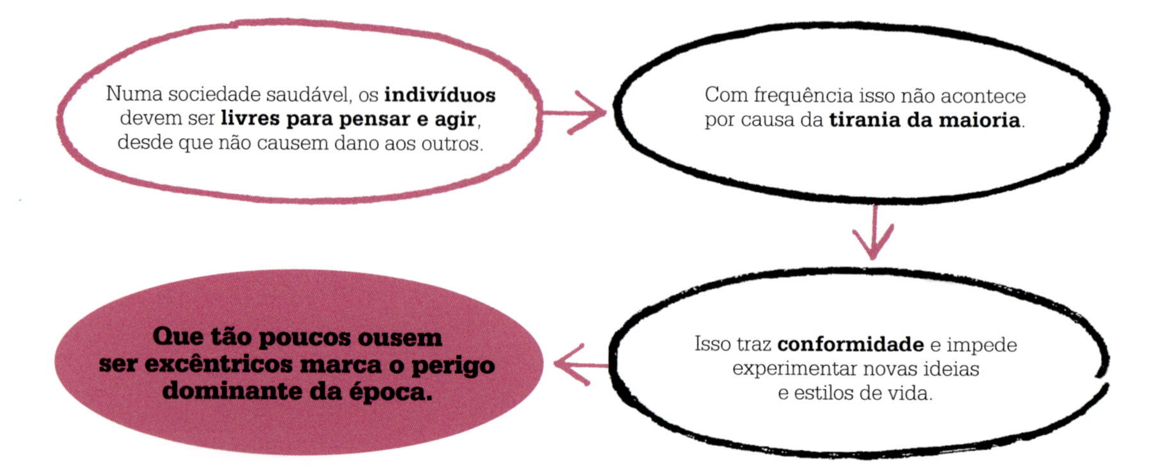

Numa sociedade saudável, os **indivíduos** devem ser **livres para pensar e agir**, desde que não causem dano aos outros.
Com frequência isso não acontece por causa da **tirania da maioria**.
Isso traz **conformidade** e impede experimentar novas ideias e estilos de vida.
**Que tão poucos ousem ser excêntricos marca o perigo dominante da época.**

**Veja também:** Thomas Hobbes 96–103 ▪ John Locke 104–9 ▪ Jeremy Bentham 144–9 ▪ Alexis de Tocqueville 170–1 ▪ Robert Nozick 236–7 ▪ John Rawls 298–303

**Liberdade de ação** — como o direito de reunião nesta parada gay em Paris — era fundamental para a ideia de Mill sobre a liberdade individual, ao lado da liberdade de pensamento e da de opinião.

exercida por uma maioria democrática ainda não estava totalmente compreendido. Essa confusão indicava que as ações do governo eram tanto invocadas de maneira desnecessária quanto condenadas sem justificativa. Do mesmo modo, a tirania da opinião pública estava em ascensão, e Mill temia uma tendência geral em que a sociedade aumentasse o seu controle sobre o indivíduo.

## Interferência justificável

A contenção moral era necessária para barrar essa tendência, de modo que Mill tentou estabelecer um princípio claro que definisse o correto equilíbrio entre a autonomia individual e a interferência governamental. Ele argumentava que a sociedade somente poderia, de maneira justificada, interferir nas liberdades dos indivíduos para impedir que uns causassem danos a outros. A preocupação com o próprio bem do indivíduo talvez justifique uma tentativa de persuadi-lo a tomar atitudes diferentes, mas não forçá-lo a fazer assim: "Sobre si mesmo, sobre seu próprio corpo e mente, o indivíduo é soberano", disse Mill. Esse princípio de liberdade individual seria aplicado ao pensamento, à expressão de opiniões e às ações.

A luta entre a Liberdade e a Autoridade é a característica mais consciente das épocas da história com as quais estamos mais remotamente familiarizados.

**John Stuart Mill**

Mill argumentava que se esse princípio fosse minado, toda a sociedade sofreria. Sem a liberdade de pensamento, por exemplo, o conhecimento humano e a inovação seriam restringidos. Para demonstrar isso, Mill evidenciou como os humanos chegam à verdade. Pelo fato de a mente humana ser falível, a verdade ou mentira de uma ideia somente se revelaria ao testá-la no caldeirão borbulhante das ideias contrárias. Ao reprimir as ideias, a sociedade poderia perder uma boa concepção. Também poderia suprimir uma falsa ideia que talvez fosse útil para testar e revelar a verdade de uma outra. Mill rejeitava o argumento de que algumas ideias fossem mais socialmente úteis que outras, mesmo não sendo verdadeiras. Ele acreditava que esse argumento assumia uma infalibilidade ao decidir quais crenças seriam úteis. Apesar de os hereges não serem mais queimados na fogueira, Mill sustentava que a intolerância social de opiniões não ortodoxas ameaçava insensibilizar as mentes e atrapalhar o desenvolvimento da sociedade.

## Uma profusão de ideias

Mesmo quando a sabedoria vinda da sociedade era verdadeira, Mill argumentava que era importante manter uma profusão de ideias — para um conceito verdadeiro manter sua vitalidade e poder, ele precisaria ser constantemente desafiado e investigado. Isso se aplicava em especial às ideias a respeito da sociedade e da política que nunca conseguiam alcançar a certeza de verdades matemáticas. Testar ideias seria melhor quando se ouvisse as visões dos portadores de opiniões »

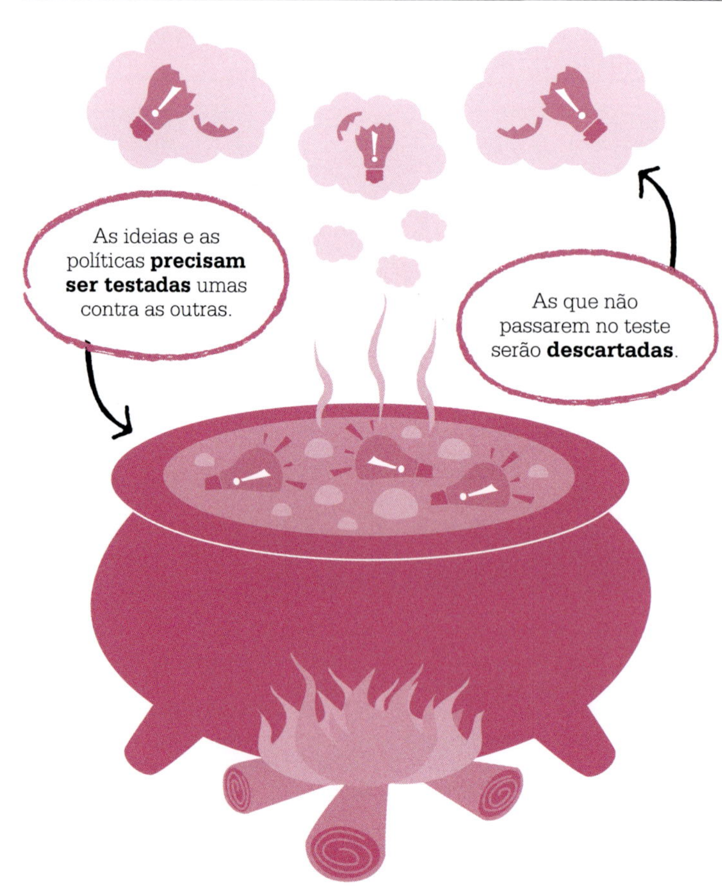


**No caldeirão borbulhante das ideias de Mill**, cada ideia deve ser constantemente testada uma contra a outra. Funciona como um alambique. Ideias falsas ou incompletas evaporam ao serem rejeitadas, ao passo que as verdadeiras ideias prevalecem, fortalecendo-se.

diferentes. Onde não houvesse dissidentes, suas visões deveriam ser imaginadas. Sem tal discussão e argumentação, as pessoas não apreciariam nem mesmo a base das ideias verdadeiras, que se tornariam dogmas mortos, repetidos sem qualquer entendimento real. Princípios corretos de comportamento e moralidade, quando convertidos em slogans estéreis, não seriam mais capazes de motivar ações autênticas.

Mill usava esse princípio de liberdade para defender a liberdade individual de agir. No entanto, ele reconhecia que aplicá-la à ação seria necessariamente mais limitada que ao pensamento, porque uma ação é mais propensa a causar danos aos outros do que um pensamento. Assim como a liberdade de ideias, a individualidade — a liberdade de viver de maneira não ortodoxa — promove a inovação social: "o valor de diferentes modos de vida deve ser

'A tirania da maioria' está agora incluída entre os males contra os quais a sociedade precisa estar sempre alerta.
**John Stuart Mill**

provado na prática", disse. Apesar de as pessoas usarem, às vezes, as tradições como guias para suas próprias vidas, elas devem fazê-lo de maneira relevante às suas preferências e circunstâncias particulares. Mill acreditava que, se as pessoas seguissem os costumes de modo automático — de maneira parecida com o impacto de manter opiniões sem pensar —, formas de viver se tornariam estéreis e as faculdades morais do indivíduo seriam enfraquecidas.

### Experiência para todos

Assim como com a livre expressão de ideias, aqueles que se comportam de maneira inovadora são um benefício para a sociedade, até mesmo para as pessoas convencionais. Os não conformistas descobrem novas formas de fazer as coisas, algumas das quais talvez até sejam adotadas por outros. Mas os destemidos sociais devem ser livres para experimentar, se quiserem que esses benefícios sejam percebidos.

Dado o poder da visão da maioria, os espíritos livres e excêntricos ajudam a inspirar pessoas a fazer as coisas de novas maneiras. Quando Mill escreveu *Sobre a liberdade*, a Revolução Industrial havia feito da Grã-Bretanha o país mais avançado economicamente no mundo. Mill acreditava que esse sucesso tinha vindo da relativa pluralidade de pensamento e da liberdade de ação que existiam na Europa. Ele fazia um contraste entre o dinamismo europeu e a estagnação da China, a qual ele considerava estar em declínio porque os costumes e as tradições haviam endurecido e reprimiam a individualidade. Na Grã-Bretanha, o desenvolvimento econômico trouxe a educação em massa, comunicação mais rápida e maiores oportunidades para classes sociais até então excluídas. Mas esse progresso também trouxe maior homogeneidade de gostos e, com ela, um declínio na individualidade. Ele julgava que se essa tendência continuasse, a Inglaterra teria o mesmo destino da China. Mill pensava que a sociedade inglesa já havia se tornado muito conformista e desprezava o valor da individualidade e da originalidade. As pessoas agiam conforme sua posição social, não com sua consciência. É por isso que ele acreditava que a falta de excentricidade era perigosa.

## O princípio do dano

O critério de Mill quanto ao dano foi um princípio útil e bem descrito para definir a fronteira adequada entre o Estado e o indivíduo, expresso num tempo em que a relação entre o governo e o povo passava por uma rápida mudança.

Políticas em relação ao fumo durante o século XX ilustram como o princípio pode ser usado para pensar a respeito das restrições do governo em relação ao comportamento do indivíduo. Apesar de se saber há muito tempo que o tabaco causa danos às pessoas, a sociedade nunca evitou que os indivíduos fumassem. Em vez disso, passou-se a oferecer informações de saúde para persuadir as pessoas a pararem de fumar, e, ao final do século XX, o fumo estava em queda nos Estados Unidos e em muitos países europeus.

Isso estava alinhado com o princípio de liberdade de Mill: as pessoas poderiam fumar à vontade mesmo lhes causando danos, já que não traziam problemas a mais ninguém. Então surgiram novos estudos médicos mostrando que os fumantes passivos também eram prejudicados. Isso sinalizava que

Sempre que houver uma classe ascendente, uma grande porção da moralidade do país irá emanar de seu interesse de classe e de seu sentimento de superioridade.

**John Stuart Mill**

fumar em lugares públicos violava o princípio do dano. O princípio foi revisto, e a proibição de fumar em lugares públicos começou a refletir esse novo conhecimento. Com o seu rápido declínio em popularidade, fumar tornou-se, num certo sentido, um hábito de excêntricos, mas, apesar das crescentes evidências a respeito do dano à saúde, poucos advogam uma proibição total.

## Dano *versus* felicidade

Mas o princípio do dano talvez falhe em produzir os resultados imaginados pelos liberais. Por exemplo, se as pessoas achassem a homossexualidade imoral e repugnante, elas poderiam argumentar que o simples conhecimento sobre essa orientação sexual lhes causaria dano. Talvez elas argumentassem que o Estado deveria intervir para manter uma moral sexual. Isso traz à luz a questão da base ética subjacente à defesa do indivíduo feita por Mill. »

**Manifestantes** numa passeata neonazista. Mill achava que a liberdade individual — tal como o direito dos neonazistas de se reunirem — poderia ser afrontada se ela gerasse mais infelicidade que felicidade.

*Sobre a liberdade* foi escrito no contexto do sistema filosófico do utilitarismo, pelo qual Mill sentia afinidade. Ele era um seguidor do filósofo inglês Jeremy Bentham, que argumentava que a moralidade das ações deveria ser julgada de acordo com o alcance da contribuição para a soma total da felicidade humana. Por exemplo, em vez de julgar a mentira como errada em si mesma, seria possível condená-la porque suas diversas consequências — quando reconhecidas juntas — causariam mais infelicidade que felicidade. Mill refinou e desenvolveu a teoria de Bentham, por exemplo, ao fazer a distinção entre os prazeres "elevados" e "baixos", querendo dizer que seria melhor nascer um Sócrates infeliz que um porco feliz porque só um Sócrates poderia ter a possibilidade de experimentar prazeres elevados.

Talvez seja possível detectar um conflito entre o utilitarismo e a abordagem de *Sobre a liberdade*, porque a defesa da liberdade individual pode soar conflitante com o princípio da felicidade, mais importante na abordagem utilitarista. Se a homossexualidade fizesse a maioria infeliz, por exemplo, o utilitarismo recomendaria que ela fosse banida, o que seria uma clara violação da liberdade individual. Apesar desse aparente conflito, Mill sustentou que a utilidade ainda era o princípio final e abrangente em seu sistema.

**Um pregador religioso** se dirige aos observadores no Speaker's Corner, no Hyde Park em Londres. Mill era contra a censura e a favor da liberdade de expressão, independente da opinião manifestada.

Mill não defendia um argumento absolutista a favor da autonomia individual. É possível encarar seu argumento como uma aplicação concreta do princípio da felicidade na área de disputa entre o Estado e a ação individual: Mill acreditava que a liberdade levaria a inovações sociais e à evolução do conhecimento, o qual, por sua vez, contribuiria com a felicidade. Isso talvez deixe em aberto a possibilidade que Mill tenha sido otimista demais em pensar que o princípio da felicidade sempre apontava para a liberdade. Ele talvez também tenha sido muito otimista acerca da expressão das opiniões, não apenas quanto às normas de comportamento. Por exemplo, alguns talvez argumentem que proibir a expressão de certas opiniões — a declaração de apoio a Adolph Hitler na Alemanha de hoje, por exemplo — reduz a infelicidade e é, portanto, justificável em bases utilitárias.

A liberdade do indivíduo deve ser, portanto, limitada; ele não pode fazer de si mesmo uma perturbação para outros.
**John Stuart Mill**

## Liberdade negativa

Uma outra crítica que poderia ser levantada contra os argumentos de Mill diz respeito à maneira como ele acreditava que a verdade borbulha do caldeirão de ideias opostas, o qual se intensifica quando a sociedade evita por completo qualquer interferência no pensamento ou na ação individual. Essa é uma noção de liberdade que o teórico político e filósofo Isaiah Berlin mais tarde chamou de "liberdade negativa", que ele define como a ausência de limite às ações.

Críticos de esquerda consideram a liberdade negativa por si só insuficiente. Eles chamam a atenção para grupos oprimidos — tais como os mais pobres, ou as mulheres sem direitos — que talvez não consigam expor suas visões não ortodoxas: eles são marginalizados, o que significa que têm pouco acesso à mídia e às instituições nas quais as opiniões são expressas e publicadas. Por essa razão, aqueles à esquerda geralmente argumentam que as liberdades negativas não fazem sentido sem as "liberdades positivas", as quais agem de maneira ativa para dar aos marginalizados o poder de expressar suas opiniões e influenciar a política. Se tivesse testemunhado as vitórias do feminismo no século XX, Mill talvez tivesse argumentado que as mulheres conseguiram, de fato, a igualdade política por meio da expressão vigorosa de seus pontos de vista. No entanto, esquerdistas discordariam mais uma vez, dizendo que os direitos políticos formais representam bem pouco sem liberdades positivas, tais como a provisão de salários iguais e direitos de garantias no emprego.

## Liberalismo pragmático

As filosofias políticas de Mill — o utilitarismo e a defesa da liberdade — tiveram uma profunda influência sobre o desenvolvimento das democracias liberais por todo o mundo. É dele o talvez mais famoso e mais citado argumento a favor de um modelo pragmático de liberalismo, que está mais ligado ao princípio do bem-estar coletivo que às discussões sobre direitos abstratos e inalienáveis.

Nas democracias liberais modernas, muitos debates — como sobre moralidade sexual, fumo e até mesmo o papel dos livres mercados na economia — foram estruturados ao redor das considerações propostas por Mill quase dois séculos antes. Mas, mesmo nesses países, muitas limitações sociais sobre as ações dos indivíduos são justificadas por algo além do critério mínimo de liberdade negativa. A proibição de drogas recreativas, por exemplo, depende de um princípio paternalista, e, até nos países de livre mercado, o governo regula o comércio e as tentativas de se garantir maior igualdade na produção econômica. Todas essas ações podem ser vistas como além daquilo que Mill via como condição para intervir, mas, já que o debate sobre o escopo apropriado para o controle social continua em voga, os defensores de maiores instâncias liberais com frequência invocam os argumentos desse autor. ■

## As três liberdades básicas de Mill

A liberdade de **pensamento e ideias** — liberdade absoluta de opinião e de expressá-la oralmente ou por escrito.

A liberdade de buscar nossos próprios **gostos e objetivos** — viver exatamente como julgamos melhor, desde que não causemos dano a outros na sociedade.

A liberdade de **associação entre os indivíduos** — o direito de se unir com outros para quaisquer fins não prejudiciais, desde que não haja coerção dos membros.

### John Stuart Mill

Nascido em Londres em 1806, John Stuart Mill tornou-se um dos mais influentes filósofos do século XIX. Seu pai, James Mill, era parte do círculo de pensadores do líder da filosofia utilitarista, Jeremy Bentham. James se esforçou para que seu filho precoce se tornasse um grande pensador — ainda jovem, John estudou latim, grego, história, matemática e economia. Mas aos vinte anos percebeu que esses esforços intelectuais tolhiam a sua vida emocional e entrou em profunda depressão.

A partir de 1830, Mill cultivou uma forte amizade com Harriet Taylor, casando-se com ela em 1851, depois da morte de seu marido. Harriet teve forte influência no desenvolvimento de Mill, ajudando-o a ampliar seu conceito de existência, herdado da ética ascética de seu pai, para um que valorizasse a emoção e a individualidade. Diz-se que isso influenciou seu pensamento sobre o utilitarismo e a liberdade.

#### Principais obras

**1859** *Sobre a liberdade*
**1865** *Utilitarismo*
**1869** *A sujeição das mulheres*

# NENHUM HOMEM É BOM O SUFICIENTE PARA GOVERNAR OUTREM SEM SEU CONSENTIMENTO

## ABRAHAM LINCOLN (1809-1865)

### EM CONTEXTO

IDEOLOGIA
**Abolicionismo**

FOCO
**Direitos iguais**

ANTES
**1776** A Constituição dos Estados Unidos cria uma nova república.

**1789** Na Revolução Francesa, a Declaração de Direitos diz que os "homens nasceram e se mantêm livres e iguais em direitos".

DEPOIS
**1860** A eleição de Lincoln como o 16º presidente dos Estados Unidos provoca a secessão dos estados do sul na defesa de seu direito de manter a escravidão.

**1865** Com a rendição do general confederado Robert E. Lee, acaba a Guerra Civil americana com a vitória da União.

**1964** A Lei dos Direitos Civis dos Estados Unidos proíbe a discriminação de trabalho com base na "raça, cor, religião ou nacionalidade".

A fundação dos Estados Unidos da América depois da guerra revolucionária contra a Grã-Bretanha não resolveu a questão da natureza da nova república. Apesar de o país estar formalmente comprometido com a igualdade de "todos os homens" por conta da Declaração de Independência de 1776, a escravidão fez com que milhões de africanos fossem transportados através do Atlântico para as fazendas de todo o sul do país. O Compromisso de Missouri, de 1820, baniu a escravidão nos estados do norte, mas não nos do sul.

A declaração de Abraham Lincoln, "nenhum homem é bom o suficiente para governar outrem sem seu consentimento", foi feita num discurso de 1854. Ele atacava o direito de os estados manterem suas próprias leis ao contestar que a fundação dos Estados Unidos sobre o direito da liberdade individual anulou o direito de "autogoverno". A república foi construída sobre a liberdade e a igualdade, não sobre a conveniência política ou como uma concessão entre estados que mantiveram sua própria autoridade. Considerado um modesto opositor da escravidão, Lincoln já havia discordado antes do aumento da escravidão, mas não defendia sua abolição. Ainda assim, esse discurso anuncia a defesa das virtudes republicanas que se tornaram a grande convocação dos estados do norte quando eclodiu a Guerra Civil em 1861. A mensagem de Lincoln tornou-se mais radical e levou à Proclamação da Emancipação de 1863 e à proibição da escravidão em todos os Estados Unidos em 1865. ■

Uma parte de nosso país acredita que a escravidão está certa e que deve ser ampliada, enquanto outra acredita que ela é errada e não deve ser ampliada.
**Abraham Lincoln**

**Veja também:** Hugo Grócio 94–5 ■ Jean-Jacques Rousseau 118–25 ■ Thomas Jefferson 140–1 ■ John C. Calhoun 164

# A PROPRIEDADE É UM ROUBO

## PIERRE-JOSEPH PROUDHON (1809-1865)

**EM CONTEXTO**

IDEOLOGIA
**Socialismo, mutualismo**

FOCO
**Propriedade privada**

ANTES
**462 A.C.** Platão defende a propriedade coletiva, argumentando que ela promove a busca de objetivos comuns.

**1689** John Locke argumenta que os seres humanos têm um direito natural à propriedade.

DEPOIS
**1848** No *Manifesto comunista*, Karl Marx e Friedrich Engels apresentam sua visão de uma sociedade sem propriedade.

**1974** O filósofo americano Robert Nozick defende a primazia moral da propriedade privada.

**2000** O economista peruano Hernando de Soto diz que garantir os direitos à propriedade é essencial para tirar os países em desenvolvimento da pobreza.

Pierre-Joseph Proudhon, político e pensador francês, fez sua famosa declaração de que a propriedade é um roubo na época em que muitos na França se sentiam frustrados com os resultados das revoluções das últimas décadas. Quando Proudhon publicou *O que é a propriedade?*, já haviam passado dez anos desde que a revolução de 1830 acabara com a monarquia dos Bourbon. Esperava-se que a nova monarquia de julho finalmente traria a visão de liberdade e igualdade corporificadas na Revolução Francesa em 1789. Mas por volta de 1840 o conflito de classes era grande, e a elite havia ficado mais rica enquanto as massas seguiam pobres. Muitos viam o resultado das lutas políticas não como liberdade e igualdade, mas como corrupção e aumento da desigualdade.

Proudhon disse que os direitos a liberdade, igualdade e segurança eram naturais, absolutos e invioláveis e constituíam a própria base da sociedade. No entanto, ele dizia que o aparente direito à propriedade não se igualava a esses. De fato, ele insistia que a propriedade minava esses direitos fundamentais: enquanto a liberdade dos ricos e dos pobres coexistia, a propriedade dos ricos continuava à margem da pobreza de muitos. Assim, a propriedade era essencialmente antissocial, uma questão primordial para a classe trabalhadora e os movimentos socialistas que emergiram na Europa no século XIX, e a declaração exaltada de Proudhon contém em si o fermento revolucionário daquela época. ■

A queda e a morte das sociedades são fruto do poder de acumulação possuído pela propriedade.
**Pierre-Joseph Proudhon**

**Veja também:** Hugo Grócio 94–5 ▪ Thomas Paine 134–9 ▪ Mikhail Bakunin 184–5 ▪ Karl Marx 188–93 ▪ Leon Trótski 242–5

# O HOMEM PRIVILEGIADO TEM O INTELECTO E O CORAÇÃO CORROMPIDOS

## MIKHAIL BAKUNIN (1814-1876)

### EM CONTEXTO

IDEOLOGIA
**Anarquismo**

FOCO
**Corrupção do poder**

ANTES
**1793** O filósofo político inglês William Godwin esboça uma filosofia anarquista, argumentando que o governo corrompe a sociedade.

**1840** Pierre-Joseph Proudhon imagina uma forma justa de sociedade sem autoridade política.

DEPOIS
**1892** Peter Kropotkin propõe o "comunismo anarquista", defendendo uma forma de produção e distribuição cooperada.

**1936** A união anarquista espanhola, a CNT, chega a ter mais de 1 milhão de membros.

**1999** As ideias anarquistas reemergem nas demonstrações anticapitalistas em Seattle, nos Estados Unidos.

O homem privilegiado tem o intelecto e o coração corrompidos.
O privilegiado tende a liderar instituições estatais...
... de modo que as instituições estatais se tornam corruptas...
... e as massas são escravizadas.
Para sermos livres e plenos, toda autoridade deve ser rejeitada.


Na Europa do século XIX, surgiram os estados-nação modernos, a democracia se espalhou, e a relação entre os indivíduos e a autoridade foi revista. Em *Deus e o Estado*, o revolucionário russo Mikhail Bakunin investigou as exigências para a satisfação política e moral da sociedade.

Naquela época, a sociedade era vista como uma associação de indivíduos sob a autoridade de um governo ou da Igreja. Bakunin argumentava que os humanos só se realizam de verdade ao exercer sua capacidade de pensar e ao se rebelar contra a autoridade, quer dos deuses, quer dos homens. Ele fez um duríssimo ataque à "alucinação

**Veja também:** Georg Hegel 156–9 ▪ Pierre-Joseph Proudhon 183 ▪ Karl Marx 188–93 ▪ Peter Kropotkin 206

religiosa", argumentando que ela é uma ferramenta da opressão para manter o povo servil, que ajuda os poderosos a manterem sua posição. A vida para as massas seria miserável, e o consolo só viria com a crença em Deus. Mas viver de acordo com a religião amorteceria a razão, impedindo a libertação humana. Bakunin argumentava que os opressores do povo — sacerdotes, monarcas, banqueiros, policiais e políticos — concordariam com a máxima de Voltaire de que se não houvesse Deus, seria necessário inventá-lo. Em oposição, Bakunin insistia que a liberdade exigia a abolição de Deus.

Aceitar a instituição do Estado, feita pelos homens, também escravizaria o povo. As leis da natureza limitariam a ação humana, mas Bakunin achava que, ao se descobrir tais leis, não seria mais necessária nenhuma organização política para regular a sociedade. Todos poderiam conscientemente obedecer às leis naturais porque cada um saberia da autenticidade delas. Mas quando há imposição de leis — mesmo as verdadeiras —, os indivíduos deixam de ser livres.

## O poder corrompe

Bakunin defendia que, ao agir como guardiães da sociedade, mesmo as pessoas mais eruditas e informadas se corrompem. Elas abandonam a busca da verdade, querendo, em vez disso, proteger seu poder. As massas, mantidas na ignorância, precisam de sua proteção. Bakunin acreditava que, de forma similar, o privilégio mata o coração e a mente.

O que se tirava disso, para Bakunin, é que toda autoridade deveria ser rejeitada, mesmo aquela baseada no sufrágio universal. Essa era a base do anarquismo, a qual ele disse iluminaria o caminho humano para a liberdade. Os escritos de Bakunin e o ativismo ajudaram a inspirar o surgimento de movimentos anarquistas no século XIX. Suas ideias impulsionaram a ascensão de um grupo distinto de revolucionários, alinhado com as crenças de Marx. ■

**A catedral de S. Basílio** em Moscou representa as autoridades contra as quais Bakunin convocou o povo a se rebelar, exercendo, em vez disso, sua própria liberdade.

A ideia de Deus implica abrirmos mão da razão e da justiça humana.
**Mikhail Bakunin**

## Mikhail Bakunin

A insurreição de Bakunin veio à tona pela primeira vez quando ele desertou do exército russo ainda jovem. Passou um tempo em Moscou e Berlim, aprofundando-se na filosofia alemã e no pensamento hegeliano. Começou a escrever seu material revolucionário, o que atraiu a atenção das autoridades russas, e foi preso em 1849 quando, inspirado pelos levantes de 1848 em Paris, tentou fomentar uma revolta.

Depois de oito anos preso na Rússia, Bakunin viajou para Londres e depois para a Itália, onde recomeçou suas atividades revolucionárias. Em 1868, juntou-se à Primeira Internacional, uma associação de grupos de esquerda revolucionários, mas uma discordância com Karl Marx levou à sua expulsão. Apesar de os dois acreditarem na revolução, Bakunin rejeitava o que considerava o autoritarismo do Estado socialista. Bakunin morreu na Suíça, lutando pela revolução até o fim.

### Principais obras

**1865-1866** *Catecismo revolucionário*
**1871** *Deus e o Estado*
**1873** *Estatismo e anarquia*

# O MELHOR GOVERNO É AQUELE QUE NÃO GOVERNA

## HENRY DAVID THOREAU (1817-1862)

### EM CONTEXTO

IDEOLOGIA
**Individualismo**

FOCO
**Ação direta**

ANTES
**380 a.C.** Nos diálogos de Platão em *Critone*, Sócrates se recusa a evitar sua execução, argumentando que, como cidadão de Atenas, tinha o dever de obedecer a suas leis.

**1819** O poeta inglês Percy Bysshe Shelley escreve *Masque of anarchy*, imaginando o potencial da resistência não violenta à injustiça.

DEPOIS
**Começo do século XX** As sufragistas quebram a lei no Reino Unido para protestar contra a falta de direito ao voto para as mulheres.

**1920** Mahatma Gandhi aplica sua versão de desobediência civil, *Satyagraha*, à causa da independência indiana.

O progresso vem da **engenhosidade do povo**, não do governo.

↓

Os governos podem ser úteis, mas com frequência eles trazem **dano e injustiça**.

↓

A melhor coisa que um governo pode fazer é **deixar o povo se desenvolver**.

↓

**O melhor governo é aquele que não governa.**

Em seu ensaio *Desobediência civil*, publicado em 1849, o escritor americano Henry David Thoreau argumentava que um indivíduo deveria fazer aquilo que sua consciência moral lhe dissesse ser o certo, não as leis. Se não fizesse isso, os governos logo se tornariam agentes da injustiça. Thoreau achou evidências para o seu ponto de vista no governo dos Estados Unidos antes da Guerra Civil e, em particular, na existência da escravidão. O ensaio foi escrito pouco antes do fim da guerra entre os Estados Unidos e o México (1846-1848), na qual o primeiro tomou territórios mexicanos. Thoreau foi veementemente contrário à guerra, a qual ele via como uma tentativa de expandir a escravidão para novos territórios.

Para Thoreau, a existência da escravidão tornava os Estados Unidos um governo ilegítimo. Dizia não poder reconhecer qualquer governo que fosse escravista. Thoreau dizia que o Estado facilmente se tornava o veículo para esse tipo de injustiça quando os seus cidadãos concordavam, passivos, com ele. Ele comparou os homens de sentimentos morais indiferentes a paus ou pedras usados na máquina da opressão. Para ele, não eram só os senhores de escravos que seriam

**Veja também:** Peter Kropotkin 206 ▪ Emmeline Pankhurst 207 ▪ Mahatma Gandhi 220–5 ▪ Martin Luther King 316–21 ▪ Robert Nozick 326–7

**O aprisionamento de escravos**, como esses na Carolina do Sul, não era apenas um crime dos senhores de escravo, segundo Thoreau. Todos os cidadãos que permitiam a prática estavam moralmente implicados.

moralmente culpados pela escravidão. Os cidadãos do estado de Massachusetts pareciam não ter nada a ver com a escravidão do sul, mas, ao concordarem com um governo que a legitimava, permitiam que ela continuasse.

A conclusão lógica do pensamento de Thoreau pode ser resumida em sua declaração de que o melhor governo é aquele que não governa. De acordo com Thoreau, o progresso na América não veio do governo, mas da engenhosidade das pessoas, de modo que o melhor que um governo poderia fazer seria sair do caminho do povo e deixá-lo se desenvolver.

Thoreau dizia que o indivíduo insatisfeito precisava fazer mais do que só registrar sua desaprovação no dia da eleição: a urna é parte do Estado, mas a consciência moral do indivíduo está acima e fora de tais instituições. "Deposite todo o seu voto, não apenas uma tira de papel, mas toda a sua influência", defendia. Um senso de justiça natural talvez clame por ações diretas independentes da máquina do governo ou da visão das maiorias. Para Thoreau, essas ações eram: não reconhecer o Estado, não cooperar com seus funcionários ou não pagar impostos. O próprio Thoreau passou um tempo na cadeia em 1846 por se recusar a pagar impostos em Massachusetts, dada sua oposição à escravidão. Thoreau influenciou pensadores e ativistas posteriores a ele, como Martin Luther King, que o citou como inspiração. Nos anos 1960, conforme ganhava força a luta pelos direitos civis nos Estados Unidos, as ideias de Thoreau assumiram uma nova importância para ativistas engajados em atos de desobediência civil. ■

## Henry David Thoreau

Nascido em 1817 na cidade de Concord, em Massachusetts, Henry David Thoreau era filho de um produtor de canetas. Estudou na Universidade Harvard, onde aprendeu retórica, os clássicos, filosofia e ciência. Foi dono de uma escola com seu irmão John até a morte deste em 1842. Aos 28 anos, Thoreau construiu uma cabana no lago Walden, na propriedade do escritor Ralph Waldo Emerson, e viveu lá por dois anos. Seu livro *Walden*, um estudo sobre a vida simples e a autossuficiência, exaltava os benefícios da solidão e da experiência direta com a natureza. Thoreau se juntou a Emerson e aos "transcendentalistas" que acreditavam na bondade básica do indivíduo. Em 1862, ele morreu de tuberculose. Suas últimas palavras — que diziam ter sido "alce, índios" — talvez sirvam de exemplo de seu amor pela vida na natureza.

**Principais obras**

**1849** *Resistência ao governo civil,* ou *Desobediência civil*
**1854** *Walden*
**1863** *Life without principles*

# O COMUNISMO É O ENIGMA DA HISTÓRIA RESOLVIDO

## KARL MARX (1818-1883)

## EM CONTEXTO

IDEOLOGIA
**Comunismo**

FOCO
**Alienação do trabalho**

ANTES
**380 a.C.** Platão argumenta que a sociedade ideal limita bastante a propriedade privada.

**1807** Georg Hegel desenvolve uma filosofia da história que inspira as teorias de Marx.

**1819** O escritor francês Henri de Saint-Simon defende uma forma de socialismo.

DEPOIS
**1917** Vladimir Lênin lidera a Revolução Bolchevique na Rússia inspirado pelas ideias de Marx.

**Anos 1940** O comunismo se espalha pelo mundo e começa a Guerra Fria.

**1991** A União Soviética se dissolve, e os países do Leste Europeu adotam sistemas econômicos capitalistas.

Em meados do século XIX, Karl Marx — filósofo, historiador e revolucionário emblemático — fez uma das análises mais ambiciosas do capitalismo, jamais tentada antes. Ele quis revelar as leis governando a transição de sociedades entre diferentes sistemas econômicos como parte de sua investigação sobre a natureza do trabalho, em constante transformação, e suas implicações para a satisfação humana. O trabalho de Marx lidava com preocupações centrais de seu tempo: como o crescimento do capitalismo industrial afetou as condições de vida e a saúde moral da sociedade, e se seria possível resolver e implementar melhores arranjos políticos e econômicos.

Marx foi ativo no período em que as novas ideias revolucionárias surgiram na Europa, aquelas que resultaram nos levantes de 1848. Em *Manuscritos econômicos-filosóficos* de 1844, esboçou elementos importantes de seu pensamento econômico, considerando a maneira como a organização capitalista flagelava a vida dos trabalhadores. Ele argumentava que o comunismo resolveria um problema que

A propriedade privada é, portanto, o produto... do trabalho alienado.
**Karl Marx**

atormentava o capitalismo — a organização do trabalho. Nos *Manuscritos*, Marx desenvolveu a ideia de "trabalho alienado", a separação dos seres humanos de sua verdadeira natureza e de seu potencial para satisfação. Marx identificou vários tipos de alienação como inevitáveis nos mercados de trabalho capitalistas.

### A satisfação do trabalho

Marx acreditava que o trabalho tinha o potencial de ser uma das maiores fontes de satisfação entre todas as atividades humanas. O trabalhador põe seu esforço e engenhosidade na transformação de objetos da natureza em produtos. Os

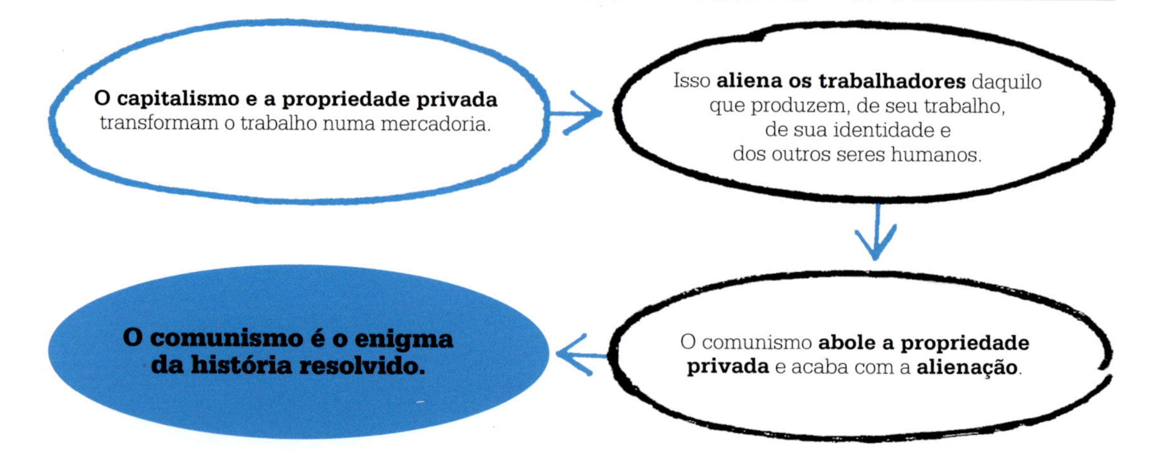

**O capitalismo e a propriedade privada** transformam o trabalho numa mercadoria.
Isso **aliena os trabalhadores** daquilo que produzem, de seu trabalho, de sua identidade e dos outros seres humanos.
O comunismo **abole a propriedade privada** e acaba com a **alienação**.
**O comunismo é o enigma da história resolvido.**

**Veja também:** Francisco de Vitoria 86–7 ▪ Georg Hegel 156–9 ▪ Pierre-Joseph Proudhon 183 ▪ Vladimir Lênin 226–33 ▪ Rosa Luxemburgo 234–5 ▪ Joseph Stálin 240–1 ▪ Jomo Kenyatta 258

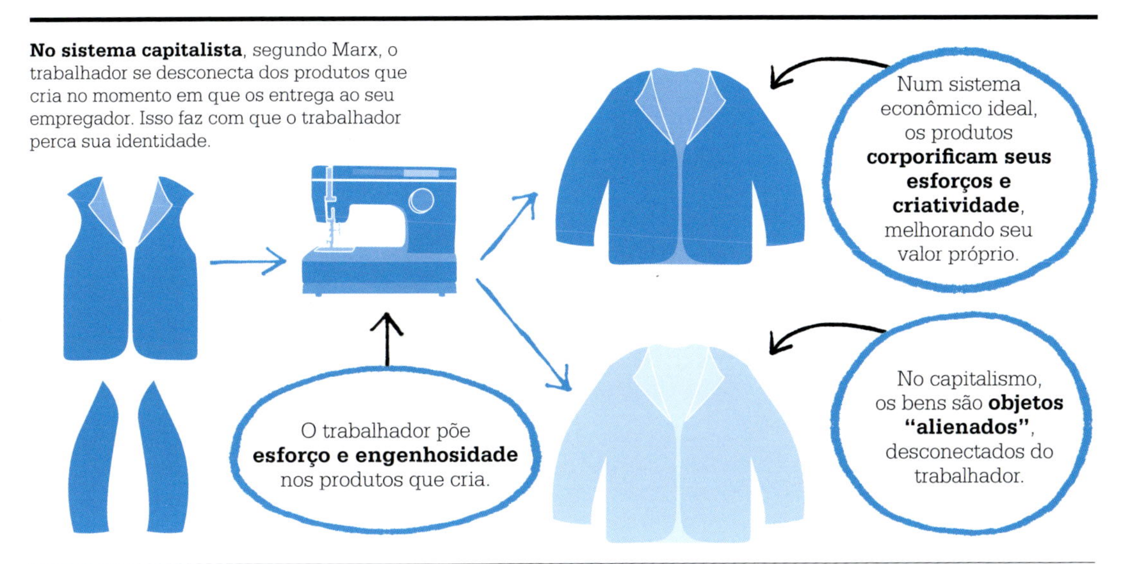


bens que ele produz, assim, corporificam seu esforço e criatividade. Sob o capitalismo, a existência da propriedade privada separa a sociedade entre capitalistas — donos dos recursos produtivos, como fábricas e máquinas — e trabalhadores — que não possuem nada além de sua força de trabalho. O trabalho torna-se uma mercadoria a ser comprada e vendida, e os trabalhadores são contratados pelos capitalistas para produzir bens que são vendidos com lucro. Marx argumentava que isso tirava a qualidade de satisfação do trabalho, levando à alienação e à insatisfação.

**No sistema capitalista**, segundo Marx, o trabalhador se desconecta dos produtos que cria no momento em que os entrega ao seu empregador. Isso faz com que o trabalhador perca sua identidade.
Num sistema econômico ideal, os produtos **corporificam seus esforços e criatividade**, melhorando seu valor próprio.
O trabalhador põe **esforço e engenhosidade** nos produtos que cria.
No capitalismo, os bens são **objetos "alienados"**, desconectados do trabalhador.

Uma das formas dessa alienação vem do fato de esses bens feitos pelos trabalhadores não pertencerem a eles e não poderem ser mantidos por eles. Um terno cortado por um alfaiate numa fábrica de roupas é propriedade do capitalista dono da fábrica — o trabalhador faz o terno e o entrega a seu empregador. Para o trabalhador, os bens feitos por ele tornam-se objetos "alienados", com os quais têm pouca ligação. Conforme cria mais bens que contribuem para um mundo do qual ele não participa, sua vida interior se encolhe, e sua satisfação atrofia. O trabalhador talvez produza lindos objetos para outras pessoas usarem e desfrutarem, mas, para si, só cria tédio e limitação.

## Trabalhadores desconectados

Marx disse que os trabalhadores também sofriam de alienação por meio do próprio ato do trabalho. Sob o capitalismo, a atividade não procede de sua criatividade inerente, mas da necessidade prática de trabalhar para alguém que não é ele. O trabalhador não gosta da atividade, já que essa esmaga seu corpo e mente e o faz infeliz — o trabalho se torna uma atividade forçada que, se lhe fosse dada a escolha, ele não faria. Como os bens que ele acaba produzindo, a atividade do trabalho torna-se separada do trabalhador, algo com o qual ele tem pequena conexão real. "O trabalhador, portanto, só se sente à vontade em seu tempo de folga, enquanto no trabalho se sente contrafeito." Ele se torna o sujeito de outra pessoa. Seu trabalho não é mais seu, e sua atividade não é mais espontânea e criativa, mas dirigida por outra pessoa que o trata como uma mera ferramenta de produção. A alienação do trabalhador dos frutos e da »

O comunismo é a abolição positiva da propriedade privada, da autoalienação humana.
**Karl Marx**

**Marx previu** uma revolução mundial quando os trabalhadores assumiriam o controle dos meios de produção. A revolução na Rússia foi seguida pela China, onde a propaganda enfatizava os valores do comunismo.

atividade do trabalho o torna alheio à sua identidade — aquilo que Marx chama de um "ser espécie". Isso ocorre porque a identidade humana está enraizada na habilidade das pessoas em transformar as matérias-primas da natureza em objetos. Os trabalhadores no sistema capitalista perdem a conexão com essa identidade básica — a necessidade econômica faz da atividade produtiva um meio para um fim, em vez de algo em que a identidade fundamental do indivíduo está corporificada e desempenhada. A atividade é o que legitima a vida, e a partir do momento em que ela se torna alienada ao trabalhador, esse perde o senso do seu ser humano.

## A culpa é da propriedade privada

Essas formas de alienação — dos bens produzidos, da atividade do trabalho e da identidade humana — tornam as pessoas cada vez mais alienadas de si mesmas. Já que o mercado de trabalho deixa as pessoas estranhas à sua própria identidade essencial, elas ficam igualmente alheias às identidades umas das outras. O trabalhador é colocado numa relação de confronto com o capitalista que detém os frutos e que controla a atividade de trabalho para o seu próprio enriquecimento.

Marx acreditava que a propriedade privada estava na raiz da alienação do trabalhador. A divisão da sociedade entre capitalistas que detêm a propriedade e trabalhadores sem propriedade é o que leva à alienação dos trabalhadores. Por outro lado, a própria alienação reforça essa divisão e perpetua a propriedade privada. Um aspecto do sistema de propriedade privada é a troca e a "divisão do trabalho". O trabalho torna-se especializado: um trabalhador faz a cabeça do alfinete, o outro a ponta, e outro realiza a montagem. Os capitalistas se especializam em diferentes tipos de bens e os trocam entre si. Nisso tudo, o trabalhador não passa de uma engrenagem, uma pequena parte da máquina econômica maior.

Marx entendeu o processo da alienação do trabalhador e o fortalecimento da propriedade privada como uma lei básica do capitalismo, criadora de uma tensão na sociedade conforme as pessoas se tornavam alheias à sua natureza essencial. Não se chegaria a uma solução aumentando os salários, porque os trabalhadores continuariam escravizados, mesmo se recebessem mais. O trabalho alienado acompanha a propriedade privada, de modo que "a ruína de um envolve a ruína da outra".

Não há outra definição de comunismo válida para nós que a da abolição da exploração do homem pelo homem.
**Che Guevara**

## Comunismo, a solução

Para Marx, o comunismo resolveria a tensão causada pela alienação do trabalhador ao abolir a propriedade privada e finalmente resolveria o enigma criado pelo capitalismo. Ele solucionaria o conflito entre o homem e a natureza e entre os seres humanos, portanto reconectaria o homem à sua humanidade fundamental. A alienação tornou o trabalho e as interações entre as pessoas meios de ganho econômico em vez de fins em si mesmos. No comunismo, essas atividades seriam restauradas ao seu justo fim, a manifestação dos verdadeiros valores humanos. Por exemplo, a associação entre os trabalhadores surgiria de um sentimento de irmandade, em vez de algo que fossem obrigados a fazer. O comunismo reconectaria o "homem a si mesmo como um ser social".

Subjacente à declaração de que o comunismo resolveria o enigma da história está uma visão de história que Marx desenvolveu de maneira plena em seus trabalhos posteriores. Ele acreditava que os desenvolvimentos históricos eram determinados por fatores "materiais" — ou econômicos. Os seres humanos têm necessidades materiais e possuem a habilidade de produzir bens que as satisfaçam. A produção desses bens pode ser organizada de modos diferentes, cada um deles dando origem a diferentes tipos de arranjos sociais e políticos que, por sua vez, levam a crenças e ideologias específicas. Marx acreditava que os fatores econômicos materiais eram o determinante fundamental, portanto o motor da história.

## Derrubando o capitalismo

O capitalismo — uma forma específica de organizar a produção — é uma resposta às necessidades materiais dos seres humanos. Surgiu ao mesmo tempo em que as velhas formas feudais de produção chegavam ao fim. Conforme as forças de produção se desenvolveram sob o capitalismo, o sofrimento dos trabalhadores se tornou óbvio, e a história se moveu inevitavelmente em direção à revolução e à implantação do comunismo como seu substituto.

**Friedrich Engels** era filho de um industrial alemão. Conheceu Marx em 1842 e a princípio não gostou dele, mas os dois seguiram juntos até formularem um dos mais abrangentes manifestos já vistos.

## O legado de Marx

É difícil exagerar a influência de Marx. Sua obra levou a novas escolas de pensamento nos campos de economia, teoria política, história, estudos culturais, antropologia e filosofia, só para citar alguns. O apelo das ideias marxistas vem de sua ampla interpretação do mundo e de sua mensagem de transformação e libertação. A previsão que ele e Friedrich Engels fizeram em seu *Manifesto comunista* de 1848 — que o fim do capitalismo se daria por meio da revolução comunista — influenciou profundamente a política do século XX. Surgiram sistemas comunistas na Europa e na Ásia, e essas ideias influenciaram muitos governos e movimentos revolucionários por todo o século.

Um desafio ao se avaliar o legado de Marx é separar o que ele realmente quis dizer daquilo que foi feito em seu nome, em especial pelo fato de a ideologia comunista ser usada para justificar o totalitarismo e a opressão em muitos lugares e épocas diferentes. Ao final do século XX, o comunismo no Leste Europeu entrou em colapso, e as nações mais ricas se tornaram solidamente capitalistas. Assim, mesmo se os aspectos da análise de Marx da sociedade capitalista ainda tivessem algo de verdade, muitos críticos entendem como se a história o tivesse rejeitado, ainda mais no que diz respeito ao colapso do capitalismo. Mais recentemente, as ideias de Marx ecoaram nos argumentos de que a crise econômica global do começo do século XXI foi um sinal das profundas contradições inerentes ao sistema capitalista. ■

## Karl Marx

**Marx nasceu na Prússia, de pais judeus convertidos ao protestantismo em resposta às leis antijudaicas. Como jornalista, voltou-se cada vez mais ao radicalismo político e econômico. Em 1843, mudou-se para Paris, onde conheceu Friedrich Engels, com quem dividiu a autoria do *Manifesto comunista*, em 1848.**

**Depois das revoluções daquele ano, Marx foi expulso da Prússia, da Bélgica e de Paris antes de se fixar em Londres, onde estudou profundamente a economia e a história. Isso resultou em sua maior obra, *O capital*. Marx tinha dificuldade de se sustentar e vivia em pobreza nas favelas de Soho, mantido com o apoio financeiro de Engels. Ele e sua mulher tinham saúde fraca, e muitos de seus filhos morreram. O próprio Marx faleceu antes que os dois volumes finais do *Capital* fossem publicados.**

### Principais obras

**1844** *Manuscritos econômico-filosóficos*
**1848** *Manifesto comunista*
**1867** *O Capital Volume I* (os *Volumes II* e *III* foram publicados postumamente em 1885 e 1894)

# OS HOMENS QUE PROCLAMARAM A REPÚBLICA TORNARAM-SE OS ASSASSINOS DA LIBERDADE

## ALEXANDER HERZEN (1812-1870)

### EM CONTEXTO

IDEOLOGIA
**Socialismo**

FOCO
**Crítica revolucionária**

ANTES
**1748** Montesquieu analisa diferentes formas de governo, fazendo a distinção entre a república, a monarquia e o despotismo.

**1789** Começa a Revolução Francesa, estimulando um período de atividade revolucionária na França e além dela.

DEPOIS
**1861** A servidão é abolida na Rússia pelo czar Alexandre II, depois da crescente pressão dos liberais e radicais.

**1890** O Partido Social Democrático alemão é legalizado e toma o caminho de um partido socialista reformista.

**1917** A Revolução Russa varre o regime czarista, levando os bolcheviques ao poder.

O revolucionário russo Alexander Herzen começa sua coletânea de ensaios *С тогоберега* [Da outra margem] em 1848, o ano das revoluções fracassadas na Europa. Nela, ele desenvolveu a imagem de um navio rumo a novas terras, enfrentando vendavais e tempestades, representando as esperanças e incertezas de seu tempo. Mas, em 1850, numa coletânea de ensaios posteriores, defendeu que o verdadeiro fervor revolucionário havia se enfraquecido, sendo traído por uma visão mais conservadora de reformas.

Em um ensaio, Herzen zombou das celebrações republicanas na França em setembro de 1848. Seu argumento era que, por trás da pompa e dos slogans, a "velha ordem católica-feudal" seguia intacta. Disse que isso havia evitado a realização do autêntico ideal revolucionário — a verdadeira liberdade para todos. Muitos dos liberais que professavam apoio à revolução estavam, de fato, temerosos da sua conclusão lógica — a eliminação completa da velha ordem. Em vez disso, Herzen dizia, eles queriam assegurar a liberdade para o seu próprio grupo, não para os trabalhadores com "mãos sujas segurando machados". Os arquitetos da república tinham, de certa forma, quebrado as correntes, mas deixaram as prisões em pé, o que fez deles "assassinos da liberdade". Herzen acreditava que a sociedade sofria contradições que a enfraqueciam. Muitos compartilharam seu desapontamento com as revoluções de 1848, e seus escritos influenciaram os movimentos populistas que vieram a seguir. ■

**As colônias penais** na Guiana Francesa foram ampliadas no século XIX. Apesar da Revoluçao Francesa em 1789, punições feudais permaneceram.

**Veja também:** Jean-Jacques Rousseau 118–25 ▪ Georg Hegel 156–9 ▪ Vladimir Lênin 226–33 ▪ Mao Tsé-tung 260–5 ▪ Che Guevara 312–3

# DEVEMOS PROCURAR O EIXO DA NOSSA NAÇÃO

## ITO HIROBUMI (1841-1909)

### EM CONTEXTO

IDEOLOGIA
**Monarquia constitucional**

FOCO
**Modernização**

ANTES
**1600** Ieyasu estabelece o xogunato de Tokugawa, acabando com dois séculos de conflitos internos.

**1688** A Revolução Gloriosa estabelece uma monarquia constitucional na Grã-Bretanha.

**1791** Cai a monarquia constitucional francesa, na qual o rei Luís XVI dividia o poder com a Assembleia Legislativa.

**1871-1919** A Alemanha torna-se uma federação de estados, cada um com seu próprio monarca.

DEPOIS
**1901** A nova Comunidade da Austrália adota uma monarquia federal constitucional.

**2008** O Butão torna-se uma monarquia constitucional.

Dos séculos XVII ao XIX, o isolamento e o controle rigoroso do comércio mantiveram o Japão fechado para o mundo exterior. Isso mudou quando o comodoro Matthew Perry forçou os japoneses a assinarem um acordo comercial com os Estados Unidos em 1853. Com isso, surgiu uma crise, e uma parte dos governantes feudais do Japão — os xoguns —, incluindo o príncipe Ito Hirobumi, começaram a defender reformas radicais para preservar a independência do país, usando modelos ocidentais para a sociedade, a qual não conseguiria mudar, com facilidade, para um governo nos moldes do Ocidente. Em vez disso, sob o protesto da volta do imperador ao poder, uma aliança de poderosos reformadores, incluindo Hirobumi, venceu o xogunato em 1867, proclamando uma nova ordem. Os samurais foram desarmados, as terras feudais passaram ao Estado, e a divisão de castas foi abolida.

Uma vez que o governo se ocupa da administração do país, isso não implica que seus atos sejam sempre favoráveis aos indivíduos.
**Ito Hirobumi**

### A Constituição Meiji

Os líderes dessa revolta queriam unir os avanços ocidentais às virtudes tradicionais do Japão. Hirobumi esboçou a Constituição Meiji de 1890, na qual o imperador continuava o chefe de Estado e o ponto central da nação, mas o governo era exercido por um gabinete de ministros. Assim como as monarquias constitucionais em outros lugares, esperava-se que isso garantiria um "eixo" para a sociedade japonesa, a partir da qual ela poderia avançar. De fato, a constituição ofereceu o arcabouço para o desenvolvimento econômico e militar do Japão nos sessenta anos seguintes. ■

**Veja também:** Barões do rei João 60–1 ▪ John Locke 104–9 ▪ Tokugawa Ieyasu 333

# A VONTADE DE PODER

## FRIEDRICH NIETZSCHE (1844-1900)

**EM CONTEXTO**

IDEOLOGIA
**Niilismo**

FOCO
**Moralidade**

ANTES
**1781** A *Crítica da razão pura* de Kant descreve o espaço entre o nosso pensamento e o mundo que ele pretende apreender.

**1818** Schopenhauer publica o *Mundo como vontade e representação*, assumindo a ideia de Kant e sugerindo que tal intervalo jamais poderia ser preenchido.

DEPOIS
**1937** Bataille rejeita qualquer interpretação política de Nietzsche como inadequada.

**1990** *O fim da história e o último homem* de Francis Fukuyama adota a metáfora de Nietzsche do Último Homem para descrever o aparente triunfo do capitalismo de livre mercado.

O nome de Friedrich Nietzsche ainda provoca hostilidades. Seus escritos esquivos e amplos e sua crítica visceral da moralidade despertariam controvérsia mesmo se desconsiderássemos sua injustificada mancha do fascismo. Como Marx e Freud, ele foi — nas palavras do filósofo francês Paul Ricouer — uma diretriz de compreensão na "escola da suspeita", voltada à eliminação das noções recebidas e das crenças confortáveis. Sua filosofia era niilista, o que significa que ele pensava ser impossível encontrar o sentido da existência.

Oposto ao pensamento sistemático da filosofia tradicional, ainda assim ele deixou uma enorme quantidade de

**Veja também:** Immanuel Kant 126–9 ▪ Jeremy Bentham 144–9 ▪ Georg Hegel 156–9 ▪ Karl Marx 188–93

referências para uma filosofia política. Isso tem muito pouco a ver com a percepção popular a respeito dele como um protótipo de nazista. Nietzsche não era adepto do antissemitismo, o qual ele considerava, ao lado de seu companheiro, o nacionalismo, um meio pelo qual indivíduos derrotados culpavam-se uns aos outros pelos seus fracassos. Rompeu com seu amigo Richard Wagner em parte por causa do crescente e estridente racismo e nacionalismo deste. Isso não impediu a obra de Nietzsche de ser destorcida por sua irmã, que assumiu a função de editora conforme a doença o incapacitou no final de sua vida. Ela tentou apresentar os diversos escritos dele de maneira mais favorável aos círculos nacionalistas e antissemitas alemães que frequentava.

A vontade de poder...
... não é apenas a demanda para dominar e controlar.
É a luta por objetivos mais elevados que a mera sobrevivência...
... e é nessa luta, até mesmo arriscando nossa vida, que podemos levar uma vida digna.

### Vontade de poder

A famosa expressão nietzschiana "vontade de poder" apareceu pela primeira vez num livreto que ele considerava sua obra-prima, *Assim falou Zaratustra*. Nesse texto denso, literário, o protagonista, Zaratustra — um nome germanizado de Zoroastro, fundador da antiga religião persa —, mapeia um mundo decaído e tenta ensinar ao povo uma nova forma de pensar e viver. Não é uma obra filosófica padrão, nem de política. Em termos de estilo, aproxima-se de um poema épico, e seus argumentos quase nunca são apresentados diretamente, preferindo, em vez disso, uma roupagem figurativa. Mas os temas centrais são claros.

Para Nietzsche, a vontade de poder não era apenas uma busca por dominar e controlar. Ele não queria, necessariamente, descrever a vontade de poder sobre os outros. Em vez disso, referia-se à luta sem fim pelos objetivos e as conquistas mais elevados na vida, os quais ele julgava »

## Friedrich Nietzsche

Nietzsche nasceu na Prússia e seus pais eram extremamente religiosos. Depois de completar seus estudos de teologia e filologia, rejeitou a religião. Aos 24 anos, foi designado professor de filologia clássica na Basileia, onde se tornou amigo de Richard Wagner, que foi uma influência marcante em seus primeiros escritos. Suas preocupações acadêmicas se afastaram da filologia em direção à filosofia. Nietzsche assumiu uma posição niilista que enfatizava a ausência de sentido na existência, mas argumentava que a tragédia grega vencera esse niilismo ao afirmar sua falta de sentido — um tema recorrente em seus escritos posteriores. Acossado pela doença, Nietzsche renunciou ao seu posto de professor em 1879, depois de um ataque de difteria, e passou a mudar-se com frequência por toda a Europa, sempre escrevendo, mas com pouca aceitação. Sofreu um forte colapso mental em 1889, morrendo pouco depois aos 56 anos.

### Principais obras

**1872** *O nascimento da tragédia*
**1883-1885** *Assim falou Zaratustra*
**1886** *Além do bem e do mal*

moverem o comportamento humano — não importando o que esses objetivos fossem na prática. Ao desenvolver o conceito, ele foi muito influenciado pela leitura do filósofo alemão Arthur Schopenhauer. Sua sombria descrição da realidade, na qual nenhum valor poderia assumir um sentido, foi suavizada, nem que seja apenas pela "vontade de viver" — uma luta desesperada de toda vida no universo para evitar a morte como fim. O desenvolvimento de Nietzsche do mesmo conceito é, em contraste, positivo: não uma luta contra, mas uma luta a favor.

Nietzsche sugeriu que a vontade de poder é mais forte que a própria vontade de viver. Até mesmo o mais privilegiado dos humanos luta por objetivos que poderiam colocar sua vida em risco. Existem valores mais elevados que a simples sobrevivência, e o que deveria marcar uma vida digna é a disposição de alcançar cada um deles.

Os sacerdotes são, como sabemos, os mais terríveis inimigos — por quê? Porque são os mais impotentes. Na sua impotência, o ódio toma proporções monstruosas e sinistras, torna-se a coisa mais espiritual e venenosa.

**Friedrich Nietzsche**

### Crítica ao contentamento

A vontade de poder era uma resposta ao pensamento utilitário que dominava a filosofia social, no qual as pessoas simplesmente lutavam pela sua própria felicidade, e o seu maior objetivo na vida seria o contentamento. Nietzsche pensava que o utilitarismo, e a filosofia social que gerou, era a expressão corrompida do pensamento da burguesia inglesa — feliz e totalmente ignorante.

*Assim falou Zaratustra* contém um argumento contra esse estilo de pensamento social. Ele descreve o Último Homem, uma criatura digna de dó que, contente, olha com passividade para o mundo "e pisca". Esse é o precursor do próprio fim da história quando toda luta significativa termina. Mas se não nos couber apenas e simplesmente a satisfação com o mundo, e em vez disso lutarmos pelos nossos objetivos, a pergunta sobre qual deveriam ser esses objetivos vai persistir. Nietzsche estava convencido sobre o que eles não deveriam ser. Zaratustra, o primeiro a fundar um sistema de moralidade, teria de ser, então, o homem que o destruiria. A moralidade que temos é corrompida, e o deus que adoramos não mais que uma expressão de nossas próprias inadequações. "Deus está morto", escreveu Nietzsche. De modo semelhante nós, pessoas presas por essa moralidade, devemos vencê-la. "O homem é superável. Que fizestes para o superar?", cobra Zaratustra da multidão.

### Rejeição à velha moralidade

As obras posteriores de Nietzsche, *Além do bem e do mal* e *Genealogia da moral,* esclarecem seu argumento de que é preciso romper com a moralidade convencional. Ambas oferecem uma história, e uma crítica, da moralidade ocidental, na qual o "bem" está sempre lado a lado com o "mal". Nietzsche acreditava que essa forma de pensamento moral estava na raiz de todo o nosso atual sistema moral, que por sua vez se baseava em pouco mais que as preferências das ordens aristocráticas antigas. Começando com a Grécia antiga, a moralidade do "senhor" surgiu como o primeiro sistema de pensamento moral, dividindo o mundo entre o "bem" e o "mal", a "afirmação da vida" e a "negação da vida". As virtudes aristocráticas como saúde, força e riqueza eram do bem. As virtudes opostas, as do "escravo",

**Nietzsche denunciou** a filosofia moral dos utilitários como equivalente aos porcos no chiqueiro — passivos, ignorantes e preocupados apenas com o seu próprio contentamento.

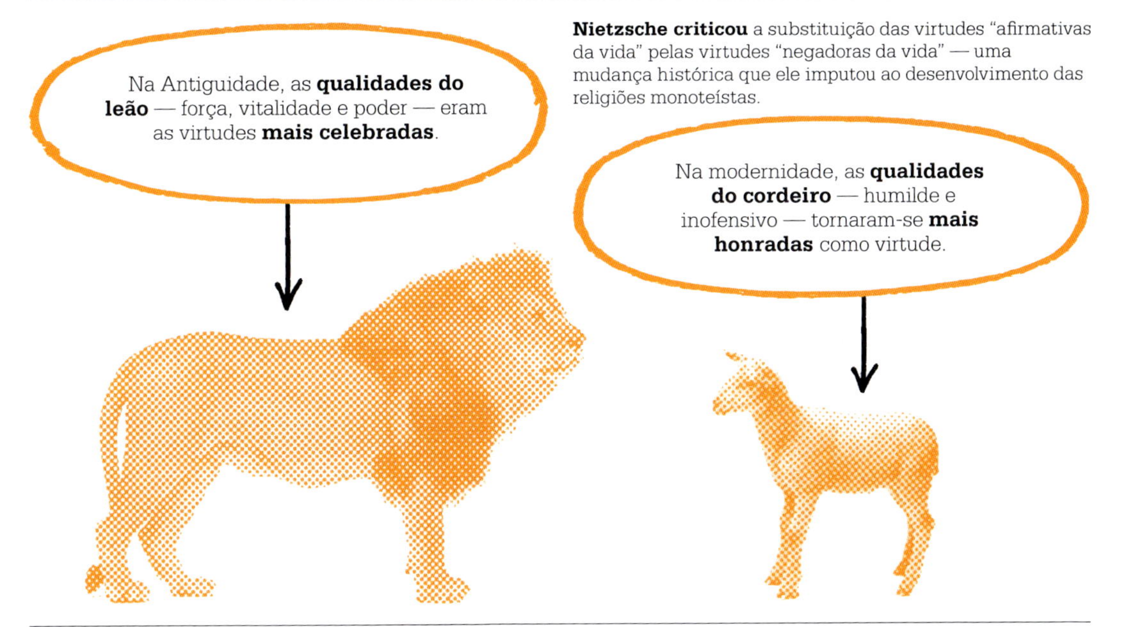


como doença, fraqueza e pobreza, eram do mal. Mas, em resposta à moralidade dos senhores, os escravos desenvolveram seu próprio sistema moral. Essa nova moralidade escrava tornou-se a antítese da do senhor e apresentava os escravos como bons em si mesmos. Os valores da moralidade do senhor se inverteram: no que a moralidade do senhor louvava a força, a do escravo louvava a fraqueza, e assim por diante. Isso permitia aos escravos viverem em sua verdadeira posição sem se sentirem sobrecarregados por ódio e ressentimento. Ao negar, por exemplo, a desigualdade natural das pessoas em favor de uma igualdade espúria, ideal, entre senhores e escravos, a moralidade dos escravos oferecia um meio para pensarem como se fossem senhores — quando, na verdade nua e crua, não eram. Nietzsche associava essa moralidade escrava em especial ao cristianismo e ao judaísmo, os quais considerava que ofereciam soluções ilusórias aos problemas da vida. *Assim falou Zaratustra* propõe, no lugar das derrotadas divindades da religião organizada, a figura do "super-homem" (*Übermensch*, em alemão). A humanidade é só uma ponte entre os animais e o super-homem por vir. Mas este não é um ser acabado e menos ainda a evolução literal, biológica, da humanidade. Um super-homem é um ser que se tornou senhor de si mesmo e é capaz de buscar suas próprias verdades, seguindo "fiel à terra" e rejeitando aqueles que oferecem "verdades do além" de qualquer tipo.

Na Antiguidade, as **qualidades do leão** — força, vitalidade e poder — eram as virtudes **mais celebradas**.
**Nietzsche criticou** a substituição das virtudes "afirmativas da vida" pelas virtudes "negadoras da vida" — uma mudança histórica que ele imputou ao desenvolvimento das religiões monoteístas.
Na modernidade, as **qualidades do cordeiro** — humilde e inofensivo — tornaram-se **mais honradas** como virtude.

## Pensamento antipolítico

Tal individualismo intenso levou à percepção de que Nietzsche fosse um antipolítico. Apesar de político no tom, sua rejeição da moralidade sugere um niilismo que tinha pouco a ver com o entendimento de como a esfera pública funciona. Ele apenas escreveu sobre os indivíduos, nunca sobre movimentos e organizações. Era, nesse sentido, "além da direita e da esquerda", como defendia o filósofo francês Georges Bataille. Ainda assim, no entanto, ele teve uma profunda influência nos pensadores políticos da direita e da esquerda. O filósofo francês Gilles Deleuze, em *Nietzsche e a filosofia*, enfatizou a preocupação de Nietzsche com a vontade de poder. Considerou a vontade de poder a força motriz para diferenciar, para fazer todas as coisas diferentes, e o centro dos clamores de uma rejeição "empírica" a tudo que é transcendental e do além sobre o mundo real. Nietzsche tornou-se um filósofo da diferença, nas mãos de Deleuze, bem como da resistência às restrições. A moralidade convencional leva, apenas, às "paixões tristes" que "desprezam a vida". Nietzsche veio, mais tarde, a ocupar um lugar crítico entre os pensadores pós-estruturalistas preocupados com a revisão de sistemas de dominação — incluindo aqueles que se destinavam a libertar, como o marxismo. ■

# É SÓ O MITO QUE IMPORTA

## GEORGES SOREL (1847-1922)

**EM CONTEXTO**

IDEOLOGIA
**Sindicalismo**

FOCO
**O mito heroico**

ANTES
**1848** Marx e Engels publicam o *Manifesto comunista* ao mesmo tempo que as revoluções varrem a Europa.

**1864** A "Primeira Internacional" é fundada em Londres, unindo socialistas e anarquistas.

**1872** Um racha entre os anarquistas e os socialistas leva ao colapso da Primeira Internacional.

DEPOIS
**1911** Admiradores de Sorel formam o Círculo Proudhon para promover ideias antidemocráticas.

**1919** Enrico Corradini diz que a Itália é uma "nação proletária", buscando unir o nacionalismo ao sindicalismo.

A sociedade está cada vez mais dividida entre duas classes: **os trabalhadores** e **os patrões**.

↓

**A democracia parlamentar** é falha para a classe trabalhadora e só apoia a classe média.

↓

A classe trabalhadora **precisa acreditar em grandes mitos**, e colocá-los em ação por meio da violência os tornará reais.

↓

**É só o mito que importa.**

Na virada do século XX, a Europa tinha sociedades capitalistas bem desenvolvidas. Ao lado de incríveis concentrações da indústria e da riqueza criadas pelo capitalismo, uma nova e grande força social emergiu — a classe trabalhadora industrial. Formaram-se partidos políticos que alegavam ter os votos dos trabalhadores e tornaram-se organizações estáveis e com crescente importância eleitoral. No entanto, ao mesmo tempo em que os partidos se enredavam na política parlamentar, tentando arrancar concessões mínimas do sistema, eles pareciam, para muitos radicais, apenas um adereço da sociedade vigente.

George Sorel tentou desafiar essa burocratização naquilo que se tornou um corpo único de esforços, sintetizando influências de Karl Marx, Friedrich Nietzsche e do filósofo francês Henri Bergson. Em sua principal coletânea de ensaios, *Reflexões sobre a violência*, ele rejeitou a ciência objetiva como um simples sistema de "ficções", construída para impor ordem numa realidade caótica e irracional. Ele acreditava que tratar a sociedade, a parte mais caótica da realidade, como algo a ser entendido racionalmente era um insulto ao poder da imaginação e da criatividade humana.

**Veja também:** Karl Marx 188–93 ▪ Friedrich Nietzsche 196–9 ▪ Eduard Bernstein 202–3 ▪ Vladimir Lênin 226–33 ▪ Rosa Luxemburgo 234–5

É à violência que o socialismo deve os seus elevados valores morais por meio dos quais ele traz salvação ao mundo moderno.
**Georges Sorel**

## O poder do mito

No lugar da ciência objetiva e das teorias sobre a sociedade, Sorel propunha que grandes mitos poderiam ser usados para mudar a realidade. De fato, ao acreditar em mitos heroicos sobre si mesmas e sobre o mundo por vir, as massas poderiam derrubar a sociedade real. A democracia parlamentar havia falhado, já que oferecia apenas os meios para as novas e medíocres classes médias governarem sobre o restante da sociedade — incluindo os socialistas então comprometidos com a política parlamentar. Racionalidade e ordem foram substituídas por liberdade e ação. O marxismo ortodoxo, igualmente, continha as sementes do governo da classe média, já que tentava um entendimento "científico" da sociedade no qual a economia determina a história.

Para quebrar o domínio da racionalidade burguesa, seria preciso acreditar no mito e colocá-lo em ação. Sorel encarava a violência como o meio pelo qual os mitos podiam tornar-se reais. Ele detalhou exemplos de tais mitos e movimentos — desde militantes cristãos da Igreja primitiva, passando pela Revolução Francesa, os sindicalistas revolucionários, até os nossos tempos. O sindicalismo foi a ala mais militante do movimento sindical, rejeitando as manobras políticas como uma corrupção dos interesses dos trabalhadores. A greve geral — uma paralisação de massa de todo trabalho — era o ápice da estratégia sindical, e Sorel a via como o mito moderno que fundaria uma nova sociedade. A "violência heroica" é bem-vinda como a rota ética e necessária para estabelecer o novo mundo.

A obra de Sorel é ambígua. Ele rejeita as classificações políticas, e suas ideias políticas não se encaixam bem nem na esquerda nem na direita política, apesar de terem sido usadas por ambas. ■

**As greves dos mineiros** no Reino Unido na década de 1980 foram um exemplo de protestos de massa imbuídos de poder heroico, muito a favor do pensamento radical de Sorel.

## Georges Sorel

Nascido em Cherbourg na França, e tendo estudado engenharia, Georges Sorel se aposentou aos cinquenta anos para estudar problemas sociais. Um teórico social autodidata, identificou-se, a princípio, com a ala "revisionista" do marxismo, associada a Eduard Bernstein, antes de seguir um desafio mais radical à política parlamentar. Seus ensaios ganharam leitores na esquerda radical francesa. Primeiro, ele apoiou o sindicalismo revolucionário e a fundação da federação dos sindicatos franceses (CGT), oposta à política parlamentar. Mas ficou desiludido e voltou-se ao movimento de extrema direita Ação Francesa, acreditando que uma aliança de aristocratas e trabalhadores poderia derrubar a sociedade francesa de classe média. Mais tarde denunciou a I Guerra Mundial e apoiou os bolcheviques na Rússia. No fim da sua vida, ficou indeciso entre o bolchevismo e o fascismo.

### Principais obras

**1908** *Reflexões sobre a violência*
**1908** *Les illusions du progrès*
**1919** *Matériaux d'une théorie du prolétariat*

# TEMOS QUE ACEITAR OS TRABALHADORES COMO SÃO

## EDUARD BERNSTEIN (1850-1932)

### EM CONTEXTO

IDEOLOGIA
**Socialismo**

FOCO
**Revisionismo**

ANTES
**1848** Marx e Engels publicam o *Manifesto comunista*.

**1871** O Partido Social Democrata alemão (SPD) adota o marxismo, votando a favor do Programa de Gotha — um manifesto socialista radical.

DEPOIS
**1917** A Revolução de Outubro derruba o sistema capitalista na Rússia.

**1919** Uma revolução comunista na Alemanha é reprimida.

**1945** Elege-se um governo trabalhista no Reino Unido baseado numa plataforma da reforma do bem-estar para criar uma economia mista.

**1959** O SPD repudia formalmente o marxismo na Conferência de Bad Godesberg.

No começo dos anos de 1890, o Partido Social Democrático alemão (SPD), de esquerda, tinha bons motivos para estar otimista. Uma década de ilegalidade desde 1878 havia aumentado seu apoio. Por ser o principal partido do socialismo alemão, seu progresso foi seguido por esquerdistas de todo o continente, e debates dentro de seus quadros definiram o arcabouço intelectual no qual o movimento operava. Quando foi legalizado em 1890, o SPD almejava o poder.

Mas ainda havia um problema, segundo apontou um dos líderes do SPD, Eduard Bernstein. O partido era dedicado ao futuro socialista, e sua política era pautada pelo marxismo. Mas, conforme o partido se estabelecia, e sem as pressões da ilegalidade, suas

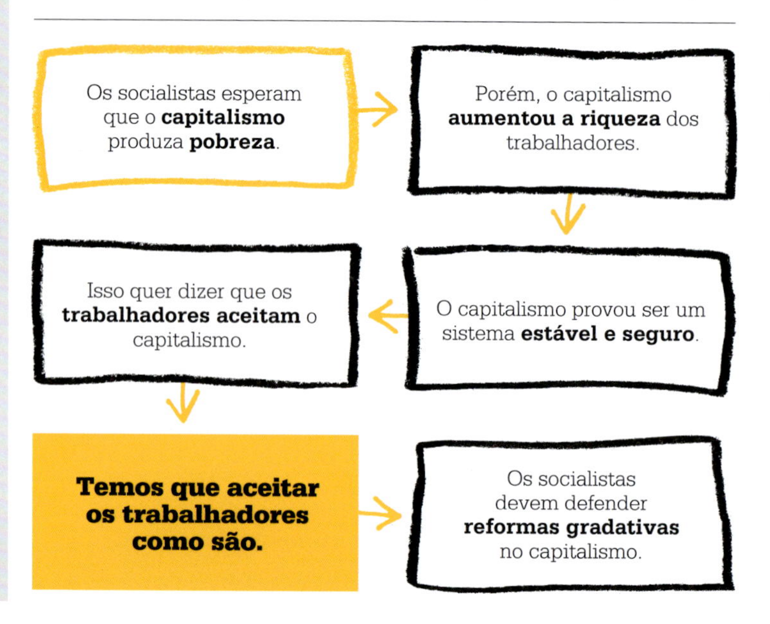

Os socialistas esperam que o **capitalismo** produza **pobreza**.
Porém, o capitalismo **aumentou a riqueza** dos trabalhadores.
O capitalismo provou ser um sistema **estável e seguro**.
Isso quer dizer que os **trabalhadores aceitam** o capitalismo.
**Temos que aceitar os trabalhadores como são.**
Os socialistas devem defender **reformas gradativas** no capitalismo.

**Veja também:** Karl Marx 188–93 ▪ Vladimir Lênin 226–33 ▪ Rosa Luxemburgo 234–5

atividades diárias perderam o rumo. Enquanto os membros do SPD ainda clamavam a necessidade da transformação da sociedade, na prática o partido seguiu um caminho gradual, arrancando mudanças, a duras penas, no legislativo.

Bernstein bateu de frente com essa contradição. Desde 1890, argumentava, muitas das previsões de Marx — tais como o inevitável empobrecimento da classe trabalhadora e sua marcha rumo à revolução — não se concretizaram. Em vez disso, o capitalismo estava provando ser um sistema estável, sob o qual se poderiam ganhar pequenas reformas que levariam, passo a passo, ao socialismo.

## Mudança gradual

A publicação de *Socialismo evolucionário* em 1899 alimentou um grupo, dentro do SPD, que definiria o principal argumento para os pensadores socialistas do século seguinte. O capitalismo deveria ser aceito, com a vitória de pequenas conquistas, ou deveria ser derrubado? No cerne do debate estava um argumento sobre o que se passava na cabeça do trabalhador. Para Marx, a classe

**Os trabalhadores da Alemanha** conquistaram o direito de greve por melhores condições. Bernstein viu que a classe trabalhadora poderia alcançar concessões dentro do capitalismo.

Em todos os países avançados, vemos os privilégios da burguesia capitalista dando espaço, passo a passo, às organizações democráticas.
**Eduard Bernstein**

trabalhadora lideraria a sociedade para o socialismo assim que percebesse seu potencial para tanto. Mas na verdade a "consciência de classe" não havia levado a conclusões revolucionárias, mas ao voto dos trabalhadores, em número crescente, a favor de um partido que oferecia reformas gradativas dentro do capitalismo.

Bernstein propôs abandonar a ideia que os trabalhadores chegariam a conclusões revolucionárias. Em vez disso, os socialistas deveriam examinar as verdadeiras crenças dos trabalhadores a respeito do mundo e construir em cima disso. Esse foi o primeiro exemplo de peso, na teoria, a favor de um socialismo "reformista", ou gradual.

Os marxistas ortodoxos responderam de modo feroz, e as opiniões de Bernstein nunca foram formalmente adotadas pelo SPD enquanto ele viveu. Foi só na conferência de Bad Godesberg em 1959 que o partido oficialmente renunciou ao marxismo. No entanto, sua prática política verdadeira já seguia, havia tempos, aquilo que Bernstein defendia, a despeito de suas intenções declaradas. ■

## Eduard Bernstein

Tornou-se socialista aos 22 anos, unindo-se à ala marxista do movimento socialista alemão. Com a aprovação da Lei Antissocialista de 1878, que baniu as organizações socialistas, fugiu para a Suíça e de lá para Londres. Juntou-se a outros exilados, incluindo Friedrich Engels, com o qual desenvolveu uma relação de trabalho próxima.

Bernstein voltou a Zurique para tornar-se o editor do jornal do recém-unido Partido Social Democrático (SPD). Depois da legalização do partido em 1890, começou a defender, no jornal, uma forma mais moderada, "revisionista", do socialismo. Voltou à Alemanha em 1901 e foi eleito membro do Reichstag no ano seguinte. Sua oposição à I Guerra Mundial o levou a romper com o SPD em 1915 e à fundação de uma nova organização, o USPD. Ele foi reeleito ao Parlamento, como membro do SPD, de 1920 a 1928.

### Principais obras

**1896-1898** *Probleme des Sozialismus*
**1899** *Die Voraussetzungen des Sozialismusund die Aufgaben der Sozialdemokratie*

# O DESDÉM DE NOSSO FORMIDÁVEL VIZINHO É O MAIOR PERIGO PARA A AMÉRICA LATINA

## JOSÉ MARTÍ (1853-1895)

**EM CONTEXTO**

IDEOLOGIA
**Anti-imperialismo**

FOCO
**Interferência dos Estados Unidos**

ANTES
**1492** Em parte financiado pela Espanha, Cristóvão Colombo explora o Novo Mundo.

**1803** A Venezuela é o primeiro país da América Latina a se rebelar contra o domínio espanhol.

DEPOIS
**1902** Cuba obtém a independência formal dos EUA, que mantêm a base naval de Guantánamo.

**1959** O ditador cubano general Batista é expulso pelo Movimento 26 de Julho de Fidel Castro.

**1973** O governante eleito do Chile, Salvador Allende, é derrubado por um golpe apoiado pela CIA e substituído por uma ditadura militar (*junta*). Por volta dos anos 1980, as *juntas* haviam assumido o controle em toda a América Latina.

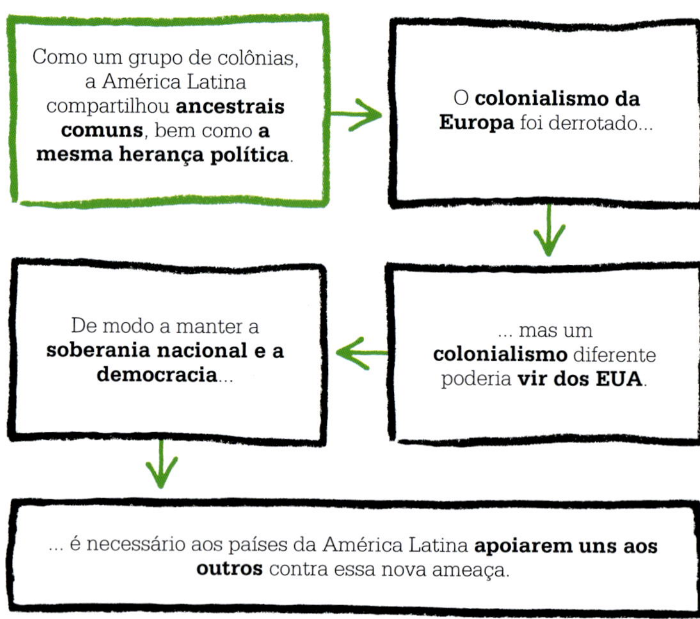

Como um grupo de colônias, a América Latina compartilhou ancestrais comuns, bem como a mesma herança política.
O colonialismo da Europa foi derrotado...
... mas um colonialismo diferente poderia vir dos EUA.
De modo a manter a soberania nacional e a democracia...
... é necessário aos países da América Latina apoiarem uns aos outros contra essa nova ameaça.


No século XIX, a habilidade da Espanha e de Portugal para defender suas posses coloniais havia enfraquecido. Os exemplos das revoluções francesa e americana ajudaram a promover uma sucessão de levantes por toda a América Latina colonial contra o domínio da Europa. Em 1830, a maior parte dessas colônias havia alcançado a independência formal. Só Porto Rico e Cuba se mantinham sob o domínio direto.

José Martí tornou-se um dos líderes da luta cubana pela independência. Mas, conforme crescia a luta contra o Império Espanhol, por meio de uma série de levantes e guerras na segunda

**Veja também:** Simón Bolívar 162–3 ▪ Emiliano Zapata 246 ▪ Smedley D. Butler 247 ▪ Che Guevara 312–3 ▪ Fidel Castro 339

Direitos são feitos para serem tomados, não pedidos; agarrados, não mendigados.
**José Martí**

metade do século XIX, Martí abriu os olhos para uma ameaça muito maior à soberania da América Latina.

Ao norte, os Estados Unidos haviam lutado suas próprias batalhas pela independência quando os Treze Estados declararam sua liberdade do domínio colonial em 1776 e venceram a Guerra da Independência americana em 1783. No final da Guerra Civil em 1865, a república unificada controlava boa parte do norte do continente e queria mais. Na Doutrina Monroe de 1823, o presidente americano James Monroe afirmou que os Estados Unidos seguiriam se opondo ao colonialismo europeu e tratariam qualquer esforço adicional do Velho Mundo em aumentar ou estabelecer colônias nas Américas como um ato de agressão. De forma crítica, a Doutrina Monroe identificou tanto a América do Norte quanto a do Sul como dependentes da proteção dos Estados Unidos.

### Uma nova potência colonial

A princípio, os revolucionários latino-americanos saudaram a Doutrina Monroe com entusiasmo. O líder venezuelano Simón Bolívar acreditava, no começo, que eles então tinham um poderoso aliado em sua luta pela liberdade. Conforme consolidava seu poder, porém, os Estados Unidos usaram cada vez mais a Doutrina para garantir seu controle sobre sua própria "esfera de influência".

Ao final de sua vida, Martí defendia uma resposta comum da América Latina em defesa das liberdades conquistadas a duras penas. Via uma ameaça à democracia na forma de uma nova e possível potência colonial ao norte. Assim, ele ajudou a articular um tema comum do anti-imperialismo latino-americano para o próximo século e além: os Estados Unidos buscariam seus próprios interesses econômicos e políticos, sem se importar com o impacto na América Latina.

Martí morreu em 1895. Três anos mais tarde, os Estados Unidos tomaram Cuba da Espanha. Desde a II Guerra Mundial, o país tem sido acusado de apoiar golpes militares e ditaduras na região. ■

**Em 1973 o palácio presidencial do Chile** foi atacado — e o seu presidente socialista Salvador Allende, morto — num golpe militar, um de vários na América Latina apoiados pelos EUA.

## José Martí

José Martí foi um jornalista, poeta, ensaísta e revolucionário cubano. Nascido em Havana, então sob o domínio da Espanha, foi ativo no movimento pela independência de Cuba com a eclosão da Guerra dos Dez Anos contra a Espanha em 1868. Acusado de traição em 1869, foi sentenciado a seis anos na prisão. Ao ficar doente, foi exilado para a Espanha, onde lhe foi permitido seguir seus estudos.

Ao se formar em direito, Martí viajou pelas Américas, defendendo a independência e a unidade da América Latina. Formou o Partido Revolucionário Cubano em 1892. Durante uma insurreição contra a Espanha em 1895, Martí foi morto na Batalha de Dos Ríos no dia 19 de maio daquele ano. Cuba finalmente se libertou da Espanha em 1898, quando os EUA intervieram durante a Guerra Hispano-americana.

### Principais obras

**1891** *Nuestra América*
**1891** *Versos sensillos* (dos quais se adaptou a canção patriótica mais conhecida de Cuba, *Guantanamera*)
**1892** Jornal *Patria*

# É PRECISO ARRISCAR PARA TER SUCESSO

## PETER KROPOTKIN (1842-1921)

### EM CONTEXTO

IDEOLOGIA
**Anarcossindicalismo**

FOCO
**Ação política**

ANTES
**1762** Jean-Jacques Rousseau escreve o *Contrato social* dizendo que "o homem nasceu livre e em toda parte se encontra sob ferros".

**1840** Na obra *O que é a propriedade?*, Pierre-Joseph Proudhon chama a si mesmo de anarquista.

**1881** O czar Alexandre II é assassinado em S. Petersburgo.

DEPOIS
**1917** Os bolcheviques assumem o poder na Rússia.

**Anos 1960** Movimentos da contracultura na Europa e nos EUA ocupam edifícios vazios e formam comunidades.

**2011** O Movimento Occupy protesta contra a desigualdade econômica ao ocupar Wall Street durante a crise econômica global.

Ao final do século XIX, a Rússia czarista era propícia para todo tipo de novo movimento social, desde o fascismo ao comunismo radical. Peter Kropotkin, que largou sua vida de privilégios como filho de príncipe, foi um produto do seu tempo, advogando a destruição da autoridade. Em *Conquista do pão* (1892), Kropotkin argumentou que a melhor faceta da humanidade — sua habilidade de cooperar — seria capaz de lhe permitir se livrar de todas as estruturas opressivas. Ele via no crescente movimento dos trabalhadores a possibilidade de derrubar opressores — de padres a capitalistas — e estabelecer uma nova sociedade baseada no respeito mútuo e na cooperação. Ele estabeleceu os princípios daquilo que viria a ser o anarcossindicalismo: a crença numa sociedade colaborativa, igualitária, livre do Estado.

### Chamado à ação

O anarquismo é uma teoria da ação, e Kropotkin instigava todos que o ouvissem a agir. Simpático à Revolução Bolchevique de 1917, denunciou seu autoritarismo na guerra civil que se seguiu. Estabelecer um mundo novo não exigia regras novas, mas, sim, anarquistas capazes de agir com coragem contra toda opressão. Acordos e cálculo político eram alheios ao anarquismo. Em vez disso, seus seguidores deveriam agir com fervor moral contra um mundo corrupto. Kropotkin, assim como outros anarquistas, ajudou a definir a "política da ação" — uma crença que se repetiria em ideologias radicais no século seguinte. ■

No lugar da frase covarde 'Obedeça à lei', nosso clamor é 'Revolte-se contra todas as leis!'.
**Peter Kropotkin**

**Veja também:** Pierre-Joseph Proudhon 183 ■ Mikhail Bakunin 184–5 ■ Henry David Thoreau 186–7 ■ Karl Marx 188–93 ■ Vladimir Lenin 226–33

# OU SE MATAM AS MULHERES OU SE LHES DÁ O VOTO

## EMMELINE PANKHURST (1858-1928)

**EM CONTEXTO**

IDEOLOGIA
**Feminismo**

FOCO
**Desobediência civil**

ANTES
**1792** Mary Wollstonecraft publica *A vindication of the rights of woman*, uma das primeiras defesas da igualdade da mulher.

**1865** O filósofo liberal John Stuart Mill faz campanha, com sucesso, ao Parlamento baseado na plataforma do sufrágio para as mulheres.

**1893** A Nova Zelândia é o primeiro grande país a garantir o voto às mulheres.

DEPOIS
**1990** O cantão suíço de Appenzell Innerhoden é forçado a aceitar o sufrágio das mulheres (os outros cantões já o haviam aceitado em 1971).

**2005** As mulheres recebem o direito de votar e se candidatam ao Parlamento no Kuwait.

No começo dos anos 1900, o direito ao voto ganhava força ao redor do mundo, mas para as mulheres isso era ignorado. A Nova Zelândia foi o primeiro grande país a garantir o direito de voto às mulheres em 1893, mas o avanço na Europa e na América do Norte se deu de forma lenta, atrapalhado por políticos obstinados, opinião pública conservadora e, com frequência, campanhas viciosas na imprensa. A ativista Emmeline Pankhurst, com outras, estabeleceu o Sindicato Social e Político das Mulheres (WSPU, no inglês) na Grã-Bretanha em 1903. Conhecidas como as *sufragetes* (ou sufragistas), essa ação de militância e de desobediência civil incluía a quebra de vidraças, ataques e incêndios criminosos. Em 1913, a ativista Emily Davidson morreu ao se jogar na frente do cavalo do rei na corrida do Derby, e uma greve de fome de *sufragetes* presas foi resolvida com alimentação forçada.

**Emmeline Pankhurst** foi presa fora do Palácio de Buckingham em maio de 1914. O WSPU defendia energicamente a ação direta na busca de seus ideais.

Quando Pankhurst, num discurso ainda em 1913, disse "ou se matam as mulheres ou se lhes dá o voto", chamava a atenção para a autoridade moral das *sufragetes* de agirem como quisessem na luta por uma causa justa e também enfatizava sua aparentemente implacável determinação em vencer. No entanto, essa determinação durou apenas até a I Guerra Mundial em 1914, quando o WSPU abandonou sua campanha para apoiar o esforço de guerra. As mulheres com mais de trinta anos obtiveram o direito ao voto na Grã-Bretanha ao final da guerra, e todas as mulheres adultas passaram a votar em 1928. ■

**Veja também:** Mary Wollstonecraft 154–5 ▪ John Stuart Mill 174–81 ▪ Simone de Beauvoir 284–9 ▪ Shirin Ebadi 328

# É RIDÍCULO NEGAR A EXISTÊNCIA DE UMA NAÇÃO JUDAICA

## THEODOR HERZL (1860-1904)

### EM CONTEXTO

IDEOLOGIA
**Sionismo**

FOCO
**Um Estado judeu**

ANTES
**1783** Em *Jerusalem oderüber religiöse Machtund Judenthum*, o filósofo alemão Moses Mendelssohn convoca a tolerância religiosa num Estado secular.

**1843** O livro do filósofo alemão Bruno Bauer, *Die Judenfrage*, diz que os judeus devem abandonar a religião para alcançar a emancipação política.

DEPOIS
**1933** Adolf Hitler torna-se chanceler na Alemanha, promovendo o nacionalismo alemão e o antissemitismo.

**1942** Os planos para a solução final da questão judaica são discutidos pelos líderes nazistas na Conferência de Wansee.

**1948** É criado o Estado de Israel.

Os estados modernos prometem **direitos universais e iguais** para todos...

... mas o **antissemitismo** se mantém e **endêmico** na sociedade.

Já que **não dá para acabar** com o antissemitismo e a **assimilação** não funciona...

... a única alternativa é o **estabelecimento de um Estado judeu**.

A Terceira República francesa fundada ao fim de um século de revoluções garantia direitos legais iguais para todos os cidadãos. No entanto, essa igualdade constitucional foi severamente posta à prova. Em dezembro de 1894, Alfred Dreyfus, um jovem soldado artilheiro, foi condenado por espionar para a Alemanha e sentenciado à prisão perpétua, a despeito das claras evidências de que outro homem estava passando os segredos e de que as provas contra Dreyfus foram fabricadas. Seu julgamento foi coberto por um jovem jornalista judeu, Theodor Herzl, que trabalhava para um jornal austríaco.

Dreyfus também era judeu, e seu caso expôs as profundas divisões na sociedade francesa. Seus apoiadores, conhecidos como "Dreyfusards", viam o antissemitismo como o motivo principal da acusação de um homem inocente. A campanha pela libertação de Dreyfus atraiu intelectuais como Émile Zola, além de políticos e sindicalistas.

Mas, para os antidreyfusards, o caso revelou algo bem diferente: a necessidade de vigilância contra os inimigos da França. Liberdade, igualdade e fraternidade eram valores verdadeiramente franceses, mas nem

**Veja também:** Johann Gottfrield Herder 142–3 ▪ Marcus Garvey 252 ▪ Hannah Arendt 282–3 ▪ Adolf Hitler 337

todos os que viviam no país deveriam ser considerados franceses, diziam. Os protestos em defesa de Dreyfus se depararam com a multidão gritando "Morte aos judeus!".

O antissemitismo tem uma longa e ameaçadora história na Europa, onde a discriminação oficial de éditos da Igreja se misturou com o preconceito popular, levando, com frequência, à limpeza étnica. Os judeus já foram expulsos de vários países, sendo-lhes negados direitos plenos em alguns outros. No final do século XIX, no entanto, inspirados pelos ideais racionais do Iluminismo, muitos estados-nação modernos, incluindo a França, puseram formalmente um fim às discriminações, sancionadas pelo Estado, contra grupos baseadas em crenças religiosas. A assimilação — convicção de que grupos de minorias poderiam se integrar plenamente na sociedade — tornou-se um ideal cada vez mais aceito.

## Contra a assimilação

A despeito dessas mudanças oficiais no âmbito do Estado, o caso Dreyfus convenceu Herzl que o antissemitismo era algo endêmico na sociedade e que as tentativas de derrotá-lo, ou que os judeus fossem assimilados, eram fadadas ao fracasso. Ao contrário, os judeus teriam de tomar emprestado um conceito totalmente novo do Iluminismo — o nacionalismo. Herzl dizia que os judeus eram "um povo" e que a população da diáspora deveria ser unida num único Estado, preservando seus direitos como judeus no mundo moderno. Começou uma campanha por um Estado judaico, pedindo às potências europeias que o ajudassem a encontrar um lugar, além de encorajar os judeus a contribuírem financeiramente para a causa. Ele acreditava que a nova terra judaica deveria ser fora da Europa — ou na Argentina ou em Israel.

**Criar uma terra judaica** onde os judeus poderiam se unir era crucial para sua identidade, de acordo com Herzl. Ele acreditava que essa era a única maneira de conseguirem evitar atitudes antissemitas.

Tentamos sinceramente, em todos os lugares, interagir com as comunidades nacionais nas quais vivemos, querendo apenas preservar a fé de nossos pais. Não nos foi permitido.
**Theodore Herzl**

As ideias de Herzl se espalharam rápido, mas encontraram resistência dos setores da sociedade que ainda defendiam a assimilação. Seu movimento sionista somente ganhou força nas décadas posteriores a sua morte. A oferta britânica de uma terra para os judeus na Palestina em 1917 ajudou a abrir um caminho, e, na sequência do Holocausto, o Estado de Israel foi criado em 1948. Alfred Dreyfus foi inocentado em 1906. ■

## Theodore Herzl

Nasceu em Pest, no Império Austro-Húngaro, de pais judeus de forte tendência secular. Mudou-se para Viena aos dezoito anos e começou seus estudos em direito. Sua primeira atividade política foi com a fraternidade estudantil nacionalista alemã, Albia, da qual se demitiu tempos depois em protesto por seu antissemitismo.

Após breve carreira acadêmica, voltou-se ao jornalismo e enquanto trabalhava como correspondente em Paris para o *Neue Freie Presse* começou a cobertura do Caso Dreyfus. O racismo virulento e disseminado que o caso revelou na sociedade francesa levou Herzl a romper com suas crenças a favor da assimilação. Tornou-se um hábil defensor e organizador da causa sionista, publicando *O Estado judeu* em 1896 e causando considerável controvérsia. Um ano mais tarde, presidiu o Primeiro Congresso Sionista em Basileia, Suíça, considerando-o como um parlamento simbólico para o Estado sionista. Morreu de um ataque cardíaco aos 44 anos.

### Principais obras

**1896** *O Estado judeu*
**1902** *Altneuland*

# DE NADA SERVE SALVAR UMA NAÇÃO CUJOS TRABALHADORES SE INFERIORIZAM

## BEATRICE WEBB (1858-1943)

### EM CONTEXTO

IDEOLOGIA
**Socialismo**

FOCO
**Bem-estar social**

ANTES
**1848** Em *Discurso sobre o espírito positivo*, o filósofo francês Auguste Comte defende a análise social científica.

**1869** A divisão inglesa da Charity Organization Society é criada para promover a caridade destinada aos "pobres dignos".

**1889** O reformador social Charles Booth aponta que um terço da população de Londres vive na miséria.

DEPOIS
**1911** A Lei Nacional de Seguridade Social, no Reino Unido, passar a cobrir desemprego e doenças.

**1942** O relatório do economista William Beveridge, *Social Insurance and allied services* (Plano Beveridge), lança as bases para o Estado de bem-estar social no Reino Unido.

Ao final do século XIX, com o capitalismo industrial entrincheirado na Grã-Bretanha, a preocupação pública se voltou às suas consequências. Cidades e vilas industriais abrigavam pessoas sem trabalho, postas à margem da sociedade e vivendo em condições precárias.

Uma Comissão Real foi criada em 1905 para lidar com o problema, mas em 1909 seu relatório produziu propostas muito fracas. Um dos membros da comissão, a pioneira pesquisadora social Beatrice Webb, escreveu um relatório bem mais radical sobre as minorias, defendendo um Estado de bem-estar que garantiria proteção contra o desemprego e as doenças. Ela e Sidney Webb, seu marido e colaborador, eram contrários à ideia de que os pobres criavam sua própria condição. Argumentavam que os problemas sociais poderiam ser resolvidos por administradores benevolentes.

### Sociedade planejada

Contrariando quem enfatizava a superioridade dos mercados desregulados e uma contínua dependência da caridade aos pobres, os Webb ofereceram uma nova visão de uma sociedade organizada. Mas, como muitos de seus contemporâneos, eles eram eugenistas, achando que o "saldo" da humanidade também poderia ser melhorado com esse tipo de planejamento benevolente. Para Webb, o desejo dos pobres de melhorar sua condição era insignificante. Ela acreditava que uma sociedade racional emergiria e que a maioria aceitaria o governo dos responsáveis pelo seu planejamento. ■

É urgentemente necessário 'limpar a base da sociedade'.
**Beatrice Webb**

**Veja também:** Eduard Bernstein 202–3 ■ Jane Addams 211 ■ John Rawls 298–303 ■ Michel Foucault 310–1

# A LEGISLAÇÃO PROTETORA NA AMÉRICA É VERGONHOSAMENTE INADEQUADA

## JANE ADDAMS (1860-1935)

### EM CONTEXTO

IDEOLOGIA
**Movimento progressista**

FOCO
**Reforma social**

ANTES
**Anos 1880** Otto von Bismarck, o chanceler alemão, introduz os primeiros programas de seguridade social.

**1884** O Toynbee Hall é aberto em Whitechapel, na zona leste de Londres, para oferecer instalações aos pobres. Jane Addams o visita em 1887.

DEPOIS
**1912** É criada nos EUA a Secretaria da Criança para administrar os fundos para o bem-estar infantil.

**1931** Jane Addams torna-se a primeira mulher americana a ganhar o Prêmio Nobel da Paz.

**1935** O primeiro sistema nacional de seguridade social é criado nos EUA.

A fronteira delineando o limite das ocupações do oeste dos Estados Unidos foi considerada fechada pelo censo de 1890, mas não antes de consolidar a América como uma sociedade definida por um "espírito de fronteira" empreendedor. Desafiando o mito do crescimento e das oportunidades sem limites, os reformadores sociais chamavam a atenção, em vez disso, para a pobreza e a ausência de oportunidades significativas enfrentadas pelos pobres e a classe trabalhadora no país. Era necessária uma mudança radical.

Em 1889, Jane Addams, uma socióloga pioneira e defensora do sufrágio feminino, abriu a Hull House em Chicago, a primeira "instituição" a oferecer serviços para os pobres da cidade — em especial as mulheres e as crianças. Contando com doações de benfeitores ricos e serviço voluntário, Addams queria que a House mostrasse como as diferentes classes poderiam aprender os benefícios da cooperação. Ela estava convencida de que, ao canalizar a energia dos jovens para uma atividade produtiva, os bons hábitos seriam aprendidos ainda cedo, o que diminuiria os custos da pobreza manifestados no crime e nas doenças.

**Promovendo a educação** como chave para que houvesse oportunidade para todos, a Hull House tinha jardim da infância, clubes para crianças mais velhas e aulas para adultos.

Addams escreveu sobre o atraso quanto às leis que protegiam as mulheres e as crianças nas fábricas. Para ela, as intervenções diretas de obras de caridade eram ineficazes. Somente as ações públicas coordenadas, sustentadas pela lei, lidariam com os problemas sociais. Nesse ponto, ela ajudou a definir o serviço social como uma atividade preocupada com a mudança da sociedade, não só dos indivíduos. ■

**Veja também:** Beatrice Webb 210 ▪ Max Weber 214–5 ▪ John Rawls 298–303

# TERRA PARA OS LAVRADORES!

## SUN YAT-SEN (1866-1925)

### EM CONTEXTO

IDEOLOGIA
**Nacionalismo**

FOCO
**Distribuição justa da terra**

ANTES
**1842** O Tratado de Nanjing garante à Grã-Bretanha concessões comerciais na China e no porto de Hong Kong.

**1901** O Levante dos Boxers contra o domínio estrangeiro fracassa, resultando na captura de Pequim pela Aliança das Oito Nações.

DEPOIS
**1925-1926** A Primeira Revolução Chinesa é derrotada pelo KMT, levando a uma retirada do Partido Comunista — a "Longa Marcha".

**1932** O Japão invade a China. O KMT e o Partido Comunista lideram a resistência.

**1949** A derrota do Japão é seguida de uma guerra civil, vencida pelo Partido Comunista.

A China era um Estado único desde a fundação da dinastia Qin, em 222 a.C. Mas, na segunda metade do século XIX, foi repartida entre as maiores potências ocidentais que impuseram os "Tratados Desiguais", uma série de acordos assinados sob pressão por sucessivos imperadores, impedindo o desenvolvimento e empobrecendo o povo. A fraqueza do Império Chinês em defender a si próprio ou ao povo que ele alegava cuidar provocou uma longa crise. Conforme pioraram as condições, o regime tornou-se muito impopular, e diversos levantes causaram uma destruição crescente.

Uma forma única de nacionalismo chinês surgiu contra esse cenário de conflito social e sujeição às potências

A China é dirigida por uma **Corte Imperial fraca e corrupta** e é dominada por potências estrangeiras.

Mas o **respeito pela China** como uma grande nação, com uma grande história,...

... somado à **democracia "ocidental"**...

... e ainda ao **desenvolvimento econômico** e à distribuição justa da terra...

... levarão a uma **China republicana moderna**.

**Veja também:** Ito Hirobumi 195 ▪ José Martí 204–5 ▪ Emiliano Zapata 246 ▪ Mustafa Kemal Atatürk 248–9 ▪ Mao Tsé-tung 260–5

**Foi prometida ao vasto campesinato da China** terra para trabalhar, conforme os Três Princípios do Povo, de Sun. O progresso econômico viria de uma justa distribuição da terra, acreditava ele.

ocidentais — e mais tarde aos japoneses. Ela enfatizava a necessidade de se aprender com o Ocidente para transformar a China numa sociedade moderna, rompendo com as falhas do império e com o sensível atraso das rebeliões camponesas. A partir de 1880, Sun Yat-Sen se inseriu entre os criadores de grupos nacionalistas, tentando um levante contra o domínio de Pequim. Diferentemente de vários de seus contemporâneos, ele enfatizava as vantagens da cultura chinesa numa fusão do respeito pela história da nação com a apropriação de valores "ocidentais".

## Os três princípios

Sun organizou suas ideias ao redor daquilo que se tornou conhecido como os Três Princípios do Povo: nacionalismo, democracia e o "meio de vida do povo". O último princípio se referia ao aprimoramento econômico, mas foi entendido por Sun como o desenvolvimento da base de uma distribuição justa dos recursos, especialmente a terra para os seus camponeses — "os lavradores". Um sistema corrupto de propriedade rural teria de ser derrubado, assim como o sistema imperial que o apoiava, abrindo caminho para uma China moderna, republicana e democrática.

Sun tornou-se um personagem unificador excepcional entre os movimentos revolucionários chineses. Fundou o partido republicano Kuomintang (KMT), que logo assumiu a liderança no caótico período que seguiu o colapso da dinastia Qin, em 1911. O KMT aliou-se ao Partido Comunista em 1922, mas, com a luta dos proprietários de terra por território e uma série de novos imperadores, não foi possível a formação de um governo central. O KMT esmagou um levante liderado pelos comunistas em Xangai em 1926, depois do qual os dois grupos se separaram. A vitória comunista na revolução de 1949 forçou os principais membros do KMT a se exilarem em Taiwan. Recentemente, a China comunista tem, cada vez mais, abraçado o legado de Sun, citando-o como inspiração em sua marcha para uma economia de mercado. ■

Nossa sociedade não é livre para se desenvolver, e as pessoas comuns não têm os meios de subsistência.
**Sun Yat-Sen**

## Sun Yat-Sen

Nasceu na vila de Cuihen, no sul da China. Mudou-se para Honolulu, no Havaí, aos treze anos para continuar sua educação. Lá, aprendeu inglês e leu bastante. Depois de aprofundar seus estudos em Hong Kong, Sun se converteu ao cristianismo. Tornou-se médico, mas largou mais tarde o ofício para se concentrar em tempo integral na atividade revolucionária.

Sun liderou uma campanha pela transformação da China num Estado moderno. Após uma série de revoltas frustradas, foi forçado a se exilar. Em outubro de 1911, um levante militar em Wuchang se espalhou pelo sul da China. Sun Yat-Sen foi eleito presidente da "República Provisória", mas deixou o cargo num acordo com forças pró-dinastia Qin ao norte. Em 1912, ajudou a formar o Kuomintang para continuar a luta por uma república unificada enquanto o país afundava na guerra.

### Principais obras

**1922** *The international development of China*
**1927** *Três princípios do povo San Min Chu I*

# O INDIVÍDUO É UMA SIMPLES ENGRENAGEM NUM MECANISMO EM MOVIMENTO

## MAX WEBER (1864-1920)

**EM CONTEXTO**

IDEOLOGIA
**Liberalismo**

FOCO
**Sociedade**

ANTES
**1705** O filósofo holandês Bernard Manderville escreve a *Fábula das abelhas*, mostrando a origem das instituições coletivas a partir do comportamento individual.

**1884** O volume final do *Capital* de Marx é publicado, mesmo sem ter sido concluído.

DEPOIS
**1937** O sociólogo americano Talcott Parsons publica *A estrutura da ação social*, apresentando a obra de Weber para um novo público internacional.

**1976** A obra *Capitalismo e a moderna teoria social*, do sociólogo britânico Anthony Giddens, critica a sociologia de Weber defendendo, em vez dela, a primazia das estruturas na ação social.

A ascensão do capitalismo no século XIX provocou novas possibilidades de pensar o mundo. Com o fim dos modos de viver tradicionais, as relações entre as pessoas foram transformadas. O conhecimento científico e técnico parecia avançar de maneira implacável, e a sociedade era vista como um objeto que poderia ser estudado e entendido. Max Weber ofereceu uma nova abordagem ao estudo da sociedade — por meio da nova disciplina, a "sociologia". Sua obra não acabada, *Economia e sociedade*, é uma tentativa de descrever o funcionamento da sociedade, bem como um método pelo qual tal estudo poderia avançar. Um dos métodos de estudo de Weber era o uso de noções abstratas como os "tipos

As ações de um indivíduo são moldadas por **sua visão do mundo**.

Os indivíduos **agem coletivamente** de maneira complexa.

Pontos de vista individuais se juntam e formam **entendimentos coletivos**, como na religião.

Mas as **estruturas sociais** criadas por esses entendimentos coletivos podem **limitar as liberdades individuais**.

**O indivíduo é uma simples engrenagem num mecanismo em movimento.**

**Veja também:** Mikhail Bakunin 184–5 ▪ Karl Marx 188–93 ▪ Georges Sorel 200–1 ▪ Beatrice Webb 210

**Formigas-de-fogo** vivem em comunidades onde o papel individual é a chave do formigueiro. De modo similar, Weber viu as ações dos indivíduos como parte de uma sociedade humana maior.

ideais". Semelhante a uma caricatura, um tipo ideal exagerava as principais características e reduzia as menos importantes, visando esboçar a verdade subjacente em vez de divertir. Essa abordagem era chave para o método de Weber, permitindo-lhe entender as partes complexas da sociedade por uma versão simplificada. O papel do sociólogo era construir e analisar os tipos ideais baseado na observação da realidade. Isso contrastava com Karl Marx e outros escritores anteriores a respeito das questões sociais, os quais tentavam deduzir o funcionamento da sociedade baseados em sua lógica interna, em vez de observação direta.

## O entendimento coletivo

A sociedade, argumentava Weber, somente poderia ser entendida baseando-se em suas partes constitutivas — em primeira instância, os indivíduos. Esses agiam coletivamente de maneira complexa, mas poderiam ser entendidos pelo sociólogo. Eles possuíam uma capacidade de agir, e suas ações seriam definidas por sua visão de mundo. Tais visões emergiriam de um entendimento coletivo. Sistemas religiosos e políticos, como o capitalismo, são exemplos de tal entendimento. Weber, em sua obra anterior, *A ética protestante e o espírito do capitalismo*, disse que o novo "espírito" do protestantismo individualista abrira o caminho para a acumulação de capital e a criação de uma sociedade de mercado. Em *Economia e sociedade* desenvolveu essa ideia, distinguindo entre tipos de crença religiosa e analisando as maneiras como os indivíduos conseguem desempenhar ações sociais, usando uma ampla variedade de estruturas de crença.

## Restrições à ação

Uma vez criadas as estruturas coletivas, disse Weber, elas talvez não funcionassem como facilitadoras, ao expandir a liberdade humana, mas como obstáculos. É por isso que Weber falou das pessoas como "engrenagens" numa "máquina". As estruturas que as pessoas criam também restringem suas ações, produzindo outros efeitos: os protestantes eram induzidos a trabalhar, mas também a evitar o consumo, e sua poupança criou o capitalismo. ■

Para fins sociológicos, não há uma personalidade coletiva que 'age'.
**Max Weber**

## Max Weber

**Nasceu em Erfurt, Alemanha, e começou a estudar direito na Universidade de Heidelberg. Trabalhando numa época anterior à criação da sociologia, a obra de Weber incluía teoria legal, história e economia. Mais tarde, tornou-se professor de economia na Universidade de Freiburg. Politicamente engajado desde o começo da carreira, Weber ficou conhecido como um pensador de políticas sociais, escrevendo sobre a imigração polonesa nos anos 1890 e entrando num dos movimentos alemães pela reforma social, o Congresso Social Evangélico. Depois da I Guerra Mundial, foi co-fundador do liberal Partido Democrático Alemão.**

**Uma relação tempestuosa com seu pai acabou com a morte deste em 1897. Weber teve um colapso nervoso e nunca mais se recuperou. Não conseguiu mais nenhum posto permanente como professor e sofreu de insônia e ataques de depressão.**

### Principais obras

**1905** *A ética protestante e o espírito do capitalismo*
**1922** *Economia e sociedade*
**1927** *História econômica geral*

# O CHOQU
# IDEOLOG
# 1910-1945

# E DAS
# IAS

Emiliano Zapata funda o **Exército de Libertação do Sul** (os “zapatistas”) para lutar na Revolução Mexicana.

**1910**

**1912**

Depois da derrubada da dinastia Qin, Sun Yat-Sen torna-se o primeiro presidente da **República da China**.

Começa a I Guerra Mundial com o **assassinato do arquiduque Franz Ferdinand** em Sarajevo, hoje Bósnia.

**1914**

**1917**

Depois da **Revolução de Fevereiro**, o czar Nicolau II da Rússia abdica; na Revolução de Outubro, Lênin estabelece um governo bolchevique.

O armistício encerra os combates da I Guerra Mundial, mas a guerra só acaba formalmente no ano seguinte com a assinatura do **Tratado de Versalhes**.

**1918**

Joseph Stálin se torna o secretário-geral do **Partido Comunista da União Soviética**.

**1922**

**1922**

Benito Mussolini lidera os fascistas na **Marcha sobre Roma** e se torna o primeiro-ministro da Itália.

**1923**

Depois de liderar as forças nacionalistas na guerra turca da independência, Mustafa Kemal Atatürk se torna o presidente da **República da Turquia**.

A primeira metade do século XX viu a erosão das antigas potências imperiais e o estabelecimento de novas repúblicas. O resultado foi uma instabilidade política disseminada, especialmente na Europa, levando a duas guerras mundiais que dominaram o período. No processo de substituição da velha ordem europeia, surgiu uma nova onda de nacionalismo extremista e de partidos autoritários, e na Rússia a Revolução Bolchevique de 1917 abriu caminho para uma ditadura comunista. Enquanto isso, a Grande Depressão do início dos anos 1930 provocou uma mudança em direção ao maior liberalismo econômico e social nos Estados Unidos.

No final dos anos 1930, o pensamento político entre as principais potências estava polarizado entre as ideologias do fascismo, do comunismo e da social-democracia do capitalismo liberal de livre mercado.

## Revoluções mundiais

As revoluções que foram o estopim desse turbilhão no pensamento político não começaram na Europa. Em 1910, teve início uma luta armada de mais de uma década, a Revolução Mexicana, com a queda do velho regime de Porfirio Díaz. Na China, a dinastia Qin foi derrubada na Revolução de Xangai em 1911, sendo substituída por uma república fundada por Sun Yat-Sen no ano seguinte. Mas os mais influentes eventos revolucionários do período ocorreram na Rússia. A insatisfação política levou à fracassada revolução de 1905, que foi reavivada em 1917, culminando com a violenta derrubada do czar Nicolau II pelos bolcheviques.

O otimismo que muitos sentiram ao final da I Guerra Mundial durou pouco. A formação da Liga das Nações, e sua esperança em garantir paz duradoura, foi incipiente para deter as crescentes tensões na Europa. Reparações punitivas de guerra e o colapso econômico do pós-guerra foram os mais importantes fatores de estímulo aos movimentos extremistas.

## Ditadura e resistência

Dentre os pequenos partidos extremistas na Itália e na Alemanha, surgiram o fascista de Benito Mussolini e o nazista de Adolf Hitler. Na Espanha, como reação à formação da Segunda República, os nacionalistas lutaram até alcançar o poder sob o comando de Francisco Franco. Na Rússia, depois da morte de Lênin em 1924, Joseph Stálin ficou cada vez mais autocrático, eliminando seus adversários e tornando a União Soviética uma potência industrial e militar.

**Adolf Hitler** delineia suas ideias políticas no livro *Minha luta*.

**1926**

**1930**

Mahatma Gandhi dá início à sua campanha de **desobediência civil** contra o domínio britânico na Índia liderando a Marcha do Sal.

O presidente americano Franklin D. Roosevelt inicia um programa de **intervenção governamental** conhecido por New Deal.

**1933**

**1936**

Um golpe militar liderado por **Francisco Franco** contra a Segunda República espanhola dá início à Guerra Civil espanhola.

Mao Tsé-tung surge como um proeminente **comandante comunista** durante a segunda Guerra Sino-Japonesa.

**1937-45**

**1939**

As tropas alemãs **invadem a Polônia**, e começa a II Guerra Mundial.

Os Estados Unidos entram na II Guerra Mundial depois de os japoneses bombardearem **Pearl Harbor**, no Havaí.

**1941**

**1945**

Acaba a **guerra na Europa** com a captura de Berlim pelos aliados. **O Japão se rende** depois de os aliados lançarem duas bombas atômicas no país.

Enquanto os regimes totalitários cresciam na Europa continental, a Grã-Bretanha via o esfacelar de seu império. Os movimentos de independência nas colônias ameaçavam seu domínio, especialmente na Índia, com a campanha de desobediência civil não violenta liderada por Mahatma Gandhi, e na África, onde ativistas como Jomo Kenyatta, do Quênia, mobilizavam a resistência.

### Entrando na briga

Nos Estados Unidos, o enorme *crash* da bolsa de valores de Nova York em 1929 pôs fim aos anos de grande crescimento da década de 1920, levando à Grande Depressão. Em 1933, Franklin D. Roosevelt implementou o New Deal, trazendo liberalismo à política americana. Os Estados Unidos queriam se manter neutros quanto à instabilidade dos assuntos europeus, mas as políticas antissemitas dos nazistas levaram à migração de intelectuais da Europa para a América, em especial os marxistas da Escola de Frankfurt. Esses imigrantes trouxeram novas ideias que desafiaram algumas das políticas de Roosevelt.

Não era só a Europa que os Estados Unidos tentavam ignorar. A Ásia também experimentava um turbilhão político já que o militarismo japonês detonara a Guerra Sino-Japonesa de 1937. Conforme a guerra se voltava contra a China, Mao Tsé-tung emergia como proeminente líder comunista.

A Grã-Bretanha também hesitava em se envolver no conflito, a despeito da ameaça do fascismo. Mesmo com o fim da Guerra Civil espanhola em 1936, tendo a Alemanha e a União Soviética apoiado lados opostos, a Grã-Bretanha manteve distância. Mas crescia a pressão para que os britânicos e os americanos parassem de apaziguar as demandas territoriais de Hitler. Depois da eclosão da guerra em 1939, cresceu a aliança contra a Alemanha, com a entrada dos Estados Unidos após o ataque dos japoneses a Pearl Harbor em 1941.

Apesar de Grã-Bretanha, Estados Unidos e União Soviética terem colaborado com sucesso durante a II Guerra Mundial, assim que o fascismo foi derrotado, as linhas políticas foram redesenhadas. Estabeleceu-se um confronto entre os comunistas do Leste e os capitalistas do Ocidente, e o restante da Europa lutou para achar seu caminho no meio. Tudo estava pronto para a Guerra Fria que dominaria a política no pós-guerra. ■

# A NÃO VIOLÊNCIA É O PRIMEIRO ARTIGO DA MINHA FÉ

**MAHATMA GANDHI (1869-1948)**

## EM CONTEXTO

IDEOLOGIA
**Nacionalismo anticolonial**

FOCO
**Resistência não violenta**

ANTES
**Séculos V e VI A.C.** Os ensinamentos jainistas enfatizando a não violência e a autodisciplina se desenvolvem na Índia.

**1849** Henry David Thoreau publica a *Desobediência civil* defendendo a moralidade da objeção conscienciosa a leis injustas.

DEPOIS
**1963** No seu discurso "Eu tenho um sonho" em Washington DC, o líder de direitos civis Martin Luther King delineia sua visão de negros e brancos vivendo juntos em paz.

**2011** Protestos pacíficos na Praça Tahrir no Cairo levam à derrubada do presidente egípcio Hosni Mubarak.

Deus é verdade e amor.
Verdade e amor não contêm qualquer elemento de violência e não podem causar dano.
Devemos lidar com nossos inimigos com verdade e amor.
Nossa corajosa expressão de amor e verdade leva nossos oponentes à harmonia com a bondade e a justiça dentro deles mesmos.
Assim, as partes em conflito chegarão a um acordo, surgindo um estado de paz.
A não violência é o primeiro artigo da minha fé.


Nos impérios mundiais criados pelas potências europeias desde o século XVI, o exemplo dos próprios imperialistas fez surgir os movimentos nacionalistas que brotaram em oposição ao domínio colonial. Testemunhar o forte sentimento de identidade nacional dos colonizadores, baseados nas ideias europeias a respeito das nações e na importância da soberania dentro das fronteiras geográficas, despertou um desejo de nação e autodeterminação nos povos colonizados. Mas a falta de força econômica e militar levou muitos movimentos anticoloniais a desenvolver meios de resistência claramente não europeus.

### Uma arma espiritual

Na Índia, a luta por independência do Reino Unido na primeira metade do século XX foi caracterizada pela filosofia política e moral de seu líder espiritual, Mohandas Gandhi, mais conhecido pelo título honorário de "Mahatma", que significa "Grande Alma". Apesar de acreditar num Estado democrático forte, Gandhi sustentava que tal Estado jamais poderia ser vencido, forjado ou limitado por qualquer forma de violência. Sua ética de resistência radical não violenta e desobediência civil, a qual ele chamava de *satyagraha* ("aderência à verdade"), focava moralidade e consciência em meio à maré de nacionalismo anticolonial que dominava o cenário político do século XX. Ele descreveu seu método como uma "arma puramente espiritual".

Gandhi acreditava que o universo era governado por um princípio supremo, que ele chamava de *satya* ("verdade"). Para ele, esse era outro nome para Deus, o deus do amor que ele defendia ser a base de todas as grandes religiões do mundo. Já que todos os seres humanos eram

**Veja também:** Immanuel Kant 126–9 ▪ Henry David Thoreau 186–7 ▪ Peter Kropotkin 195 ▪ Arne Naess 290–3 ▪ Frantz Fanon 304–5 ▪ Martin Luther King 316–21

emanações desse ser divino, Gandhi julgava que o amor era o único princípio verdadeiro na relação entre os humanos. O amor significava cuidar dos outros e respeitá-los, além de uma devoção altruísta e eterna à causa de "enxugar as lágrimas de todos os olhos". Essa ideia se juntava à *ahimsa*, ou o domínio do não dano, para Gandhi. Apesar de ser hindu, ele aproveitou diversas tradições religiosas conforme desenvolvia sua filosofia moral, inclusive o jainismo e os ensinamentos pacifistas do escritor russo Liev Tolstói que enfatizavam, ambos, a importância de não causar dano a nenhuma criatura viva.

## Fins políticos

A ideologia de Gandhi era uma tentativa de oferecer a prática do amor em cada área da vida. No entanto, ele acreditava que suportar o sofrimento, ou "oferecer a outra face" ao tratamento abusivo nas mãos de um indivíduo ou do Estado, em oposição à retaliação ou resistência violenta, era um meio para um fim político e também espiritual. Esse sacrifício voluntário do ego operaria como uma lei da verdade na natureza humana para assegurar a modificação e a cooperação de um oponente. Funcionaria como um exemplo para a sociedade — tanto para os amigos quanto para os inimigos políticos. O governo local da Índia seria, para Gandhi, o resultado inevitável de uma revolução comportamental de massa baseada numa rica mistura de princípios transcendentais pacíficos.

## Ativista sul-africano

A primeira experiência de Gandhi de oposição ao governo britânico não aconteceu na Índia, mas na África do Sul. Depois de estudar direito em Londres, ele trabalhou por 21 anos na África do Sul — à época outra colônia britânica — defendendo os direitos civis dos imigrantes indianos. Foi durante esses anos que desenvolveu seu senso de "indianismo", que ele via como uma ponte entre todas as divisões de raça, religião e casta e o que sustentou sua versão posterior de uma nação indiana unificada. Na África do Sul, testemunhou em primeira mão a injustiça social, a violência racial e a exploração »

**Gandhi foi influenciado** pelo jainismo, religião cujo princípio é evitar causar dano às coisas vivas. Monges jainistas usam máscaras para não engolir insetos sem querer.

## Mahatma Gandhi

Mohandas Karamchand Gandhi nasceu em 2 de outubro de 1869 numa proeminente família hindu em Porbandar, parte da Zona Britânica de Bombaim, na Índia. O pai de Gandhi era funcionário público de alto escalão, e sua mãe, uma devota jainista.

Gandhi casou-se aos treze anos. Cinco anos depois, seu pai o enviou a Londres para estudar direito. Passou nos exames em 1891 e começou a exercer a profissão na África do Sul defendendo os direitos civis de imigrantes indianos. Ainda por lá, Gandhi se sujeitou à prática da *brahmacharya*, ou autodisciplina hindu, dando início a uma vida de ascetismo. Em 1915, voltou à Índia, onde fez voto de pobreza e fundou um templo hindu. Quatro anos mais tarde, tornou-se líder do Congresso Nacional Indiano. Foi morto a caminho das orações por um extremista hindu que o culpava pela divisão da Índia e a criação do Paquistão.

### Principais obras

**1909** *Hind Swaraj*
**1929** *Minha vida e minhas experiências com a verdade*

governamental punitiva do domínio colonial. Sua resposta foi o desenvolvimento de seus ideais pacifistas numa forma prática de oposição. Testou seu dom de liderança em 1906 quando conduziu milhares de pobres colonos indianos numa campanha de desobediência às novas leis repressoras que exigiam que se registrassem junto ao governo. Depois de sete anos de luta e violenta repressão, o líder sul-africano Jan Christiaan Smuts negociou um acordo com os que protestavam, demonstrando o poder da resistência não violenta. Talvez demorasse, mas ela venceria ao final, envergonhando os opositores até que fizessem a coisa certa.

Nos anos seguintes, Gandhi teve considerável sucesso na promoção de sua ideia de resistência não violenta como a mais efetiva. Voltou à Índia em 1915 com uma reputação internacional de nacionalista indiano, galgando rapidamente uma posição no Congresso Nacional Indiano, o movimento político para o nacionalismo indiano. Gandhi defendia o boicote aos produtos britânicos, especialmente os têxteis, encorajando todos os indianos a tecerem e vestirem o *khadi*, ou pano tecido em casa, de modo a reduzir a dependência da indústria estrangeira

**Milhares se juntaram ao protesto de Gandhi** contra o imposto do sal cobrado pelos britânicos. Eles marcharam até o mar em Dandi, Gujarat, em maio de 1930 para coletar água do mar e fazer o seu próprio sal.

**Gandhi** acreditava que os meios não violentos usados para atingir um fim eram tão importantes quanto o próprio fim. Ele usou o exemplo de um relógio para ilustrar esse ponto.

e fortalecer sua própria economia. Ele via tais boicotes como uma extensão lógica da não cooperação pacífica e encorajava o povo a se recusar a frequentar as escolas e tribunais britânicos, a renunciar os cargos públicos e a rejeitar títulos ou honrarias britânicos. Em meio ao entusiasmo e à publicidade crescentes, aprendeu a se distinguir como uma celebridade política astuta, entendendo o poder da mídia para influenciar a opinião pública.

Se **pago** por seu relógio, ele se torna minha propriedade.
Se **brigo** pelo seu relógio, ele se torna propriedade roubada.
Se **peço** que me dê seu relógio, ele se torna uma doação.

## Desafio público

Em 1930, com a recusa do governo britânico em responder à resolução legislativa de Gandhi cobrando o status de domínio indiano, a independência plena foi declarada unilateralmente pelo Congresso Nacional Indiano. Pouco depois, Gandhi lançou uma nova *satyagraha* contra o imposto britânico sobre o sal, convocando milhares a se juntarem a ele numa longa marcha em direção ao mar. Conforme o mundo assistia, Gandhi pegou um punhado de sal depositado num longo trecho branco na praia e foi imediatamente preso. Gandhi foi detido, mas seu ato de desafio demonstrava ao mundo a natureza injusta da dominação britânica na Índia para quem quisesse ver. Esse ato de desobediência não violenta cuidadosamente orquestrado começou a chacoalhar o poder do Império Britânico sobre a Índia. Reportagens sobre as campanhas e a prisão de Gandhi apareceram em

Uma religião que não leva em conta questões práticas e não ajuda a resolvê-las não é uma religião.
**Mahatma Gandhi**

jornais por todo o mundo. O físico alemão Albert Einstein comentou: "Ele inventou um novo e humano meio para a batalha de libertação dos países oprimidos. Sua influência moral sobre as pessoas conscientes de todo o mundo civilizado provavelmente durará mais do que parece em nosso tempo, com sua supervalorização de forças violentas e brutais".

### Pacifismo estrito

No entanto, a confiança absoluta de Gandhi em sua doutrina de não violência parecia, às vezes, desequilibrada quando aplicada aos conflitos que vinham à tona por todo o mundo e por isso recebeu críticas de várias frentes. A "perseverante autopenalização" parecia exigir, às vezes, um suicídio em massa, como mostrado pelo seu pedido, às lágrimas, ao vice-rei britânico na Índia para que abandonassem as armas e se opusessem aos nazistas apenas com a força espiritual. Mais tarde, criticou os judeus que tentaram escapar do Holocausto ou reagiram à repressão alemã dizendo: "Os judeus deveriam ter se oferecido à faca do açougueiro. Deveriam ter se atirado dos rochedos ao mar. Isso teria provocado o mundo e o povo alemão". Ele também recebeu críticas da esquerda quando o jornalista marxista britânico Rajani Palme Dutt o acusou de "usar os princípios mais religiosos da humanidade e o amor para disfarçar seu apoio à classe dos proprietários". Enquanto isso, o primeiro-ministro britânico Winston Churchill tentava desqualificá-lo como um "faquir meio pelado".

A despeito dos limites de sua aplicação a outras situações, os métodos de Gandhi certamente tiveram sucesso ao conseguir, no final, a independência da Índia em 1947, apesar de ele ter discordado com vigor da divisão da Índia em dois países separados por uma fronteira religiosa — a Índia com predominância hindu e o Paquistão muçulmana — que levou à realocação de milhões de pessoas. Logo após a divisão, Gandhi foi assassinado por um nacionalista hindu que o acusou de favorecer os muçulmanos.

A Índia que hoje se industrializa rapidamente nada tem a ver com o romantismo e o ascetismo rural dos ideais políticos de Gandhi. Enquanto isso, a tensão crescente com o vizinho Paquistão mostra que a crença de Gandhi numa identidade indiana que transcenderia a religião não se cumpriu. O sistema de castas, ao qual Gandhi se opunha abertamente, ainda mantém um braço forte sobre a sociedade indiana. Mas a Índia continua um Estado democrático secular, o que ainda vai de encontro à crença fundamental de Gandhi, de que somente através de meios pacíficos se pode criar um Estado justo. Seu exemplo e seu método foram adotados por ativistas em todo o mundo, inclusive pelo líder de direitos civis Martin Luther King, que deu a Gandhi o crédito inspirador de seu movimento de resistência pacífica às leis racistas nos Estados Unidos entre as décadas de 1950 e 1960. ■

Cristo deu-nos as metas, e Mahatma Gandhi, as táticas.
**Martin Luther King**

**Formas de protesto não violentas**, desde bloquear ruas até o boicote de produtos, tornaram-se métodos populares e poderosos de desobediência civil no mundo político atual.

# A POLÍTICA COMEÇA ONDE ESTÃO AS MASSAS

## VLADIMIR LÊNIN (1870-1924)

## EM CONTEXTO

IDEOLOGIA
**Comunismo**

FOCO
**Revolução de massa**

ANTES

**1793** Durante o Reino do Terror posterior à Revolução Francesa, milhares são executados como "inimigos da revolução".

**1830s** O ativista político francês Auguste Blanqui ensina que um pequeno grupo de conspiradores especializados pode executar uma tomada revolucionária do poder.

**1848** Marx e Engels publicam o *Manifesto comunista*.

DEPOIS

**1921** O Partido Comunista da China (PCC) é organizado como um partido de vanguarda leninista.

**1927** Stálin reverte a Nova Política Econômica de Lênin e coletiviza a agricultura.

Na virada do século XX, o Império Russo era uma potência agrária que havia ficado para trás, em termos econômicos, quando comparada aos estados industrializados da Europa ocidental. A população do império era composta por diferentes grupos étnicos — incluindo russos, ucranianos, polacos, bielo-russos, judeus, finlandeses e germânicos —, dos quais só 40% falavam russo. O império era governado por um czar absolutista e autoritário, Nicolau II, e uma hierarquia social estrita era imposta com crueldade. Não havia imprensa livre nem liberdade de expressão ou associação, nem direitos de minorias e poucos direitos políticos. Não foi surpresa que, nessa atmosfera de repressão, forças revolucionárias ganhassem cada vez mais espaço, conquistando a vitória na Revolução de Outubro de 1917, lideradas por um agitador político chamado Vladimir Lênin.

### Uma lei da história

Durante o século XIX, o socialismo se desenvolveu na Europa como resposta às dificuldades que definiam a vida da nova classe trabalhadora industrial. Desprotegidos por instituições sociais, ou tradições como os sindicatos, os trabalhadores corriam o risco de ser explorados pelos seus novos patrões. Em resposta ao seu sofrimento, e acreditando que o conflito de classes carrega em si mesmo a dinâmica da mudança social, Karl Marx e Friedrich Engels proclamaram que uma revolução internacional contra o capitalismo era inevitável. No *Manifesto comunista* de 1848, eles convocaram a união do proletariado de toda a Europa.

No entanto, Marx e Engels não haviam previsto que, conforme os trabalhadores nas sociedades industrializadas avançadas da Europa ocidental alcançassem certa segurança e começassem a ter um padrão de vida melhor, eles desejariam se tornar a burguesia (classe mercantil), e não se revoltar contra ela. Os socialistas começaram, cada vez mais, a atuar por meio de canais legais e constitucionais, visando ganhar o voto da classe trabalhadora e alcançando, assim, a mudança via processo democrático. A opinião socialista começou, cada vez mais, a se dividir entre os que defendiam reformas conquistadas nas urnas e os que queriam as reformas pela revolução.

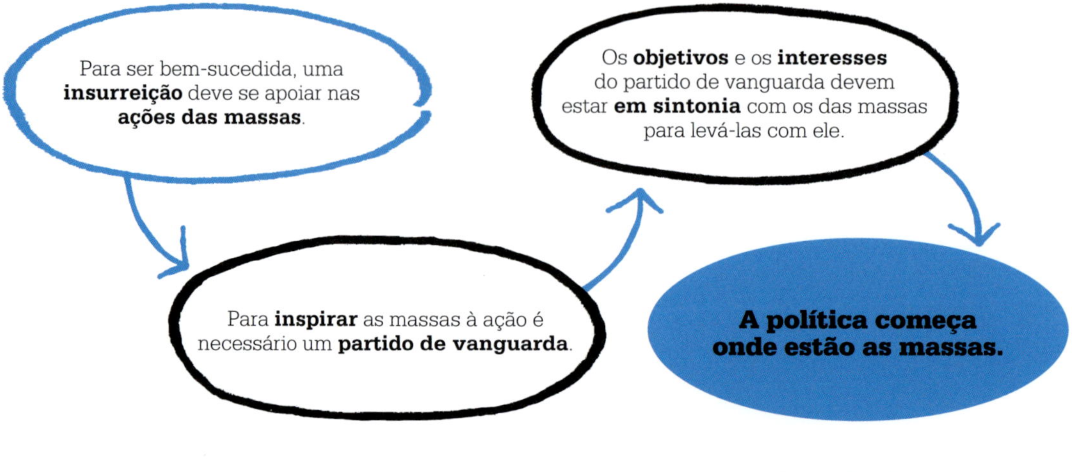

Para ser bem-sucedida, uma **insurreição** deve se apoiar nas **ações das massas**.

Para **inspirar** as massas à ação é necessário um **partido de vanguarda**.

Os **objetivos** e os **interesses** do partido de vanguarda devem estar **em sintonia** com os das massas para levá-las com ele.

**A política começa onde estão as massas.**

**Veja também:** Karl Marx 188–93 ▪ Joseph Stálin 240–1 ▪ Leon Trótski 242–5 ▪ Mao Tsé-tung 260–5

Nos unimos, por uma decisão aprovada livremente, com o propósito de lutar contra o inimigo.
**Vladimir Lênin**

## Condições russas

A Rússia chegou tarde à industrialização, e ao final do século XIX sua classe trabalhadora ainda não havia obtido nenhuma concessão real de seus empregadores. Diferente dos povos da Europa ocidental, a maioria da população russa não havia visto nenhum benefício material da industrialização. Nos anos 1890, um crescente número de ativistas políticos na Rússia, incluindo o jovem estudante radical de direito Vladimir Lênin, conspirava contra o Estado cada vez mais repressivo e sua força policial secreta, fazendo com que, em 1905, uma onda de descontentamento varresse o país. A primeira tentativa de revolução falhou em derrubar o czar, mas ganhou alguns privilégios democráticos. Os trabalhadores russos, no entanto, ainda enfrentavam terríveis condições, e os revolucionários continuaram a conspirar pela derrocada total do regime czarista.

Por toda sua carreira, Lênin esforçou-se em traduzir a teoria marxista para a prática política. Analisando a situação russa pela ótica marxista, constatou que o país se movia aos solavancos do feudalismo para o capitalismo. Lênin via a economia camponesa como mais um elemento explorador na plataforma capitalista e julgava que, se ela fosse removida, toda a economia capitalista entraria em colapso. Mas, conforme os camponeses aspiravam ter sua própria terra, Lênin percebeu que eles não seriam a classe que traria a revolução socialista, visto que uma de suas metas era o fim da propriedade privada. Estava claro para Lênin que a força motriz da revolução teria de ser a ascendente classe trabalhadora industrial.

**Lênin inicialmente tentou** angariar apoio para a revolução entre os camponeses russos. Ele concluiu que eles não poderiam formar uma classe revolucionária porque queriam a sua própria terra.

## Partido de vanguarda

Na análise marxista, a burguesia é a classe mercantil — a classe social »

## Vladimir Lênin

**Vladimir Ilich Ulyanov, que mais tarde adotou o nome Lênin, nasceu em Simbirsk, Rússia, agora chamada Ulyanovsk. Recebeu uma educação clássica e demonstrou talento para o latim e o grego. Em 1887, seu irmão Aleksandr foi executado pela tentativa de assassinar o czar Alexandre III. Naquele ano, Lênin entrou para a Universidade Kazan para estudar direito, mas foi expulso por causa de protestos estudantis. Exilado nas terras de seu avô, mergulhou nas obras de Karl Marx. Conseguiu seu diploma de direito e começou sua verdadeira carreira de revolucionário profissional. Foi preso, condenado, exilado na Sibéria, tendo depois viajado pela Europa, escrevendo e organizando a revolução que viria. A Revolução de Outubro de 1917 o fez de fato o governante de toda a Rússia. Lênin sobreviveu a um atentado em 1918, mas nunca recuperou plenamente sua saúde.**

### Principais obras

**1902** *Que fazer?*
**1917** *O imperialismo, fase superior do capitalismo*
**1917** *O Estado e a revolução*

que detém os meios de produção (tais como as fábricas) —, enquanto o proletariado é composto por aqueles que não têm nenhuma outra oportunidade senão vender sua força de trabalho. Dentro da burguesia, havia indivíduos instruídos, tais como o próprio Lênin, que viam a exploração do proletariado pela burguesia como injusta, desejando mudanças. Tais "burgueses revolucionários" haviam desempenhado um papel importante em revoluções passadas, incluindo a Revolução Francesa de 1789. No entanto, a rápida industrialização da Rússia estava sendo financiada, em grande parte, por capital estrangeiro, o que significava que a burguesia russa era uma classe relativamente pequena. Para complicar as coisas ainda mais, só havia poucos revolucionários no seu meio.

Lênin entendeu que uma revolução exigia liderança e organização e passou a valorizar a ideia de Engels e Marx de um "partido de vanguarda" — um grupo de "indivíduos determinados" com um claro entendimento político, na sua maioria recrutados da classe trabalhadora, que serviriam de ponta de lança da revolução. Eles inspirariam o proletariado a se tornar uma "classe por si mesma", a qual derrubaria a supremacia burguesa e estabeleceria uma "ditadura do proletariado" democrática. Lênin montou o seu partido de vanguarda sob o nome de Bolchevique, que depois se tornou o Partido Comunista da União Soviética.

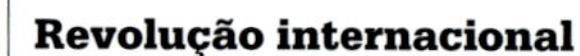

## Revolução internacional

Assim como Marx, Lênin acreditava que um proletariado unido surgiria numa grande onda revolucionária que ultrapassaria fronteiras e identidades nacionais, etnocentrismos e religiões, tornando-se, de fato, um Estado sem classes e fronteiras. Seria uma expansão internacional da "democracia para os pobres" e ocorreria com a supressão forçada da classe exploradora e opressora, a ser excluída da nova democracia. Lênin concebia essa fase transitória como parte essencial da mudança da democracia para o comunismo — o estágio revolucionário definitivo antevisto por Marx e que surgiria depois da ditadura do proletariado. Nesse Estado comunista definitivo, as classes seriam transcendidas, e a propriedade privada, abolida.

Lênin declarou que suas ideias políticas pegariam "não onde há milhares, mas onde há milhões. É ali que a política séria começaria". Para confrontar o poder e a força do

**Banqueiros ricos** fogem conforme os trabalhadores avançam sob o lema "Vida longa à revolução socialista internacional!", uma citação de Lênin enfatizando as alianças de classe sem fronteira.

**Um exército rebelde**, cansado das terríveis perdas da I Guerra Mundial, teve papel crucial no sucesso da Revolução de Outubro de 1917. O velho regime foi desacreditado pela guerra.

Estado armado, seria necessária a participação de milhões de trabalhadores insatisfeitos, alienados pelo Estado. Somente unificados aos milhões e organizados por revolucionários profissionais poderiam ter a esperança de destruir o regime capitalista bem armado e bem financiado. Sob os czares, as classes trabalhadoras e os camponeses viam seus próprios interesses como se fossem dependentes dos interesses dos proprietários da produção e dos latifundiários, mas Lênin, o marxista, os instigava a considerar seus direitos e bem-estar vinculados apenas à sua própria classe social. As massas tinham sido fundidas num corpo político único pelo seu sofrimento, e isso agora era reforçado por uma constante retórica dos líderes bolcheviques de Lênin. Para Lênin, as massas detinham o poder revolucionário efetivo.

Quando Lênin fez sua apresentação política no Sétimo Congresso Extraordinário do Partido Comunista Russo, em 6 de março de 1918, um ano após o sucesso da revolução de 1917, reavaliou a revolução, que era "uma verdadeira evidência marxista de todas as nossas decisões". Seu partido bolchevique havia tomado o poder do governo transitório em outubro último naquilo que foi, em essência, um golpe de Estado sem derramamento de sangue. Eles eram os primeiros revolucionários comunistas bem-sucedidos no mundo. Apesar de a Rússia ser um país pobre dentro do sistema financeiro capitalista, com um proletariado relativamente fraco, seu Estado burguês era ainda mais fraco, e as massas de trabalhadores urbanos haviam sido mobilizadas para despossuí-lo, resultando numa "vitória fácil". Um fator importante no sucesso da revolução foi o papel da Rússia na I Guerra Mundial. Em 1917, a guerra estava causando ao povo russo dificuldades intoleráveis. Nem mesmo pelotões de fuzilamento conseguiam parar os motins nas tropas e as deserções, e a guerra "imperialista" se transformou numa guerra civil entre o Exército Vermelho Bolchevique e o Exército Branco anti-Bolchevique. Lênin escreveu: "Nesta guerra civil, a enorme maioria da população mostrou estar ao nosso lado e foi por isso que alcançamos a vitória com tamanha facilidade". Em toda parte ele via se cumprir a expectativa de Marx, na qual, conforme o proletariado aprendia a duras penas que não poderia haver colaboração com o Estado burguês, o "fruto" da revolução de massa "amadureceria" espontaneamente.

Na verdade, muitos outros fatores desempenharam o seu papel. Conforme os eventos de 1917 ficavam no passado, as instituições da velha ordem — a administração local, o Exército e a Igreja — perderam sua autoridade. Tanto a economia urbana quanto a rural entraram em colapso. A retirada forçada da Rússia da I Guerra Mundial e a guerra civil na sequência aconteceram contra um cenário de profunda escassez que »

A vitória pertencerá somente aos que tiverem fé no povo, aos que estiverem mergulhados no brotar vivificante da criatividade popular.

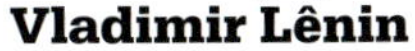

**Vladimir Lênin**

trouxe sofrimento generalizado. Lênin havia percebido que somente uma força dominante e coercitiva poderia resgatar a esperança de se criar uma nova ordem a partir do caos. O partido bolchevique era a vanguarda, mas não a principal substância do poder revolucionário. Pensando em termos das categorias marxistas de massas e blocos de trabalhadores e camponeses, Lênin considerava a democracia proletária dos trabalhadores soviéticos (conselhos ou grupos) a substância elementar do novo Estado "comum". Esses grupos se uniram sob um só grito: "Todo o poder para os soviéticos!". Em outubro de 1917, nasceu o primeiro Estado socialista, a República Socialista Federativa Soviética Russa.

## Comunismo de guerra

Economicamente, a revolução foi seguida por três anos de comunismo de guerra, em que milhões de camponeses russos morreram de fome, conforme os alimentos produzidos no campo eram confiscados e trazidos para alimentar os exércitos e as cidades bolcheviques e para ajudar na guerra civil contra os Brancos Anti-Bolcheviques. As condições eram tão duras que Lênin e os bolcheviques enfrentaram levantes das mesmas massas que apoiaram sua política. O historiador David Christian escreveu que o comunismo de guerra desafiou os ideais do novo partido comunista de Lênin, conforme "o governo que alegava representar a classe trabalhadora agora se via à beira de ser derrubado pela mesma classe trabalhadora".

Enquanto o comunismo de guerra era uma condição provisória vinculada à revolução, o que a substituiu após o fim da guerra civil foi a Nova Política Econômica, à qual Lênin se referia como capitalismo de Estado, que permitia a alguns pequenos negócios, tais como fazendas, venderem suas sobras para proveito próprio. Grandes indústrias e bancos continuavam nas mãos estatais. A nova política, que foi insultada por muitos bolcheviques por diluir a economia socialista com elementos capitalistas, teve sucesso em aumentar a produção agrícola, conforme os fazendeiros eram encorajados a produzir maiores quantidades de alimentos baseados no apelo de seus próprios interesses. Essa política foi mais tarde substituída pela de coletivismo forçado de Stálin, nos anos posteriores à morte de Lênin, levando à fome generalizada nos anos 1930.

Essa luta deve ser organizada... por pessoas engajadas de maneira profissional na atividade revolucionária.
**Vladimir Lênin**

## Poder proletário

Dizer que a Revolução de Outubro de Lênin foi uma autêntica revolução socialista depende da proporção em que "as massas" estavam, de fato, de acordo com os bolcheviques e representadas por eles. Foi o sofrido proletariado de fato autoliberado "de baixo", ou os líderes bolcheviques que assumiram o poder com a narrativa marxista de vitória para as massas sofridas? Quão real era esse poder do novo proletariado — o poder das massas — que emergiu e era, com frequência, definido, explicado e elogiado por Lênin?

Nikolay Sukhanov, um contemporâneo de Lênin, ativista socialista e crítico da revolução bolchevique, era cético. Ele escreveu: "Lênin é um orador de grande poder,

**Durante a guerra civil** que se seguiu à revolução, os bolcheviques combateram o Exército Branco antirrevolucionário. Foram impostas medidas de emergência, testando o apoio das massas.

**Na Revolução Cultural da China**, jovens guardas vermelhos formaram uma vanguarda, erradicando atitudes antirrevolucionárias. Lênin acreditava que as vanguardas eram necessárias para liderar a revolução.

capaz de simplificar uma questão complicada... alguém que martela, martela e martela a cabeça das pessoas até elas perderem sua própria vontade, até ele as escravizar".

### Aristocracia do trabalho

Muitos críticos consideravam que, quando o partido bolchevique insistia na ditadura como sinônimo de um verdadeiro Estado dos

> Só Lênin poderia ter guiado a Rússia ao atoleiro encantado; só ele poderia encontrar o caminho de volta para a estrada.
> **Winston Churchill**

trabalhadores, eles estavam, de fato, justificando sua dominação. Lênin eximia essa dominação com sua crença elitista que, sem os "revolucionários profissionais", os trabalhadores por conta própria não conseguiriam se erguer acima de uma "consciência sindical". Com isso, ele queria dizer que os trabalhadores não enxergariam além das parcerias com seus colegas próximos visando a uma aliança de classe mais ampla.

Complicando ainda mais o problema, aos olhos de Lênin, estava o fato de que as concessões obtidas pelas classes trabalhadoras em partes da Europa ocidental não haviam melhorado a classe trabalhadora em geral. Em vez disso, tais concessões criaram o que Lênin chamava de "aristocracia do trabalho" — um grupo de trabalhadores que haviam obtido concessões significativas e, como resultado, haviam se descolado de sua verdadeira aliança de classe. Para Lênin, a situação exigia uma "consciência socialista revolucionária" que poderia entender os princípios marxistas de unificação de classe. Isso somente poderia ser estabelecido por uma vanguarda dentro da classe trabalhadora — e os bolcheviques formavam esse partido de vanguarda.

Lênin defendia que a existência da verdade absoluta era incondicional e ia além ao dizer que o marxismo era a verdade, o que não deixava espaço para discordância. Esse absolutismo deu aos bolcheviques uma natureza autoritária, antidemocrática e elitista que parecia em desacordo com a crença numa democracia de baixo para cima. Sua revolução do partido de vanguarda tem sido, desde então, copiada por todo o espectro político, desde o partido de direita anticomunista Kuomintang em Taiwan ao Partido Comunista da China. Alguns intelectuais ainda se descrevem como "leninistas", incluindo o filósofo esloveno Slavoj Zizek, que admira o desejo de Lênin de aplicar a teoria marxista à prática e sua disposição "de sujar as mãos" para atingir seus objetivos. Os leninistas contemporâneos encaram a globalização como a continuação do imperialismo do século XIX ao qual Lênin tanto se opunha, já que os interesses capitalistas agora se voltam para os países pobres em busca de uma nova força de trabalho para explorar. Sua solução para esse problema, assim como Lênin um século atrás, é um movimento internacional da massa dos trabalhadores. ■

# A GREVE DE MASSAS RESULTA DE CONDIÇÕES SOCIAIS COM INEVITABILIDADE HISTÓRICA

## ROSA LUXEMBURGO (1871-1919)

### EM CONTEXTO

IDEOLOGIA
**Socialismo revolucionário**

FOCO
**Greve de massas**

ANTES
**1826** A primeira Greve Geral no Reino Unido é declarada em resposta à tentativa dos donos das minas de reduzir o salário dos trabalhadores.

**1848** Karl Marx teoriza, no *Manifesto comunista,* que a revolução e a mudança histórica são o resultado do conflito de classes entre os dominantes e os subordinados.

DEPOIS
**1937-1938** A transformação forçada da URSS por Stálin numa potência industrial leva ao seu Grande Expurgo. Milhares de pessoas são executadas.

**1989** O Solidariedade, sindicato polonês, derrota o Partido Comunista com uma coalizão de governo liderada por Lech Walesa.

Existem **desigualdade e opressão** numa sociedade capitalista.

↓

Os trabalhadores oprimidos não precisam de **líderes externos**...

↓

... pois vão **se erguer espontaneamente** para se livrar de seus opressores.

↓

**A greve de massas resulta de condições sociais com inevitabilidade histórica.**

A teórica marxista Rosa Luxemburgo articulou a ideia de uma greve de massas de maneira revolucionária, enfatizando sua natureza orgânica. Ela considerava tanto as greves gerais políticas quanto as econômicas como as ferramentas mais importantes na luta pelo poder dos trabalhadores.

As ideias de Luxemburgo se formaram em resposta às greves generalizadas dos trabalhadores e ao protesto do Domingo Sangrento em São Petersburgo, que se espalhou até virar a Revolução Russa de 1905.

### Uma revolução social

Marx e Engels imaginaram que uma greve de massas do proletariado seria liderada por uma vanguarda profissional fora ou "acima" da classe trabalhadora, enquanto, para teóricos anarquistas, a revolução seria inflamada por atos extraordinários de destruição e propagação. Para Luxemburgo, nenhuma dessas duas ideias representavam o jeito certo de se entender ou facilitar a greve de massas. Em vez disso, ela via muitas dinâmicas diferentes operando juntas numa revolução social.

Em sua obra *Dialektik von Spontaneität und Organisation*, Luxemburgo explicou que a

**Veja também:** Karl Marx 188–93 ▪ Eduard Bernstein 202–3 ▪ Vladimir Lênin 226–33 ▪ Joseph Stálin 240–1 ▪ Leon Trótski 242–5

**Lech Walesa fundou o Solidariedade** na Polônia, em 1980. O sindicato independente usou greves para melhorar a vida dos trabalhadores, e essas greves foram o catalisador da mudança política.

organização política se desenvolveria naturalmente, já que os trabalhadores haviam aprendido a lição ao participar de greves por melhores salários e, mais tarde, para fins políticos. A revolução seria autoexplicativa às massas participantes. Ela acreditava que os líderes não deveriam ser nada além da corporificação consciente dos sentimentos e ambições das massas, e que as greves dessas trariam uma nova forma de socialismo. Os eventos de 1905 mostraram a Luxemburgo que a greve geral não poderia ser decretada por uma decisão executiva, nem poderia ser fomentada de modo confiável por grupos de base, mas que seria um fenômeno natural da consciência proletária. Era um resultado inevitável das realidades sociais, especialmente a provação do povo trabalhador sendo forçado, para sobreviver, a ter empregos árduos e mal pagos nas novas indústrias da Europa central e da Rússia.

## O avanço dos trabalhadores

Luxemburgo acreditava que a pressão do proletariado descontente contra o poder militar e o controle financeiro do Estado explodiria em greves com e sem sucesso, culminando numa paralisação espontânea. Isso traria à tona os objetivos dos trabalhadores e transformaria a liderança do partido, ao mesmo tempo a que avançava a revolução contra o capitalismo. Enquanto isso, os trabalhadores se desenvolveriam intelectualmente, garantindo seu futuro.

A greve de massas é simplesmente a forma de luta revolucionária em um dado momento.
**Rosa Luxemburgo**

Vladimir Lênin discordava que essa "espontaneidade revolucionária" tirava os benefícios da disciplina inerente e o planejamento de uma revolução liderada por comandantes instruídos. Ele atribuía o papel de liderança ao seu partido bolchevique. Luxemburgo via isso como um caminho para a ditadura e, por fim, a "brutalização da vida pública". Os horrores do Terror Vermelho de Lênin e a trajetória de assassinatos de Stálin provaram que ela estava certa. ■

## Rosa Luxemburgo

Nascida na Polônia, na cidade de Zamosc, Rosa Luxemburgo foi uma estudante e linguista de destaque, absorvida aos dezesseis anos pela política socialista. Tornou-se cidadã alemã em 1898 e se mudou para Berlim, onde se uniu ao movimento trabalhista internacional e ao Partido Social Democrata. Escreveu sobre assuntos ligados ao socialismo, sufrágio das mulheres e economia e trabalhou para uma revolução dos trabalhadores. Encontrou-se com Lênin em 1907 numa conferência dos Sociais Democratas Russos em Londres. Depois de ser presa em Breslau em 1916, formou a Spartakusbund (Liga Espartaquista), uma organização política secreta. Em janeiro de 1919, durante atividades revolucionárias em Berlim, Luxemburgo foi perseguida por oficiais do exército e morta. Seu corpo foi jogado no Canal Landwehr e foi recuperado meses depois.

### Principais obras

**1904** *Questões de organização*
**1906** *Greve de massas*
**1913** *A acumulação de capital*
**1915** *Juniusbroschüre*

# UM APAZIGUADOR É ALGUÉM QUE ALIMENTA UM CROCODILO ESPERANDO SER O ÚLTIMO A SER DEVORADO

## WINSTON CHURCHILL (1874-1965)

**EM CONTEXTO**

IDEOLOGIA
**Conservadorismo**

FOCO
**Não apaziguamento**

ANTES
**c. 350 a.C.** O estadista e orador Demóstenes critica seus companheiros atenienses por não terem antecipado os objetivos imperiais de Filipe da Macedônia.

**1813** As potências europeias tentam um acordo com Napoleão, mas suas renovadas campanhas militares levam uma coalização de aliados a derrotá-lo em Leipzig.

DEPOIS
**1982** A primeira-ministra Margaret Thatcher se refere a Chamberlain quando cobrada por um acordo com a Argentina durante a Guerra das Malvinas.

**2003** O presidente dos EUA George Bush e o primeiro-ministro britânico Tony Blair invocam os perigos de se apaziguar no levante para a Guerra do Iraque.

Em meados da década de 1930, a palavra "apaziguamento" ainda não havia assumido o ar de covardia e desonra que eventos posteriores lhe atribuíram. A política conciliatória havia se tornado a norma depois da I Guerra Mundial, conforme as potências europeias buscavam diminuir o que Winston Churchill havia chamado de "os ódios e os antagonismos temerosos que existem na Europa". Mas, conforme a Grande Depressão cobrava o seu preço ao redor do mundo e Adolf Hitler subia ao poder na Alemanha, Churchill e alguns poucos viram que essa política havia se tornado perigosa. Os gastos de defesa na Grã-Bretanha ficaram muito menores devido à crise econômica. A necessidade de rearmamento contra Hitler veio numa época de extrema dificuldade econômica para uma nação que tentava se recuperar da Grande Guerra e estava usando a maior parte de seus recursos militares nos recantos mais remotos do Império Britânico. A ideia de confrontar a Alemanha novamente para conter Hitler foi abandonada pelo primeiro-ministro conservador Stanley Baldwin e seu sucessor, o também conservador Neville Chamberlain.

Um apaziguador acredita que ele **não é poderoso o suficiente** para derrotar um tirano.

↓

Portanto, **faz concessões** a fim de evitar a guerra.

↓ ↓

Suas concessões o **enfraquecem**.

Suas concessões fazem o **tirano mais forte**.

**Veja também:** Mahatma Gandhi 220–5 ▪ Napoleão Bonaparte 335 ▪ Adolf Hitler 337

**Churchill denunciou** o acordo que Chamberlain negociara com Hitler em Munique em 1938 como "uma derrota total, absoluta".

Aliviar as crescentes queixas do ditador pareceu-lhes a abordagem mais prática e moderada.

A rede de inteligência militar e governamental não oficial de Churchill o mantinha informado das metas e dos movimentos nazistas e do despreparo das forças britânicas. Ele advertiu o Parlamento das intenções de Hitler em 1933 e seguiu alertando em discursos de imenso poder poético sobre aquilo que ele considerava complacência, só para ser ridicularizado como belicista e relegado às últimas fileiras do Parlamento.

## O acordo de Munique

A predisposição apaziguadora estava enraizada na política britânica, que não ofereceu nenhuma resistência às quebras sistemáticas praticadas por Hitler das condições do Tratado de Versalhes assinado ao final da I Guerra Mundial — incluindo a remilitarização da Renânia — ou quanto às suas leis contra os judeus. Encorajado, Hitler anexou a Áustria ao Reich em 1938 e, no mesmo ano, coagiu Chamberlain para ir a Munique negociar a Sudetenland da Checoslováquia em troca de outra falsa promessa de paz.

Hitler ficou perplexo com sua fácil vitória. Ele havia planejado "esmagar" a Checoslováquia com uma entrada em Praga seguindo seu estilo "choque e pavor", mas em vez disso a viu "entregue de mão beijada por seus amigos".

Churchill denunciou o Acordo de Munique. Ele afirmava que alimentar o monstro nazista com concessões o faria mais voraz. Outros políticos confiavam em Hitler, e Churchill ficou praticamente só, pelo menos entre os conservadores, ao condená-lo. Ele se recusou o tempo todo a discutir com Hitler ou seus representantes. Radical, mas justificável, esse desafio inegociável à tirania, mesmo que levasse à morte, foi o cerne da ideia para derrotar os nazistas. ■

A vocês, foi dada a escolha entre guerra e desonra. Escolheram a desonra e terão guerra.
**Winston Churchill**

## Winston Churchill

Filho do lorde inglês Randolph Churchill e da herdeira americana Jennie Jerome, sir Winston Leonard Spencer-Churchill uma vez descreveu-se como um "sindicato de fala inglesa". Foi educado na Harrow Public School e na Academia Militar de Sandhurst, tendo depois servido na Índia com uma delegação de cavaleiros. Durante os anos 1890, distinguiu-se como correspondente de guerra cobrindo a revolta cubana contra a Espanha, as campanhas britânicas na Índia e no Sudão e a Guerra dos Bôeres na África do Sul. Sua carreira na Casa dos Comuns, como parlamentar liberal e mais tarde como conservador, durou sessenta anos. Assumiu o comando de um governo de união nacional durante a II Guerra Mundial e mais um mandato como primeiro-ministro em 1951. Foi um escritor prolífico e recebeu o Prêmio Nobel de Literatura em 1953, pela sua obra em seis volumes sobre a II Guerra Mundial.

### Principais obras

**1953** *A II Guerra Mundial*
**1958** *História dos povos de língua inglesa*
**1974** *The complete speeches*

# A CONCEPÇÃO FASCISTA DO ESTADO ABARCA TUDO

## GIOVANNI GENTILE (1875-1944)

**EM CONTEXTO**

IDEOLOGIA
**Fascismo**

FOCO
**Filosofia do Estado**

ANTES
**27 A.C.-476** O Império Romano rapidamente se espalha da Europa para África e Ásia.

**1770-1831** Georg Hegel desenvolve sua filosofia de unidade e idealismo absoluto, mais tarde usada por Gentile para defender o Estado que inclui tudo.

DEPOIS
**1943-1945** As forças aliadas invadem a Itália ao final da II Guerra Mundial, e o regime fascista se rende.

**1940-1960** Movimentos neofascistas se tornam cada vez mais populares na América Latina.

**A partir de 1960** Filosofias neofascistas são incorporadas a muitos movimentos nacionalistas.

Quando a I Guerra Mundial acabou em 1918, a Itália estava em estado de agitação social e política. O país foi forçado a entregar territórios para a Iugoslávia e cambaleava com as enormes perdas da guerra. Ao mesmo tempo, o desemprego crescia, e a economia encolhia. Os políticos tradicionais pareciam incapazes de dar respostas, e tanto os grupos de esquerda quanto de direita cresciam em popularidade entre os sofridos camponeses e trabalhadores. O Partido Fascista Nacional de direita, sob a liderança política de Benito Mussolini e a orientação filosófica de Giovanni Gentile, usava a retórica nacionalista para ganhar apoio popular. Eles defendiam uma nova forma radical de organização social baseada num Estado fascista.

**Mussolini** visitou a Exposição da Revolução Fascista, em Milão, 1932. O evento de vasta e impressionante propaganda foi desenvolvido por artistas e intelectuais, incluindo Gentile, para anunciar a nova era.

### Unidade pelo coletivismo

Os princípios orientadores do novo Estado italiano são expostos em *La dottrina del fascismo*, um texto que se atribui a Mussolini, mas que pode ter sido escrito por Gentile. Gentile rejeitou a ideia de individualismo e achava que a resposta tanto para a necessidade de propósito para o povo quanto de vitalidade e coesão para o Estado estava no coletivismo.

Gentile descreveu a concepção fascista do Estado como uma atitude em relação à vida na qual indivíduos e gerações são unidos por uma lei e uma vontade mais elevadas: mais especificamente, a lei e a vontade da nação. Assim como o comunismo, o fascismo buscou promover valores além do materialismo, e, como Marx,

**Veja também:** Georg Hegel 156–9 ▪ Karl Marx 188–93 ▪ Friedrich Nietzsche 196–9 ▪ Vladimir Lênin 226–33 ▪ Joseph Stálin 240–1 ▪ Benito Mussolini 337

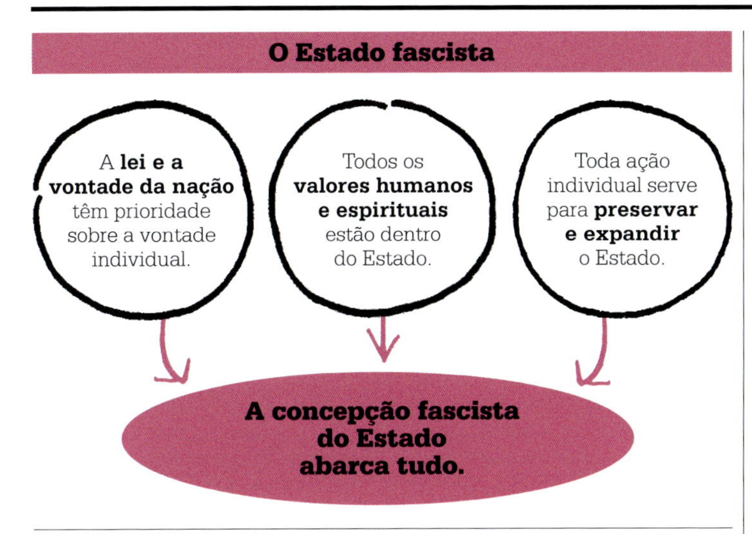

O Estado fascista
A lei e a vontade da nação têm prioridade sobre a vontade individual.
Todos os valores humanos e espirituais estão dentro do Estado.
Toda ação individual serve para preservar e expandir o Estado.
A concepção fascista do Estado abarca tudo.


Gentile queria que sua filosofia servisse de base para a nova forma de Estado. Mas ele não concordava com a posição marxista que admitia a sociedade dividida em classes sociais e o processo histórico comandado pela luta de classes. Gentile também se opunha à ideia democrática do governo da maioria, na qual a vontade da nação subordina-se à vontade da maioria. Acima de tudo, o Estado fascista de Gentile era definido em oposição às doutrinas dominantes do liberalismo político e econômico que, naquele momento da história, havia se mostrado incapaz de manter a estabilidade política. Ele achava que a aspiração à paz permanente era absurda porque falhava em reconhecer os interesses conflitantes de diversas nações que tornavam o conflito inevitável.

Esse novo entendimento do Estado foi desenvolvido para invocar um "espírito italiano" confiante e vitorioso, possível de ser traçado até o Império Romano. Tendo Mussolini como "Il Duce" ("O Líder"), o entendimento fascista do Estado traria a Itália de volta ao mapa mundial como uma grande potência. Para criar uma nova nação fascista, era necessário moldar todas as vontades individuais numa só. Todas as formas da sociedade civil fora do Estado eram reprimidas, e todas as esferas da vida — econômica, social, cultural e religiosa — se subordinavam a ele, que também queria crescer por meio da expansão colonial, que se daria principalmente com as conquistas no norte da África.

Gentile foi o principal filósofo do fascismo. Tornou-se ministro da educação de Mussolini e organizador chefe da política cultural. Nesses papéis, desempenhou importante função na construção de um Estado fascista italiano que abarcava tudo. ■

## Giovanni Gentile

Nasceu em Castelvetrano, no oeste da Sicília. Depois de terminar o colegial em Trapani, ganhou uma bolsa de estudo na prestigiosa Scuola Normale Superiore em Pisa, onde estudou filosofia com Donato Jaja, focado na tradição idealista da Itália. Gentile lecionou, mais tarde, nas universidades de Palermo, Pisa, Roma, Milão e Nápoles. Enquanto estava nesta última, foi cofundador do influente jornal *La Critica* ao lado do filósofo liberal Benedetto Croce. Eles acabariam por se separar, já que Croce tornou-se cada vez mais crítico do regime fascista de Benito Mussolini, no qual Gentile havia assumido uma posição-chave.

Como ministro da Educação Pública no primeiro gabinete de Mussolini, Gentile implementou a assim chamada *Riforma Gentile*: uma reforma radical do sistema de ensino secundário que priorizava o estudo da história e da filosofia. Ele era a principal força por trás da *Enciclopedia Italiana*, um esforço radical de reescrever a história da nação. Tornou-se, mais tarde, o principal idealizador do regime fascista. Gentile foi eleito presidente da Academia da Itália em 1943 e apoiou o regime títere da República de Salo, quando o Reino da Itália caiu diante dos Aliados. Foi morto no ano seguinte por um grupo de resistência comunista.

### Principais obras

**1897** *Una critica del materialismo storico*
**1920** *La riforma dell'educazione*
**1928** *La filosofia del fascismo*

# OS RICOS FAZENDEIROS DEVEM SER PRIVADOS DA FONTE DE SUA EXISTÊNCIA

## JOSEPH STÁLIN (1878-1953)

### EM CONTEXTO

IDEOLOGIA
**Socialismo do Estado**

FOCO
**Coletivização**

ANTES
**1566** Na Rússia, os esforços de Ivan, o Terrível, para criar um Estado centralizado resulta na fuga dos camponeses e numa queda na produção de alimentos.

**1793-1794** Os jacobinos implantam o Regime do Terror na França.

DEPOIS
**1956** Nikita Krushchev revela que Stálin executou milhares de comunistas leais durante os expurgos.

**1962** O livro de Alexander Solzhenitsyn, *Um dia na vida de Ivan Denisovich*, contando a vida num campo de trabalho russo, torna-se best-seller mundial.

**1989** Mikhail Gorbachev implementa a *glasnost* (abertura) dizendo: "Odeio a mentira".

Depois da Revolução Russa de 1917, os bolcheviques de Vladimir Lênin se dedicaram a criar um novo sistema socialista por meio da nacionalização, tomando ativos privados ou empresas e passando-os para o governo. O sucessor de Lênin como líder da União Soviética, Joseph Stálin, acelerou esse processo a partir de 1929, e, em cinco anos, a economia foi rapidamente industrializada e coletivizada.

Os *kulaks* (fazendeiros ricos) são uma **classe exploradora**.
Controlam os demais porque detêm o controle da **produção de alimentos**.
Resistem à **coletivização**.
São os portadores do **capitalismo.**
**Os ricos fazendeiros devem ser privados da fonte de sua existência.**

Em nome da modernização do sistema agrícola da União Soviética, Stálin reuniu as fazendas sob controle estatal como uma "propriedade socialista estatal". A classe de fazendeiros relativamente ricos, conhecidos como *kulaks*, foi compelida a abandonar suas terras e se juntar às fazendas coletivas. A polícia de Stálin confiscou comida e a levou para as cidades, e os camponeses retaliaram queimando suas plantações e matando seus

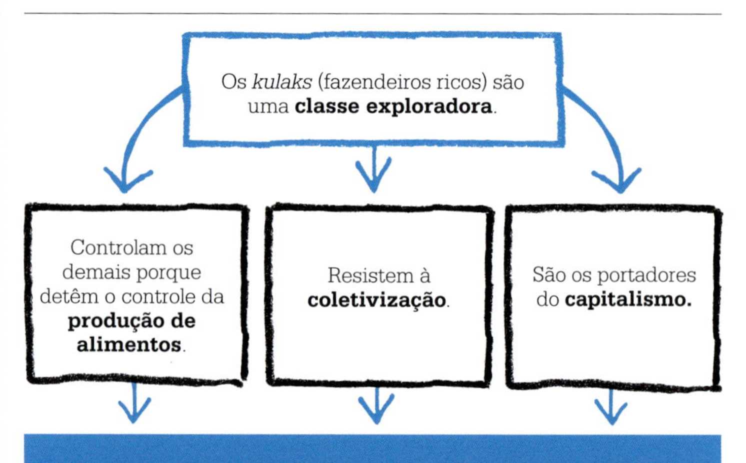

**Veja também:** Karl Marx 188–93 ▪ Vladimir Lênin 226–33 ▪ Leon Trótski 242–5

animais. Ocorreu, então, uma enorme escassez. Na área da Ucrânia conhecida como "cesta de pão", por causa de sua rica produção agrícola, 5 milhões de pessoas morreram de fome, foram mortas ou deportadas. Em 1934, 7 milhões de *kulaks* foram "eliminados". Os que sobreviveram passaram a viver em fazendas estatais dirigidas por funcionários do governo.

## Revolução de cima

Stálin dizia que a coletivização era uma forma essencial de luta de classe, sendo parte da "revolução de cima". Essa simples equação deu-lhe a justificativa que precisava para se distanciar da política de Lênin, que previa o uso de persuasão para organizar os camponeses em cooperativas. Stálin começou "restringindo as tendências dos *kulaks*", passou depois a "expulsá--los" do campo e terminou por "eliminá-los" como uma classe. Lênin avisava que, enquanto a União Soviética continuasse cercada de países capitalistas, a luta de classes deveria continuar. Stálin citou essa

**Durante a coletivização** da agricultura, pôsteres de propaganda encorajavam fazendeiros a cultivar qualquer hectare disponível. Porém, a coletivização forçada levou a uma grande queda na produção.

ideia várias vezes conforme a coletivização avançava. Ele reclamava que a economia individual camponesa "gerava o capitalismo", o qual, enquanto isso acontecesse, continuaria um elemento da economia soviética.

Stálin armou o assassinato em massa de milhões de indivíduos como o "extermínio" de uma classe, a ser feito "privando-os das fontes produtivas de sua existência". Mas, ao terminar de destruir as fazendas privadas, ele continuou com o terror dizendo que a velha "mentalidade dos *kulaks*" ainda sobrevivia e continuava a ameaçar o Estado comunista.

Conforme o regime de terror de Stálin se espalhou, não foram apenas os *kulaks* que sofreram perseguição. Os oponentes do governo stalinista, reais e imaginários, foram mortos, incluindo cada membro vivo do politburo de Lênin cuja revolução foi transformada na ditadura de Stálin. O partido bolchevique, considerado por Lênin "de vanguarda" e inspirador das massas, tornou-se um instrumento truculento institucionalizado que espalhava terror no regime de Stálin, que havia começado sua perseguição com os *kulaks*, mas, de meados de 1930 em diante, deixou poucos escaparem da terrível máquina estatal. ■

## Joseph Stálin

**Joseph Stálin nasceu Ioseb Besarionis dze Jughashvili na vila de Gori, Georgia. Foi educado na escola da igreja local e mais tarde expulso do Seminário Teológico Tiflis, onde havia se tornado marxista. Ainda jovem, ficou conhecido como poeta.**

**A carreira política de Stálin decolou em 1907 quando participou do 5º Congresso do Partido Trabalhista Social Democrático Russo em Londres, com Lênin. Ativo na política oculta, foi exilado para a Sibéria diversas vezes e, em 1913, adotou o nome Stálin, da palavra russa *stal* ("aço"). Com a revolução de 1917, tornou-se um líder no partido bolchevique. Suas ações cruéis na guerra civil que se seguiu eram um sinal do terror que viria quando sucedesse Lênin na liderança da União Soviética. Teve uma vida privada problemática, e tanto seu primeiro quanto seu segundo filho cometeram suicídio.**

### Principais obras

**1924** *Os princípios do leninismo*
**1938** *Materialismo dialético e histórico*

# SE OS FINS JUSTIFICAM OS MEIOS, O QUE JUSTIFICA OS FINS?

## LEON TRÓTSKI (1879-1940)

**EM CONTEXTO**

IDEOLOGIA
**Comunismo**

FOCO
**Revolução permanente**

ANTES
**360 A.C.** Platão descreve o Estado ideal em *A república*.

**1794** O escritor francês François Noel Babeuf propõe uma sociedade comunista sem propriedade privada e com subsistência para todos.

DEPOIS
**1932** O presidente Roosevelt promete ao povo americano um New Deal, iniciando uma era de intervenção e regulação governamental da economia.

**2007** O presidente venezuelano Hugo Chávez se declara trotskista.

**2012** A banda punk russa Pussy Riot denuncia o "sistema totalitário" de Vladimir Putin.

Em toda sua trajetória, o revolucionário russo Leon Trótski sempre buscou promover aquilo que via como uma verdadeira posição marxista. Trabalhou com Vladimir Lênin para traduzir as teorias de Karl Marx na prática, já que os dois lideraram a Revolução Bolchevique de 1917. De acordo com a teoria marxista, a revolução deveria dar lugar à "ditadura do proletariado" assim que os trabalhadores assumissem o controle dos meios de produção. Mas após a morte de Lênin, em 1924, a burocracia absolutista de Joseph Stálin rapidamente esmagou qualquer esperança de um movimento de massa, impondo, em seu lugar, a tirania de um homem só. Trótski esperava proteger os

**Veja também:** Karl Marx 188–93 ▪ Vladimir Lênin 226–33 ▪ Joseph Stálin 240–1 ▪ Mao Tsé-tung 260–5

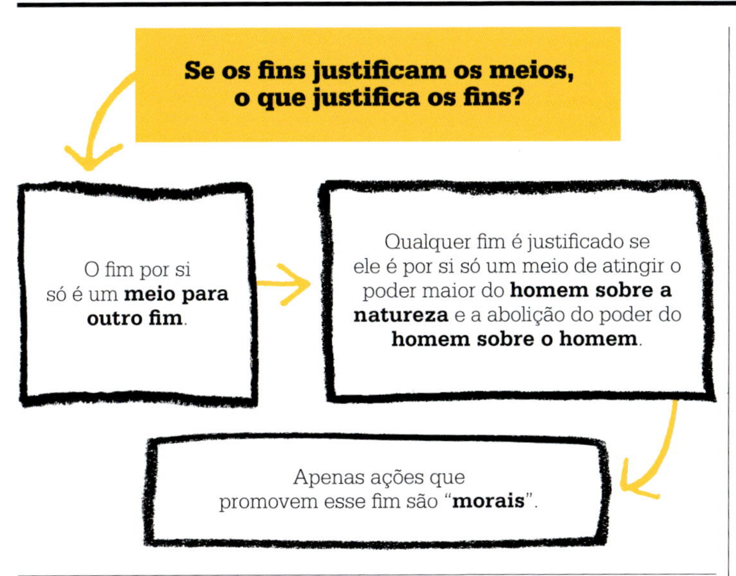


avanços que ele acreditava terem sido feitos na revolução por meio de uma estratégia de "revolução permanente", garantida por um constante apoio da classe trabalhadora internacional. Marx havia advertido que o socialismo em um único lugar não conseguiria ter sucesso caso se isolasse do proletariado global, dizendo que a revolução deveria continuar "até que todas as classes mais ou menos abastadas estejam afastadas da dominação... não só num país, mas em todos os países dominantes do mundo inteiro". Lênin insistia que a revolução socialista na Rússia somente triunfaria se fosse apoiada por movimentos de trabalhadores em um ou vários países economicamente avançados. Os seguidores de Trótski têm argumentado, desde então, que a incapacidade de conseguir uma massa crítica de apoio internacional foi o motivo de a União Soviética ter caído nas mãos de Stálin.

Se os fins justificam os meios, o que justifica os fins?
O fim por si só é um meio para outro fim.
Qualquer fim é justificado se ele é por si só um meio de atingir o poder maior do homem sobre a natureza e a abolição do poder do homem sobre o homem.
Apenas ações que promovem esse fim são "morais".

## Comunismo sob Stálin

Quatro anos após a morte de Lênin, a democracia interna do partido e o sistema democrático soviético — o alicerce do bolchevismo — haviam sido desmantelados dentro dos partidos comunistas por todo o mundo. Dentro da própria União Soviética, a doutrina stalinista do "socialismo num só país" removeu a aspiração maior por uma revolução dos trabalhadores internacionais.

Os dissidentes foram difamados como trotskistas e expulsos do partido. Quando sua facção Oposição de Esquerda fracassou em seu enfrentamento a Stálin, Trótski foi expulso do Partido Comunista e exilado da União Soviética. Em 1937, Stálin havia prendido ou matado todos os assim chamados trotskistas da Oposição da Esquerda, e o próprio Trótski estava no México, fugindo de seus assassinos.

## Contra a moralidade

Muitos da esquerda reagiram aos excessos de Stálin mudando para a direita ou rejeitando o marxismo revolucionário, assumindo aquilo que Trótski descrevia como posições "moralistas" que enfatizavam valores universais. Sugeria-se que o bolchevismo — o sistema centralista de Lênin e Trótski — havia permitido os crimes de Stálin.

Na obra *A moral deles e a nossa*, Trótski descreveu essa postura como um espasmo reacionário do conflito de classes disfarçado de moralidade. »

**Stálin, Lênin e Trótski** foram as figuras principais da Revolução Bolchevique. Depois que Lênin morreu, Stálin assumiu o poder, e Trótski foi marcado para morrer.

**As bombas incendiárias dos aliados** em Dresden, Alemanha, na II Guerra Mundial, ilustram o argumento de Trótski de que os governos capitalistas liberais quebrariam suas próprias regras de moralidade em períodos de guerra.

Uma das principais críticas ao bolchevismo era que a crença de Lênin de que "os fins justificam os meios" havia desembocado diretamente na "amoralidade" da traição, da brutalidade e dos assassinatos em massa. Para esses críticos, a moralidade protegia tais atrocidades. Trótski considerava que, de propósito ou não, essa era uma simples defesa do capitalismo, já que ele acreditava que esse sistema não poderia existir "só pela força. Ele precisa do cimento da moralidade". Para Trótski, a moralidade não existe se for concebida como uma lista de valores eternos que não derivam de evidência sensorial ou material. Assim, qualquer comportamento que não for motivado por condições sociais existentes, ou conflito de classes, é ilegítimo e inautêntico. Conceitos morais abstratos que não são baseados em evidência empírica são simples ferramentas usadas pelas instituições da classe dominante para sufocar a luta de classes. A classe dominante impõe obrigações "morais" sobre a sociedade, mas que os seus próprios membros não cumprem, que servem para perpetuar o seu poder.

Trótski usou a moralidade da guerra como exemplo: "Os governos mais 'humanos', que em tempo de paz 'detestam' a guerra, em tempo de guerra fazem do extermínio do maior número de homens o primeiro dever de seus soldados". A insistência em normas de comportamento prescritas por religião e filosofia também era uma ferramenta de engodo de classe. Para Trótski, expor tal enganação era o primeiro dever de um revolucionário.

Devemos nos livrar de uma vez por todas da conversinha papista-quaker sobre a santidade da vida humana.
**Leon Trótski**

## A nova aristocracia

Trótski gostava de mostrar que as tendências centralizadoras do bolchevismo não eram os "meios" cujo "fim" seria o stalinismo. Tal centralização era necessária para derrotar os inimigos dos bolcheviques, mas o seu fim sempre teve como objetivo uma ditadura do proletariado descentralizada, governando por meio do sistema de soviéticos. Para Trótski, o stalinismo foi uma "imensa reação burocrática" contra aquilo que ele via como avanços da revolução de 1917. Esse sistema havia restabelecido o pior dos direitos absolutistas, "regenerando o fetichismo do poder" além do que jamais havia sido sonhado pelos czares. Ele havia criado uma "nova aristocracia". Trótski considerava os crimes de Stálin consequência da mais brutal luta de classes de todas — a da "nova aristocracia contra as massas que a levaram ao poder". Ele era crítico dos autodeclarados marxistas que relacionavam o bolchevismo ao stalinismo ao enfatizar a imoralidade de ambos. Aos olhos de Trótski, ele e seus seguidores se opuseram a Stálin desde o começo, ao passo que os seus críticos só haviam chegado à sua posição depois que as atrocidades de Stálin vieram a público.

Extirpem os contrarrevolucionários sem piedade, tranquem pessoas suspeitas em campos de concentração. Desertores serão mortos, apesar do serviço militar passado.
**Leon Trótski**

Os críticos do marxismo geralmente alegam que a ideia de "que os fins justificam os meios" é usada para validar assassinatos e barbaridades, bem como o engano das massas, supostamente para o seu próprio bem. Trótski insistia que isso era um mal-entendido, dizendo que "os fins justificam os meios" era uma forma de dizer que existe uma forma aceitável de se fazer a coisa certa. Por exemplo, se é permitido comer peixe, então está certo matá-lo e cozinhá-lo. A justificativa moral de qualquer ato deve estar ligada, assim, ao seu "fim". Matar um cachorro louco que está ameaçando uma criança é uma virtude, mas matar um cachorro por nada, ou de forma perversa sem nenhum "fim", é um crime.

### O fim definitivo

Então, qual deveria ser a resposta à pergunta: "o que devemos e o que não devemos fazer"? Quais fins justificam os meios necessários para alcançá-los? Para Trótski, o fim é justificado se ele "levar ao aumento do poder do homem sobre a natureza e à abolição do poder do homem sobre outro homem". Em outras palavras, o fim pode, em si mesmo, ser visto como o meio para esse fim definitivo. Mas será que Trótski queria dizer que a libertação das classes trabalhadoras era um fim para o qual se permitiria qualquer destruição? Ele só consideraria essa questão em relação à luta de classes tomando-a, de outra forma, como uma abstração sem sentido. Assim, o único bem significativo é aquele que une o proletariado revolucionário, fortalecendo-o como classe para a luta que continua.

A lógica de Trótski tem sido vista por alguns renomados marxistas como perigosa, contrarrevolucionária e falsa. Harry Haywood, um afrodescendente americano que viveu na União Soviética entre 1920 e 1930, acreditava que "Trótski estava fadado ao fracasso porque suas ideias eram incorretas e falhavam em se conformar com as condições objetivas, bem como com as necessidades e os interesses do povo soviético". Durante a Guerra Civil russa de 1917-22, Trótski centralizou estruturas de comando no que ficou conhecido como "Comunismo de Guerra". Essa tendência centralizadora foi julgada, por antigos seguidores desiludidos, como blindada à reflexão crítica, convencida da certeza absoluta de sua análise e não permitindo nenhuma discordância. Além disso, tais estruturas restringiam o poder a um pequeno grupo de líderes, já que exigiriam muito tempo e esforço dos trabalhadores para desenvolver um sistema amplo de participação de massa. Escrevendo na década de 1940, o marxista americano Paul Mattick afirmou que a Revolução Russa foi, por si só, tão totalitária quanto o stalinismo e que o legado de bolchevismo, leninismo e trotskismo serviu "como uma simples ideologia para justificar sistemas capitalistas alternativos (o capitalismo de Estado) controlados por meio de um Estado autoritário". ■

**Um massacre** foi perpetrado pelo Exército Vermelho de Tróski durante a Guerra Civil russa, levando críticos a comparar o bolchevismo ao expurgo de Stálin.

## Leon Trótski

Lev Dadidovich Bronshtein nasceu em 1879 na pequena vila de Yanovka, hoje Ucrânia. Educado na cosmopolita Odessa, envolveu-se em atividades revolucionárias e assumiu o marxismo pouco depois de ter se oposto a ele. Foi preso, condenado e exilado na Sibéria quando tinha apenas dezoito anos.

Na Sibéria, adotou o nome do seu guarda, Trótski, e fugiu para Londres, onde conheceu e trabalhou com Lênin no jornal revolucionário *Iskra*. Em 1905, voltou à Rússia para apoiar a revolução. Preso e enviado novamente à Sibéria, sua bravura lhe garantiu popularidade. Fugiu mais uma vez da Sibéria, unindo-se a Lênin em sua bem-sucedida revolução de 1917. Liderou o Exército Vermelho durante a Guerra Civil russa e teve outros cargos-chave, mas, depois da morte de Lênin, foi deposto por Stálin e exilado. Foi assassinado segundo as ordens de Stálin por Ramón Mercader, na Cidade do México, em 1940.

### Principais obras

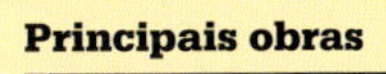

**1937** *A escola stalinista de falsificação*
**1938** *A moral deles e a nossa*

# UNIREMOS OS MEXICANOS AO DAR GARANTIAS AOS CAMPONESES E AOS EMPRESÁRIOS

## EMILIANO ZAPATA (1879-1919)

### EM CONTEXTO

IDEOLOGIA
**Anarquismo**

FOCO
**Reforma agrária**

ANTES
**1876** Porfirio Díaz assume o poder no México, reforçando as desigualdades de status social e propriedade de terra.

**1878** Na Rússia, um partido revolucionário adota o nome de "Terra e Liberdade" — o mesmo slogan usado pelos zapatistas nos anos 1990.

DEPOIS
**1920** Faz-se um tipo de reforma agrária no sul do México ao fim da revolução.

**1994** O Exército Zapatista de Libertação Nacional começa um levante armado no estado sulista de Chiapas em protesto aos maus-tratos do governo mexicano para com os povos indígenas.

A luta por terra e direitos sociais está no centro da Revolução Mexicana entre 1910 e 1920. Camponês de nascimento, Emiliano Zapata foi uma figura-chave no movimento revolucionário, liderando as forças no sul. Seu objetivo era resolver o conflito valendo-se de uma mescla de direitos, garantias e luta armada.

As ideias de Zapata concordavam com boa parte da tradição anarquista mexicana, bem como com o princípio central de propriedade comum da terra, baseado nas tradições indígenas. Para garantir o desenvolvimento político e econômico, Zapata queria romper com o monopólio dos *hacendados*, ou fazendeiros, e unir o país — tanto camponeses como empresários — num propósito de reforma governamental. Aproveitar os recursos nacionais de trabalho e produção também asseguraria sua independência no cenário externo.

A visão de Zapata se manifestou em seu Plano Ayala de 1911. Esse esboço de reforma exigia eleições livres, o fim do domínio dos *hacendados* e a transferência dos direitos de propriedade para cidades e cidadãos.

**As tropas** que lutaram por Zapata na Revolução Mexicana eram, na maioria, camponeses, inclusive com divisões apenas de mulheres.

Assim como a maioria dos líderes na revolução, Zapata foi morto antes do fim do conflito. Apesar de a reforma agrária ter sido feita nos anos 1920, ainda havia enormes desigualdades. Mesmo assim, as ideias de Zapata deixaram um legado duradouro no México e inspiraram o recente movimento zapatista entre os camponeses indígenas de Chiapas, os quais criaram um Estado quase autônomo no sul. ■

**Veja também:** Pierre-Joseph Proudhon 183 ▪ Peter Kropotkin 206 ▪ Antonio Gramsci 259 ▪ José Carlos Mariátegui 338

# A GUERRA É UMA EXTORSÃO

## SMEDLEY D. BUTLER (1881-1940)

### EM CONTEXTO

IDEOLOGIA
**Não intervencionismo**

FOCO
**Lucro da guerra**

ANTES
**1898-1934** As "Guerras da Banana" na América Central e no Caribe visam proteger os interesses dos negócios americanos, em especial os da United Fruit Company.

**1904** O governo norte-americano financia o novo Canal do Panamá e declara soberania sobre a Zona do Canal.

DEPOIS
**1934** O presidente norte-americano Fraklin D. Roosevelt implementa a Política da Boa Vizinhança, limitando as intervenções americanas na América Latina.

**1981** Os rebeldes Contra, apoiados pelos EUA, se opõem ao governo sandinista na Nicarágua.

**2003** A invasão do Iraque, liderada pelos EUA, garante concessões às empresas americanas.

A industrialização no mundo ocidental mudou radicalmente a natureza tanto do comércio como das guerras. A relação entre interesses econômicos e assuntos estrangeiros levantou questões sobre a motivação e os benefícios de um conflito armado, levando muitas pessoas, entre elas Smedley D. Butler, a enfatizar o papel das forças armadas na condução da política externa.

Butler foi um condecorado general dos *marines* americanos que serviu por 34 anos em diversas campanhas no exterior, em especial na América Central.

A guerra é conduzida para o proveito de poucos, à custa de muitos.
**Smedley D. Butler**

Baseado em suas próprias experiências, em especial durante as "Guerras da Banana", Butler sentia que boa parte de sua carreira militar havia servido para garantir os interesses das empresas americanas no exterior, tendo ele agido como um "instrumento de extorsão, um gângster para o capitalismo".

### Redefinindo uma guerra justa

Preocupado que o principal benefício da ação militar era obter lucros industriais, ao se assegurar espaços no exterior para comércio e investimento, Smedley sugeriu restringir a justificativa da guerra apenas para autodefesa e proteção dos direitos civis.

Ao se aposentar dos *marines*, Butler expôs suas preocupações numa série de palestras e, com o livro *War is racket*, publicado em 1935, delineou seu propósito de limitação da guerra e restrição da capacidade governamental de se envolver em ações ofensivas no exterior.

Apesar de o impacto de Butler em sua época ter sido limitado, suas visões sobre os lucros da guerra e da política externa americana continuam influentes. ■

**Veja também:** José Martí 204–5 ▪ Hannah Arendt 282–3 ▪ Noam Chomsky 314–5

# SOBERANIA NÃO SE DÁ, SE TOMA

## MUSTAFA KEMAL ATATÜRK (1881-1938)

### EM CONTEXTO

IDEOLOGIA
**Nacionalismo**

FOCO
**Democracia representativa**

ANTES
**1453** Maomé II ataca Constantinopla, e a cidade se torna a capital do crescente Império Otomano.

**1908** A Revolução dos Jovens Turcos restabelece o Parlamento que havia sido suspenso pelo sultão em 1878.

**1918** O Império Otomano é derrotado na I Guerra Mundial.

DEPOIS
**1952** A Turquia se une à OTAN e se alinha ao Ocidente na Guerra Fria.

**1987** A Turquia se candidata a ser membro pleno da Comunidade Econômica Europeia.

**2011** O alto-comando militar da Turquia se demite, dando controle político ao primeiro-ministro, pela primeira vez.

Um Estado deve ter o poder incondicional de governar a si mesmo.
Isso somente pode ser alcançado pelo autogoverno democrático, ou "a soberania do povo".
Essa soberania deve ser ganha pela força, não por debates ou outros meios.
Soberania não se dá, se toma.


Depois da derrota do Império Otomano na I Guerra Mundial, o Tratado de Sèvres tirou dele suas províncias árabes, criou a Armênia independente, deu autonomia aos curdos e pôs a Grécia no controle de partes ocidentais da Turquia. Um exército rebelde turco, sob o comando de Mustafa Kemal Atatürk, se levantou contra o exército do sultão otomano e das forças de ocupação aliadas a ele. Começou, então, a guerra pela independência da Turquia.

Com o auxílio das armas e do dinheiro dos bolcheviques russos, Atatürk derrotou os ocupantes estrangeiros, e o sultão fugiu para Malta num navio de guerra britânico. Não mais que três anos depois do Tratado de Sèvres, o Tratado de

**Veja também:** Jean-Jacques Rousseau 118–25 ▪ Ito Hirobumi 195 ▪ Sun Yat-Sen 212–3

Lausanne reconheceu a independência do Estado turco, e Atatürk foi eleito seu primeiro presidente.

**Vontade soberana do povo**

Atatürk estava determinado a estabelecer um estado-nação moderno no meio das ruínas do Império Otomano feudal, que não havia se industrializado. Ele acreditava que uma sociedade equilibrada e igualitária, capaz de oferecer as garantias essenciais de liberdade e de justiça para os indivíduos, somente poderia ser construída sobre um poder incondicional do Estado de governar a si mesmo, ou seja, "a soberania do povo". Isso, dizia, não podia ser dado ou negociado, mas tinha de ser conquistado pela força.

**De acordo com** os rígidos ideais secularistas de Atatürk, o *hijab* muçulmano, ou véu, foi banido de muitas instituições turcas, como as universidades. Essa política é uma fonte de disputa atual.

A soberania significava o autogoverno democrático, livre de qualquer outra autoridade (incluindo o sultão-califa), das interferências religiosas e das potências estrangeiras. O nacionalismo "kemalista" via o Estado turco como uma unidade soberana de território e povo que respeitava o mesmo direito de independência das outras nações. Apesar de uma aliança com essas potências estrangeiras, ou com a "civilização", atuar como um apoio constante para a nova nação, essa ainda teria de se desenvolver em termos políticos, culturais e econômicos por meio de reformas revolucionárias autoimpostas.

Esse conceito de poder soberano de um povo reformar seu próprio Estado era estranho para a maioria da população. Nas áreas pobres rurais, viam o programa de modernização como a imposição da vontade da elite urbana secular sobre a cultura rural iletrada e religiosa. A habilidade de Atatürk de conseguir o apoio das forças armadas o capacitou a moldar a nova república turca como um estado-nação secular, voltado ao Ocidente, mas as tensões entre os islamitas rurais e os militares secularistas e as elites urbanas permanecem. ■

Só existe um poder.
A soberania nacional.
Só existe uma autoridade.
A presença, a consciência e o coração da nação.
**Mustafa Kemal Atatürk**

## Mustafa Kemal Atatürk

Mustafa Kemal nasceu em Salonica, Grécia, em 1881. Foi um destacado aluno na academia militar, excelente em matemática e literatura, completando seus estudos na Erkan-i Harbiye Mektebiem Constantinopla. Cresceu rapidamente no Exército assumindo o controle do Sétimo Exército durante a I Guerra Mundial, mas renunciou em 1919 para liderar um movimento de resistência contra as forças de ocupação.

Desde jovem, Kemal participou de grupos de oposição secretos e liderou a independência turca em 1923, tornando-se o primeiro presidente do novo Estado secular. Recebeu o nome de "Atatürk", que quer dizer "Pai dos turcos", em 1934 do Parlamento. Morreu em 1938 de cirrose, depois de muitos anos de bebedeira.

**Principais obras**

**1918** *A chat with the chief commander*
**1927** *Nutuk* (transcrição de um discurso na Grande Assembleia Nacional da Turquia)

# A EUROPA FICOU SEM UM CÓDIGO MORAL

## JOSÉ ORTEGA Y GASSET (1883-1955)

**EM CONTEXTO**

IDEOLOGIA
**Liberalismo**

FOCO
**Pró-intelectualismo**

ANTES
**380 A.C.** Platão defende o governo de reis-filósofos.

**1917** Na Espanha, novidades da Revolução Russa levantam temores no regime de Primo de Rivera, que consolida o seu poder controlando as massas.

DEPOIS
**1936-1939** A Guerra Civil espanhola resulta na morte de mais de 200 mil pessoas.

**1979** O filósofo francês Pierre Bourdieu examina as formas como o poder e a posição social influenciam na estética.

**2002** O historiador americano John Lukacs publica *O fim de uma era*, afirmando que a era da burguesia moderna está chegando ao fim.

O filósofo José Ortega y Gasset alcançou alguma importância pela primeira vez durante a década de 1920, um período de grande agitação social na Espanha. A monarquia estava perdendo sua autoridade depois das agitações no Marrocos espanhol, e o regime ditatorial de Miguel Primo de Rivera aprofundou as divisões entre as forças de esquerda e direita. Tais divisões acabariam por levar o país à Guerra Civil em 1936.

A I Guerra Mundial foi um período de grande crescimento econômico na Espanha, que ficou neutra e fornecia suprimentos para ambos os lados durante o conflito. Como resultado, o país se industrializou rapidamente, e as crescentes massas de trabalhadores tornavam-se cada vez mais poderosas. Elas conseguiram algumas concessões, e uma greve em Barcelona em 1919 levou a Espanha a ser o primeiro país a instituir a jornada de trabalho de oito horas para todos.

### A rebelião das massas

Conforme crescia o poder dos trabalhadores, a questão da classe social assumia o centro do debate filosófico e sociológico na Europa, mas Ortega y Gasset desafiou a ideia de que as classes sociais são apenas resultado de uma divisão econômica. Em vez disso, ele distinguia o "homem da massa" do "homem nobre" com base em sua aderência aos códigos morais fundamentados na tradição. Em seu livro *A rebelião das massas,* ele explicou que "viver como se quer é plebeu; o homem nobre anseia a ordem e a lei". Disciplina e serviço trazem a nobreza, acreditava. Ele viu a ascensão ao poder das massas e sua crescente tendência à rebelião — pelas greves e outras formas de agitação social — como altamente problemática, chamando-a de "uma das maiores crises capazes de atingir povos, nações e civilizações".

Para Ortega y Gasset, a ameaça representada pelas massas ligou-se a

O europeu ergue-se sozinho, sem quaisquer fantasmas vivos ao seu lado.
**José Ortega y Gasset**

**Veja também:** Platão 34–9 ▪ Immanuel Kant 126–9 ▪ Friedrich Nietzsche 196–9 ▪ Michael Oakeshott 276–7

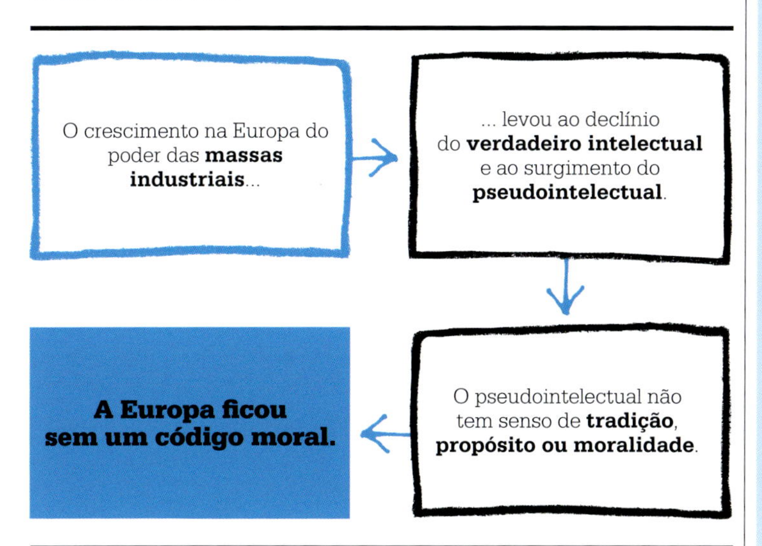


uma ampla desmoralização na Europa do pós-guerra, que acabou perdendo seu sentido de propósito no mundo. O declínio do poder imperial, lado a lado com a devastação da guerra, havia deixado a Europa sem poder acreditar mais em si mesma, a despeito de permanecer uma enorme força industrial.

O crescimento na Europa do poder das **massas industriais**...
... levou ao declínio do **verdadeiro intelectual** e ao surgimento do **pseudointelectual**.
O pseudointelectual não tem senso de **tradição, propósito ou moralidade**.
**A Europa ficou sem um código moral.**

## Pseudointelectuais

Ortega y Gasset argumentava que o levante das massas é acompanhado por um declínio do intelectual. Isso sinalizava o triunfo do pseudo-intelectual — um homem vulgar sem nenhum interesse nas tradições ou códigos morais, que vê a si mesmo como superior. O pseudointelectual representa uma nova força na história, sem senso de direção.

Para Ortega y Gasset, as massas não possuem propósito ou imaginação e se limitam a demandas pela participação nos frutos do progresso sem entender as tradições científicas clássicas que tornaram o progresso possível. As massas não estão interessadas nos princípios da civilização ou no estabelecimento de um verdadeiro sentido de opinião pública. Assim, ele considerou as massas muito propensas à violência. Aos seus olhos, a Europa, sem os verdadeiros intelectuais, dominada pelas massas desinteressadas, corria o risco de perder sua posição e propósito no mundo. A filosofia de Ortega y Gasset permanece influente. Seus seguidores estreitaram os elos entre classe econômica e cultura. ■

**Após a I Guerra**, os trabalhadores — como esses na França — obtiveram concessões significativas e começaram a exercer poder político.

## José Ortega y Gasset

Ortega y Gasset nasceu em Madri numa família política de forte tradição liberal. A família de sua mãe era dona do jornal *El imparcial*, e seu pai era o editor. Estudou filosofia na Espanha e continuou seus estudos na Alemanha em Leipzig, Nuremberg, Colônia, Berlim e Marburg, onde foi profundamente influenciado pela tradição neokantiana.

Em 1910, Ortega y Gasset tornou-se professor pleno de metafísica em Madri. Mais tarde, fundou a *Revista de Occidente*, que publicava obras de algumas das figuras mais importantes na filosofia da época. Eleito ao Congresso em 1931, depois da queda da monarquia e da ditadura de Rivera, retirou-se da política tendo servido menos de um ano de seu mandato. Deixou a Espanha no começo da guerra civil e viajou para Buenos Aires, Argentina, voltando à Europa apenas em 1942.

### Principais obras

**1930** *A rebelião das massas*
**1937** *Espanha invertebrada*
**1969** *Unas lecciones de metafísica*

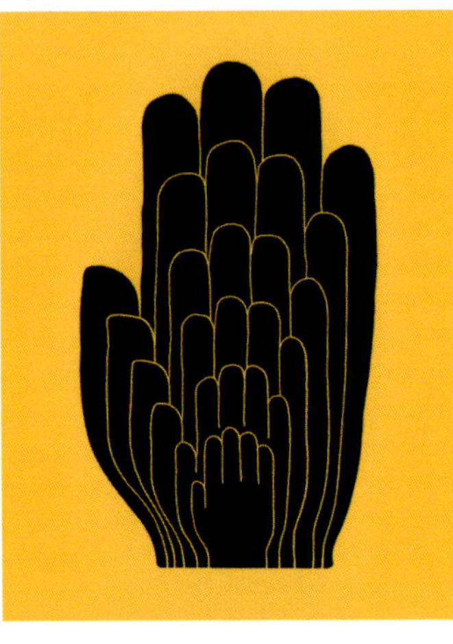

# SOMOS 400 MILHÕES DE PESSOAS PEDINDO LIBERDADE

## MARCUS GARVEY (1887-1940)

### EM CONTEXTO

IDEOLOGIA
**Nacionalismo negro**

FOCO
**Ativismo social**

ANTES
**Século XVI** Começa a *Maafa*, ou Holocausto Africano, com a escravidão transatlântica.

**1865** A 13ª Emenda torna a escravidão ilegal em todos os Estados Unidos.

**1917** A cidade de St. Louis explode em um dos piores tumultos raciais na história dos Estados Unidos.

DEPOIS
**Anos 1960** Cresce o movimento "Black is Beautiful".

**1963** Martin Luther King faz o seu discurso "Eu tenho um sonho" na enorme marcha por direitos civis em Washington, DC.

**1965** O Congresso americano aprova a Lei dos Direitos ao Voto, tornando ilegal a discriminação que impedia os afro-americanos de exercerem seu direito ao voto.

No começo do século XX, o ativista jamaicano Marcus Garvey deu aos negros das Américas uma motivadora resposta à supremacia branca. Ele fundou a Associação Universal para o Progresso Negro, em 1914, e convocou os "400 milhões" de africanos ao redor do mundo a se unirem num compromisso de liberar seu continente natal — e suas próprias vidas — da opressão racial. Dois anos mais tarde, levou sua campanha aos Estados Unidos, onde organizou empresas para empregar afro-americanos.

Confiante que os negros poderiam avançar em qualquer campo cultural, político ou intelectual que escolhessem, Garvey colocava a raça em primeiro lugar, a autodeterminação em segundo e a nacionalidade negra por último. Ele imaginava os Estados Unidos da África, que preservariam os interesses de todas as pessoas negras, estimuladas por um senso quase religioso de redenção racial. A consciência do "Novo Negro" tomaria emprestada das tradições intelectuais existentes, mas construiria sua própria interpretação racial da política internacional. Ao criar o termo "fundamentalismo africano", Garvey promoveu um senso de identidade negra arraigada na crença de que as antigas civilizações africanas outrora decaídas seriam regeneradas.

Eu sou igual a qualquer homem branco; quero que você se sinta assim também.
**Marcus Garvey**

A mensagem radical de Garvey — e o mau gerenciamento de seus vários negócios só para negros — atraiu a ira de líderes negros rivais e do governo dos EUA. Ainda assim, foi o primeiro a insistir no poder negro e a articular as propostas de libertação que entusiasmam nacionalistas africanos até hoje. ■

**Vejam também:** John C. Calhoun 164 ▪ Jomo Kenyatta 258 ▪ Nelson Mandela 294–5 ▪ Malcolm X 308–9 ▪ Martin Luther King 316–21

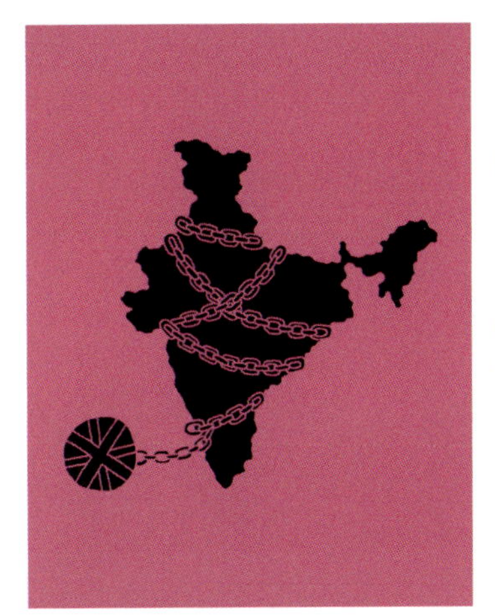

# A ÍNDIA NÃO PODE SER REALMENTE LIVRE A NÃO SER QUE SEPARADA DO IMPÉRIO BRITÂNICO

## MANABENDRA NATH ROY (1887-1954)

**EM CONTEXTO**

IDEOLOGIA
**Socialismo revolucionário**

FOCO
**Revolução permanente**

ANTES
**1617** O imperador mogol autoriza a Companhia das Índias Orientais a fazer negócios na Índia.

**1776** A Declaração da Independência da América assegura o direito de os povos se governarem.

**1858** A Rebelião Indiana resulta na Coroa britânica assumindo o governo direto do raj.

**1921** Mahatma Gandhi é eleito líder do Congresso Nacional Indiano e encoraja a desobediência civil não violenta.

DEPOIS
**1947** A Lei da Independência Indiana acaba com o raj britânico.

**1961** *Os condenados da Terra,* de Frantz Fanon, analisa a violência do colonialismo e a necessidade de resistência armada.

Em 1931, após voltar à Índia de uma viagem aos governos comunistas do mundo, o ativista e teórico político indiano M. N. Roy foi acusado pelos britânicos de "conspiração para tirar do rei imperador sua soberania da Índia", baseados na famosa seção 121-A do Código Penal. Julgado numa prisão em vez de numa corte — e tendo negado o seu direito a uma declaração de defesa, testemunhas ou júri —, Roy foi sentenciado a doze anos de cárcere em prisões sujas e precárias, o que arruinaria sua saúde.

Ironicamente, nos escritos de Roy sobre a soberania da Índia, ele sempre baseou seus argumentos nos princípios ingleses da justiça. Acusado pelas autoridades de defender a violência, ele dizia que o uso da força era honrável para defender as massas "empobrecidas" da Índia contra o despotismo e infame quando usada para oprimir as massas. Por três séculos, os britânicos adquiriram essa "possessão valiosa" por meio da "silenciosa" transferência de poder do decadente Império Mogol para a Companhia das Índias Orientais — cuja administração era apoiada por um enorme exército — e, por fim, à Coroa Britânica.

Argumentando que o governo britânico na Índia não fora estabelecido com o propósito de melhorar o bem-estar de seu povo, mas apenas para o benefício de uma "ditadura plutocrática", Roy afirmava que os interesses do povo indiano somente seriam atendidos com uma separação absoluta dos britânicos, se necessário pela força. ■

Quando pusermos conscientemente nossos pés no caminho certo, nada poderá nos intimidar.
**M. N. Roy**

**Veja também:** Mahatma Gandhi 220–5 ▪ Paulo Freire 297 ▪ Frantz Fanon 304–7

# SOBERANO É AQUELE QUE DECIDE NA EXCEÇÃO

## CARL SCHMITT (1888-1985)

**EM CONTEXTO**

IDEOLOGIA
**Conservadorismo**

FOCO
**Poder extrajudicial**

ANTES
**1532** Em *O príncipe*, Nicolau Maquiavel lança os princípios da soberania.

**1651** O *Leviatã*, de Thomas Hobbes, usa o conceito de contrato social para justificar o poder do soberano.

**1934** Adolf Hitler sobe ao poder na Alemanha.

DEPOIS
**2001** John Mearsheimer usa as teorias de Schmitt para justificar o "realismo ofensivo", no qual os estados estão sempre prontos para a guerra.

**2001** O *Patriot Act* nos EUA estabelece uma brecha permanente para a lei marcial e poderes emergenciais.

Carl Schmitt foi um teórico político e advogado alemão cujo trabalho, durante o início do século XX, o lançou como o principal crítico do liberalismo e da democracia parlamentar. Schmitt via a "exceção" (*Ernstfall*) — eventos inesperados — como a melhor característica da vida política. Por essa razão, ele discordava da ideia liberal de que a lei é a melhor garantia da liberdade individual. Se por um lado a lei seria capaz de prover um arcabouço pelo qual se pode gerenciar situações "normais", por outro, Schmitt argumentava, ela não havia sido desenvolvida para lidar com circunstâncias "excepcionais", tais

**Veja também:** Nicolau Maquiavel 74–81 ▪ Thomas Hobbes 96–103 ▪ Giovanni Gentile 238–9 ▪ José Ortega Y Gasset 250–1 ▪ Adolf Hitler 337

A **vida política** de um país sempre inclui circunstâncias excepcionais.

Os **julgamentos** das cortes de justiça dependem de precedentes históricos, então somente podem ser aplicados em **situações "normais"**.

Quando ocorre uma **situação excepcional**...

... **uma pessoa** deve ser capaz de operar acima da lei, suspendendo-a e adotando todos os passos necessários para **salvar o Estado**.

**A única pessoa capaz disso é o soberano. Soberano é aquele que decide na exceção.**

como golpes de Estado, revoluções ou guerras. Ele enxergava a teoria legal distante demais da prática legal e das normas sociais em transformação. Ela não conseguiria lidar com as mudanças inesperadas da história, muitas das quais poderiam ameaçar a própria existência do Estado. Um presidente, dizia, serve melhor para guardar a constituição de um país que uma corte e deveria, por isso, estar acima da lei. O governante deveria ser o último e definitivo legislador em situações excepcionais.

### Uma luta constante

A crítica de Schmitt ao liberalismo estava diretamente ligada ao seu original entendimento de "político" como uma constante possibilidade de luta entre amigos ou inimigos. Ele previa essa luta tanto no âmbito internacional — com as contendas entre as nações — como nas disputas individuais. Schmitt discordava da visão de Thomas Hobbes da natureza como um estado de "todos contra todos" e de sua conclusão de que a coexistência seria impossível sem o estado de direito. Por outro lado, ele argumentava que os liberais haviam prestado um desserviço à humanidade, ao estado-nação em particular, ao promover a possibilidade de um mundo perpetuamente em paz. Ele via a I Guerra Mundial como uma »

## Carl Schmitt

Nascido em uma devota família católica em Plettenberg, Alemanha, Carl Schmitt mais tarde renunciou à sua fé, apesar de elementos de seu entendimento do divino continuarem em sua obra. Estudou direito e mais tarde lecionou em várias universidades. Em 1933, entrou para o partido nazista e foi designado Conselheiro Estadual na Prússia. No entanto, em 1936, foi denunciado pela SS e expulso do partido.

Schmitt continuou a trabalhar como professor em Berlim, mas, ao final da II Guerra Mundial, foi preso por dois anos por suas conexões nazistas. Em 1946, retornou a Plettenberg onde, esquecido pela comunidade internacional, continuou a estudar o direito até a sua morte aos 95 anos.

**Principais obras**

**1922** *Teologia política*
**1928** *O conceito do político*
**1932** *Legalidade e legitimidade*

A exceção é mais interessante que a regra. A regra não prova nada; a exceção prova tudo.
**Carl Schmitt**

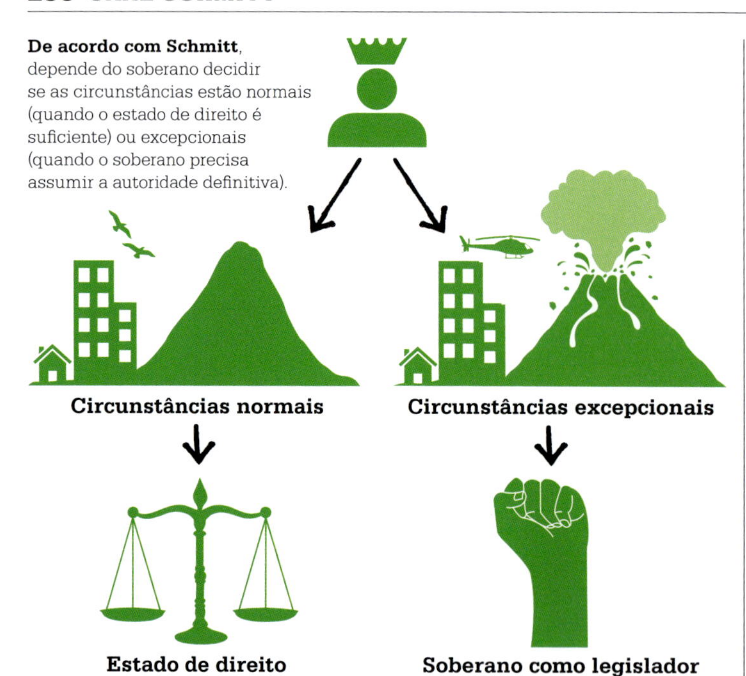


**De acordo com Schmitt**, depende do soberano decidir se as circunstâncias estão normais (quando o estado de direito é suficiente) ou excepcionais (quando o soberano precisa assumir a autoridade definitiva).

consequência do fracasso do liberalismo em reconhecer a possibilidade de discórdia e culpava os liberais tanto pelos mal-entendidos da verdadeira natureza da política quanto pela falta de sinceridade no que diz respeito à natureza da política. Usando uma premissa de paz e cordialidade perpétua, defendia ele, os estados ficam menos propensos a se preparar para o excepcional, assim arriscando a vida de seus cidadãos.

Schmitt argumentava, em vez disso, que a possibilidade de discórdia coexiste com a de aliança e neutralidade. Ele considerava o indivíduo potencialmente perigoso. Logo, com isso havia um constante risco político e uma permanente possibilidade de guerra. Schmitt admitia que essa constante perspectiva deveria ser o guia último e definitivo para o soberano, que teria de estar sempre pronto para ela. A esfera política é um mundo antagônico, não apenas um domínio independente no qual os cidadãos interagem, como as esferas da sociedade civil ou do comércio. A lei tem que agir de forma adequada por meio das cortes e de sua burocracia associada em condições normais, mas na política, condições excepcionais — até mesmo o caos — podem surgir, e as cortes não estão equipadas para fazer julgamentos bons e rápidos nessas condições. Alguém deve ter a possibilidade de suspender a lei durante circunstâncias excepcionais. Schmitt alegava que isso era parte do papel do soberano: ele possui a autoridade definitiva para decidir quando a situação está "normal" ou "excepcional", podendo, assim, ditar quando certas leis devem ou não ser aplicadas.

Ao colocar a vida acima da liberdade, Schmitt argumentou que a legitimidade do soberano não depende apenas da aplicação da lei, mas de sua habilidade de proteger o Estado e seus cidadãos. Schmitt achava que o verdadeiro poder de um soberano emerge em circunstâncias excepcionais, quando as decisões precisam ser tomadas com base em um novo contexto. É somente nessas circunstâncias que o soberano se torna um verdadeiro legislador, em vez de um mantenedor da lei, sendo apto a mobilizar a população contra um determinado inimigo. Schmitt concluiu que o poder soberano, em sua forma plena, exige o exercício da violência, mesmo quando não legitimado de outra forma pela lei.

## Defendendo Hitler

Os limites da teoria de Schmitt vieram à tona com a sua defesa das políticas de Hitler e sua ascensão ao poder. O autor justificava a "Noite das facas longas" — quando aproximadamente 85 oponentes políticos de Hitler foram assassinados — como a "forma mais elevada de justiça administrativa". Aos olhos de Schmitt, Hitler estava agindo como um verdadeiro soberano, tomando as rédeas da situação sob circunstâncias excepcionais que ameaçavam a própria existência do Estado alemão. A violência contra a facção de esquerda do partido nazista, assim como em relação aos judeus, era justificada, aos olhos de Schmitt, pela suposta ameaça que representavam ao Estado.

O apoio pessoal de Schmitt ao regime nazista sugere fortemente que, para ele, a sobrevivência do Estado era mais importante que a liberdade dos indivíduos — e às vezes mais importante que a vida dos cidadãos do Estado. No entanto, priorizar a preservação do Estado a qualquer custo falha em levar em conta o fato de que, assim como indivíduos, o Estado também muda. Ele não é uma entidade estagnada cujo caráter é dado e para sempre perfeito. Ele pode — e muitos talvez digam que deve — ser questionado a qualquer tempo.

O estado de exceção não é uma ditadura... mas um espaço desprovido de lei.
**Giorgio Agamben**

**Exceções contemporâneas**

A inabilidade de Schmitt de admitir o efeito radical de sua teoria, ou que o genocídio não é uma forma aceitável de violência sob qualquer circunstância, levou ao seu afastamento do mundo acadêmico e intelectual. No entanto, mais tarde no século XX, uma renovação do interesse por sua obra foi capitaneada por vários autores que consideraram a contribuição de Schmitt à filosofia legal e política significativa, a despeito de suas limitações. O entendimento de Schmitt do "político", a "distinção amigo-inimigo" e o "excepcional" foram usados por esses autores para entender melhor as condições nas quais os estados modernos operam e os líderes políticos tomam decisões.

O filósofo americano Leo Strauss baseou-se na crítica de Schmitt ao liberalismo argumentando que ele tendia a um relativismo extremo e ao niilismo ao desconsiderar a realidade — ele não foca no que é, mas no que deveria ser. Strauss fazia distinção entre duas formas de niilismo: um "brutal", como expressado pelos regimes nazistas e marxistas que buscam destruir todas as tradições, história e padrões morais anteriores; e um "gentil", expresso nas democracias liberais ocidentais que estabelecem uma igualdade sem valor ou meta. Para Strauss, ambas são igualmente perigosas no que destroem a possibilidade da excelência humana.

O filósofo político italiano Giorgio Agamben argumentou que o Estado de exceção não é aquele em que a lei é suspensa — oculta em algum lugar até que possa ser restabelecida —, mas, em vez disso, aquele completamente sem lei, no qual o soberano tem a autoridade definitiva sobre a vida dos cidadãos. Considerando os campos de concentração nazistas criados durante a II Guerra Mundial, Agamben ponderou que os prisioneiros nesses campos perderam todas as características humanas e estavam "apenas vivos" — mas destituídos de todos os direitos humanos e legais. Ele considerou a criação de um estado de exceção particularmente perigosa porque seus efeitos se somam de maneira imprevisível: a suspensão "temporária" da lei nunca é de fato "temporária", porque ela leva a consequências que não podem ser desfeitas com a restauração da lei.

O conceito de exceção de Schmitt se tornou particularmente pertinente depois dos atentados de 11/9 quando ele foi usado pelos conservadores e pensadores políticos da direita para justificar ou denunciar medidas antiterroristas, tais como o *Patriot Act* nos Estados Unidos. Os conservadores usaram a ideia de excepcionalidade para justificar as violações das liberdades individuais, tais como maior vigilância e detenções mais longas sem julgamento. Eruditos de esquerda argumentam contra essas mesmas práticas, apontando os riscos de suspender proteções contra as violações dos direitos humanos.

A existência de campos como o da Baía de Guantánamo demonstra os riscos de rotular um evento como "excepcional", atribuindo-lhe medidas excepcionais, em especial a revisão das regras pelo Executivo sem qualquer tipo de controle. Mais de dez anos depois, o estado de exceção declarado depois de 11/9 continua mais ou menos em prática, com consequências preocupantes que não dão sinal de acabar. ■

**Líderes nazistas** foram julgados em Nuremberg ao final da II Guerra Mundial. Schmitt foi investigado por seu papel como propagandista do regime, mas acabou não sendo julgado.

# O COMUNISMO É TÃO RUIM QUANTO O IMPERIALISMO

## JOMO KENYATTA (1894-1978)

### EM CONTEXTO

IDEOLOGIA
**Pós-colonialismo**

FOCO
**Pan-africanismo conservador**

ANTES
**1895** O protetorado da África oriental britânica surge dos interesses comerciais britânicos na África oriental.

**1952-1959** O Quênia está num estado de emergência durante uma rebelião pró-independência pelos Mau Mau.

**1961** Em Belgrado, hoje Sérvia, o Movimento Não Alinhado é fundado por países dispostos a ser independentes das grandes superpotências.

DEPOIS
**1963** A Organização da Unidade Africana (OUA) é fundada para se opor ao colonialismo na África.

**1968** A última colônia africana da Grã-Bretanha obtém a independência.

Jomo Kenyatta foi um dos principais personagens da independência do Quênia em relação ao domínio colonial britânico, tornando-se seu primeiro primeiro-ministro e presidente no período pós-colonial. Político moderado, tinha um programa de mudanças graduais, em vez de uma revolução dramática.

### Ameaças externas

As ideias de Kenyatta misturavam anticolonialismo com anticomunismo. Ele se opunha fervorosamente ao domínio branco na África e promovia a ideia da independência do Quênia com a criação da União Nacional Africana Queniana (KANU). Interessado num programa de economia de mercado mista, o país se abriu ao investimento estrangeiro e desenvolveu uma política externa que era pró-Ocidente e anticomunista.

As nações pós-coloniais, acreditava Kenyatta, estavam em risco de ser exploradas por forças estrangeiras para consolidar a posição de outras nações no cenário mundial. Para garantir uma independência genuína, não seria possível tolerar a influência externa que se dava lado a lado com o comunismo soviético. Nesse sentido, as ameaças postas pelo comunismo poderiam ser tão restritivas à autodeterminação queniana quanto o domínio colonial. ■

**Líderes dos recém-criados** estados independentes da África oriental — Julius Nyerere de Tanganyika, Milton Obote de Uganda e Kenyatta — reúnem-se em Nairóbi em 1964 para discutir o futuro pós-colonial.

**Veja também:** Manabendra Nath Roy 253 ▪ Nelson Mandela 294–5 ▪ Frantz Fanon 304–7 ▪ Che Guevara 312–3

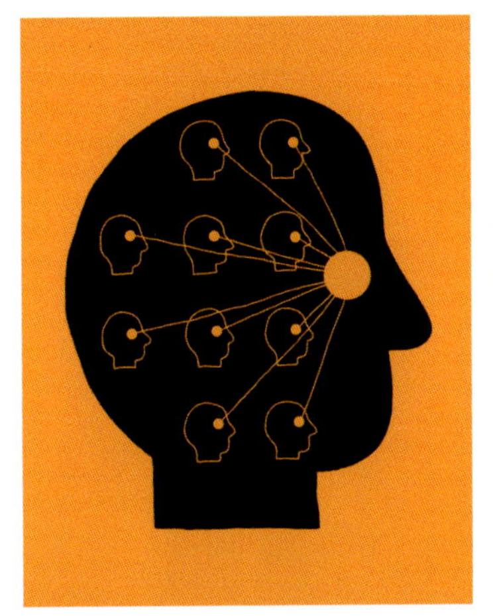

# O ESTADO DEVE SER CONCEBIDO COMO UM "EDUCADOR"

## ANTONIO GRAMSCI (1891-1937)

### EM CONTEXTO

IDEOLOGIA
**Marxismo**

FOCO
**Hegemonia cultural**

ANTES
**1867** Karl Marx completa o primeiro volume de *O capital* no qual analisa o sistema capitalista e as formas como as massas são exploradas pelos ricos.

**1929** José Ortega y Gasset lamenta o fim dos intelectuais conforme a classe trabalhadora cresce em poder.

DEPOIS
**1980** Michel Foucault descreve as formas nas quais o poder está distribuído pela sociedade, em instituições como as escolas e a família.

**1991** A *Lega Nord* (Liga Norte) é fundada sobre a plataforma de maior autonomia para o norte industrializado da Itália.

O teórico marxista italiano Antonio Gramsci, ao expor os desequilíbrios entre o norte industrializado e o sul rural na Itália, identificou que a luta para acabar com a dominação da classe dominante era uma batalha tanto cultural quanto revolucionária. Gramsci desenvolveu a noção de "hegemonia cultural" se referindo ao controle ideológico e cultural das classes trabalhadoras que ultrapassa a coerção ao desenvolvimento de sistemas de pensamento — reforçando a posição dos poderosos por meio do consentimento.

Uma massa humana não se 'distingue', não se torna independente... sem se organizar: e não há organização sem intelectuais.
**Antonio Gramsci**

### O papel dos intelectuais

Para Gramsci, nenhum governo, independente de quão poderoso seja, pode sustentar o seu controle apenas pela força. Também são necessários a legitimidade e o consentimento popular. Ao conceber as funções do Estado como um meio de educar e doutrinar a sociedade à subserviência, Gramsci mudou radicalmente o pensamento de Marx. Ele constatou que, para derrubar o controle da hegemonia cultural na sociedade, a educação era vital. Gramsci tinha uma visão particular do papel dos intelectuais nesse contexto. Ele achava que esses poderiam existir em todos os níveis da sociedade, em vez de apenas na elite tradicional, e que o desenvolvimento dessa capacidade na classe trabalhadora era necessário para o sucesso de qualquer tentativa de se contrapor à hegemonia das classes dominantes. ■

**Veja também:** Karl Marx 188–93 ▪ Vladimir Lênin 226–33 ▪ Rosa Luxemburgo 234–5 ▪ Michel Foucault 310–1

# O PODER POLÍTICO VEM DO CANO DE UM REVÓLVER

## MAO TSÉ-TUNG (1893-1976)

**EM CONTEXTO**

IDEOLOGIA
**Marxismo-leninismo**

FOCO
**Modernização da China**

ANTES
**1912** A República da China é estabelecida, pondo fim a mais de 2 mil anos de governo imperial.

**1919** O Movimento 4 de Maio politiza os eventos na China, o que leva à fundação do Partido Comunista da China em 1921.

DEPOIS
**1966-1976** A Revolução Cultural de Mao, o fim de elementos supostamente capitalistas, tradicionais e culturais na China, leva a uma luta de facções e à perda de muitas vidas.

**1977** Deng Xiaoping implementa um programa de liberalização econômica, levando a um rápido crescimento.

No começo do século XX, estudantes e intelectuais chineses, incluindo o jovem Mao Tsé-tung, começaram a estudar as ideologias socialistas em ascensão na Europa e a aplicá-las à China. Naquela época, o marxismo não era tão atrativo a esses jovens chineses como o anarquismo de Mikhail Bakunin e outras escolas de pensamento marxista utópico. Marx estipulou que uma sólida sociedade capitalista era a base necessária para uma revolução socialista, mas a China ainda era primordialmente agrária e feudal, sem nenhuma indústria moderna ou uma classe trabalhadora urbana.

## Inspiração revolucionária

Antes da Revolução Russa de 1917, havia pouco para encorajar os intelectuais chineses, insatisfeitos com a convicção de Marx de que os processos da produção capitalista deveriam alcançar a massa crítica antes que houvesse uma bem-sucedida revolução dos trabalhadores. Olhando em retrospecto para as imensas mudanças que fez no cenário político chinês, Mao diria mais tarde que os levantes bolcheviques haviam atingido os pensadores chineses como um "raio". Os eventos na Rússia passaram a ser uma questão de imenso interesse por causa das semelhanças entre os dois gigantes atrasados. Viajando para Pequim, Mao tornou-se assistente do bibliotecário da universidade, Li Dazhao, um comunista antigo que estudava, dava seminários e escrevia a respeito do movimento revolucionário russo.

Mao pegou as ideias marxistas e leninistas e as adaptou para resolver o problema de uma revolução operária numa terra de camponeses. A teoria de Lênin sobre o imperialismo concebia o comunismo se espalhando pelos países desenvolvidos e, paulatinamente, cercando o capitalismo ocidental. Mao acreditava que os países ainda estagnados no feudalismo pulariam a fase capitalista de desenvolvimento e iriam direto para o socialismo pleno. Um partido de vanguarda elitista, com uma "consciência" de classe mais elevada, transmitiria valores revolucionários e identidade proletária aos camponeses.

## Politização do povo

O entusiasmo gerado pela Revolução Russa talvez tivesse sido restrito

A China é uma sociedade mais **agrária** que **industrial**.

Por isso, os camponeses são a **classe proletária** da China.

Camponeses **não têm poder** contra os exploradores capitalistas armados.

Para se livrar da arma, é **preciso pegar** numa arma.

**O poder político vem do cano de um revólver.**

**Veja também:** Karl Marx 188–93 ▪ Sun Yat-Sen 212–3 ▪ Vladimir Lênin 226–33 ▪ Joseph Stálin 240–1 ▪ Leon Trótski 242–5 ▪ Che Guevara 312–3 ▪ Ho Chi Minh 337

**Agricultores de arroz** e outros camponeses entregaram suas terras às cooperativas num programa de coletivização que se tornaria uma peça-chave na movimentação de Mao para reformar a economia rural da China.

apenas aos grupos de discussão se não fosse a negligente traição dos aliados ocidentais em relação aos interesses chineses após a I Guerra Mundial. Mais de 140 mil trabalhadores chineses foram enviados à França para apoiar o esforço de guerra da Tríplice Entente — Grã-Bretanha, França e Rússia —, supondo que, entre outras coisas, o protetorado alemão de Shandong, no litoral nordeste da China, voltaria às mãos chinesas após a guerra. Mas, em vez disso, os aliados deram o território ao Japão na Conferência de Paz em Versalhes em 1919.

Estudantes, por toda a China, protestaram contra a rendição "covarde" de seu país. Os trabalhadores urbanos e os empresários em Xangai se juntaram a eles, e uma coalizão de diversos grupos convergiu no Movimento Quatro de Maio para forçar o governo a se curvar às suas demandas. Os representantes chineses em Versalhes se recusaram a assinar o tratado de paz, mas suas objeções não tiveram qualquer efeito nas decisões dos aliados. O verdadeiro significado do Movimento Quatro de Maio era que enormes massas na China passaram a pensar em suas péssimas condições de vida e na vulnerabilidade de seu país às ameaças do mundo exterior. Essa foi uma mudança significativa, no pensamento político chinês, na qual a democracia liberal nos moldes ocidentais perdeu muito de sua atração, e os conceitos marxista-leninistas ganharam terreno.

Mao foi um dos intelectuais radicais que se destacou nesse momento e seguiu organizando camponeses e trabalhadores no Partido Comunista. Ele jamais se esqueceria da lição de Shandong: negociar de uma posição fraca era perder. O poder definitivo na política era o da força armada. Mao seria implacável em buscar a força armada e em sua disposição em usá-la.

Em 1921, Mao participou do Primeiro Congresso do Partido Comunista da China (PCC) em Xangai e, em 1923, foi eleito para o Comitê Central do partido. Ele passou a década de 1920 organizando greves de trabalhadores, estudando e desenvolvendo suas ideias. Ficou claro para ele que, na China, seria um proletariado rural, não um urbano, que faria a revolução.

É muito difícil para os trabalhadores conscientizarem-se da importância de ter armas em suas mãos.

**Mao Tsé-tung**

## O cadinho do comunismo

O PCC compartilhava a visão ideológica do marxismo-leninismo com o Kuomintang (KMT) — o partido nacionalista e antimonarquista fundado por Sun Yat-Sen, com ligações com a Rússia soviética —, e ambos tinham uma meta geral de unificação nacional. Mas o movimento popular dos camponeses e trabalhadores comunistas era radical demais para o KMT, que se voltara aos seus aliados do PCC em 1927, esmagando suas organizações nas cidades. Esse conflito violento foi o cadinho do qual brotou a doutrina "maoísta" na forma de uma estratégia revolucionária marxista baseada na »

Sem um exército para o povo, não há nada para o povo.
**Mao Tsé-tung**

**O culto da personalidade de Mao** foi incessantemente reforçado pelas demonstrações de massa, com pessoas carregando pôsteres de seu líder e cópias do *Pequeno livro vermelho* de citações.

guerrilha rural. Entre 1934 e 1935, Mao — então presidente da República Soviética Chinesa, uma pequena república proclamada na região montanhosa de Jiangxi no sudeste da China — consolidou sua posição como o mais importante entre os comunistas chineses durante a "Longa Marcha". A primeira de uma série de marchas, essa compreendeu 9.600 km, durou mais de um ano e foi feita abertamente para repelir os invasores japoneses, mas também serviu como um retiro militar para o Exército Vermelho Comunista evitar as forças nacionalistas lideradas por Chiang Kai-shek. Eles cruzaram dezoito cadeias de montanhas e 24 grandes rios, e só um décimo da força original de 80 mil soldados e trabalhadores que saíram de Jiangxi em outubro de 1934 chegaram a Xangai um ano depois. A supremacia de Mao estava selada, tendo se tornado o líder do PCC em novembro de 1935. Com a derrota do Japão pelos aliados na II Guerra Mundial, a volta da guerra civil na China e a rendição final das forças nacionalistas, a comunista República Popular da China foi finalmente criada em 1949, tendo Mao no controle.

A política é guerra sem derramamento de sangue, enquanto a guerra é política com derramamento de sangue.
**Mao Tsé-tung**

## O Grande Timoneiro

Em 1938, em suas considerações finais à Sexta Sessão Plenária do Sexto Comitê Central do PCC, Mao expôs sua teoria sobre a revolução. Ele sabia que a China ainda era semifeudal, que a verdadeira classe revolucionária era formada por camponeses e que só a luta militar conseguiria fazer a revolução. Demonstrações, protestos e greves jamais seriam suficientes. Com o proletariado-camponês armado e poderoso, Mao — então conhecido como o "Grande Timoneiro" — conduziu muitas melhorias. Dentre essas medidas, acabou com os casamentos arranjados e promoveu o status das mulheres, dobrou a frequência às escolas, aumentou a alfabetização e desenvolveu moradia para todos. Mas a admiração de Mao por Stálin e a sua paixão pela linguagem e teorias marxistas da revolução disfarçaram os milhares de assassinatos que ele e suas forças cometeram a caminho do poder. Ainda haveria muitos milhões mais — alguns, frutos da repressão violenta dos opositores na China, outros, por negligência. No período de três décadas, Mao compeliu o país a quase ficar autossuficiente, se bem que a um enorme custo em vidas, conforto, liberdade e saúde.

O Plano Quinquenal lançado em 1953 alcançou espetaculares aumentos na produção e foi seguido pelo "Grande Salto Adiante" em 1958. Ao forçar a economia chinesa a tentar alcançar o Ocidente por meio de projetos de trabalho em massa na agricultura, indústria e infraestrutura, Mao causou uma das maiores catástrofes que o mundo já viu. Entre 1958 e 1962, pelo menos 45 milhões de chineses — na maioria camponeses — foram torturados, sujeitados a muito trabalho, privados de alimento ou espancados até a morte e atingiram uma taxa de mortalidade pouco menor do que o total de mortos da II Guerra Mundial.

As atrocidades desse período foram cuidadosamente catalogadas no recém-reaberto arquivo do Partido Comunista. Esses registros mostram que a "verdadeira classe revolucionária" — o povo escolhido de Mao na grande luta para a justiça social — era, de fato, tratada por Mao e o Partido como produto descartável, sem um rosto. Em contraste com a convicção de Marx de que o socialismo seria um desenvolvimento inevitável das conquistas materiais e culturais do capitalismo, Mao relacionou a pobreza que viu na China com a pluralidade moral que acreditava que levaria à utopia socialista. Em 1966, a Revolução Cultural foi feita visando limpar a China das influências "burguesas". Milhões foram "reeducados" por meio de trabalhos forçados, e milhares foram executados.

### Mao na China moderna

A política que, para Mao, vinha do "cano de um revólver" acabou se tornando políticas totalitárias de terror, brutalidade, ilusão e engano. Na sua morte, o PCC declarou que suas ideias continuariam "um guia de ação para um longo futuro". Mas, conforme a sociedade evolui e a consciência sobre seus terríveis crimes cresce, a influência de Mao sobre o pensamento chinês talvez seja descartada. ■

**Tratores feitos na China** aumentavam a produção e simbolizavam a política de Mao de "manter independência e confiar em nossos próprios esforços".

## Mao Tsé-tung

Filho de um rico camponês, Mao Tsé-tung nasceu em Shaoshan, na província Hunan, no centro da China, em 1893. Mao descrevia seu pai como um disciplinador rígido que batia em seus filhos a qualquer pretexto, enquanto sua devota mãe budista tentava acalmá-lo.

Depois de ser educado como professor, Mao viajou para Pequim onde trabalhou na biblioteca da universidade. Estudou marxismo e avançou até tornar-se membro-fundador do Partido Comunista Chinês em 1921. Depois de anos de guerra civil e nacional, os comunistas saíram vitoriosos e, sob a liderança de Mao, fundaram a República Popular da China em 1949.

Mao decidiu modernizar de modo implacável a China com seu programa de trabalho de massa, o "Grande Salto Adiante", seguido pela Revolução Cultural. Ambas iniciativas fracassaram, resultando em milhões de mortes. Mao morreu em 9 de setembro de 1976.

### Principais obras

**1937** *Guerra de guerrilhas*
**1964** *Pequeno livro vermelho* ou *Citações do presidente Mao Tsé-tung*

# POLÍTICA PÓS-GUE

# 1945-PRESENT

DE

RRA

E

A Alemanha se rende, seguida pelo Japão, acabando com a II Guerra Mundial. A **Europa é dividida** entre a oriental e a ocidental.

**1945**

**1945**

Um governo trabalhista é eleito no Reino Unido e implementa uma série de reformas que dariam contorno ao moderno **Estado do bem-estar social**.

Simone de Beauvoir publica *O segundo sexo*, que se torna uma importante **fonte feminista**.

**1949**

**1950-1953**

A **Guerra da Coreia** é a luta entre as potências ocidentais e as forças comunistas da Coreia do Norte e da China.

A crise dos **mísseis de Cuba** faz com que as relações entre a URSS e os EUA cheguem a um ponto de ruptura.

**1962**

O presidente dos Estados Unidos John F. Kennedy é **assassinado**.

**1963**

**1963**

O Quênia **declara independência**, seguindo várias outras ex-colônias europeias.

**1963**

Martin Luther King lidera a **Marcha sobre Washington por Emprego e Liberdade**.

Enormes mudanças industriais e sociais ocorreram nos anos posteriores ao fim da II Guerra Mundial. A escala e a industrialização do esforço de guerra, o declínio das grandes potências coloniais e as batalhas ideológicas entre o comunismo e o capitalismo de livre mercado tiveram profundos efeitos no pensamento político. O mundo em recuperação de uma tragédia de tamanha escala precisava urgentemente ser reinterpretado, exigindo novos preceitos para o desenvolvimento e a organização humana.

Por toda a Europa ocidental surgiu um novo consenso político, desenvolvendo economias mistas com empreendimentos privados e públicos. Ao mesmo tempo, novas demandas por direitos civis e humanos emergiram ao redor do mundo no imediato pós-guerra, e movimentos de independência tiveram apoio nas colônias europeias.

### A guerra e o Estado

Houve muitos questionamentos de pensadores políticos que derivaram da experiência de um conflito global. A II Guerra Mundial acompanhou uma expansão sem precedentes na capacidade militar, tendo um dramático impacto na base industrial das principais potências. Esse novo ambiente serviu de plataforma para uma colisão de ideias entre o Ocidente e o Oriente, e as guerras da Coreia e do Vietnã, ao lado de uma infinidade de outros pequenos dramas, foram, de certo modo, um protótipo do conflito entre a União Soviética e os Estados Unidos.

As bombas nucleares que levaram a II Guerra Mundial ao fim também sinalizaram uma era de desenvolvimento tecnológico no esforço de guerra que ameaçou a humanidade de maneira aterrorizante. Tais desenvolvimentos levaram muitos escritores a reconsiderar a ética da guerra. Teóricos como Michael Walzer exploraram as ramificações morais da batalha, desenvolvendo ideias introduzidas por Tomás de Aquino e Agostinho de Hipona.

Outros escritores, como Noam Chomsky e Smedley D. Butler, exploraram as configurações de poder em jogo subjacentes ao novo complexo militar-industrial. Ultimamente, a emergência do terrorismo global e os subsequentes conflitos no Iraque e no Afeganistão colocaram esses debates em evidência.

O período imediatamente seguinte à guerra também levantou sérias

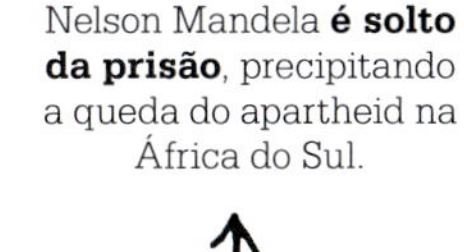

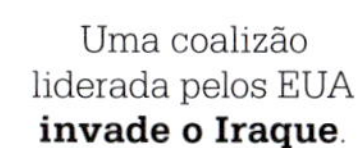

**1968**
Martin Luther King é assassinado. A **Lei dos Direitos Civis** é aprovada nos EUA.

**1973**
As últimas tropas em terra **deixam o Vietnã** em meio ao protesto e ao descontentamento público.

**1979**
A Revolução Iraniana introduz uma série de **leis fundamentalistas** que criam um governo autoritário no Irã.

**1989**
Cai o **Muro de Berlim** como parte de uma série de revoluções por todo o Leste Europeu, causando o colapso do comunismo soviético.

**1990**
Nelson Mandela **é solto da prisão**, precipitando a queda do apartheid na África do Sul.

**2001**
Os ataques de 11/9 ao World Trade Center e ao Pentágono nos EUA aceleram a "**guerra global ao terror**".

**2003**
Uma coalizão liderada pelos EUA **invade o Iraque**.

**2005**
Robert Pape publica sua análise do **terrorismo suicida**, *Dying to win*, que conclui que ele é um "fenômeno guiado pela demanda".

questões sobre o papel adequado do Estado. No período de pós-guerra, as democracias europeias estabeleceram o alicerce do Estado de bem-estar social, e o comunismo tomou conta de todo o Leste Europeu. Como resposta, pensadores políticos começaram a considerar as implicações desses desenvolvimentos, em especial na relação com a liberdade individual. Novos entendimentos sobre a liberdade e a justiça foram propostos por escritores como Friedrich Hayek, John Rawls e Robert Nozick, e a posição dos indivíduos em relação ao Estado começou a ser reconsiderada.

## Feminismo e direitos civis

A partir da década de 1960 surgiu uma nova linhagem de feminismo, abertamente política, inspirada por escritoras como Simone de Beauvoir, que questionou a posição das mulheres na política e na sociedade. Quase ao mesmo tempo, a batalha por direitos civis ganhou força — com o declínio do colonialismo na África e o movimento popular contra a discriminação racial nos Estados Unidos — liderada por pensadores como Frantz Fanon e ativistas como Nelson Mandela e Martin Luther King. Uma vez mais, questões de poder, em especial os direitos políticos e civis, foram as principais preocupações dos pensadores políticos.

## Preocupações globais

Durante os anos 1970, preocupações com o ambiente ganharam força, impulsionadas pelas ideias da "ecologia profunda" de Arne Naess que acabou se fundindo com o movimento verde. Conforme assuntos como mudanças climáticas e o fim do petróleo barato se tornaram temas cada vez mais correntes, pensadores políticos verdes tornaram-se mais influentes.

No mundo islâmico, políticos e pensadores lutaram para chegar a um acordo sobre a posição do islã na política. Da visão de Maududi sobre o Estado islâmico às considerações do papel das mulheres no islã, passando pela al-Qaeda e a esperança despertada na Primavera Árabe, tem-se uma nova arena política dinâmica e conflitiva.

Os desafios do mundo globalizado — com indústrias, culturas e tecnologias de comunicação que transcendem as fronteiras nacionais — trazem novos problemas políticos. Em especial, a crise financeira que estourou em 2007 levou pensadores políticos a reconsiderar suas posições, buscando novas soluções para novos problemas. ■

# O MAIOR MAL É UM GOVERNO SEM LIMITE

## FRIEDRICH HAYEK (1899-1992)

**EM CONTEXTO**

IDEOLOGIA
**Neoliberalismo**

FOCO
**Economia de livre mercado**

ANTES
**1840** Pierre-Joseph Proudhon defende uma sociedade naturalmente ordenada sem autoridade, argumentando que o capital é análogo à autoridade.

**1922** O economista austríaco Ludwig von Mises critica as economias com planejamento central.

**1936** John Maynard Keynes argumenta que a chave para sair da depressão econômica é o gasto governamental.

DEPOIS
**1962** O economista americano Milton Friedman argumenta que o capitalismo competitivo é essencial para a liberdade política.

**1975** A política britânica Margaret Thatcher saúda Hayek como sua inspiração.

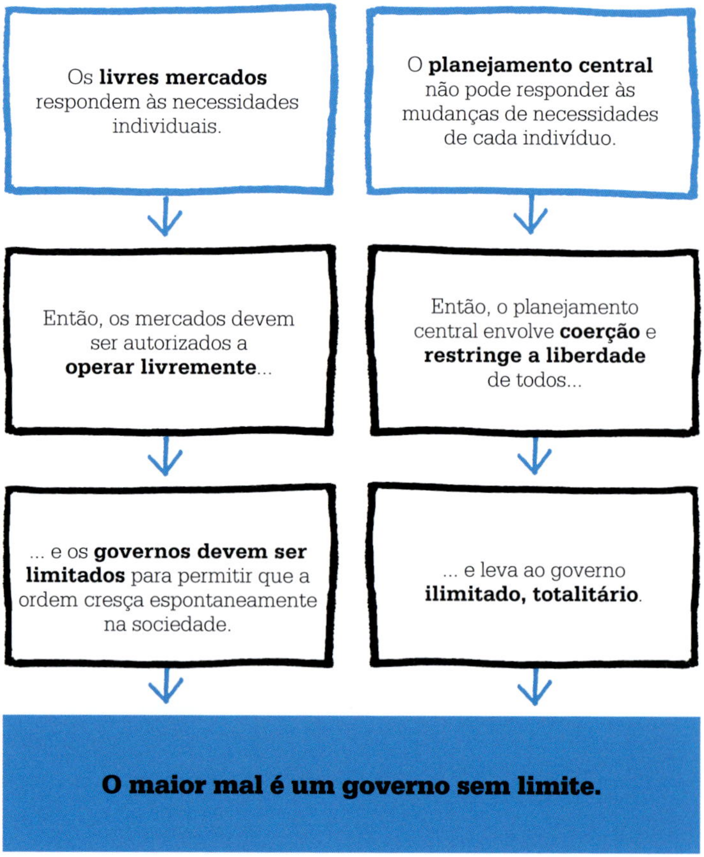

Os **livres mercados** respondem às necessidades individuais.

Então, os mercados devem ser autorizados a **operar livremente**...

... e os **governos devem ser limitados** para permitir que a ordem cresça espontaneamente na sociedade.

O **planejamento central** não pode responder às mudanças de necessidades de cada indivíduo.

Então, o planejamento central envolve **coerção** e **restringe a liberdade** de todos...

... e leva ao governo **ilimitado, totalitário**.

**O maior mal é um governo sem limite.**

O economista austro-britânico Friedrich Hayek escreveu sua advertência contra um governo sem limite num apêndice chamado "Why am I not a conservative" em sua obra de 1960, *The constitution of liberty*. Em 1975, a recém-eleita líder do Partido conservador, Margaret Thatcher, jogou esse livro em cima da mesa durante uma reunião com seus amigos conservadores e disse: "É nisto que acreditamos".

Thatcher não foi a única política conservadora a admirar as ideias de Hayek, e ele surgiu como um tipo de herói para os políticos da direita. Por essa razão, pode parecer estranho que ele tenha insistido com veemência no fato de não ser um conservador. É verdade que sua posição parece tão ambígua que muitos comentaristas preferem o termo "neoliberal" para descrever Hayek e outros, como Thatcher e o presidente americano Ronald Reagan, que defenderam a ideia de livres mercados sem restrições.

### Hayek *versus* Keynes

O princípio dos livres mercados está no cerne da insistência de Hayek no fato de que "o maior mal é o governo sem limites". Hayek atraiu a atenção pública pela primeira vez na década de 1930 quando desafiou as ideias do economista britânico John Maynard Keynes de como lidar com a Grande Depressão. Keynes defendia que a única saída da espiral descendente de desemprego e baixo consumo era uma intervenção governamental de larga escala, com gastos públicos. Hayek insistia que isso simplesmente traria inflação, e que as "baixas" periódicas eram uma parte inevitável — de fato necessárias — do ciclo de negócios.

Os argumentos de Keynes convenceram os políticos da época, mas

**Veja também:** Immanuel Kant 126–9 ▪ John Stuart Mill 174–81 ▪ Pierre-Joseph Proudhon 183 ▪ Ayn Rand 280–1 ▪ Mikhail Gorbachev 322 ▪ Robert Nozick 326–7

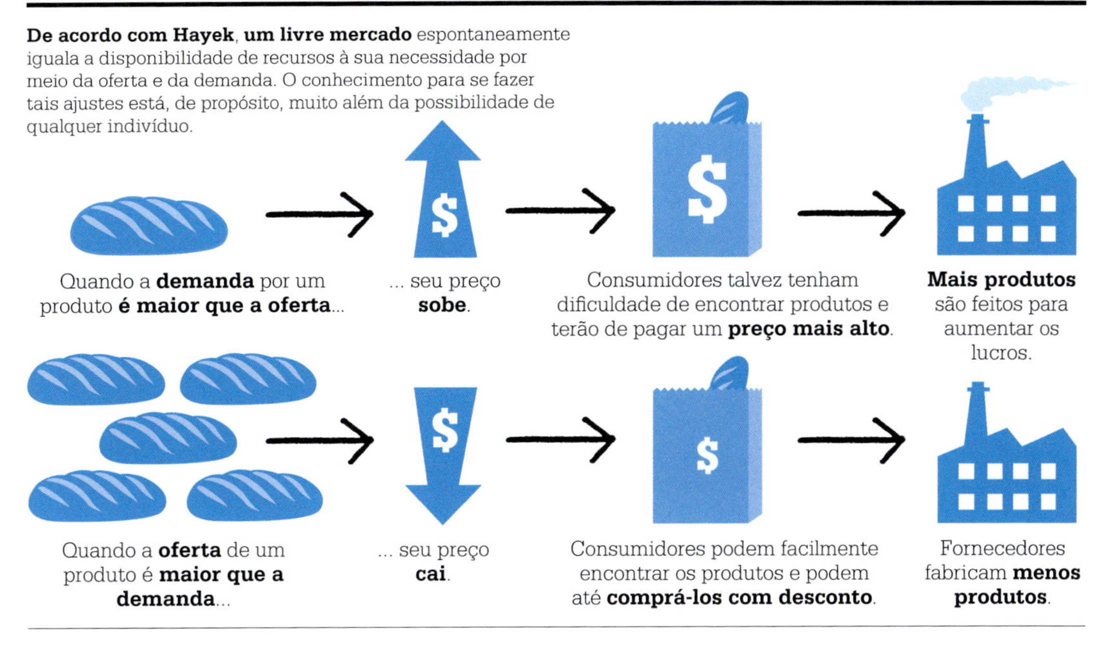

**De acordo com Hayek**, **um livre mercado** espontaneamente iguala a disponibilidade de recursos à sua necessidade por meio da oferta e da demanda. O conhecimento para se fazer tais ajustes está, de propósito, muito além da possibilidade de qualquer indivíduo.
Quando a **demanda** por um produto **é maior que a oferta**...
... seu preço **sobe**.
Consumidores talvez tenham dificuldade de encontrar produtos e terão de pagar um **preço mais alto**.
**Mais produtos** são feitos para aumentar os lucros.
Quando a **oferta** de um produto é **maior que a demanda**...
... seu preço **cai**.
Consumidores podem facilmente encontrar os produtos e podem até **comprá-los com desconto**.
Fornecedores fabricam **menos produtos**.


Hayek continuou a desenvolver suas ideias. Ele explicava que o planejamento central estava fadado ao fracasso porque os que planejam nunca conseguem ter todas as informações necessárias para dar conta das mudanças nas necessidades de todos os indivíduos. Seria simplesmente um delírio imaginar que os administradores tivessem a onisciência para atender tantas necessidades distintas.

A brecha no planejamento está nos dados, e os livres mercados se aproveitam disso. Os indivíduos sabem de suas necessidades de recursos, às quais um planejador central não tem acesso. Hayek afirmava que o livre mercado seria capaz de revelar esse conhecimento perfeita e continuamente, por meio da operação dos preços, que variam para sinalizar o equilíbrio entre oferta e demanda. Se os preços sobem, sabe-se que os bens têm pouca oferta; quando caem, vê-se que há uma superoferta de bens. O mercado também dá às pessoas um incentivo para responderem a esse conhecimento, aumentando a produção dos bens com baixa oferta para aproveitar o lucro extra que eles oferecem. Hayek via esse mecanismo de preço não como uma invenção humana deliberada, mas como exemplo da ordem
na sociedade humana que emerge espontaneamente, assim como a língua.

## Perda de liberdade

Com o tempo, Hayek começou a sentir que a brecha entre a economia planejada e o livre mercado não era simplesmente uma questão de economia, mas um ponto fundamental de liberdade política. Planejar a economia significa controlar a vida das pessoas. Assim, em 1944, com a piora da II Guerra Mundial, ele escreveu seu famoso livro, para advertir às pessoas no seu país de adoção, a Grã-Bretanha, que fugissem dos perigos do socialismo.

Em sua obra, argumentou que o controle governamental de nossa vida »

Uma reivindicação por igualdade material só pode ser satisfeita por um governo com poderes totalitários.
**Friedrich Hayek**

O controle econômico não é meramente o controle de uma parte da vida que pode ser separada do restante; é o controle dos meios para todos os nossos fins.
**Friedrich Hayek**

econômica leva ao totalitarismo e nos transforma em servos. Ele acreditava que não havia uma diferença fundamental entre países socialistas com controle central da economia e o fascismo dos nazistas, a despeito das diferenças de intenções ocultas nas políticas. Na visão de Hayek, para colocar um plano econômico mestre em ação, mesmo que fosse um voltado a beneficiar a todos, tantas políticas-chave teriam de ser delegadas a tecnocratas não eleitos que tal programa seria, em essência, antidemocrático. Além disso, um amplo plano econômico não deixaria espaço para a escolha individual em nenhum aspecto da vida.

**O governo precisa de limites**

Em seu livro *The constitution of liberty* os argumentos de Hayek sobre a ligação entre o livre mercado e a liberdade política são plenamente desenvolvidos. A despeito de sua afirmação de que os livres mercados devem ser o mecanismo elementar para dar ordem à sociedade, ele não é, de maneira alguma, contrário ao governo. O papel central do governo, disse Hayek, deveria ser a manutenção do "estado de direito", com o mínimo possível de intervenção na vida das pessoas. Ele seria uma "associação civil" que oferece um arcabouço dentro do qual cada indivíduo poderia seguir seus próprios projetos.

Os fundamentos da lei são regras de conduta comuns que surgiram antes dos governos e de modo espontâneo. "Um juiz", escreveu ele, "é, nesse sentido, a instituição de uma ordem espontânea". A partir disso é que Hayek afirmou que não era um conservador. Ele argumentou que os conservadores morriam de medo da democracia e atribuiam os males de sua época à sua ascensão, porque temiam a mudança. Mas Hayek não tinha nenhum problema com a democracia e a mudança — o empecilho seria o governo incapaz de ser adequadamente mantido sob controle e limitado. Ele dizia que "ninguém está qualificado para exercer poder ilimitado" — e isso incluiria "o povo". Ainda assim, "os poderes que a democracia moderna possui", afirmou, "seriam ainda mais intoleráveis nas mãos de uma pequena elite".

Hayek criticou as leis voltadas a remediar um problema particular e acreditava que o uso de coerção pelo governo na sociedade deveria ser mantido ao mínimo. Foi ainda mais crítico da noção de "justiça social". O mercado, disse, é um jogo em que "não há motivo de se falar em justo ou injusto". Ele concluiu disso que "a justiça social é uma frase vazia sem conteúdo determinado". Para Hayek, qualquer tentativa de redistribuir a riqueza — por exemplo aumentando os impostos para garantir o bem-estar social — seria uma ameaça à liberdade. Seria necessário ter uma rede de segurança básica para prover "proteção contra os atos de desespero dos necessitados".

Por um longo tempo, as ideias de Hayek tiveram apenas poucos discípulos, e a economia keynesiana dominou a política dos governos ocidentais nos anos do pós-guerra. Muitos países estabeleceram estados de bem-estar social a despeito das advertências de Hayek em oposição. Mas a crise do petróleo e a crise econômica dos anos 1970 persuadiram algumas pessoas a revisarem as ideias de Hayek, e, em 1974, para a surpresa de muitos, ele ganhou o Prêmio Nobel

**Na Europa do pós-guerra**, as ideias de John Maynard Keynes prevaleceram sobre as de Hayek. Indústrias-chave como as ferrovias passaram a ser dirigidas por companhias estatais.

**Ronald Reagan e Margareth Thatcher** aderiram com entusiasmo à mensagem de Hayek de que o governo deveria ser enxugado, cortando impostos e serviços públicos.

de Economia. Desse ponto em diante, suas ideias tornaram-se o ponto de convergência para todos os que defendiam os livres mercados desregulados como o caminho para a prosperidade econômica e a liberdade individual. Nos anos 1980, Reagan e Thatcher implementaram políticas para encolher o Estado de bem-estar, reduzindo a tributação e diminuindo as regulações. Muitos dos líderes das revoluções contra os governos comunistas do Leste Europeu também foram inspirados pelas ideias de Hayek.

## Políticas de choque

O fato de Hayek ter se considerado um liberal foi criticado por muitos, incluindo o ex-líder do Partido Liberal britânico, David Steel, que argumentava que a liberdade só seria possível com "justiça social e distribuição igualitária de riqueza e poder, que em troca exige um grau de intervenção ativa do governo". Mais terrível ainda, do ponto de vista liberal, é a associação das ideias de Hayek com o que a jornalista canadense Naomi Klein descreveu como "doutrina do choque". Nela, as pessoas são persuadidas a aceitar "para seu próprio bem" uma série de medidas extremas de livre mercado — tais como a rápida desregulação, a venda de empresas estatais e o alto desemprego —, postas num estado de choque, quer por meio de dificuldades econômicas, quer de brutais políticas econômicas.

A ideologia de livre mercado de Hayek foi associada a várias ditaduras militares brutais na América do Sul, tais como as do general Augusto Pinochet no Chile — aparentemente o tipo exato de regime totalitário que Hayek era contra. O próprio Hayek se ligou a esses regimes, apesar de sempre insistir que estava apenas dando orientações econômicas.

Hayek permanece uma figura altamente controversa, apoiado por defensores do livre mercado e muitos políticos da direita como um defensor da liberdade, e desprezado por muitos da esquerda que acham que suas ideias ocultam uma mudança para uma linha dura do capitalismo ao redor do mundo a qual trouxe miséria a muitos e aumentou, de maneira dramática, a disparidade entre os ricos e os pobres. ■

Um governo grande o suficiente para lhe dar tudo o que você quer é forte o bastante para tirar tudo o que você tem.

**Gerald Ford**

## Friedrich Hayek

Nascido em Viena em 1899, Friedrich August von Hayek entrou na Universidade de Viena pouco depois da I Guerra Mundial, quando essa era uma das três melhores do mundo para se estudar economia. Apesar de matriculado no curso de direito, ficou fascinado por economia e psicologia, e a pobreza da Viena do pós-guerra o direcionou a uma solução socialista. Então, em 1922, depois de ler o livro *Socialism*, de Ludwig von Mises, uma crítica devastadora do planejamento central, Hayek se matriculou no curso de economia de Mises. Em 1931, mudou-se para a London School of Economics para lecionar sobre a teoria de Mises no campo dos ciclos de negócios e começou seu embate com Keynes a respeito das causas da Depressão. Em 1947, ao lado de Mises, fundou a Mont Pèlerin Society de libertários. Três anos mais tarde, entrou na escola de Chicago de economistas de livre mercado, com Milton Friedman. Perto de sua morte em 1992, suas ideias já eram muito influentes.

### Principais obras

**1944** *O caminho da servidão*
**1960** *The constitution of liberty*

# GOVERNO PARLAMENTAR E POLÍTICA RACIONALISTA NÃO PERTENCEM AO MESMO SISTEMA

## MICHAEL OAKESHOTT (1901-1990)

### EM CONTEXTO

IDEOLOGIA
**Conservadorismo**

FOCO
**Experiência prática**

ANTES
**1532** *O príncipe,* de Maquiavel, analisa os meios normalmente violentos pelos quais os homens buscam, mantêm e perdem poder político.

**1689** A Declaração de Direitos britânica limita os poderes do monarca.

**1848** Marx e Engels publicam o *Manifesto comunista* que Oakshott considera ser usado de modo inadvertido como um "livro de regras" para a ação política.

DEPOIS
**1975** No Camboja, Pol Pot proclama o "Ano Zero" e apaga a história. Seu regime maoísta mata 2 milhões de pessoas em três anos.

**1997** O princípio chinês de "Um país, dois sistemas" permite a Hong Kong uma economia de livre mercado depois de a Grã-Bretanha devolver o território à China.

Instituições parlamentares surgiram da arte **prática de governar**.

↓

Elas existiram por gerações e governam baseadas na **experiência e na história**.

↓

A política racionalista é baseada em **ideologia e noções abstratas**.

↓

Ela se engaja **na destruição** e na **criação** de uma **nova ordem**.

↓

**Governo parlamentar e política racionalista não pertencem ao mesmo sistema.**

O extremismo político que assolou a maior parte do mundo no século XX, com a ascensão de Hitler na Alemanha, Stálin na Rússia e Mao na China, estimulou a longa pesquisa de Michael Oakeshott sobre a natureza das ideologias políticas e seu impacto na vida das nações. Ele considerava que os líderes marxistas e fascistas se agarraram ao pensamento de teóricos políticos como a uma "infecção" com consequências desastrosas para milhões de pessoas. Oakeshott chamou essa doença de "racionalismo".

Relacionando a emergência das instituições parlamentares britânicas ao "período menos racional da política,

**Veja também:** Nicolau Maquiavel 74–81 ▪ Thomas Hobbes 96–103 ▪ Edmund Burke 130–3 ▪ Georg Hegel 156–9 ▪ Karl Marx 188–93

a Idade Média", Oakeshott explicou que, na Grã-Bretanha, o Parlamento não se desenvolveu seguindo uma racionalidade ou ordem ideológica. Em vez disso, o imperativo de limitar o poder político e proteger contra a tirania agiu como um impedimento, estabilizando a Grã-Bretanha contra os racionalismos absolutistas que dominaram a Europa.

### Crenças fixas

Oakeshott via o racionalismo na política como um nevoeiro obscurecendo a vida real, as coisas práticas do dia a dia com que todos os políticos e partidos têm de lidar. As ações de um racionalista são uma resposta às suas crenças teóricas fixas em vez da experiência objetiva ou "prática". Ele precisa memorizar um livro de regras, como o *Manifesto comunista* de Marx e Engels, antes de poder navegar as águas nas quais se encontra, de modo que está constantemente desconectado da realidade, agindo a partir do nevoeiro ideológico de teorias abstratas.

**Oakeshott comparava** a vida política a um barco em mar revolto. Prever exatamente como as ondas vão se formar é impossível, logo contornar a tempestade requer experiência.

> Na atividade política, portanto, os homens navegam num mar sem limites e sem fim.
> **Michael Oakeshott**

Oakeshott declarou que "os homens navegam um mar sem limites e sem fundo" — querendo dizer que o mundo é difícil de se sondar, e as tentativas de se atribuir sentido ao comportamento da sociedade inevitavelmente distorcem e simplificam os fatos. Era cauteloso com as ideologias, vendo-as como crenças abstratas ou fixas, incapazes de explicar o que é inexplicável. Alérgicas à incerteza, elas convertem situações complexas em fórmulas simples. O impulso do político racionalista é o de agir a partir da "autoridade de sua própria razão" — a única que ele reconhece. Ele age como se entendesse o mundo e pudesse ver como ele deveria ser transformado. É muito perigoso na política, acreditava Oakeshott, agir de acordo com uma ideologia artificial em vez da experiência real de governar. O conhecimento prático é o melhor guia, e a ideologia é conhecimento falso.

Apesar de Oakeshott ter ficado conhecido como um teórico conservador e de suas ideias terem sido apropriadas por elementos do conservadorismo moderno, esse era um rótulo ideológico que ele não reconhecia e não apoiou publicamente os partidos políticos conservadores. ■

## Michael Oakeshott

Nasceu em Londres em 1901, filho de funcionário público e uma ex-enfermeira. Estudou história na Universidade de Cambridge, formando-se em 1925. Permaneceu na vida acadêmica pelos cinquenta anos seguintes, exceto por seu papel secreto na II Guerra Mundial quando serviu o serviço de inteligência britânico como parte da unidade de reconhecimento "fantasma" na Bélgica e na França. Oakeshott lecionou tanto em Cambridge quanto em Oxford e se mudou depois para a London School of Economics, onde se tornou professor de ciência política. Publicou bastante sobre filosofia da história, religião, estética e direito, além da política. Sua influência no Partido Conservador na Grã-Bretanha levou a primeira-ministra Margaret Thatcher a recomendá--lo para o grau de lorde, o que ele recusou, por não considerar sua obra político-partidária. Aposentou-se em 1968 e morreu em 1990.

### Principais obras

**1933** *Experience and its modes*
**1962** *Rationalism in politics and other essays*
**1975** *On human conduct*

# O OBJETIVO DA *JIHAD* ISLÂMICA É ELIMINAR O DOMÍNIO DE UM SISTEMA NÃO ISLÂMICO

## ABUL ALA MAUDUDI (1903-1979)

### EM CONTEXTO

IDEOLOGIA
**Fundamentalismo islâmico**

ABORDAGEM
***Jihad***

ANTES
**622-632** A primeira comunidade muçulmana, em Medina, sob Maomé, une tribos separadas sob o propósito da fé.

**1906** A Liga Muçulmana Indiana é fundada por Aga Khan III.

DEPOIS
**1979** No Paquistão, o general Zia ul-Haq coloca algumas das ideias de Maududi em prática, tornando lei as punições baseadas na *sharia* islâmica.

**1988** Osama bin Laden forma a al-Qaeda, convocando uma *jihad* global e impondo a lei da *sharia* por todo o mundo.

**1990** A Declaração dos Direitos Humanos Islâmicos do Cairo cita a lei da *sharia* como sua única fonte.

O islã **não é uma religião justa**, é um **programa revolucionário** de vida.

Os muçulmanos devem **executar** seu programa revolucionário.

A *jihad* é a **luta revolucionária** que o partido islâmico usa para atingir seu objetivo.

**O propósito do islã é um Estado islâmico e a destruição dos estados que se opuserem a isso.**

A gênese da retomada islâmica global no século XX é geralmente atribuída à rejeição do colonialismo europeu e à decadência ocidental na África e na Ásia. No entanto, ela também está conectada a questões internas de política comunal, identidade muçulmana, à dinâmica de poder numa sociedade multiétnica e de muitas religiões e — na Índia — ao nacionalismo. O partido político Jama'at-i-Islami, fundado por Maulana Abul Ala Maududi em 1941, tornou-se uma força revolucionária de vanguarda do redespertar muçulmano na Índia. Lidando com o que via como uma profunda incerteza intelectual e uma ansiedade política entre os muçulmanos indianos depois do

**Veja também:** Maomé 56–7 ▪ Karl Marx 188–93 ▪ Theodor Herzl 208–9 ▪ Mahatma Gandhi 220–5 ▪ Ali Shariati 323 ▪ Shirin Ebadi 328

governo do raj britânico, Maududi formulou uma nova perspectiva sobre o islã, desenvolvida para reverter o declínio do poder político muçulmano ao criar uma nova irmandade ideológica universal.

### O Estado islâmico

Sendo mais um erudito e *mujaddid* (reformador) que um político prático, de "mão na massa", Maududi se manteve afastado de questões políticas e sociais específicas. Em vez disso, concentrou-se em transmitir sua visão do Estado islâmico ideal. Cada elemento desse Estado seria instruído "de cima" pelas leis de *din* (religião), não pelos princípios seculares ocidentais da governança democrática. O Estado islâmico seria, assim, democrático de maneira inata porque refletiria diretamente a vontade de Alá.

Essa comunidade sagrada poderia vir a existir somente se todos os seus cidadãos fossem convertidos de sua ignorância e erro para um entendimento inflexível e autêntico do islã como um modo de vida pleno. Maududi estudou os socialistas europeus que viam sua "base" como as massas da classe trabalhadora em todos os países. Igualmente, Maududi via a população muçulmana mundial como sua "base". Se fossem unidos por uma ideologia, os muçulmanos se tornariam politicamente indivisíveis, tornando os estados-nação irrelevantes. A *jihad* islâmica (guerra santa) não era apenas um luta de evolução espiritual, mas também política, para impor uma ideologia islâmica que a tudo incluiria. Isso focaria no controle islâmico dos recursos do Estado, para finalmente estabelecer o reino de Deus na Terra.

Em 1947, na divisão da Índia e do Paquistão por uma linha religiosa, o raj britânico foi dissolvido. Apesar de o seu partido não apoiar a divisão, criticando as políticas de seus líderes como pouco islâmicas, Maududi se mudou para o Paquistão, determinado a fazer dele um Estado islâmico.

### Crítica da abordagem

Críticos ocidentais da convocação de Maududi para uma ordem mundial islâmica alegam que o islã entende a sua própria história como o longo declínio de um começo ideal, em vez de um avanço evolucionário da civilização e da razão. Enquanto isso, fundamentalistas muçulmanos, na contracorrente de Maududi, consideram a constante interferência dos países ocidentais na política interna do Oriente Médio a continuação da dominação colonial e acreditam que só o governo islâmico exercido pela lei da *sharia* (lei canônica baseada nos ensinamentos do Corão), interpretada por clérigos muçulmanos, pode governar a humanidade. ■

**A revolução islâmica** no Irã, liderada pelo Aiatolá Khomeini, levou à formação da primeira república islâmica, em 1979. Um Estado regido por diretrizes religiosas foi o objetivo de toda a vida de Maududi.

## Abul Ala Maududi

Nascido em Aurangabad, Índia, o reformador, filósofo político e teólogo Maulana Abul Ala Maududi pertencia à tradição Christi, uma ordem islâmica mística sufi. Foi educado em casa por seu pai religioso. Mais tarde, começou a trabalhar como jornalista. Em 1928, publicou *Para compreender o islamismo*, o que lhe deu a reputação de pensador e escritor islâmico. A princípio, apoiou o nacionalismo indiano de Gandhi, mas logo começou a cobrar dos muçulmanos indianos que reconhecessem o islã como sua única identidade.

Em 1941, Maududi mudou-se para o Paquistão, onde defendeu um Estado islâmico. Foi preso e sentenciado à morte em 1953 por ter encorajado um levante, mas sua sentença foi abrandada. Morreu em Nova York em 1979.

### Principais obras

**1928** *Para compreender o islamismo*
**1948** *Código de vida para muçulmanos*
**1972** *O significado do Corão*

O islã não tem a intenção de confinar seu governo a um único Estado ou a um grupo de países. A meta do islã é provocar uma revolução universal.

**Abul Ala Maududi**

# NÃO HÁ NADA QUE TIRE A LIBERDADE DE UM HOMEM, A NÃO SER OUTROS HOMENS

## AYN RAND (1905-1982)

**EM CONTEXTO**

IDEOLOGIA
**Objetivismo**

FOCO
**Liberdade individual**

ANTES
**1917** A jovem Ayn Rand testemunha a Revolução de Outubro na Rússia.

**Anos 1930** O fascismo cresce na Europa conforme estados autoritários centralizam o poder.

DEPOIS
**Anos 1980** Governos conservadores de livre mercado — no Reino Unido sob Margaret Thatcher e nos EUA sob Ronald Reagan — conseguem vencer as eleições.

**2009** Começa o movimento do Tea Party nos EUA, com uma agenda de direita, conservadora e de corte de impostos.

**Fim dos anos 2000** Há interesse renovado na obra de Rand depois da crise financeira global.

Em meados do século XX, as forças gêmeas do fascismo e do comunismo levaram muitos países no Ocidente a questionar a ética do envolvimento do Estado na vida dos indivíduos.

A filósofa e romancista russo-americana Ayn Rand acreditava numa forma de individualismo ético que admitia a busca de interesse próprio como moralmente correta. Para Rand, qualquer tentativa de controlar as ações dos outros por meio da regulação corrompia a capacidade dos indivíduos de agirem livremente como membros produtivos da sociedade. Em outras palavras, era importante preservar a liberdade do homem das interferências de outrem. Em especial, Rand sentia que o monopólio estatal no uso legítimo da força era imoral, já que minava o uso

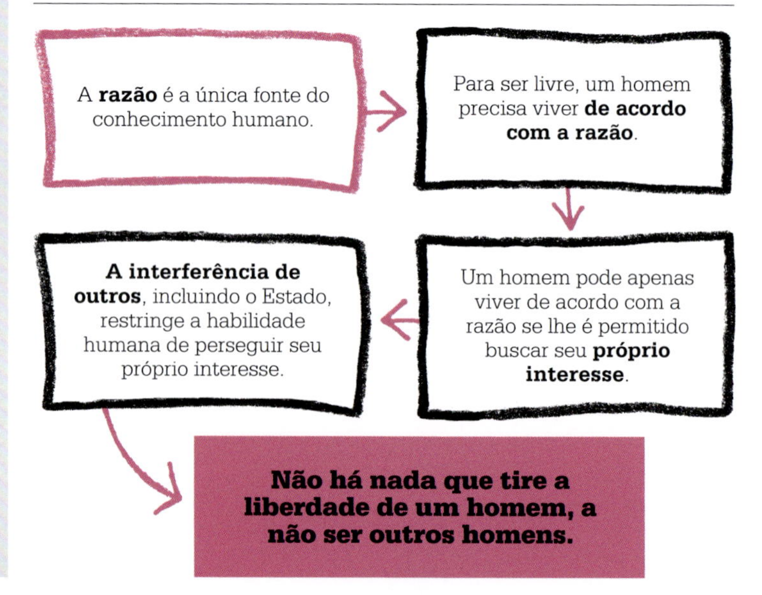

A **razão** é a única fonte do conhecimento humano.
Para ser livre, um homem precisa viver **de acordo com a razão**.
Um homem pode apenas viver de acordo com a razão se lhe é permitido buscar seu **próprio interesse**.
**A interferência de outros**, incluindo o Estado, restringe a habilidade humana de perseguir seu próprio interesse.
**Não há nada que tire a liberdade de um homem, a não ser outros homens.**

**Veja também:** Aristóteles 40–3 ▪ Friedrich Nietzsche 196–9 ▪ Friedrich Hayek 270–5 ▪ Robert Nozick 326–7

O homem — todo homem — é um fim em si mesmo, não o meio para os fins de outros.
**Ayn Rand**

prático da razão pelos indivíduos. Por isso, ela condenava a tributação, bem como a regulação estatal dos empreendimentos e da maior parte das outras áreas da vida pública.

### Objetivismo

A maior contribuição de Rand para o pensamento político é a doutrina que ela chamava de objetivismo. Ela queria que essa fosse uma "filosofia prática para se viver na Terra", capaz de prover uma série de diretrizes para todos os aspectos da vida, incluindo política, economia, arte e relacionamentos. O objetivismo é construído sobre a ideia de que a razão e a racionalidade são os únicos aspectos absolutos na vida humana, e que, como resultado, qualquer forma de "conhecimento justo" baseado na fé e no instinto, tal como a religião, não seria capaz de dar a base adequada à existência. Para Rand, o capitalismo livre era o único sistema de organização social compatível com a natureza racional dos seres humanos, e a ação coletiva do Estado servia apenas para limitar as capacidades das pessoas.

Sua obra mais influente, *A revolta de Atlas*, articula com clareza essa crença. Nesse romance ambientado nos Estados Unidos, então aleijado pela intervenção governamental e pela corrupção dos empresários, os heróis são os industriais e empreendedores, cuja produtividade sustenta a sociedade e cuja cooperação ampara a civilização. Hoje, as ideias de Rand ressoam entre libertários e conservadores que defendem o encolhimento do Estado. Outros apontam problemas, tais como a falta de fundos para a proteção dos fracos contra a exploração dos poderosos. ■

**Atlas suporta o mundo** em seus ombros na escultura do Rockefeller Center, em Nova York. Rand acreditava que os empresários sustentavam o estado-nação do mesmo modo.

## Ayn Rand

Ayn Rand nasceu Alisa Zinov'yvena Rosenbaum em São Petersburgo, Rússia. A Revolução Bolchevique de 1917 fez com que sua família perdesse seu sustento, ocasionando um período de longa privação. Rand terminou sua formação na Rússia, onde estudou filosofia, história e cinema, antes de ir para os Estados Unidos.

Trabalhou como roteirista em Hollywood antes de se tornar autora nos anos 1930. Seu romance *A nascente* foi publicado em 1943 e lhe deu fama, mas foi seu último trabalho de ficção, *A revolta de Atlas*, que lhe garantiu um legado mais duradouro. Rand escreveu outros livros de não ficção e lecionou filosofia, promovendo o objetivismo e sua aplicação à vida moderna. A obra de Rand cresceu em influência desde a sua morte e tem sido citada como a base filosófica da moderna política libertária de direita, além da conservadora.

### Principais obras

**1943** *A nascente*
**1957** *A revolta de Atlas*
**1964** *A virtude do egoísmo*

# TODO FATO CONHECIDO E ESTABELECIDO PODE SER NEGADO

## HANNAH ARENDT (1906-1975)

### EM CONTEXTO

IDEOLOGIA
**Antitotalitarismo**

FOCO
**Verdade e mito**

ANTES
**1882** O historiador francês Ernest Renan alega que a identidade nacional depende da memória seletiva e distorcida de eventos passados.

**1960** Hans-Georg Gadamer publica *Verdade e método*, focando na importância da criação da verdade coletiva.

DEPOIS
**1992** O historiador britânico Eric Hobsbawm diz que "nenhum historiador sério pode ser um nacionalista político comprometido".

**1995** O filósofo britânico David Miller argumenta que os mitos servem a uma função integradora social valiosa, a despeito de não serem verdadeiros.

**1998** Jürgen Habermas critica a postura de Arendt em *Verdade e justificação*.

A filósofa Hannah Arendt escreveu a respeito da natureza da política numa época especialmente tumultuada: ela viveu durante a ascensão e queda do regime nazista, a Guerra do Vietnã, as agitações estudantis em Paris e os assassinatos do presidente americano John F. Kennedy e de Martin Luther King. Como uma judia na Alemanha, que mais tarde se mudou para a França ocupada, indo depois para Chicago, Nova York e Berkeley, nos Estados Unidos, Arendt observou esses eventos em primeira mão. Sua filosofia política foi formada por esses fatos e pela forma como eram reportados ao público em geral.

Em seu ensaio de 1967, "Verdade e política", Arendt dedicou-se à maneira como os fatos históricos geralmente são distorcidos quando politizados — são usados como ferramentas para justificar decisões políticas específicas. Essa distorção de fatos históricos não era novidade no domínio público, no qual as mentiras sempre desempenharam um papel importante na diplomacia e na segurança internacional. Mas o que era novo nas mentiras políticas a partir de 1960 era o seu escopo significativamente maior. Arendt percebeu que elas foram muito além de apenas manter segredos de Estado, passando a englobar uma realidade coletiva inteira na qual fatos conhecidos por todos viraram alvos e foram apagados lentamente, ao mesmo tempo em que uma versão diferente da "realidade" histórica foi construída para substituí-los.

Essa manipulação de massa dos fatos e opiniões, disse Arendt, não está apenas restrita a regimes totalitários, nos quais a opressão está em todo lugar e é evidente, e as pessoas podem se proteger da contínua propaganda, mas está cada vez mais presente em democracias liberais como os Estados Unidos, onde relatórios falsos e

**Durante a Guerra do Vietnã**, o governo dos Estados Unidos forneceu informação falsa ao público — distorcendo os fatos do modo como Arendt descreveu — com o propósito de justificar seu envolvimento.

**Veja também:** Ibn Khaldun 72–3 ▪ Karl Marx 188–93 ▪ José Ortega y Gasset 250–1 ▪ Michel Foucault 310–1 ▪ Noam Chomsky 314–5

desinformação proposital servem para justificar intervenções políticas violentas, tais como a Guerra do Vietnã de 1954-1975. Nos países livres, disse, verdades históricas desagradáveis são, com frequência, transformadas em mera opinião, perdendo seu status factual. Por exemplo, é como se as políticas da França e do Vaticano durante a II Guerra Mundial "não fossem uma questão de registro, mas uma simples opinião".

Os eventos ocorrem e são **registrados como história**.
**A verdade** desses eventos pode ser **distorcida** para...
... **justificar** uma ação política particular.
... **garantir** a revelação dos fatos num momento mais conveniente.
... **assegurar** a resposta desejada em momentos de crise (eleições, guerra).
... **reescrever** a história para favorecer certas pessoas ou priorizar certos fatos.
**Todo fato conhecido e estabelecido pode ser negado.**

## Uma verdade alternativa

Rescrever a história contemporânea sob os olhos daqueles que a testemunharam, por meio da negação ou negligência dos fatos conhecidos e estabelecidos, leva, não apenas à criação de uma realidade mais lisonjeira para se encaixar a necessidades políticas específicas, mas também a uma realidade substituta distante da verdade. Isso, disse Arendt, é perigoso — a realidade substituta que justificava o genocídio sob o regime nazista é um bom exemplo. O que está em jogo é "a própria realidade, comum e factual".

Seguidores contemporâneos de Arendt apontam para a invasão do Iraque pelos Estados Unidos e seus aliados em 2003 como um exemplo desse fenômeno. Seus argumentos também podem ser usados por Julian Assange, fundador do WikiLeaks, para justificar a publicação de documentos secretos que contradizem a versão oficial de eventos dada pelos governos ao redor do mundo. ■

## Hannah Arendt

Hannah Arendt nasceu em Linden, Alemanha, em 1906, numa família de judeus seculares. Cresceu em Königsberg e Berlim e estudou filosofia na Universidade de Marburg com o filósofo Martin Heidegger, com quem manteve uma forte relação intelectual e amorosa, mais tarde danificada pelo apoio de Heidegger ao partido nazista.

Arendt foi proibida de assumir um cargo de professora em qualquer universidade alemã por causa de sua ascendência judaica e, durante o regime nazista, fugiu para Paris e mais tarde para os Estados Unidos, onde se tornou parte de um círculo intelectual agitado. Publicou muitos livros e ensaios bastante influentes e lecionou na Universidade da Califórnia em Berkeley, na Universidade de Chicago, na New School, em Princeton (onde foi a primeira mulher professora) e Yale. Morreu em 1975 de ataque cardíaco.

### Principais obras

**1951** *Origens do totalitarismo*
**1958** *A condição humana*
**1962** *Da revolução*

# O QUE É UMA MULHER?

## SIMONE DE BEAUVOIR (1908-1986)

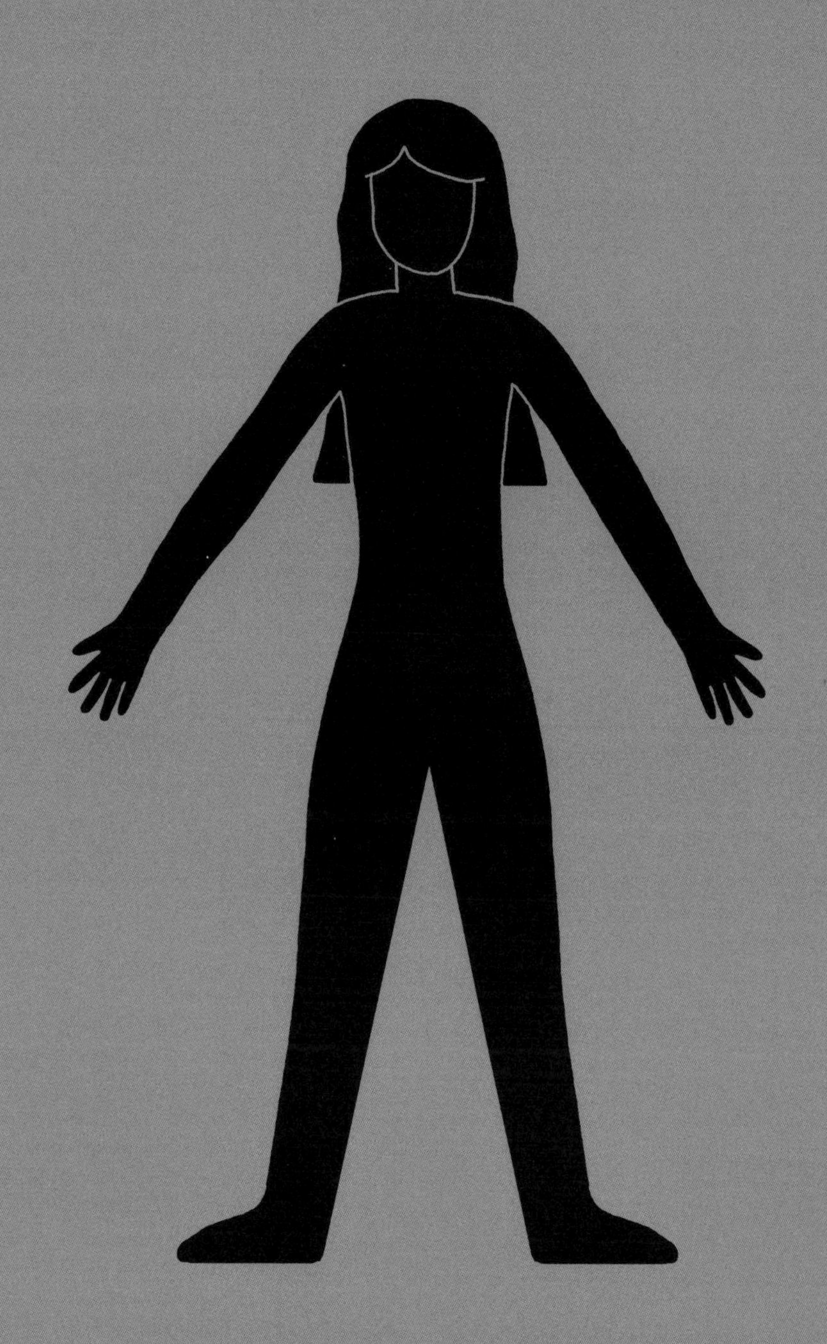

## EM CONTEXTO

IDEOLOGIA
**Feminismo existencialista**

FOCO
**Liberdade de escolha**

ANTES
**1791** Olympe de Gouges escreve a *Declaração dos direitos da mulher e da cidadã.*

**1892** Eugénie Potonié-Pierre e Léonie Rouzade fundam a Federação das Sociedades Feministas Francesas.

**1944** As mulheres finalmente obtêm o direito de voto na França.

DEPOIS
**1963** Betty Friedan publica *A mística feminina*, levando muitas das ideias de Beauvoir para um público mais amplo.

**1970** Em *Mulher eunuco*, a escritora australiana Germaine Greer examina os limites impostos sobre a vida das mulheres na sociedade de consumo.

Em todo o mundo, as mulheres ganham menos que os homens, geralmente são privadas de direitos políticos e jurídicos e estão sujeitas a várias formas de opressão cultural. Nesse contexto, interpretações feministas de problemas políticos deram uma importante contribuição à teoria política e inspiraram gerações de pensadores nesse campo.

Por todo o século XIX, o conceito de feminismo cresceu em força, mas havia profundas divisões conceituais entre os diversos grupos feministas. Alguns apoiavam o conceito de "igualdade pela diferença", aceitando que há diferenças inerentes entre homens e mulheres, e que essas constituem a força de sua posição na sociedade. Outros mantêm a postura de que as mulheres não deveriam ser tratadas de modo diferente dos homens e focavam em primeiro lugar em sua meta de sufrágio universal, vendo a igualdade política como a principal batalha. Essa luta por direitos tornou-se desde então conhecida como a "primeira onda do feminismo", para distingui-lo do movimento da "segunda onda do feminismo", que tinha objetivos políticos mais amplos e ganhou força ao redor do mundo na década de 1960. Esse novo movimento considerava a discriminação das mulheres no lar e no local de trabalho e as frequentes e sutis manifestações de preconceitos inconscientemente mantidos, que talvez não pudessem ser alterados apenas com uma mudança na lei. Ele assimilou a maior parte da sua inspiração intelectual da obra da filósofa francesa Simone de Beauvoir.

Ele é o Sujeito, ele é o Absoluto. Ela é o Outro.
**Simone de Beauvoir**

### Transcendendo o feminismo

Apesar de às vezes ser conhecida como a "mãe do moderno movimento das mulheres", na época em que escreveu sua obra seminal *O segundo*

## Simone de Beauvoir

Simone Lucie-Ernestine-Marie--Bertrand de Beauvoir nasceu em Paris, em 1908. Filha de uma família rica, foi educada em casa e estudou filosofia na Sorbonne. Na universidade, conheceu Jean-Paul Sartre, que se tornaria seu companheiro por toda a vida e sua contraparte filosófica.

Beauvoir declarou abertamente seu ateísmo quando era adolescente. Sua rejeição a instituições como a religião a levaram, mais tarde, a se recusar a casar com Sartre. Sua obra foi inspirada tanto por suas experiências em Paris quanto por questões políticas mais amplas, como o crescimento internacional do comunismo. Seu interesse a levou a muitos livros sobre o assunto. Escreveu também alguns romances.

Depois da morte de Sartre em 1980, a saúde de Beauvoir deteriorou. Morreu seis anos mais tarde e foi sepultada no mesmo túmulo.

### Principais obras

**1943** *L'Invitée*
**1949** *O segundo sexo*
**1954** *Os mandarins*

**Veja também:** Mary Wollstonecraft 154–5 ▪ Georg Hegel 156–9 ▪ John Stuart Mill 174–81 ▪ Emmeline Pankhurst 207 ▪ Shirin Ebadi 328

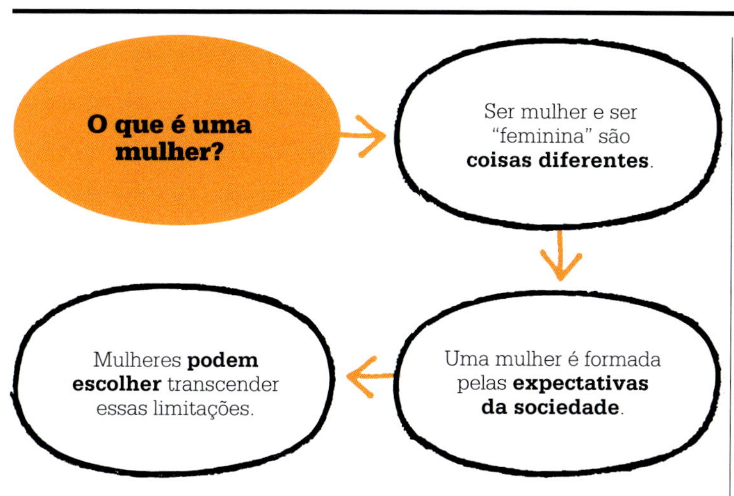

O que é uma mulher?
Ser mulher e ser "feminina" são coisas diferentes.
Uma mulher é formada pelas expectativas da sociedade.
Mulheres podem escolher transcender essas limitações.

*sexo*, em 1949, Beauvoir não se via como uma "feminista". Ela tinha ambições de transcender essa definição, que achava estar frequentemente atolada em seus próprios argumentos. Em vez disso, ela assumiu uma abordagem mais subjetiva ao conceito de diferença, combinando argumentos feministas com sua visão filosófica existencialista. No entanto, Beauvoir chegou a se unir ao movimento da segunda onda do feminismo e permaneceu ativa na defesa de seus argumentos nos anos 1970, examinando a ampla condição das mulheres na sociedade numa série de romances.

Beauvoir percebeu que, quando tentava se definir, a primeira frase que vinha à sua mente era "Eu sou uma mulher". Sua necessidade de examinar essa definição involuntária — e o seu significado mais profundo — formava a base de sua obra. Para Beauvoir, era importante diferenciar entre ser fêmea e ser mulher, e sua obra por fim assenta-se na definição de "um ser humano na condição feminina". Ela rejeitou a teoria do "eterno feminino" — uma misteriosa essência de feminilidade — que pode ser usada para justificar a desigualdade. Em *O segundo sexo*, ela apontou para a importância de se perguntar "O que é uma mulher?" e enfatizou a "alteridade" das mulheres na sociedade em relação aos homens. Ela foi uma das primeiras escritoras a definir o conceito de "sexismo" na sociedade: os preconceitos e as pressuposições formulados a respeito das mulheres. Também se questionou se as mulheres nasciam ou eram criadas pelos preconceitos da sociedade, incluindo as expectativas educacionais e as estruturas religiosas, bem como os precedentes históricos. Ela examinou como as mulheres eram representadas na psicanálise, história e biologia e usou uma série de fontes — literárias, acadêmicas e casuais — para demonstrar os efeitos dessas pressuposições sobre as mulheres.

A abordagem de Beauvoir ao responder à questão "O que é uma mulher?" foi guiada por seu envolvimento com o existencialismo, o qual se ocupa da descoberta do eu por meio da liberdade de escolha dentro da sociedade. Beauvoir detectou que a liberdade das mulheres nesse sentido era particularmente »

**O papel tradicional da mulher** como esposa, dona de casa e mãe a aprisiona, segundo Beauvoir, numa condição em que ela é afastada de outras mulheres e definida por seu marido.

**Beauvoir manteve** um longo relacionamento com Jean-Paul Sartre, mas eles nunca se casaram. Ela encarava o relacionamento aberto como exemplo de liberdade para uma mulher.

restrita. Essa direção filosófica foi reforçada por sua relação com Jean-Paul Sartre, que ela conheceu na Sorbonne em 1929. Ele era um pensador existencialista de destaque, e os dois mantiveram um longo e frutífero diálogo intelectual, além de uma relação pessoal complexa e duradoura.

A posição de Beauvoir também foi moldada por suas convicções de esquerda. Ela descreveu a luta das mulheres como parte da luta de classes e reconheceu que sua própria origem burguesa justificava que havia tido oportunidades que não estavam disponíveis para as mulheres das classes mais baixas. Por fim, ela queria tal liberdade de oportunidades para todas as mulheres — de fato para todas as pessoas — independentemente de sua classe. Beauvoir traçou paralelos entre o confinamento físico das mulheres — numa "cozinha ou na alcova" — e os limites intelectuais impostos a elas. Sugeriu que essas limitações levavam as mulheres a aceitar a mediocridade e as desencorajavam a buscar algo mais. Beauvoir chamou esse estado de "imanência". Com isso, ela quis dizer que as mulheres estavam limitadas por, e à, sua experiência direta do mundo. Ela contrastou essa posição à "transcendência" dos homens, a qual lhes permitiria ter acesso a qualquer posição na vida que quisessem escolher, independente dos limites da sua própria experiência direta. Dessa forma, os homens seriam os "Sujeitos" que se definem, enquanto as mulheres seriam os "Outros" definidos pelos homens.

Beauvoir perguntou por que as mulheres geralmente aceitavam essa posição de "Outro", buscando prestar contas de sua submissão às pressuposições masculinas. Ela claramente disse que a imanência não era uma "falha moral" por parte das mulheres. Ela também reconheceu o que via com a contradição inerente enfrentada pelas mulheres: a impossibilidade de escolher entre si mesma — como uma mulher — fundamentalmente diferente de um homem e a si mesma como um membro igual da raça humana.

Que desgraça ser mulher! Entretanto, a pior desgraça quando se é mulher é, no fundo, não compreender que sê-lo é uma desgraça.
**Søren Kierkegaard**

## Liberdade para escolher

Muitos aspectos de *O segundo sexo* causaram muita controvérsia, incluindo a franca discussão de Beauvoir a respeito da homossexualidade feminina e de seu descontentamento aberto em relação ao casamento, ambos ressonantes em sua própria vida. Ela se recusou a casar com Sartre baseada no princípio de que não queria que sua relação ficasse restrita por uma instituição masculina. Para ela, o casamento está no cerne da sujeição da mulher ao homem, limitando-a a uma posição submissa na sociedade e isolando-a de outros membros do seu sexo. Ela acreditava que somente onde as mulheres seguissem autônomas elas conseguiriam se erguer contra a opressão. Ela achava que se as meninas fossem condicionadas a encontrar "um cara, um amigo, um parceiro", em vez de um "semideus", poderiam entrar numa relação com base muito mais igual.

Central à tese de Beauvoir é o conceito, arraigado no

Numa sociedade nada é natural, e a mulher, como várias outras coisas, é um produto elaborado pela civilização.
**Simone de Beauvoir**

existencialismo, de que as mulheres podem "escolher" mudar sua posição na sociedade: "Se a mulher se enxerga como o inessencial e nunca retorna ao essencial é porque não opera, ela própria, esse retorno". Em outras palavras, somente as mulheres são capazes de se libertarem — elas não poderiam ser libertadas pelos homens. Assumir responsabilidade por escolhas árduas era a ideia central no existencialismo de Beauvoir. Sua própria escolha de relação em 1920 foi difícil, envolvendo uma rejeição completa dos valores de sua própria criação e um desrespeito às normas sociais.

Alguns dos leitores de *O segundo sexo* acreditaram que Beauvoir estava dizendo que as mulheres deviam se tornar como homens — que elas deveriam evitar a "feminilidade" que lhes foi imposta e com isso suas diferenças essenciais dos homens. No entanto, sua tese principal era que a colaboração entre os homens e as mulheres erradicaria os conflitos inerentes na posição aceita do homem como Sujeito e da mulher como Objeto. Ela explorou essa possibilidade em sua relação com Sartre e tentou corporificar em sua própria vida muitas das qualidades que valorizava em seus escritos. Beauvoir foi acusada de ser contra a maternidade, do mesmo jeito que era contra o casamento. Na verdade, ela não era antimaternidade, mas sentia que a sociedade não proporcionava às mulheres as escolhas que permitiriam a elas continuar a trabalhar ou ter filhos fora do casamento. Ela percebeu como as mulheres poderiam usar a maternidade como um refúgio — dando-lhes um claro propósito na vida —, mas levando-as a se sentir aprisionadas por ele. Acima de tudo, ela enfatizava a importância da existência de escolhas reais e da escolha honesta.

## Por uma nova política feminista

Agora já é amplamente aceito que a primeira tradução de *O segundo sexo* para o inglês falhou em interpretar com precisão a linguagem ou os conceitos da escrita de Beauvoir, levando muitos fora da França a um mal-entendido sobre suas posições. A própria Beauvoir declarou nos anos 1980 ter estado alheia durante trinta anos das limitações da tradução, o que a fez desejar uma nova. Uma versão revisada do livro foi publicada em 2009.

A popularidade dessa obra ao redor do mundo — a despeito das limitações da tradução original para o inglês — tornou-a uma enorme influência no pensamento feminista. A análise de Beauvoir do papel da mulher na sociedade e de suas consequências políticas tanto para homens quanto para mulheres ressoou no mundo ocidental e foi o ponto de partida para o radical movimento da segunda onda do feminismo. Em 1963, a autora Betty Friedan assumiu o argumento de Beauvoir de que o potencial das mulheres estava sendo desperdiçado nas sociedades patriarcais, o qual formaria a base do pensamento político feminista nas décadas de 1960 e 1970. ■

**Beauvoir acreditava** que os homens tinham a posição assumida de "Sujeitos" dentro da sociedade, enquanto as mulheres eram classificadas como "Outros".

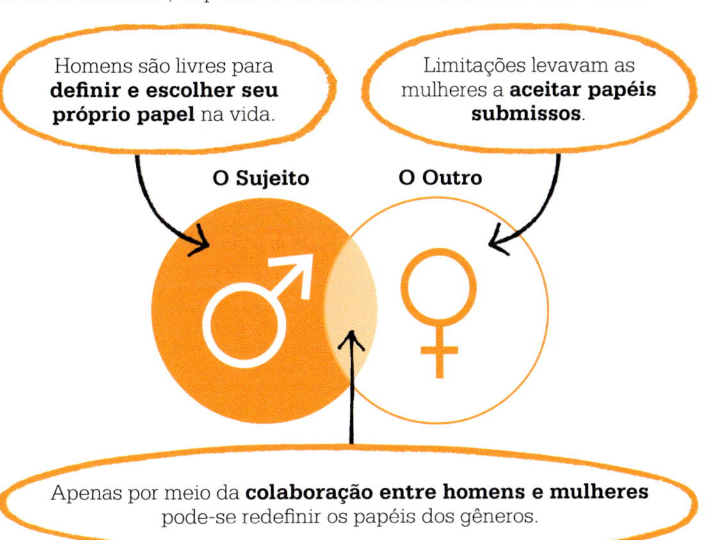

Homens são livres para **definir e escolher seu próprio papel** na vida.
Limitações levavam as mulheres a **aceitar papéis submissos**.
O Sujeito
O Outro
Apenas por meio da **colaboração entre homens e mulheres** pode-se redefinir os papéis dos gêneros.

# NENHUM OBJETO NATURAL É APENAS UM RECURSO

## ARNE NAESS (1912-2009)

**EM CONTEXTO**

IDEOLOGIA
**Ambientalismo radical**

ABORDAGEM
**Ecologia profunda**

ANTES
**1949** O ensaio "Ética da terra" de Aldo Leopold, convocando uma nova ética de conservação, é publicado postumamente.

**1962** Rachel Carson escreve *Primavera silenciosa*, elemento-chave na criação do movimento ambientalista.

DEPOIS
**1992** A primeira Cúpula da Terra acontece no Rio de Janeiro, Brasil, sinalizando um reconhecimento das questões ambientais em escala global.

**1998** A coalizão "Vermelho/Verde" assume o poder na Alemanha, a primeira vez que um partido ambientalista é eleito para o governo nacional.

Nas últimas décadas, os desafios econômicos, sociais e políticos das mudanças climáticas serviram de base para o desenvolvimento de novas ideias. O ambientalismo como projeto político começou de maneira séria nos anos 1960 e agora está no topo dos tópicos da vida política. Por ser parte de um campo de pesquisa, o movimento verde desenvolveu uma variedade de áreas de pensamento.

### Os primeiros ambientalistas

O ambientalismo tem raízes bem estabelecidas. No século XIX, pensadores como os críticos ingleses John Ruskin e William Morris se preocupavam com o crescimento da

**Veja também:** John Locke 104–9 ▪ Henry David Thoreau 186–7 ▪ Karl Marx 188–93

A humanidade é parte de um **frágil ecossistema**.

A ação humana está **causando danos irreparáveis** ao ecossistema.

A **ecologia rasa** defende que as atuais estruturas econômicas e sociais podem ser adaptadas para **resolver os problemas ambientais**.

A **ecologia profunda** defende que é necessária uma vasta mudança social e política para **evitar uma crise ambiental**.

industrialização e seu impacto subsequente no mundo natural. Mas foi só depois da I Guerra Mundial que começou a se desenvolver um entendimento científico da extensão do dano causado pelos humanos ao ambiente. Em 1962, a bióloga marinha americana Rachel Carson publicou seu livro *Primavera silenciosa*, um relato dos problemas ambientais causados pelo uso de pesticidas industriais. A obra de Carson sugeria que o uso desregulado de substâncias como o DDT tinha um terrível impacto sobre o mundo natural. Carson também incluiu um relato dos efeitos dos pesticidas sobre os humanos, considerando a humanidade parte do ecossistema, em vez de pensá-la como separado da natureza.

O livro de Carson serviu como catalisador do surgimento do movimento ambientalista na política dominante. Arne Naess, filósofo e ecologista norueguês, deu crédito a *Primavera silenciosa* como inspiração para seu trabalho, o qual focava na sustentação filosófica para o ambientalismo. Naess foi um filósofo mais ou menos renomado na Universidade de Oslo, sendo conhecido, principalmente, por seu trabalho com a linguagem. A partir »

A Terra não pertence aos homens.
**Arne Naess**

## Arne Naess

Arne Naess nasceu perto de Oslo, Noruega, em 1912. Depois de estudar filosofia, tornou-se o mais jovem professor dessa disciplina da Universidade de Oslo, aos 27 anos. Teve uma importante carreira acadêmica, principalmente nas áreas de linguagem e semântica. Em 1969, demitiu-se do cargo para se dedicar ao estudo da ética ecológica e à promoção de respostas práticas para os problemas ambientais. Retirando-se para escrever numa quase solidão, produziu quase quatrocentos artigos e inúmeros livros.

Fora de seu trabalho, Naess era apaixonado pelo montanhismo. Aos dezenove anos, já havia adquirido uma forte reputação como alpinista. Viveu várias anos num chalé remoto, no meio das montanhas, onde escreveu a maior parte de sua obra.

### Principais obras

**1973** *The Shallow and the Deep, Long-Range Ecology Movement: A Summary*
**1989** *Ecology, Community and Lifestyle: Outline of an Ecosophy*

**A Revolução Industrial** mudou o pensamento sobre o meio ambiente. Ele passou a ser visto como um recurso a ser explorado, uma atitude que, segundo Naess, poderia levar à destruição da humanidade.

dos anos 1970, no entanto, ele embarcou num período de trabalho sustentado nas questões ambientalistas e ecológicas, tendo se demitido de sua posição na universidade em 1969 e se devotado a essa nova corrente de pensamento. Naess tornou-se um filósofo prático da ética ambientalista, desenvolvendo novas respostas aos problemas ecológicos conforme esses surgiam. Em particular, ele propôs novas formas de conceber a posição dos seres humanos em relação à natureza.

Fundamental ao pensamento de Naess era a noção de que a Terra não é apenas um recurso a ser usado pelos humanos, os quais deveriam se considerar parte de um sistema complexo e interdependente, em vez de consumidores de bens naturais, e deveriam desenvolver compaixão pelos não humanos. Falhar no entendimento desse ponto traria o risco de destruir o mundo natural por causa de uma ambição egoísta e limitada.

No começo de sua carreira como ambientalista, Naess esboçou sua visão de um arcabouço para o pensamento ecológico que ofereceria soluções para os problemas da sociedade. Chamava esse conjunto de "Ecosofia T", e o T representava Tvergastein, a montanha favorita de Naess. A Ecosofia T era baseada na ideia de que as pessoas deveriam aceitar a igualdade de direito à vida de todas as criaturas — humanas, animais ou vegetais. Ao se entender como parte de um todo interconectado, as implicações de todas as ações no ambiente se tornam visíveis. Onde não se sabe as consequências da atividade humana, a inércia é a única opção ética.

## Ecologia profunda

Mais tarde em sua carreira, Naess desenvolveu as noções contrastantes de ecologia "rasa" e "profunda" para expor as inadequações de boa parte do pensamento vigente sobre esse assunto. Para Naess, a ecologia rasa era a crença de que os problemas ambientais poderiam ser resolvidos pelo capitalismo, pela indústria e pela intervenção dos humanos. Essa linha de raciocínio previa que as estruturas da sociedade dariam um ponto de partida adequado para a solução dos problemas ambientais e pensava nas questões ambientais segundo uma ótica centrada nos humanos. A ecologia rasa tinha algum valor, mas Naess acreditava que ela tendia a focar nas soluções superficiais dos problemas ambientais. Essa visão da ecologia, para Naess, concebia a humanidade como um ser superior dentro do ecossistema e não reconhecia a necessidade de reformas sociais mais amplas. As raízes mais abrangentes, tanto sociais quanto filosóficas e políticas desses problemas, ficaram sem solução, já que a principal preocupação era com os limitados interesses humanos, em vez da natureza como um todo.

Em contraste, a ecologia profunda dizia que, sem uma reforma substancial do comportamento humano, aconteceriam danos ambientais irreparáveis ao planeta. O rápido ritmo de progresso humano e as mudanças sociais haviam alterado o delicado equilíbrio da natureza, resultando não apenas no dano ao mundo natural, como também na própria destruição da humanidade.

Quem apoia a ecologia rasa pensa que melhorar as relações do homem com a natureza pode ser feito dentro da atual estrutura de sociedade.

**Arne Naess**

**Resolver questões ambientais** dentro dos atuais sistemas político, econômico e social está fadado ao fracasso, de acordo com Naess. É preciso uma nova forma de ver o mundo que nos cerca, olhando a humanidade como parte de um sistema ecológico.

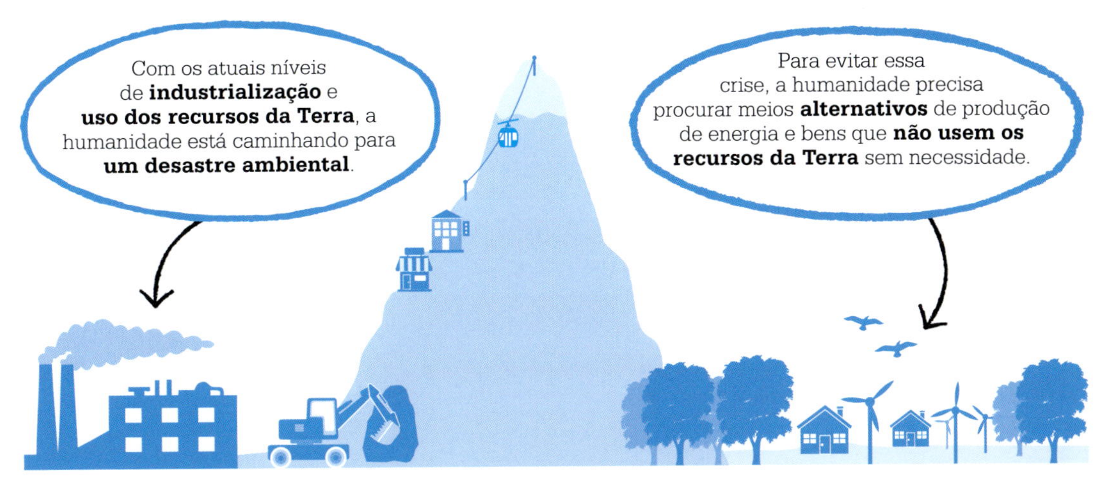

Com os atuais níveis de **industrialização** e **uso dos recursos da Terra**, a humanidade está caminhando para **um desastre ambiental**.
Para evitar essa crise, a humanidade precisa procurar meios **alternativos** de produção de energia e bens que **não usem os recursos da Terra** sem necessidade.


Naess propôs que, para entendermos o valor intrínseco da natureza distinto do dos seres humanos, deveria passar a valer uma percepção espiritual que exigisse a compreensão da importância e da conexão da vida como um todo. Os seres humanos deveriam entender que apenas habitam a Terra, não são os donos dela e só devem usar recursos que preservem a vida.

## Ação direta

Naess combinou seu engajamento no pensamento ambiental com o compromisso com a ação direta. Uma vez chegou a se acorrentar a algumas pedras perto de Mardalsfossen, uma cachoeira em um fiorde norueguês, num protesto bem-sucedido contra a proposta da construção de uma barragem. Para Naess, a percepção que acompanhava o ponto de vista da ecologia profunda deveria ser usada para promover uma abordagem mais ética e responsável em relação à natureza. Ele era favorável à redução do consumismo e dos padrões de vida materiais nos países desenvolvidos como parte de um programa mais amplo de reforma. No entanto, Naess discordava da abordagem fundamentalista dos ambientalistas, acreditando que os humanos poderiam usar alguns dos recursos oferecidos pela natureza de modo a manter uma sociedade estável.

## A influência de Naess

A despeito de sua preferência por uma mudança gradual e seu desdém pelo fundamentalismo, as ideias de Naess foram adotadas por ativistas com perspectivas mais radicais. O Earth First!, grupo ambientalista internacional envolvido em ações diretas, adotou as ideias de Naess para embasar o seu próprio entendimento de ecologia profunda. Na versão deles da filosofia, a ecologia profunda pode ser usada para justificar a ação política que inclua a desobediência civil e a sabotagem.

Conforme cresce a conscientização das questões ambientais, as ideias de Naess têm tido uma ressonância cada vez maior no nível político. As questões ambientais não respeitam fronteiras nacionais ou de governos e geram muitas perguntas para teóricos e militantes. O movimento verde entrou para a política dominante, tanto por meio de partidos políticos formais quanto de grupos como o Greenpeace e Friends of the Earth. A obra de Naess tem um lugar importante ao prover uma base filosófica a essas iniciativas. Suas ideias despertaram controvérsia, recebendo críticas de várias fontes, incluindo a acusação de que elas não correspondem à realidade dos fatores socioeconômicos e de que são dadas a certo misticismo. A despeito dessas críticas, a questão política levantada pelo movimento ambientalista e o lugar da ecologia profunda dentro dele continuam importantes, e parece que tendem a ganhar mais importância no futuro. ■

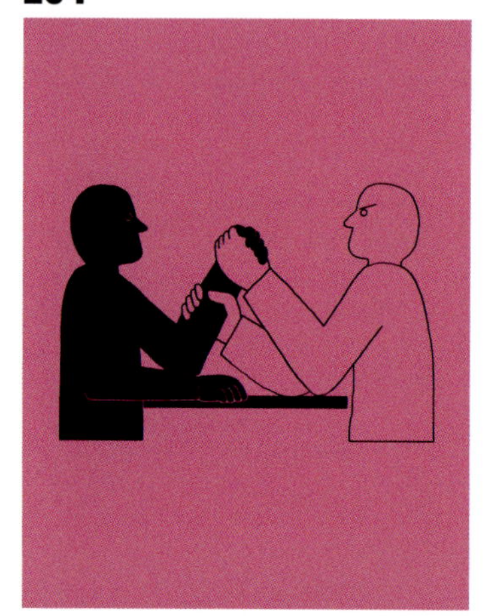

# NÃO SOMOS CONTRA OS BRANCOS, MAS CONTRA A SUPREMACIA BRANCA

## NELSON MANDELA (1918-2013)

### EM CONTEXTO

IDEOLOGIA
**Igualdade racial**

FOCO
**Desobediência civil**

ANTES
**1948** O Partido Nacional dominado pelos africânderes é eleito ao governo, dando início ao apartheid na África do Sul.

**1961** Frantz Fanon escreve *Os condenados da Terra*, no qual esboça o processo de luta armada contra um opressor.

**1963** Martin Luther King faz o seu discurso "Eu tenho um sonho", em Washington DC.

DEPOIS
**1993** O Prêmio Nobel da Paz é entregue a Mandela por seu trabalho na reconciliação da África do Sul.

**1994** Nas primeiras eleições multirraciais do país, Mandela é eleito o primeiro presidente negro da África do Sul.

Apartheid é uma forma injusta de **segregação racial**.

Devemos protestar contra essa **injustiça e desigualdade**.

É uma luta de todos os **sul-africanos** por mudanças.

**Não somos contra os brancos, mas contra a supremacia branca.**

A luta contra o apartheid na África do Sul foi uma das que definiram a política do final do século XX. A partir de 1948, a eleição do Partido Nacional pró--apartheid deu início a um período de opressão pela minoria branca. Nelson Mandela era o líder da resistência, organizando protestos públicos e mobilizando apoio com base em seu envolvimento com o partido do Congresso Nacional Africano (CNA). Isso se fortaleceu em resposta à legislação implementada pelo novo governo, e, na década de 1950, um movimento popular assumiu a resistência ao apartheid, inspirando-se em líderes dos direitos civis como Mahatma Gandhi e Martin Luther King.

### Pela liberdade

A estratégia do CNA era tornar impossível um governo efetivo, valendo-se de uma combinação de desobediência civil, faltas no trabalho e protestos públicos. Em meados dos anos 1950, o CNA e outros grupos dentro do movimento antiapartheid articularam suas exigências na Carta da Liberdade. Ela valorizava os princípios de democracia, participação e liberdade de movimento e expressão, os

**Veja também:** Mahatma Gandhi 220–5 ▪ Marcus Garvey 252 ▪ Frantz Fanon 304–7 ▪ Martin Luther King 316–21

elementos centrais das demandas dos protestantes. No entanto, foi tratada pelo governo como um ato de traição.

## Do protesto à violência

O efeito dessa reação ao regime do apartheid foi gradual, mas impressionante. Por volta da década de 1950, apesar de o processo democrático estar fechado para a maioria dos não brancos, alguns partidos políticos começaram a promover algumas formas de direitos democráticos — se bem que apenas de maneira parcial — para o povo negro na África do Sul.

Isso foi importante, já que, ao ganhar apoio de parte da minoria branca politicamente ativa, o movimento antiapartheid foi capaz de demonstrar que não se mobilizava apenas por questões raciais. Tal fato coadunava com a visão de luta de Mandela, que previa a inclusão em sua proposta para uma nova África do Sul. Ele enfatizava que a primeira motivação para o protesto era combater a injustiça racial e a supremacia branca, em vez de atacar as próprias minorias brancas. A despeito da abordagem bem organizada e ativa do CNA, uma reforma substancial ainda estava longe de acontecer, e as demandas por uma extensão plena do direito ao voto não foram satisfeitas. Em vez disso, conforme aumentava a intensidade dos protestos, a resposta do governo se tornou cada vez mais violenta, culminando no massacre de Sharpeville em 1960, quando a polícia matou 69 pessoas que protestavam contra as leis que exigiam que as pessoas negras carregassem salvo-condutos.

**A batalha pelo fim do apartheid** não foi somente um ataque contra a minoria branca sul-africana. Mandela afirmava que foi contra a injustiça e um chamado mais inclusivo por mudança.

Lutei contra a dominação branca e contra a dominação negra. Acalentei o ideal de uma sociedade livre e democrática.
**Nelson Mandela**

Mas a luta contra o apartheid não foi totalmente pacífica. Assim como outras figuras revolucionárias, Mandela chegou à conclusão de que a única forma de combater o sistema do apartheid seria a luta armada. Em 1961, Mandela, ao lado de outros líderes do CNA, criou o *Umkhonto we Sizwe*, o braço armado da CNA, o que foi decisivo para a sua prisão em seguida. A despeito disso, sua crença no protesto civil e no princípio da inclusão ganhou apoio mundial, culminando em sua libertação da prisão muito depois e na queda do apartheid. ▪

## Nelson Mandela

Nelson Rolihlahla Mandela nasceu em Transkei, África do Sul, em 1918. Seu pai era conselheiro da tribo Tembu. Mudou-se ainda jovem para Johannesburgo e estudou direito. Entrou para o partido do Congresso Nacional Africano (CNA) em 1944 e se envolveu na resistência ativa contra as políticas do regime do apartheid a partir de 1948. Em 1961, ajudou a criar o braço militar do CNA, o *Umkhonto we Sizwe*, em parte como resposta ao massacre de Sharpeville um ano antes. Em 1964, foi sentenciado à prisão perpétua, ficando preso até 1990, tendo passado dezoito anos em Robben Island.

Ao ser libertado da prisão, Mandela tornou-se a principal figura do desmantelamento do apartheid, ganhando o Prêmio Nobel da Paz em 1993 e tornando-se presidente da África do Sul em 1994. Desde que deixou o cargo em 1999, até sua morte, se envolveu em várias causas, incluindo o esforço de acabar com a epidemia de AIDS.

### Principais obras

**1965** *No easy walk to freedom*
**1994** *Longa caminhada até a liberdade*

# SOMENTE OS FRACOS ACREDITAM QUE A POLÍTICA É UM LUGAR DE COLABORAÇÃO

## GIANFRANCO MIGLIO (1918-2001)

**EM CONTEXTO**

IDEOLOGIA
**Federalismo**

FOCO
**Desunificação**

ANTES
**1532** *O príncipe*, de Nicolau Maquiavel, prevê a unificação da Itália.

**1870** A unificação da Itália chega ao fim com a Captura de Roma pelo exército italiano do rei Victor Emmanuel II.

DEPOIS
**1993** O cientista político americano Robert Putnam publica *Making democracy work*, que examina as divisões na vida política e cívica da Itália.

**1994** O partido separatista Lega Nord participa do governo nacional italiano pela primeira vez.

A política italiana tem uma história de confronto. Historicamente, a Itália era uma nação dividida, governada por uma fraca coalizão de cidades-estado até o fim da unificação do país em 1870. Entre o norte industrializado e o sul rural, há uma longa história de desigualdade e disputa, com muitos no norte achando que a unificação trouxera benefícios para o sul e desvantagens para a sua própria região.

Gianfranco Miglio foi um acadêmico e político italiano cuja obra examinava as estruturas de poder na vida política. Inspirado por Max Weber e Carl Schmitt, Miglio era contrário à centralização dos recursos políticos por toda a Itália, porque essa forma de colaboração havia atrapalhado os interesses e a identidade do norte.

### Separatismo do norte

Miglio acreditava que a colaboração não era algo desejável na política, nem que era possível no meio político. Os distintos interesses das várias regiões da Itália não seriam resolvidos por acordos ou discussões, mas pela dominação dos grupos mais poderosos. As ideias de Miglio por fim o levaram à carreira política e, nos anos 1990, foi eleito ao senado nacional como membro do partido radical separatista Lega Nord (Liga Norte), fundado em 1991. ■

**Fabricantes de automóveis** como a Fiat contribuíram para a riqueza do norte da Itália. Do ponto de vista de Miglio, era injusto que tal riqueza subsidiasse a pobreza do sul.

**Veja também:** Nicolau Maquiavel 74–81 ▪ Max Weber 214–5 ▪ Carl Schmitt 254–7

# DURANTE O ESTÁGIO INICIAL DA LUTA, OS OPRIMIDOS TENDEM A SE TORNAR OPRESSORES

## PAULO FREIRE (1921-1997)

**EM CONTEXTO**

IDEOLOGIA
**Radicalismo**

FOCO
**Educação crítica**

ANTES
**1929-1934** Antonio Gramsci escreve *Cartas do cárcere*, esboçando seu desenvolvimento da teoria marxista.

**Anos 1930** O Brasil sofre de pobreza extrema durante a Grande Depressão.

DEPOIS
**Anos 1960** Enquanto foi professor de história e filosofia da educação na Universidade de Recife, Freire desenvolve um programa para minimizar o analfabetismo de massa.

**Anos 1970** Freire trabalha com o Conselho Mundial de Igrejas, gastando pelo menos uma década aconselhando reformas educacionais em vários países do mundo.

Escritores políticos tentaram, com frequência, entender a luta contra a opressão política. Pensadores como Karl Marx e Antonio Gramsci definiram a opressão em termos de dois grupos de atores — os opressores e os oprimidos.

A obra do educador brasileiro Paulo Freire revisitou essa relação, concentrando-se nas condições necessárias para romper o ciclo de opressão. Ele acreditava que o ato de oprimir desumaniza as duas partes e que, uma vez libertados, há o risco de os indivíduos repetirem a injustiça que experimentaram. Com efeito, os próprios oprimidos podem se tornar opressores.

### Libertação genuína

Essa linha de raciocínio dizia que seria necessário mais que uma simples troca de papéis para acabar com a opressão e começar um genuíno processo de libertação. Freire acreditava que, por meio da educação, a humanidade poderia ser restaurada e que a reforma do ensino poderia produzir um grupo de pessoas que repensaria suas vidas. Dessa forma, os opressores deixariam de ver os outros como um conjunto abstrato e entenderiam sua posição como indivíduos sujeitos à injustiça.

Freire considerava a educação um ato político no qual estudantes e professores precisavam refletir sobre suas posições e apreciar o ambiente no qual se dá a educação. Sua obra influenciou diversos teóricos políticos. ■

A maior tarefa humanística e histórica dos oprimidos é libertar a si mesmos e os seus opressores.
**Paulo Freire**

**Veja também:** Georg Hegel 156–9 ■ Karl Marx 188–93 ■ Antonio Gramsci 259

# JUSTIÇA É A PRIMEIRA VIRTUDE DAS INSTITUIÇÕES SOCIAIS

## JOHN RAWLS (1921-2002)

**EM CONTEXTO**

IDEOLOGIA
**Liberalismo**

FOCO
**Justiça social**

ANTES

**1762** O tratado de Jean-Jacques Rousseau *Do contrato social* discute a legitimidade da autoridade.

**1935** O artigo do economista americano Frank Knight *Economic theory and nationalism* lança as bases para o entendimento de Rawls sobre o processo deliberativo.

DEPOIS

**1974** Robert Nozick publica uma crítica a *Teoria da justiça*, de Rawls, sob o título *Anarquia, Estado e utopia*.

**1995** Gerald Cohen publica uma crítica marxista de Rawls.

**2009** Amartya Sen publica *A ideia de justiça* e o dedica a Rawls.

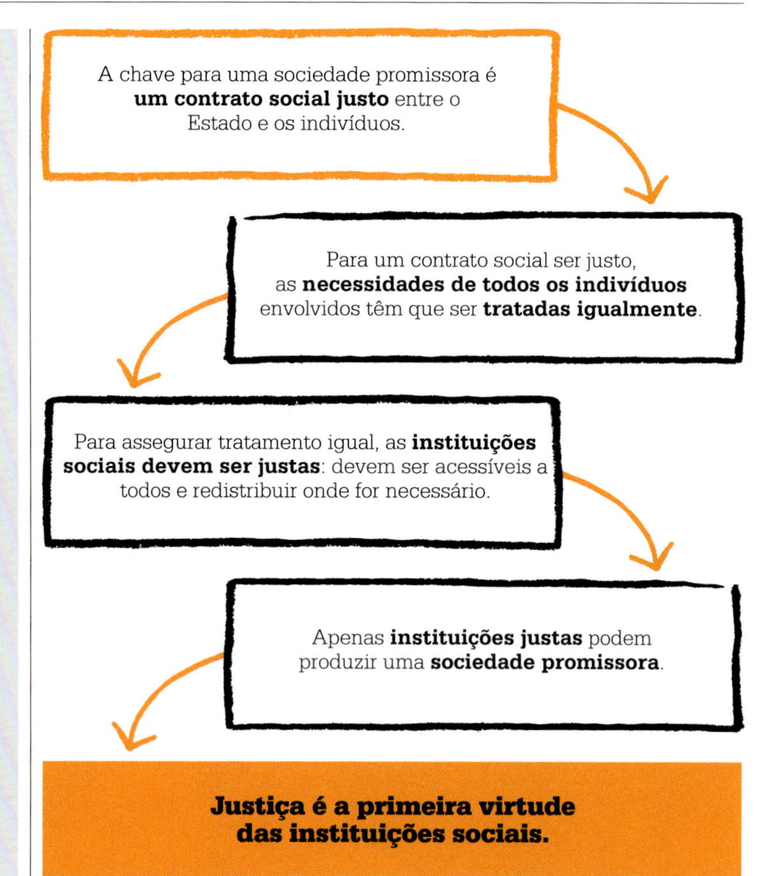

A chave para uma sociedade promissora é um contrato social justo entre o Estado e os indivíduos.
Para um contrato social ser justo, as necessidades de todos os indivíduos envolvidos têm que ser tratadas igualmente.
Para assegurar tratamento igual, as instituições sociais devem ser justas: devem ser acessíveis a todos e redistribuir onde for necessário.
Apenas instituições justas podem produzir uma sociedade promissora.
Justiça é a primeira virtude das instituições sociais.

A preocupação de toda a vida do filósofo americano John Rawls com as ideias de justiça, equidade e desigualdade foram moldadas por sua experiência ao crescer na cidade de Baltimore, com enorme segregação racial, e no exército dos Estados Unidos. Rawls se dedicou a identificar um arcabouço de princípios morais dentro do qual seria possível fazer julgamentos morais individuais. Para Rawls, esses princípios morais gerais somente poderiam ser justificados e acordados por meio do uso de procedimentos aceitos na busca de soluções. Tais procedimentos são chaves para a democracia — Rawls pensava que era o processo de debate e deliberação antes da eleição, em vez do próprio voto, que dava à democracia o seu verdadeiro valor.

### A desigualdade de riqueza

Rawls tentou mostrar que os princípios de justiça não podem ser baseados somente no arcabouço moral do indivíduo. Em vez disso, eles são fundamentados na forma como o senso de moralidade do indivíduo é expressado e preservado nas instituições sociais, como os sistemas de educação, saúde, impostos e eleitoral. Rawls estava particularmente preocupado com o processo pelo qual as desigualdades de riqueza se traduziam em diferentes níveis de influência política, resultando num viés inerente da estrutura social e política a favor dos indivíduos mais ricos e das empresas.

Tendo escrito na época da Guerra do Vietnã, a qual considerava injusta, Rawls argumentou que a desobediência civil precisava ser entendida como a ação necessária da minoria apelando à consciência da maioria. Ele discordava

**Veja também:** John Locke 104–9 ▪ Jean-Jacques Rousseau 118–25 ▪ Immanuel Kant 126–9 ▪ John Stuart Mill 174–81 ▪ Karl Marx 188–93 ▪ Robert Nozick 326–7

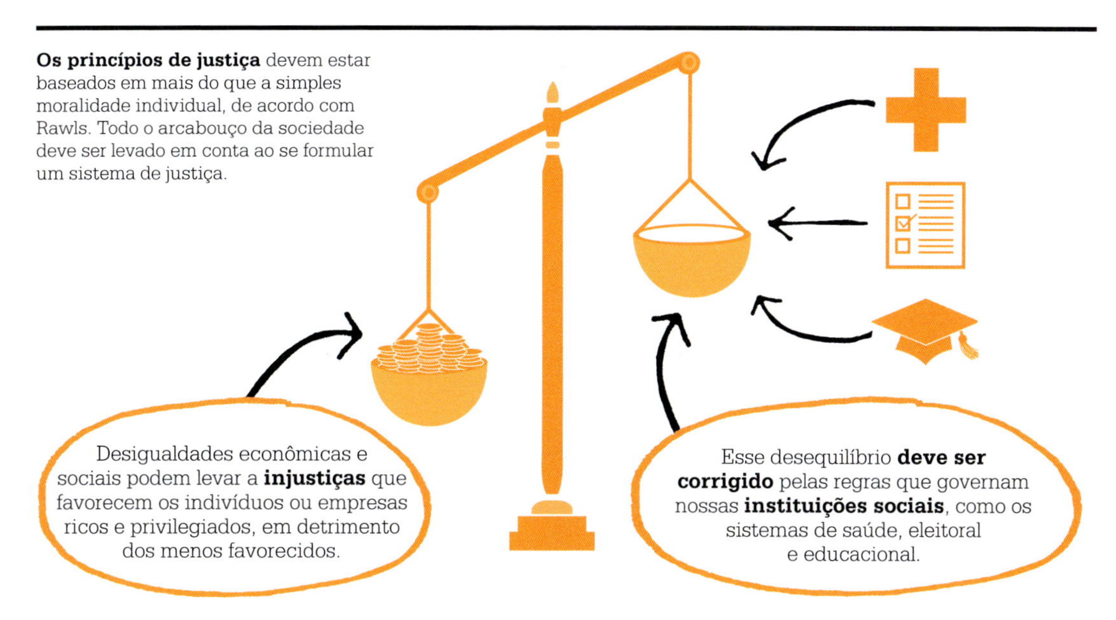

Desigualdades econômicas e sociais podem levar a **injustiças** que favorecem os indivíduos ou empresas ricos e privilegiados, em detrimento dos menos favorecidos.
Esse desequilíbrio **deve ser corrigido** pelas regras que governam nossas **instituições sociais**, como os sistemas de saúde, eleitoral e educacional.

**Os princípios de justiça** devem estar baseados em mais do que a simples moralidade individual, de acordo com Rawls. Todo o arcabouço da sociedade deve ser levado em conta ao se formular um sistema de justiça.

das políticas de recrutamento que permitiam aos estudantes mais ricos se livrarem do alistamento militar enquanto os mais pobres eram convocados, com frequência, para o exército, talvez apenas por uma nota baixa na escola. A transferência de desigualdades econômicas em instituições discriminatórias tais como o setor de recrutamento o perturbava profundamente, ainda mais quando essas instituições eram o próprio corpo que pretendia implementar ou agir em nome da justiça.

Na justiça como equidade, o conceito do certo vem antes do de bom.
**John Rawls**

## Princípios de justiça

Na visão de Rawls, para que haja justiça, ela deve ser considerada justa de acordo com certos princípios de igualdade. Na sua teoria de justiça como equidade, Rawls desenvolveu dois princípios de justiça essenciais. O primeiro é que todos têm as mesmas demandas para liberdades básicas. O segundo é que "as desigualdades sociais e econômicas devem ser ordenadas de tal modo que sejam ao mesmo tempo consideradas como vantajosas para todos dentro dos limites do razoável e vinculadas a posições e cargos acessíveis a todos". O primeiro princípio — da liberdade — é prioritário em relação ao segundo — o da diferença. Rawls justificou tal posição ao argumentar que, conforme melhoram as condições econômicas por conta do avanço da civilização, as questões da liberdade se tornam mais importantes. Existem poucas situações, se é que há alguma, em que seja vantagem para um indivíduo ou grupo aceitar menor liberdade em troca de maiores recursos materiais.

Rawls identificou alguns privilégios socioeconômicos como "poder de ameaça". Considerou-os "poderes políticos, riqueza ou dons naturais *de facto*", que permitem a certas pessoas ficarem com mais do que uma porção justa, assim como um aluno que faz *bullying* na escola pegando dinheiro de outros alunos só por ser maior que eles. A desigualdade — e as vantagens a ela vinculadas — não poderia ser a base de qualquer princípio ou teoria de justiça. Já que as desigualdades são parte de qualquer sociedade, Rawls concluiu que "a arbitrariedade do » mundo deve ser corrigida por um ajuste das circunstâncias da posição contratual inicial". Por "situação contratual" ele quer dizer um contrato social entre os indivíduos — tanto entre si quanto em relação às instituições do Estado, incluindo até mesmo a família. No entanto, esse contrato social inclui acordos entre indivíduos em desigualdade. Já que o Estado tem igual responsabilidade em relação a cada cidadão, a justiça só pode ser assegurada se essa desigualdade for corrigida em sua fonte.

Para Rawls, as instituições sociais são estratégicas para fazer tais correções — ao assegurar que todos os indivíduos tenham igual acesso a elas e ao desenvolver um mecanismo de redistribuição que melhore a vida de todos. Rawls considerou o liberalismo e as democracias liberais os melhores sistemas políticos para garantir que essa redistribuição fosse feita com equidade. Ele acreditava que os sistemas comunistas focavam demais na igualdade completa sem considerar se essa produziria o melhor para todos. Ele achava que o sistema capitalista com fortes instituições sociais provavelmente assegurasse um sistema mais equânime de justiça. Onde o capitalismo produzisse resultados desiguais, as instituições sociais imbuídas de um forte senso de justiça poderiam corrigi-lo.

## Sociedade multicultural

Rawls identificou um papel adicional para as instituições justas: manter a sociedade coesa. Ele acreditava que uma das principais lições da modernidade seria a possibilidade de vivermos juntos sob regras comuns sem necessariamente compartilharmos o mesmo código moral — desde que todos os indivíduos assumissem o mesmo compromisso moral em relação à estrutura da sociedade. Se as pessoas concordassem que a estrutura da sociedade é equânime, elas estariam satisfeitas, mesmo vivendo entre pessoas guiadas por códigos de moral significativamente diferentes. Isso, para Rawls, é a base de sociedades pluralistas, multiculturais, e as instituições sociais são essenciais para garantir a equidade em tais sistemas sociais complexos.

## O véu da ignorância

Rawls disse que, de início, os princípios de redistribuição precisariam ser escolhidos sob a proteção do que ele chamou de "um véu de ignorância". Ele imaginou uma situação na qual se decidiria a estrutura de uma sociedade ideal, mas nenhum dos envolvidos conheceria seu papel na sociedade. O "véu da ignorância" sugere que ninguém saiba qual posição social, doutrina pessoal ou atributos intelectuais ou físicos teria. Eles poderiam ser de qualquer gênero, orientação sexual, raça ou classe. Dessa forma, o véu da ignorância garantiria que todos — sem contar posição social e características individuais — tivessem a garantia de justiça: os que decidissem sua situação ficariam felizes por estarem nessa posição. Rawls assumia que, por trás do véu da ignorância, o contrato social seria necessariamente construído para ajudar os membros mais fracos da sociedade, já que todos temiam ficar pobres e se empenhariam em construir instituições sociais que os protegessem disso.

Rawls aceitou que as diferenças na sociedade talvez continuassem, mas argumentou que um princípio equânime de justiça ofereceria o maior benefício para os membros menos favorecidos da sociedade. Outros eruditos, incluindo o teórico indiano Amartya Sen e o marxista canadense Gerald Cohen,

A inveja tende a fazer todos piores.
**John Rawls**

**Para Rawls, o acesso igualitário** às instituições como bibliotecas públicas é essencial para uma sociedade justa, permitindo a todos as mesmas oportunidades.

questionaram a crença de Rawls no potencial de um regime capitalista liberal garantir que esses princípios fossem cumpridos. Eles também discutiram a vantagem do "véu da ignorância" em sociedades modernas em que desigualdades sociais estão profundamente arraigadas nas instituições sociais. Um véu de ignorância só tem valor, dizem, se for possível começar tudo do zero.

### Críticas a Rawls

Sen acredita que Rawls faz uma falsa distinção entre direitos políticos e econômicos. Para Sen, desigualdades e privações são, em grande medida, um resultado da falta de acesso a certos bens, em vez da ausência desses mesmos bens. Ele usa o exemplo da fome de Bengala em 1943, causada pelo aumento nos preços dos alimentos em decorrência da urbanização, em vez de uma real falta de comida. Os bens — nesse caso a comida — não representam uma vantagem em si mesmos. Em vez disso, a vantagem é definida pela relação entre pessoas e bens — os que conseguem comprar por um preço maior *versus* os que não podem. Sen segue seu argumento dizendo que o contrato social na definição de Rawls é falho já que pressupõe a ocorrência desse em âmbito impessoal. Ele explica que o contrato social é, ao contrário disso, negociado entre os interesses de um número de grupos que não participam diretamente dele, tais como os estrangeiros, gerações futuras ou até mesmo a natureza.

### Desigualdade intrínseca

Gerald Cohen questionou a confiança que Rawls depositou no liberalismo. Cohen argumentou que a obsessão do liberalismo com a maximização do interesse próprio não é compatível com as intenções igualitárias da política estatal redistributiva defendida por Rawls. Ele via a desigualdade como intrínseca ao capitalismo, não um simples resultado de um sistema injusto de redistribuição estatal. O capitalismo e o liberalismo, para Cohen, jamais seriam capazes de oferecer a solução "equânime" desejada por Rawls.

Independente dessas críticas, *Uma teoria da justiça* de Rawls se mantém uma das obras contemporâneas mais influentes na teoria política e um grande best-seller publicado pela Harvard University Press. Suas ideias têm instigado uma série de debates na reestruturação do sistema de bem-estar moderno, tanto nos Estados Unidos quanto em outras partes do mundo. Muitos de seus ex-alunos, incluindo Sen, estão no centro desse debate. Em reconhecimento por sua contribuição à teoria social e política, Rawls recebeu a National Humanities Medal em 1999 do presidente americano Bill Clinton, que declarou que sua obra havia ajudado a reviver a fé na própria democracia. ■

**A fome de Bengala** foi causada por relações econômicas desiguais entre as pessoas. O sistema de Rawls, centrado mais nas estruturas políticas que nas econômicas, parece não explicar tais desastres.

## John Rawls

Rawls nasceu em Baltimore, Estados Unidos, filho do famoso advogado William Lee Rawls e de Anna Abell Stump Rawls, presidente da Liga das Mulheres Votantes de Baltimore. Sua infância foi marcada pela perda de dois irmãos por uma doença contagiosa que ele lhes passou, sem saber. Um homem tímido e gago, Rawls estudou filosofia na Universidade de Princeton. Ao terminar a graduação, alistou-se no exército americano e serviu no Pacífico, passando por Nova Guiné, Filipinas e Japão ocupado. Mais tarde, voltou a Princeton, onde terminou seu doutorado em 1950 com uma tese sobre princípios morais para julgamentos morais individuais. Rawls passou um ano na Universidade de Oxford, Reino Unido, onde teve uma relação próxima com o filósofo jurídico H. L. A. Hart e com o teórico político Isaiah Berlin. Em sua longa carreira, Rawls instruiu muitos líderes na filosofia política.

### Principais obras

**1971** *Uma teoria da justiça*
**1999** *Um direito dos povos*
**2001** *Justiça como equidade: uma reformulação*

# COLONIALISMO É A VIOLÊNCIA EM SEU ESTADO NATURAL

## FRANTZ FANON (1925-1961)

**EM CONTEXTO**

IDEOLOGIA
**Anticolonialismo**

FOCO
**Descolonização**

ANTES
**1813** Simón Bolívar é chamado de “O Libertador” quando Caracas é libertada da Espanha.

**1947** Os protestos não violentos de Gandhi levam à independência da Índia do domínio britânico.

**1954** Começa a Guerra da Independência da Argélia contra o domínio francês.

DEPOIS
**1964** Numa reunião da ONU, Che Guevara defende que a América Latina ainda precisa alcançar sua independência.

**1965** Malcolm X fala em garantir direitos para os negros “por todos os meios necessários”.

Em meados do século XX, o colonialismo europeu estava em pleno declínio. Exaurido por duas guerras mundiais e desafiado pelas mudanças sociais que acompanharam a industrialização, o domínio de muitas potências coloniais sobre seus territórios estava se enfraquecendo.

Movimentos populares exigindo a independência surgiram com velocidade crescente na era do pós-guerra. O domínio do Reino Unido sobre o Quênia foi abalado pelo crescimento da União Nacional Africana Queniana, enquanto a Índia garantia sua independência em 1947, após uma longa luta. Na África do Sul, a luta contra o domínio colonial

**Veja também:** Simón Bolívar 162–3 ▪ Mahatma Gandhi 220–5 ▪ Manabendra Nath Roy 253 ▪ Jomo Kenyatta 258 ▪ Nelson Mandela 294–5 ▪ Paulo Freire 297 ▪ Malcolm X 308–9

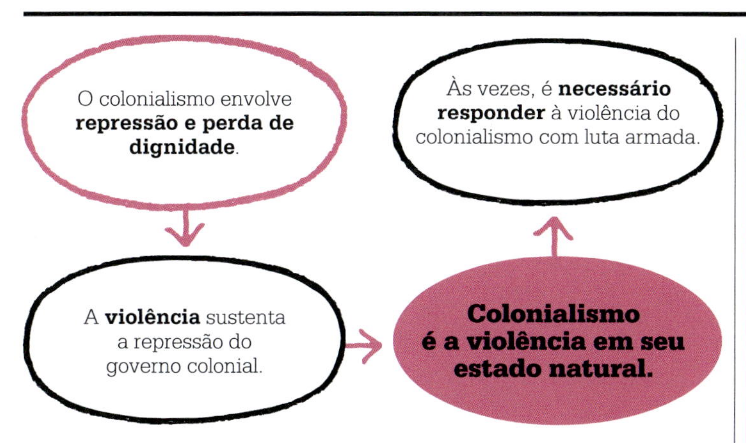

O colonialismo envolve **repressão e perda de dignidade**.
A **violência** sustenta a repressão do governo colonial.
**Colonialismo é a violência em seu estado natural.**
Às vezes, é **necessário responder** à violência do colonialismo com luta armada.

**A guerra da Argélia**, 1954-62, foi inflamada quando as forças coloniais francesas tentaram reprimir o movimento de independência. Fanon tornou-se um porta-voz apaixonado da causa argelina.

se entrincheirou na batalha maior contra a opressão do apartheid. Mas começaram a surgir questões sobre como se organizariam as nações pós-coloniais e qual o modo de lidar com o legado de violência e repressão deixado pelos anos de domínio colonial.

## O pensamento pós-colonial

Frantz Fanon foi um pensador franco-argelino cuja obra lida com os efeitos do colonialismo e a resposta dos povos oprimidos ao fim do domínio europeu. Baseado nas perspectivas de Marx e Engels, Fanon assumiu uma abordagem idiossincrática para a análise do racismo e do colonialismo. Sua obra se preocupa tanto com a cultura e a língua quanto com a política e, com frequência, explora as relações entre as diversas áreas de pesquisa, mostrando como a língua e a cultura são moldadas pelo racismo e outros preconceitos. Talvez o mais influente teórico da descolonização — o processo de emancipação da opressão colonial —, Fanon teve um enorme impacto no pensamento anti-imperialista, e sua obra ainda inspira ativistas e políticos.

Fanon examinou o impacto e o legado do colonialismo. Sua visão do colonialismo caminhava lado a lado com a dominação branca e estava ligada a uma forte igualdade, rejeitando a opressão humana e a perda de dignidade causada pelo domínio colonial. Em parte, isso reflete o papel de Fanon como participante na luta contra a opressão. Em seu livro *L'An V de la révolution algérienne*, ele apresentou o ponto de vista de quem presenciou a luta argelina pela independência do domínio colonial francês, detalhando o curso do conflito armado e a como levou ao surgimento de uma nação independente. A estratégia e a ideologia da luta armada anticolonial são apresentadas por completo, numa análise detalhada das táticas usadas pelos dois lados.

O que importa não é conhecer o mundo, mas mudá-lo.
**Frantz Fanon**

## Arcabouço da opressão

Na essência, no entanto, a contribuição de Fanon foi mais teórica que prática ao expor as estruturas de opressão em vigor dentro dos sistemas coloniais. Ele examinou as hierarquias da etnia que garantiram o eixo da opressão colonial, mostrando como elas asseguravam não apenas um sistema ordenado de privilégios, mas também uma expressão da diferença cultural e política. Na Argélia — e em outros países como o Haiti —, uma ordem política pós-colonial foi criada com a intenção explícita de evitar esse tipo de dominação. »

**A insurreição de Mau Mau** contra o domínio colonial no Quênia foi reprimida pelas forças britânicas, causando divisões dentro da maioria Kikuyu, e alguns lutaram a favor dos britânicos.

A visão de Fanon da descolonização tem uma relação ambivalente com a violência. Famosa, sua obra *Os condenados da Terra* teve o prefácio de Jean-Paul Sartre enfatizando a posição de violência na luta contra o colonialismo. Sartre introduz a obra como um chamado às armas, sugerindo que o "louco impulso à morte" é uma expressão do "inconsciente coletivo" do oprimido, criado como uma resposta direta aos anos de tirania. Como resultado, seria fácil ler a obra de Fanon como uma apologia à revolução armada.

## Racismo colonial

No entanto, concentrar-se no aspecto revolucionário da obra de Fanon presta um desserviço à complexidade de seu pensamento. Para ele, a violência do colonialismo está na parte dos opressores. O colonialismo era, de fato, a violência em seu estado natural, mas essa se manifestava de diversas formas distintas. Poderia ser expressa na força bruta, mas também incutida em estereótipos e divisões sociais associadas à visão de mundo racista que Fanon identificava como a definição da vida colonial. A dominância da cultura branca sob o controle colonial significava que qualquer identidade que não fosse a dos brancos europeus era vista negativamente. Existiam divisões entre os colonizadores e os povos que dominavam baseadas na suposta inferioridade de sua cultura.

Fanon acreditava que a violência era parte do domínio colonial, e sua obra é uma denúncia da violência infligida pelas potências coloniais. Ele argumentou que a legitimidade da opressão colonial foi apoiada apenas pela força militar, e sua violência — como fundamento único — direcionava-se aos colonizados como um meio de garantir sua submissão. Os povos oprimidos enfrentam uma escolha cruel entre aceitar uma vida de sujeição ou confrontar tal perseguição. Qualquer resposta ao colonialismo precisava ser desenvolvida em oposição às premissas do domínio colonial, mas, além disso, para moldar as novas identidades e valores que não foram definidos pela Europa. A luta armada e a revolução violenta talvez fossem necessárias, mas estariam fadadas ao fracasso, a não ser que acontecesse uma genuína descolonização.

O colonizador mantém viva no nativo uma raiva que o priva de uma saída; o nativo fica preso nas fortes amarras do colonialismo.
**Frantz Fanon**

## Rumo à descolonização

*Os condenados da Terra* se mantém a publicação mais importante de Fanon, provendo um arcabouço teórico para o surgimento de indivíduos e nações a partir da indignidade do domínio colonial. Explorando em profundidade as premissas da superioridade cultural identificada em outras partes de sua obra, Fanon desenvolveu um entendimento da opressão cultural branca por meio de uma análise de como ela funcionava: forçando os valores dessa minoria para toda a sociedade. No entanto, ele recomendava uma abordagem inclusiva ao difícil processo de descolonização. As ideias de Fanon eram baseadas na dignidade e no valor de todas as pessoas, independentemente de raça ou antecedentes. Ele enfatizava que todas as etnias e classes poderiam, potencialmente, estar envolvidas na — e se beneficiarem da —

Eu não sou escravo da escravidão que desumanizou meu ancestrais.
**Frantz Fanon**

descolonização. Além disso, para Fanon, qualquer tentativa de reforma baseada em negociações entre uma elite privilegiada liderando o processo de descolonização e os dominadores coloniais seria uma reprodução das injustiças do regime anterior. Tal tentativa estaria enraizada na premissa do privilégio e, mais importante ainda, fracassaria por causa da tendência dos povos oprimidos a mimetizarem o comportamento e as atitudes das elites dominantes. Em particular, esse fenômeno é forte nas classes média e alta capazes de se apresentarem — por meio de sua educação e relativa riqueza — como culturalmente similares aos colonialistas.

Em contraste, uma transição genuína do colonialismo envolveria as massas e representaria uma mudança sustentada rumo à criação de uma identidade nacional. Um movimento de descolonização bem-sucedido desenvolveria uma consciência nacional, gerando novas abordagens para a arte e a literatura de modo a articular uma cultura que estivesse simultaneamente resistindo e se separando da tirania do poder colonial.

## A influência de Fanon

Essas ideias a respeito da violência do colonialismo e da importância da identidade para moldar a direção política e social futura de uma nação tiveram um impacto direto no modo como ativistas e líderes revolucionários tratam a luta contra o poder colonial — *Os condenados da Terra* é na verdade um esboço da revolução armada. Além disso, o papel de Fanon em formular o entendimento da ação e dos efeitos do colonialismo deixaram um legado duradouro. Suas perspectivas profundas sobre o fundamento racista do colonialismo e, em particular, suas teorias a respeito das condições para uma descolonização bem-sucedida foram profundamente influentes no estudo da pobreza e do fenômeno da globalização. ■

**Na França**, os colonizadores eram retratados como europeus civilizados levando ordem aos selvagens nativos. Tais atitudes racistas eram usadas para justificar o uso da opressão e da violência.

## Frantz Fanon

**Frantz Fanon nasceu na Martinica em 1925 numa família abastada. Depois de lutar pelo Exército da França Livre durante a II Guerra Mundial, estudou medicina e psiquiatria em Lyon. Lá, encontrou as atitudes racistas que inspirariam a maior parte de suas primeiras obras.**

**Ao terminar seus estudos, mudou-se para a Argélia, a fim de trabalhar como psiquiatra, e tornou-se um líder ativista e porta-voz da revolução. Treinou enfermeiras para a Frente de Libertação Nacional e publicou seus relatos da revolução em jornais favoráveis à causa. Fanon trabalhou para apoiar os rebeldes até ser expulso do país. Foi designado embaixador em Gana pelo governo provisório ao final da luta, mas adoeceu pouco depois. Fanon morreu de leucemia em 1961, com apenas 35 anos, tendo terminado *Os condenados da Terra* pouco antes de sua morte.**

### Principais obras

**1952** *Pele negra, máscaras brancas*
**1959** *L'An V de la révolution algérienne*
**1961** *Os condenados da Terra*

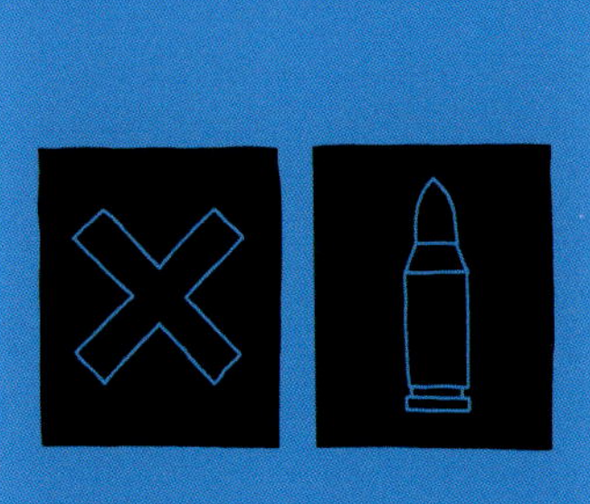

# O VOTO OU A BALA

## MALCOLM X (1925-1965)

### EM CONTEXTO

IDEOLOGIA
**Direitos civis e igualdade**

FOCO
**Autodeterminação**

ANTES
**1947** Os britânicos são obrigados a deixar a Índia como resultado da campanha de Mahatma Gandhi pela independência.

**1955** A negra americana Rosa Parks recusa a se levantar do banco na "parte branca" de um ônibus, tornando-se o estopim da ação direta de Martin Luther King.

DEPOIS
**1965** O assassinato de Malcolm X leva à formação do Partido Pantera Negra para Autodefesa, um movimento militante do *poder negro*.

**1965** É aprovada a Lei dos Direitos de Voto nos EUA, restaurando direitos iguais de voto para todos os cidadãos, derrubando uma lei anterior que exigia a aprovação numa prova de alfabetização.

Os americanos negros deveriam **participar de eleições**.

Os eleitores negros deveriam votar apenas em candidatos que prometessem **defender os seus direitos**.

Porém, os políticos sempre **voltam atrás das promessas** feitas nas eleições depois de tomar posse.

Se os políticos **não proporcionam** a igualdade que prometem nas eleições, os americanos negros deveriam **partir para a violência** para atingir suas metas.

**O voto ou a bala.**

O movimento de direitos civis nos Estados Unidos do pós-guerra foi um ponto central na longa luta para estabelecer igualdades políticas em toda a sociedade. O meio para se alcançar isso, no entanto, foi um tanto quanto incerto. Líderes de direitos civis como Martin Luther King se inspiraram nos protestos não violentos de Mahatma Gandhi na Índia e criaram um movimento similar que começou a ganhar a simpatia de todas as áreas da sociedade. Mas o ritmo lento das mudanças e a contínua opressão do povo negro levou muitos a contestarem tal abordagem.

Malcolm X foi um dos líderes da Nação do Islã, uma organização que defendia ideias de separatismo racial e nacionalismo negro. Nessa função, ele articulou uma visão da luta pelos direitos civis muito diferente da representada por King. Em vez de focar na não violência, Malcolm acreditava que a luta pela igualdade era intrínseca à habilidade do povo de determinar sua vida por si mesmo, logo toda tentativa de restringir tais direitos deveria ser respondida com uma ação direta e, se necessário, pela força. A Nação do Islã proibia seus membros de participarem do

**Veja também:** José Martí 204–5 ▪ Emmeline Pankhurst 207 ▪ Emiliano Zapata 246 ▪ Marcus Garvey 252 ▪ Mao Tsé-tung 260–5 ▪ Nelson Mandela 294–5 ▪ Che Guevara 312–3 ▪ Martin Luther King 316–21

Queremos liberdade por qualquer meio necessário. Queremos justiça por qualquer meio necessário. Queremos igualdade por qualquer meio necessário.
**Malcolm X**

processo político, mas quando Malcolm deixou a Nação em 1964 para começar sua própria organização, passou a defender a participação política exigindo direitos iguais de voto. Ele imaginava o desenvolvimento de um bloco de voto negro que poderia ser usado para exigir mudanças na época das eleições e dirigir as ações dos políticos brancos para garantir maior igualdade social e política. A despeito disso, Malcolm continuava cético quanto à possibilidade de que a extensão dos direitos de voto promovesse uma verdadeira mudança nos Estados Unidos. Em especial, se preocupava com a disparidade entre as palavras dos políticos durante as campanhas eleitorais e sua ação depois da posse.

## O ano da ação

Em 1964, Malcolm fez um discurso em Detroit que continha uma dura advertência aos políticos: se a política formal não reconhecesse adequadamente as necessidades do povo negro, eles seriam forçados a fazer justiça com as próprias mãos, usando a violência. "A geração jovem", disse, "está insatisfeita e em sua frustração ela quer ação." Eles não estavam mais dispostos a aceitar um status de segunda classe e não se importavam se a sorte estivesse contra eles. Malcolm disse que os negros americanos já "haviam escutado demais as artimanhas, as mentiras e as falsas promessas do homem branco". A menos que o sistema político se tornasse genuinamente mais receptivo às demandas dos eleitores negros, não haveria outra alternativa ao voto senão o uso das armas; não a urna, mas a bala.

Independentemente de sua imagem pública à época, Malcolm X deixou poucas palavras escritas. Contudo, suas ideias continuam a moldar a agenda dos direitos civis, com seu foco na tomada de poder e na reconexão dos negros americanos com sua herança africana. ▪

**Afro-americanos** carregam pela rua um caixão com uma faixa "Aqui jaz Jim Crow", para se manifestarem contra as leis de segregação "Jim Crow" de 1944, que legitimavam o racismo antinegros.

## Malcolm X

Malcolm X nasceu Malcolm Little em Omaha, Nebraska, em 1925. No começo de sua vida, experimentou o racismo contra sua família, especialmente contra seu pai, um pastor leigo batista. A morte dele em 1931 precipitou o rompimento da família. A mãe de Malcolm foi internada num hospital psiquiátrico, e ele foi levado para um orfanato. Entrou para o crime e foi preso por assalto em 1946.

Durante sua prisão, Malcolm vivenciou um despertar religioso e social, convertendo-se ao islamismo e se envolvendo com a Nação do Islã (NOI). Quando foi solto, assumiu o nome de Malcolm X e tornou-se uma das faces públicas do nacionalismo negro nos Estados Unidos. Em 1964, abandonou a NOI e tornou-se um muçulmano sunita, completando sua *hajj* para Meca e discursando na África, na Europa e nos EUA. Em 1965, foi assassinado por três membros da Nação do Islã.

### Principais obras

**1964** *A autobiografia de Malcolm X* (com Alex Haley)

# PRECISAMOS "CORTAR A CABEÇA DO REI"

## MICHEL FOUCAULT (1926-1984)

### EM CONTEXTO

IDEOLOGIA
**Estruturalismo**

FOCO
**Poder**

ANTES
**1532** Maquiavel publica *O príncipe*, analisando o uso cínico do poder por indivíduos e pelo Estado.

**1651** Thomas Hobbes termina sua obra magna, *Leviatã*, um comentário sobre o papel do soberano e a corrupção humana no estado de natureza..

DEPOIS
**Anos 1990** Teóricos verdes usam as ideias de Foucault para explicar como as políticas ecológicas podem ser desenvolvidas por governos e especialistas.

**2009** A acadêmica australiana Elaine Jeffreys usa as teorias de Foucault para analisar as estruturas de poder na China, enfatizando a natureza racional da sociedade chinesa.

Há tempos que o pensamento político tem se ocupado em como definir melhor e localizar a fonte do poder na sociedade. Muitas das obras mais significativas da área imaginavam um Estado poderoso no centro da autoridade política legítima. Maquiavel, em *O príncipe*, via a expressão crua do poder como justificada nos interesses do governo. Hobbes, no *Leviatã*, via um monarca poderoso como o antídoto ao espírito corrupto da humanidade. Esses e outros abriram caminho para a maioria dos pensadores políticos modernos, e a análise do poder do Estado tem sido a tônica dominante de análise política.

Para o filósofo francês Michel Foucault, o poder — em vez de estar centrado no Estado — estava difundido em muitos "microlugares" por toda a sociedade. Foucault criticava a filosofia política dominante por se basear nas noções de autoridade formal e insistir em analisar uma entidade chamada "o Estado". Para Foucault, o Estado era simplesmente a expressão das estruturas e da configuração de poder na sociedade, em vez de uma entidade que exerce dominação sobre os indivíduos. Essa visão do Estado como uma "prática" em vez de uma "coisa em si mesma" significava que um verdadeiro entendimento da estrutura e da distribuição do poder na sociedade somente poderia ser alcançado por meio de uma análise mais ampla.

A análise de Foucault tinha a ver com a natureza da soberania. Ele queria se afastar daquilo que considerava uma ideia errada — a teoria política deveria envolver o entendimento do poder exercido por um soberano individual que aprova leis e pune os que as desobedecem. Foucault achava que a natureza do governo havia mudado entre o século XVI — quando os problemas da

O poder não é uma instituição e não é uma estrutura; também não é uma certa força da qual somos dotados.
**Michel Foucault**

**Veja também:** Nicolau Maquiavel 74–1 ▪ Karl Marx 188–93 ▪ Paulo Freire 297 ▪ Noam Chomsky 314–5

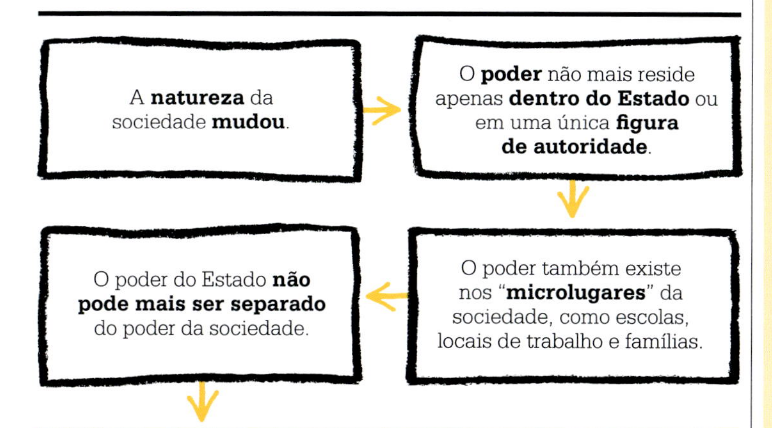

A **natureza** da sociedade **mudou**.
O **poder** não mais reside apenas **dentro do Estado** ou em uma única **figura de autoridade**.
O poder também existe nos "**microlugares**" da sociedade, como escolas, locais de trabalho e famílias.
O poder do Estado **não pode mais ser separado** do poder da sociedade.


**Para entender o funcionamento do poder, precisamos "cortar a cabeça do rei" na teoria política.**

política eram relacionados a como o monarca soberano poderia obter e manter seu poder — e o século XX, quando o poder do Estado não está desconectado de nenhuma outra forma de poder na sociedade. Ele sugeriu que os teóricos políticos precisavam "cortar a cabeça do rei" e desenvolver uma abordagem para entender o poder que refletia essa mudança.

## Governamentalidade

Foucault desenvolveu tais ideias nas palestras que deu no Collège de France, em Paris, onde propôs o conceito de "governamentalidade". Essa abordagem concebia o governar como uma arte envolvendo um leque de técnicas de controle e disciplina. Isso pode se dar em vários contextos, tais como o interior da família, a escola ou o local de trabalho. Ao expandir seu entendimento do poder para além das estruturas hierárquicas da soberania, Foucault enfatizou diferentes tipos de poder na sociedade, tais como o conhecimento e a coleta de estatísticas. Ele elaborou essa análise em muitas de suas obras, observando áreas como a linguagem, a punição e a sexualidade. ■

**A sala de aula** é um "microlugar" de poder político, de acordo com Foucault. Microlugares exercem esse poder dentro da sociedade, longe das estruturas tradicionais do governo.

## Michel Foucault

Foucault nasceu em Poitiers, França, numa família abastada. Um prodígio nos estudos, rapidamente estabeleceu sua reputação como filósofo. Em 1969, tornou-se o primeiro Chefe do Departamento de Filosofia na recém-criada Universidade de Paris VIII, inaugurada em resposta às agitações estudantis de 1968 na França. Ganhou notoriedade ao abraçar o ativismo estudantil, até mesmo se engajando em conflitos com a polícia. Em 1970, foi eleito para o prestigioso Collège de France como professor de História de Sistemas de Pensamento, uma posição que manteve até sua morte.

Foucault se engajou em ativismo no final de sua carreira, que passou na maior parte nos Estados Unidos. Publicou muitos trabalhos e tornou-se uma figura importante numa variedade de campos da filosofia e das ciências sociais. Morreu de doenças relacionadas à aids em 1984.

### Principais obras

**1963** *O nascimento da clínica*
**1969** *A arqueologia do saber*
**1975** *Vigiar e punir*
**1976-1984** *A história da sexualidade*

# NÃO EXISTEM LIBERTADORES. O POVO LIBERTA A SI MESMO

## CHE GUEVARA (1928-1967)

**EM CONTEXTO**

IDEOLOGIA
**Socialismo revolucionário**

FOCO
**Guerra de guerrilha**

ANTES
**1762** Jean-Jacques Rousseau abre *O contrato social* com: "O homem nasce livre e por toda parte encontra-se acorrentado".

**1848** Os teóricos políticos Karl Marx e Friedrich Engels publicam o *Manifesto comunista*.

**1917** As revoluções na Rússia depõem o czar e sua família e estabelecem um governo comunista bolchevique.

DEPOIS
**1967** O filósofo político francês Régis Debray formaliza a tática de guerra de guerrilha e a chama "focalismo".

**1979** A ditadura de Somoza na Nicarágua é derrubada com o uso da tática de guerrilha.

Por sua participação nas revoluções em Cuba, Congo--Kinshasa e Bolívia, Guevara é popularmente conhecido como "um homem de ação" em vez de um teórico político, mas sua adoção da tática de guerrilha foi uma enorme contribuição ao desenvolvimento do socialismo revolucionário. Tendo visto de primeira mão a opressão e a pobreza na América do Sul sob as ditaduras apoiadas pelos Estados Unidos, ele acreditava que a salvação do continente somente viria por uma revolução anticapitalista, conforme defendida por Karl Marx.

No entanto, a interpretação prática de Guevara da revolução era mais política e militante que a análise econômica de Marx, direcionada aos estados capitalistas da Europa. Os regimes tirânicos da América do Sul fizeram os estados europeus parecerem quase "bonzinhos", e Guevara percebeu que a única forma de derrubá-los seria pela luta armada.

As forças do povo podem pôr em prática as condições que tornam a **revolução** possível.

Grupos militantes sempre têm uma vantagem num **cenário rural**.

**Grupos de guerrilha** lançando ataques de áreas rurais podem provocar agitações para criar uma **frente popular** contra o regime.

**Não existem libertadores. O povo liberta a si mesmo.**

**Veja também:** Karl Marx 188–93 ▪ Vladimir Lênin 226–33 ▪ Leon Trótski 242–5 ▪ Antonio Gramsci 259 ▪ Mao Tsé-tung 260–5 ▪ Fidel Castro 339

**Um exército do povo** liderou a Revolução Cubana à vitória sobre o Estado militar. Os princípios da guerra de guerrilha traçados por Guevara foram a chave do sucesso da revolução.

Em vez de esperar pela chegada das condições que permitiriam uma revolução bem-
-sucedida, Guevara acreditava que essas condições poderiam ser criadas com uma estratégia de guerra de guerrilha que inspiraria o povo à revolta.

## Poder para o povo

Nos livros *Apuntes de la guerra revolucionaria cubana* e *A guerra das guerrilhas*, Guevara explicou como o sucesso da Revolução Cubana dependeu da mobilização de uma frente popular. Em vez de encarar a revolução como um libertador levando a liberdade para o povo, ele a via como um movimento popular para derrubar um regime opressivo, em que o povo libertaria a si mesmo. O ponto de partida para esse tipo de revolução, acreditava, não estava nas cidades ou lugarejos industrializados, mas nas áreas rurais onde pequenos grupos de rebeldes armados poderiam atingir o máximo de resultado contra as forças do regime. Essa insurreição daria, assim, um foco aos descontentes, e o apoio à rebelião viraria uma frente popular, garantindo o ímpeto necessário para uma revolução de grande escala.

Depois de seu sucesso em Cuba, Guevara expressou seu apoio às lutas armadas na China, no Vietnã e na Argélia, tendo mais tarde lutado nas malsucedidas revoluções no Congo-Kinshasa e na Bolívia. A guerra de guerrilha de Guevara era crucial para a sua teoria do "foco" da revolução, e suas ideias mais tarde inspiraram muitos outros movimentos a adotar a tática, incluindo o CNA da África do Sul em sua luta contra o apartheid e os movimentos islâmicos como o Talibã no Afeganistão.

Guevara também era reconhecido como um hábil estadista. Enquanto era ministro do governo socialista cubano, ajudou a estabelecer Cuba como uma liderança entre os estados socialistas internacionais, tendo implementado políticas industriais, educacionais e financeiras que, acreditava, deram continuidade à libertação do povo cubano ao erradicar o egoísmo e a ganância associados à sociedade capitalista. Deixou um legado de escritos, incluindo seus diários pessoais, que continuam a influenciar os pensadores socialistas. ■

Se você treme de indignação contra cada injustiça, então você é meu camarada.
**Che Guevara**

## Che Guevara

Ernesto Guevara, mais conhecido por seu apelido Che ("amigo"), nasceu em Rosário, Argentina. Estudou medicina na Universidade de Buenos Aires, mas fez uma pausa para duas viagens de motocicleta pela América Latina. A pobreza, a doença e as terríveis condições de trabalho que viu em suas viagens ajudaram-no a consolidar suas visões políticas.

Depois de se graduar em 1953, Guevara fez mais uma viagem pela América Latina, quando testemunhou a derrubada do governo democrático da Guatemala pelas forças apoiadas pelos Estados Unidos. No México, em 1954, foi apresentado a Fidel Castro, com quem liderou os rebeldes durante a bem-
-sucedida Revolução Cubana. Em 1965, deixou Cuba para ajudar as guerrilhas no Congo-Kinshasa e, no ano seguinte, lutou na Bolívia. Foi capturado por forças apoiadas pela CIA em 8 de outubro de 1967 e, contra a vontade do governo americano, foi executado no dia seguinte.

## Principais obras

**1952** *De moto pela América do Sul: diário de viagem*
**1961** *A guerra das guerrilhas*
**1963** *Apuntes de la guerra revolucionaria cubana*

# TODOS DEVEM GARANTIR QUE OS RICOS ESTEJAM FELIZES

## NOAM CHOMSKY (1928-)

**EM CONTEXTO**

IDEOLOGIA
**Socialismo libertário**

FOCO
**Poder e controle**

ANTES
**Anos 1850** Karl Marx defende que uma classe social tenha poder político e econômico irrestrito.

**Anos 1920** O sociólogo alemão Max Weber diz que os burocratas formam elites para gerenciar sociedades.

**1956** Em seu livro *The power elite*, o sociólogo Charles W. Mills defende que políticas importantes vêm de grandes empresas, dos militares e de uns poucos políticos.

DEPOIS
**1985** O dramaturgo checo Václav Havel publica seu ensaio *Moc bezmocných*.

**1986** O sociólogo britânico Michael Mann diz que as sociedades são feitas de redes de poder sobrepostas.

**Instituições dominantes** na sociedade, como os meios de comunicação e os bancos, são controladas por uma **minoria rica**.

Essa minoria dirige as instituições de modo a **favorecer seus interesses**.

Qualquer **tentativa de reforma** leva a uma redução nos investimentos, o que **arruína a economia**.

Para manter a economia saudável, todos, mesmo os pobres, devem **apoiar** um sistema dirigido aos **interesses dos ricos**.

**Todos devem garantir que os ricos estejam felizes.**

Uma pergunta que continua a fascinar os pensadores políticos e os estadistas é: onde o poder se concentra na sociedade? Diversos tipos diferentes de pessoas e instituições sociais estão envolvidos na formatação do progresso e da organização, e, com o passar do tempo, uma densa rede de relações de poder se estabelece por todo o mundo. Mas isso quer dizer que o poder está difundido pela sociedade ou será que, em vez disso, ele está concentrado nas mãos de um pequeno grupo de indivíduos privilegiados que constituem uma elite?

A visão do linguista e filósofo político americano Noam Chomsky é que, na maioria dos países, uma minoria rica controla as instituições sociais e políticas estratégicas, tais como a mídia de massa e o sistema financeiro, garantindo que o funcionamento da sociedade moderna favoreça uma elite poderosa. Em troca, isso significa que a contestação e uma mudança significativa são quase impossíveis, já que as estruturas institucionais dominantes na sociedade — dos jornais aos bancos — focam em manter suas posições para seu benefício mútuo. As elites não estão somente em

**Veja também:** Platão 34–9 ▪ Karl Marx 188–93 ▪ Friedrich Hayek 270–5 ▪ Paulo Freire 297 ▪ Michel Foucault 310–1

O poder está cada vez mais concentrado em instituições que nunca prestam contas.
**Noam Chomsky**

vantagem pela sua riqueza e posição, mas também estão no topo de uma sociedade estruturada para favorecê-las ainda mais.

Qualquer tentativa de reforma ampla resultaria, na visão de Chomsky, em duas opções: um golpe militar que restauraria o poder nas mãos desses indivíduos; ou (o que é mais provável) a redução do capital financeiro, o que traria sérias consequências para a economia. A segunda opção garante que todos os membros da sociedade, mesmo os mais humildes, participem da manutenção da posição privilegiada dos muito ricos. Todos devem garantir que os ricos estejam felizes para garantir a saúde da economia.

### Manter os lucros altos

Essa concentração de poder é estrutural, não uma conspiração feita por um pequeno grupo de indivíduos. Os interesses econômicos das grandes corporações, do governo e dos investidores garantem que as decisões públicas sejam tomadas por grupos cuja interdependência impede uma mudança radical. Em vez disso, uma rede institucional de apoio mútuo opera para garantir a manutenção de um sistema econômico estável, que se diz benéfico para todos. Mas Chomsky diz que muitos dos "benefícios" do sistema são "bons para os lucros, não para as pessoas, o que quer dizer que é bom para a economia no sentido técnico". Chomsky também considera os países mais ricos do mundo elites que ameaçam a segurança e os recursos das nações menores, menos desenvolvidas. No entanto, ele indica que, enquanto os princípios da dominação imperial mudaram pouco, a capacidade de implementá-los diminuiu conforme o poder se distribuiu melhor num mundo diversificado. ■

**Grandes bancos**, como o francês Societe Generale, exibem sua riqueza em prédios ostentosos. De acordo com Chomsky, toda a sociedade trabalha para manter essas ricas organizações felizes.

## Noam Chomsky

Avram Noam Chomsky nasceu na Filadélfia, Estados Unidos. Depois de se formar na Universidade da Pensilvânia e de um período como Junior Fellow na Universidade Harvard, começou a trabalhar no MIT, onde permaneceu pelos últimos cinquenta anos. Durante esse tempo, construiu uma carreira notável tanto por sua significativa contribuição no campo da linguística, como por sua disposição de se engajar em questões políticas mais amplas. Chomsky publicou um artigo criticando o fascismo aos doze anos e tem sido um ativista político desde então, ocupando-se especialmente com questões do poder e da influência global dos Estados Unidos. Quase sempre controversa, sua obra tem tido uma significativa influência em vários campos de saber e já ganhou diversos prêmios de prestígio. Já escreveu mais de cem livros e deu palestras por todo o mundo.

### Principais obras

**1978** *Human rights and american foreign policy*
**1988** *Manufacturing consent*
**1992** *Contendo a democracia*

# NADA NO MUNDO É MAIS PERIGOSO QUE A IGNORÂNCIA SINCERA

MARTIN LUTHER KING (1929-1968)

## EM CONTEXTO

IDEOLOGIA
**Justiça social**

ABORDAGEM
**Desobediência civil**

ANTES
**1876-1965** As leis "Jim Crow" entram em vigor legalizando uma série de práticas discriminatórias nos estados do sul dos EUA.

**1954** O caso Brown *versus* Conselho Educacional, julgado pela Suprema Corte dos EUA, obriga o fim da segregação nas escolas públicas, tendo como base o fato de a segregação ser inconstitucional.

DEPOIS
**1964-1968** Nos EUA é aprovada uma série de leis banindo as práticas discriminatórias e restaurando os direitos de voto.

**1973** As forças terrestres americanas são retiradas do Vietnã em meio a ondas de protestos antiguerra no front doméstico.

Na década de 1960, a batalha pelos direitos civis nos Estados Unidos havia chegado ao seu estágio final. Desde a reconstrução que se seguiu à Guerra Civil um século antes, os estados do sul dos EUA haviam adotado uma política de cassação dos direitos e de segregação dos negros americanos de forma aberta e legal com base nas chamadas leis "Jim Crow" — uma série de estatutos locais e regionais que retirava, na prática, muitos direitos básicos da população negra. A luta para garantir direitos civis para as pessoas negras continuava desde o final da Guerra Civil, mas, em meados da década de 1950, ela havia se transformado num amplo movimento estruturado em protestos de massa e desobediência civil.

### Luta contra a ignorância

À frente do movimento estava o dr. Martin Luther King, um ativista de direitos civis que trabalhava na Associação Nacional para o Avanço das Pessoas de Cor (NAACP, na sigla em inglês). Inspirado no sucesso dos líderes de direitos civis em outros lugares, e em especial nos protestos não violentos contra o domínio britânico liderados por Mahatma Gandhi, King talvez tenha sido a figura mais proeminente a surgir dessa luta. Em 1957, ao lado de outros líderes religiosos, King criou a Conferência da Liderança Cristã Sulista (SCLC, na sigla em inglês), uma coalizão de igrejas de negros que ampliou o alcance das organizações envolvidas no movimento. Pela primeira vez o movimento ganhou impulso em escala nacional.

Como muitos outros no movimento dos direitos civis, King considerava a luta uma iluminação contra a ignorância. As antigas crenças da superioridade racial e os

A liberdade nunca é dada voluntariamente pelo opressor; ela deve ser exigida pelo oprimido.
**Martin Luther King**

A discriminação é resultado de **crenças fervorosas**.

Apesar de falsas, essas crenças levam pessoas a **cometerem atos bárbaros**.

**Nada no mundo é mais perigoso que a ignorância sincera.**

Uma **mudança de atitude** é necessária para deter a discriminação.

**Veja também:** Henry David Thoreau 186–7 ▪ Mahatma Gandhi 220–5 ▪ Nelson Mandela 294–5 ▪ Frantz Fanon 304–7 ▪ Malcolm X 308–9

direitos que dominavam os governos dos estados sulistas dos Estados Unidos haviam gerado um sistema que excluía as pessoas negras e muitas outras minorias. King sentia que havia uma forte crença nessa posição por parte dos que estavam no poder, e que essa "ignorância sincera" estava na base dos problemas da desigualdade. Assim, qualquer tentativa de lidar com o problema apenas por meios políticos estava fadada ao fracasso. A ação direta era necessária para reformar a política e conquistar a igualdade de participação e acesso à vida democrática. Ao mesmo tempo, o movimento pelos direitos civis também teria de vencer as atitudes das maiorias em relação às minorias para a alcançar uma mudança duradoura.

## Protestos não violentos

Diferentemente dos outros líderes dentro do movimento dos direitos civis, como Malcolm X e Stokely Carmichael, King estava comprometido com a não violência como um dos princípios fundamentais da luta pela igualdade. Exigia-se a máxima força moral para aderir a essa prática diante de uma enorme provocação, mas Gandhi havia mostrado que isso era possível. O líder indiano acreditava que o propósito moral dos que protestavam seria corrompido, com a consequente perda da simpatia do público, se a resistência se tornasse violenta. Como resultado, King se esforçou ao máximo para garantir que seu envolvimento na luta pelos direitos civis não promovesse a violência, a ponto de cancelar discursos e protestos quando achava que esses talvez resultassem em ações violentas por parte dos ativistas. Ao mesmo tempo, King confrontava, destemido, a intimidação e a violência quando os ativistas dos direitos civis as enfrentavam. Ele com frequência liderava as demonstrações, foi ferido mais de uma vez, além de ter sido preso em diversas ocasiões. Imagens da brutalidade policial contra os ativistas de direitos humanos tornaram-se um dos meios mais eficientes para conquistar apoio para a causa em nível nacional.

A fidelidade de King à não violência também inspirou sua oposição à Guerra do Vietnã. Em 1967, fez seu famoso discurso "Além do Vietnã", no qual falou contra a ética do conflito no Vietnã, considerando-o como uma aventura americana e discordando da extravagância dos militares. Em parte, King achava que a guerra era moralmente corrupta já que consumia uma enorme parte do orçamento federal que poderia ser gasta para aliviar os problemas da pobreza. Segundo seu ponto de vista, a guerra só aumentava o sofrimento dos pobres no Vietnã.

A diferença de opinião entre os defensores da não violência e os dispostos a usar a força física na »

A não violência significa evitar não apenas a violência física externa, mas também a violência interna do espírito. Você não só se recusa a atirar em um homem, como também se recusa a odiá-lo.

**Martin Luther King**

**Nove estudantes negros** foram proibidos de entrar na Central High School, exclusiva para brancos, em Little Rock, em 1957. Tropas federais foram enviadas para garantir a segurança deles.

**A desobediência civil não violenta** assumiu várias formas durante a luta pelos direitos civis, tais como a recusa de se sentar na parte de trás dos ônibus, destinada a pessoas "de cor".

luta pelos direitos civis ainda está no centro do debate sobre a desobediência civil. Em sua obra *Letters from the Birmingham jail*, King articulava sua estratégia de confrontar a ignorância do racismo nos Estados Unidos, dizendo que "a ação direta não violenta busca criar uma crise e promover tal tensão que uma comunidade, que normalmente se recusaria a negociar, seria forçada a lidar com o assunto". No entanto, críticos dentro do movimento sentiam que o ritmo da mudança estava muito lento e que havia um imperativo moral de responder à violência e à intimidação com a mesma moeda.

## Contra toda desigualdade

A visão de King para o movimento dos direitos civis se desenvolveu no decorrer da década de 1960, tendo ampliado seu foco para incluir a desigualdade de maneira mais ampla, propondo acabar com a injustiça econômica e a racial. Em 1968, ele deu início à "Campanha dos Pobres", focando em renda, moradia e pobreza, exigindo que o governo federal investisse pesado na solução dos problemas da pobreza. Mais especificamente, a campanha promovia uma garantia de renda mínima, uma expansão do programa de habitação popular e um compromisso por parte do Estado em relação ao pleno emprego. A campanha era voltada, desde seu início, a todos os grupos raciais, focando nos problemas comuns da pobreza. Mas King morreu antes de ela começar, e, a despeito da marcha e de uma série de protestos terem sido bastante promovidos, o movimento não alcançou o mesmo sucesso das campanhas pelos direitos civis. A ligação entre o racismo e a pobreza já era, havia tempo, um tema do movimento dos direitos civis e formou uma parte do ativismo com o qual King se envolveu. A "Marcha em Washington por Emprego e Liberdade" de 1963 tinha em seu cerne a luta contra o racismo, mas também exigia a extensão de direitos econômicos. A posição de King contrária à Guerra do Vietnã criticava abertamente o envolvimento dos Estados Unidos no conflito como uma distração da atenção e dos recursos financeiros da luta contra a pobreza. Além dessas campanhas específicas, o compromisso com a ampliação do bem-estar social era um tema recorrente em boa parte do ativismo de King com a SCLC.

A discriminação é um monstro que atormenta os negros a cada momento de sua vida, para lembrá-los de que a mentira de sua inferioridade é aceita como verdade.
**Martin Luther King**

King acreditava que resolver o problema da pobreza impactaria no fim da ignorância que ele havia identificado na luta por igualdade racial. Em seu último livro, *Where do we go from here: chaos or community?*, ele defendia a necessidade de mudança na atitude em relação aos pobres. Parte do problema da pobreza, achava ele, estava em estereotipar o pobre como preguiçoso. Ele sugeria que as atitudes prevalecentes defendiam que "o status econômico era considerado a medida das habilidades e talentos do indivíduo"

e que "a ausência de bens terrenos indicava a falta de hábitos laboriosos e fibra moral". Para acabar com a pobreza, tal atitude teria de ser confrontada.

### O legado de King

King permanece um dos líderes de direitos civis mais influentes da era moderna. Sua oratória é atemporal, entrando no vocabulário moderno, e sua obra inspirou ativistas que o seguiram tanto nos Estados Unidos quanto mundo afora. Talvez a medida mais concreta de sua influência, no entanto, seja a reforma dos direitos civis resultante do movimento que ajudou a liderar. A Lei dos Direitos de Voto aprovada em 1965 e a Lei dos Direitos Civis de 1968 assinalam o fim das leis "Jim Crow", acabando com a discriminação aberta nos estados sulistas. A última grande injustiça que combateu, no entanto — o problema da pobreza —, continua sem solução. ■

Quando um indivíduo está protestando e a sociedade se recusa a reconhecer sua dignidade como ser humano, seu próprio ato de protesto lhe confere dignidade.
**Bayard Rustin**

**King sabia que era alvo** de assassinato, mas isso não o impediu de estar à frente do movimento por direitos civis. A Lei dos Direitos Civis foi aprovada alguns dias depois de sua morte.

## Martin Luther King

Nascido em Atlanta, Georgia, Martin Luther King Jr. estudou na Universidade de Boston. Em 1954, tornou-se pastor e membro central na Associação Nacional para o Avanço das Pessoas de Cor (NAACP). Nesse cargo, tornou-se líder do movimento dos direitos civis, organizando protestos por todo o sul, incluindo o boicote ao sistema de ônibus de Montgomery. Em 1963, foi preso durante o protesto de Birmingham, Alabama, ficando na prisão por mais de duas semanas.

Ao ser solto, King liderou a Marcha sobre Washington, na qual proferiu o seu famoso discurso "Eu tenho um sonho". Recebeu o Prêmio Nobel da Paz em 1964 e liderou a pressão popular pelo fim das leis "Jim Crow". King foi assassinado em Memphis, Tennessee, em março de 1968, durante uma visita em apoio aos trabalhadores em greve no setor de saneamento.

### Principais obras

**1963** *Não podemos esperar*
**1963** *Letters from Birmingham jail*
**1967** *Where do we go from here: chaos or community?*

# A PERESTROIKA UNIFICA O SOCIALISMO E A DEMOCRACIA

## MIKHAIL GORBACHEV (1931- )

### EM CONTEXTO

IDEOLOGIA
**Leninismo**

FOCO
**Perestroika**

ANTES
**1909** Lênin publica *Materialismo e empiriocriticismo* que se torna matéria obrigatória em todas as instituições de ensino superior na União Soviética.

**1941** Stálin torna-se o premiê da União Soviética, governando com mão de ferro.

DEPOIS
**1991** A União Soviética é oficialmente dissolvida, dividindo-se em quinze estados soberanos independentes, marcando o fim da Guerra Fria.

**1991-1999** Boris Yeltsin torna-se o primeiro presidente da Federação Russa e começa a transformar a economia centralizada numa economia de mercado.

Mikhail Gorbachev, secretário-geral do Partido Comunista da União Soviética, planejou reformas visando impulsionar a estagnada economia russa nos anos 1980. Ele argumentava que tal estagnação era resultado de uma injusta distribuição da riqueza social e de estruturas inflexíveis que impediam as massas de usar sua plena criatividade, além da autoridade excessiva do Estado.

Seu programa tinha dois principais componentes. A *Perestroika* (reestruturação) envolvia a revisão dos princípios do centralismo democrático, uma mudança dos métodos científicos e a implantação igualitária de princípios universais de justiça social. A *Glasnost* (abertura) significava um aumento na transparência nas esferas sociais e políticas, além da liberdade de expressão.

Gorbachev dizia que tal democratização não significava abandonar o socialismo. O verdadeiro espírito de Lênin, defendia, não concebia o socialismo como um esquema teórico rígido, mas, em vez disso, um progresso em constante mudança. Gorbachev argumentava que o socialismo e a democracia eram, de fato, indivisíveis, apesar de seu entendimento de a democracia se referir apenas à liberdade da ascensão das classes trabalhadoras ao poder.

Infelizmente, as reformas econômicas de Gorbachev resultaram numa crise econômica profunda, e suas reformas precipitaram a divisão do Estado soviético. ■

**A agenda democrática de Gorbachev** incluía a determinação de negociar o fim da Guerra Fria com o presidente dos Estados Unidos, Ronald Reagan.

**Veja também:** Karl Marx 188–93 ▪ Vladimir Lênin 226–33 ▪ Leon Trótski 242–5 ▪ Antonio Gramsci 259 ▪ Mao Tsé-tung 260–5

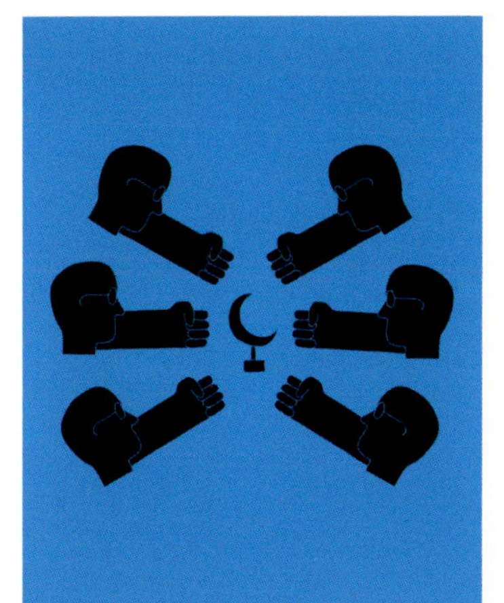

# OS INTELECTUAIS ERRONEAMENTE COMBATERAM O ISLÃ

## ALI SHARIATI (1933-1977)

### EM CONTEXTO

IDEOLOGIA
**Islamismo**

FOCO
**Independência islâmica**

ANTES
**1941** Forças soviéticas e britânicas invadem o Irã para assegurar acesso ao petróleo.

**1962** Jalal Al-e-Ahmad publica seu livro *Occidentosis: a plague from the west*, uma crítica da civilização ocidental.

DEPOIS
**1978** A Revolução Iraniana leva o aiatolá Ruhollah Khomeini ao poder.

**1980** Encorajado pelas potências ocidentais, o Iraque invade o Irã começando uma guerra de oito anos e a devastação de ambos os lados.

**2005** Mahmoud Ahmadinejad se torna presidente do Irã, assumindo uma dura linha religiosa e revertendo as reformas anteriores.

Influenciado pelo puritanismo islâmico, bem como pelo marxismo e por pensadores pós-coloniais, o filósofo iraniano Ali Shariati defendia o pensamento e as crenças islâmicas como os pilares da sociedade islâmica, enquanto promovia a independência da dominação ocidental.

Shariati buscava defender o islã dos mal-entendidos. Para ele, esses eram, em grande parte, resultado de uma divisão doentia entre as classes instruídas e as massas no Irã. Ele distinguiu os intelectuais e as pessoas esclarecidas. Estes, argumentou, não precisavam de diploma superior, mas, sim, da consciência das tradições, da religião e das necessidades do povo.

### Anti-intelectual

Em sua tentativa de aplicar modelos europeus de desenvolvimento e modernidade ao Irã, os intelectuais falharam em reconhecer que as condições no Irã eram diferentes da Europa, além de não entenderem o espírito islâmico que domina e sustenta a cultura iraniana, e com frequência culparem a religião pelo fracasso em identificar as preocupações materiais. A emancipação do Irã só seria possível ao se reconhecer as raízes islâmicas do país e com a criação de um sistema social igualitário que seguisse as normas religiosas. Enquanto as massas talvez precisassem de mais autoconhecimento, os intelectuais precisavam de mais "fé". A visão de Shariati não era uma rejeição da modernidade — para ele, o islã era uma ferramenta fundamental para o Irã conseguir lidar com o mundo moderno. ■

Não há profecia tão avançada, poderosa e consciente quanto a de Maomé.
**Ali Shariati**

**Veja também:** Maomé 56–7 ■ Mahatma Gandhi 220–5 ■ Mustafa Kemal Atatürk 248–9 ■ Abul Ala Maududi 278–9

# O INFERNO DA GUERRA NOS FAZ ROMPER TODOS OS LIMITES

## MICHAEL WALZER (1935- )

**EM CONTEXTO**

IDEOLOGIA
**Comunitarianismo**

FOCO
**Teoria da guerra justa**

ANTES
**1274** Tomás de Aquino estabelece os princípios morais de uma guerra justa na *Summa Theologica*.

**Séculos XIV e XV** Eruditos da Escola de Salamanca concluem que a guerra só é justa quando previne um mal maior.

**1965** Os EUA começam o ataque terrestre no Vietnã. A derrota final dos EUA, com a oposição doméstica, os leva a uma reavaliação dos limites morais da guerra.

DEPOIS
**1990** O presidente americano George Bush invoca a teoria da guerra justa antes da I Guerra do Golfo.

**2001** As forças lideradas pelos EUA invadem o Afeganistão após os ataques terroristas de 11/9.

A **ética da guerra** tem sido pressionada por causa da **mudança na natureza do conflito**, como na...
... **guerra de guerrilha**.
... **complexa inter-relação** entre estados.
... **industrialização militar**, especialmente no uso de armas nucleares.
Para lidar com essas mudanças, o **conceito de uma guerra justa** deve ser reavaliado.
Uma reavaliação mostra que a **guerra segue necessária** em certas circunstâncias, mas sujeita a restrições.
Todavia, a guerra é tão infernal que qualquer **restrição deve ser quebrada** se isso acelerar o final da contenda.
**O inferno da guerra nos faz romper todos os limites.**

**Veja também:** Sun Tzu 28–31 ▪ Agostinho de Hipona 54–5 ▪ Tomás de Aquino 62–9 ▪ Nicolau Maquiavel 74–81 ▪ Smedley D. Butler 247 ▪ Robert Nozick 326–7

Quando uma guerra é justificada? Qual conduta é permissível no campo de batalha? Questões como essas têm incomodado os pensadores políticos desde quando os povos começaram a guerrear. Agostinho de Hipona ofereceu uma das primeiras análises das condições de uma guerra justa, sugerindo que a defesa de si mesmo, ou de outros em necessidade, não era apenas uma justificativa para a guerra, mas também um imperativo. Mais tarde, em sua *Summa Theologica*, Tomás de Aquino estabeleceu a base da moderna teoria da guerra justa, propondo que a guerra não poderia ser lutada visando ao ganho pessoal e deveria ser declarada por uma autoridade legítima, além do fato de ter um motivo principal: garantir a paz.

No entanto, os rápidos avanços recentes na industrialização militar, as complexas inter-relações entre os estados e o surgimento da guerra de guerrilha desafiaram a solidez do apoio ético ao conflito armado.

**O uso de armas nucleares** na guerra afetou profundamente as ideias de Walzer. A imensa capacidade destrutiva dessas armas o levou a reavaliar a da ética da guerra.

Michael Walzer é um filósofo político reconhecido como um dos teóricos sobre a guerra mais influentes do século passado. Sua obra revigorou a teoria da guerra justa e deu ímpeto para novas respostas às complexidades dos conflitos. Para Walzer, a guerra é, em certas circunstâncias, necessária, mas as condições para o combate e sua conduta estão sujeitas a fortes limitações morais e éticas.

No entanto, Walzer acredita que uma guerra justa e necessária talvez tenha de ser travada até o limite dos meios disponíveis, à parte do quão horrível isso possa parecer. Por exemplo, se a morte de civis for julgada capaz de antecipar o fim da guerra, talvez ela seja justificada. Ele acredita que quem declara guerras deveria estar sujeito a restrições morais, mas que essas não devem ser absolutas.

## Guerra justa e injusta

O livro de Walzer, *Guerras justas e injustas*, defende a manutenção de uma forte base ética e sustenta que a guerra é às vezes necessária, apesar de rejeitar um absolutismo moral — a ideia de que alguns atos nunca são moralmente aceitáveis.

Walzer sugere que, em conflitos modernos, a dinâmica dos campos de batalha e a complexa ética envolvida desafiam o pensamento ético. Ele caracteriza o exemplo do bombardeio aliado a Dresden na II Guerra como muito difícil de julgar. As armas nucleares, em especial, o perturbam, e ele sugere que elas mudam os limites da moralidade de modo tão drástico que é difícil se criar um arcabouço moral para a guerra. No entanto, como último recurso, até mesmo as medidas mais extremas podem ser justificadas. ■

## Michael Walzer

Michael Walzer nasceu em Nova York e frequentou a universidade Brandeis, a de Boston e a de Cambridge no Reino Unido antes de terminar seu doutorado em Harvard, em 1961. Depois lecionou um curso em Harvard nos anos 1970 ao lado de Robert Nozick, o que gerou dois livros influentes: *Anarquia, Estado e utopia*, de Nozick, e *Esferas da justiça*, de Walzer. Tornou-se professor emérito no Instituto de Estudos Avançados da Universidade Princeton em 2007.

A obra de Walzen tem exercido influência numa série de áreas, incluindo a teoria da guerra justa, mas também quanto à igualdade, ao liberalismo e à justiça. Apoiador de comunidades autossustentáveis, tem se ocupado da sociedade civil e do papel do Estado de bem-estar. Um intelectual público de destaque, sua obra sobre a guerra justa influenciou muitos políticos contemporâneos e líderes militares.

### Principais obras

**1977** *Guerras justas e injustas*
**1983** *Esferas da justiça*
**2001** *War and justice*

# NENHUM ESTADO MAIOR QUE O ESTADO MÍNIMO PODE SER JUSTIFICADO

## ROBERT NOZICK (1938-2002)

**EM CONTEXTO**

IDEOLOGIA
**Liberalismo**

FOCO
**Direitos libertários**

ANTES
**1689** John Locke escreve dois tratados sobre o governo esboçando um contrato social.

**1944** Em *Caminho para a servidão*, Friedrich Hayek condena o controle governamental por meio do planejamento.

**1971** O livro de John Rawls *Uma teoria da justiça* defende que o Estado corrija as desigualdades na sociedade.

DEPOIS
**1983** Michael Walzer se atém a como a sociedade distribui "os bens sociais" como a educação e o emprego em *Esferas da justiça*.

**1995** O teórico canadense Gerald Cohen publica uma crítica marxista de Rawls e Nozick intitulada *Self--ownership, freedom and equality*.

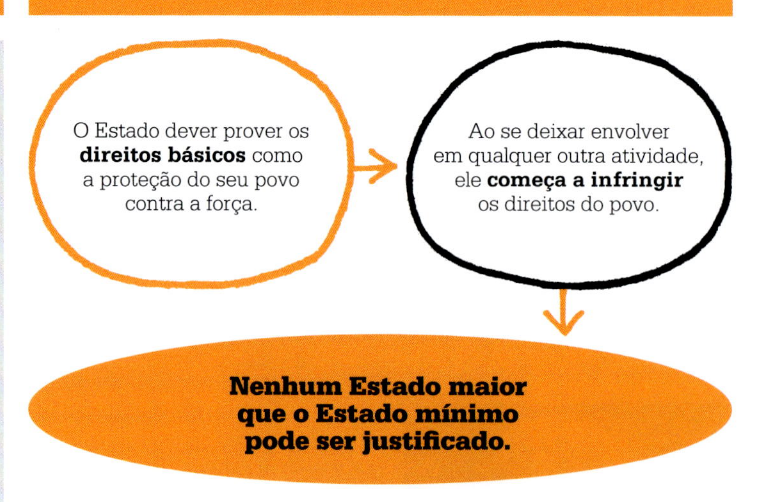

O Estado dever prover os **direitos básicos** como a proteção do seu povo contra a força.
Ao se deixar envolver em qualquer outra atividade, ele **começa a infringir** os direitos do povo.
**Nenhum Estado maior que o Estado mínimo pode ser justificado.**


A posição dos direitos individuais numa era de estados fortes e enormes instituições públicas se mostrou um campo fértil para a teoria política. O filósofo Robert Nozick tem ocupado papel de destaque no debate. Sua obra foi em parte uma resposta às ideias de John Locke e John Rawls.

Locke, ao escrever o *Segundo tratado sobre o governo* em 1689, estabeleceu as fundações da teoria do Estado moderno ao sugerir que as pessoas têm direitos individuais, mas que alguma forma de Estado era necessária para implementá-los. Disso veio a noção de contrato social, esboçada por Jean-Jacques Rousseau, na qual os indivíduos abrem mão de parte de sua liberdade para receber uma proteção do Estado.

O influente livro de Rawls *Uma teoria da justiça*, de 1971, expandiu essa ideia ao propor uma variante do contrato social, que ele acreditava, reconciliava-a com as ideias de liberdade e igualdade exploradas na obra de Locke. Rawls sugeriu um arcabouço que permitiria aos indivíduos concordarem coletivamente com a ideia de justiça baseada na

**Veja também:** John Locke 104–9 ▪ Immanuel Kant 126–9 ▪ Henry David Thoreau 186–7 ▪ John Rawls 298–303 ▪ Michael Walzer 324–5

Os indivíduos têm direitos, e há coisas que nenhuma pessoa ou grupo pode fazer a eles.
**Robert Nozick**

equidade em vez do interesse próprio, estabelecendo o alicerce para a social-democracia. Nozick buscou em Locke e Kant argumentos para afirmar que existiam perigos nas formas de cooperação que estão na base do argumento de Rawls. Ele resgatou a ideia do libertarianismo (ou libertarismo), que diz que o alcance do Estado deve ser tão limitado quanto possível.

O resultado do argumento de Nozick era a noção de que qualquer forma de Estado diferente do Estado mínimo seria incompatível com os direitos individuais, logo injustificável. No que o Estado se envolveu em qualquer atividade que não fosse a mais básica — "proteção contra a força, o roubo, a fraude, a manutenção de contratos etc." —, infringiu os direitos que Rawls buscava preservar.

## Anarquia, Estado e utopia

A descrição mais vívida de Nozick está em seu livro *Anarquia, Estado e utopia,* no qual ele defende um Estado mínimo e oferece uma série de respostas diretas às exigências de Rawls. O livro foi desenvolvido a partir de um curso lecionado por Nozick em Harvard com o teórico político Michael Walzer, que assumiu a forma de um debate entre os dois. Mais tarde, Walzer tornou-se um dos maiores críticos dos argumentos defendidos no livro.

Talvez a mais famosa conclusão obtida em *Anarquia, Estado e utopia* foi a ideia de que a tributação, da maneira como é empregada pelos estados modernos para distribuir renda e prover fundos para agências públicas, era moralmente indefensável. Na visão de Nozick, isso se resume a uma forma de trabalho forçado, na qual uma proporção do trabalho de uma pessoa compulsoriamente beneficia outras. De fato, Nozick foi além ao conceber isso como uma modalidade de escravidão, na qual todos os membros da sociedade reivindicam a propriedade do trabalho de um indivíduo.

*Anarquia, Estado e utopia* ajudou a definir os limites modernos do debate entre o pensamento libertário e o liberalismo. Muitas vezes lido com o livro de Rawes *Uma teoria da justiça*, essa obra está entre as mais importantes da filosofia política da era moderna. ■

**A tributação é descrita** como uma forma de escravidão por Nozick, no sentido de que membros da sociedade podem exigir uma porção do trabalho de um indivíduo, fazendo disso uma modalidade de trabalho forçado.

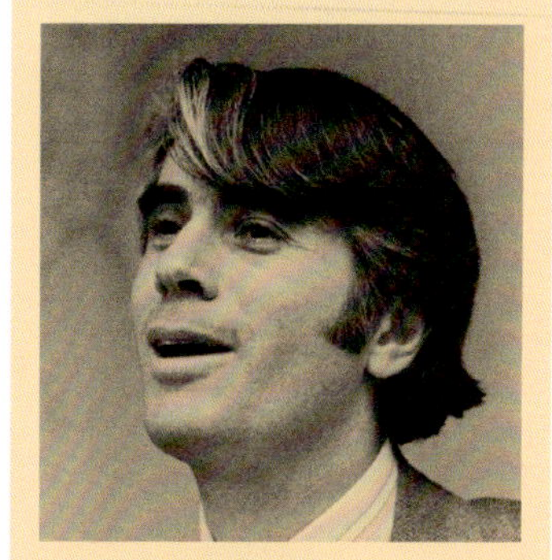

## Robert Nozick

Nascido em Nova York em 1938, Robert Nozick era filho de um empreendedor judeu. Tendo como meta a carreira acadêmica, estudou nas universidades de Columbia, Oxford e Princeton.

Inicialmente atraído pelas ideias da esquerda, a leitura de Friedrich Hayek, Ayn Rand e outros pensadores do livre mercado durante seus estudos na pós-graduação mudou seu ponto de vista para o libertarianismo. Fez sua carreira, a maior parte do tempo, em Harvard, onde se estabeleceu como uma das figuras líderes no pensamento libertarianista. Ficou famoso por ter lecionado, uma única vez, o mesmo curso duas vezes.

A obra mais significativa da teoria política de Nozick foi a sua primeira, *Anarquia, Estado e utopia*, apesar de ter escrito sobre uma variedade de temas por toda a sua carreira, e não se restringiu apenas à filosofia política. Mais tarde, ele rejeitou o libertarianismo extremo e sugeriu limites ao patrimônio.

### Principais obras

**1974** *Anarquia, Estado e utopia*
**1981** *Philosophical explanations*
**1993** *The nature of rationality*

# NENHUMA LEI ISLÂMICA ORIENTA VIOLAR OS DIREITOS DAS MULHERES

## SHIRIN EBADI (1947- )

**EM CONTEXTO**

IDEOLOGIA
**Islã**

FOCO
**Ativismo de direitos humanos**

ANTES
**1953** Um golpe apoiado pela CIA derruba o primeiro-ministro iraniano Mohammad-Mosaddeq, eleito democraticamente.

**1979** A revolução islâmica liderada pelo aiatolá Khomeini remove uma monarquia autocrática e inaugura uma república islâmica que traz uma série de leis repressivas.

DEPOIS
**2006** Demonstrações pacíficas pelos direitos das mulheres são dissolvidas em Teerã, Irã, e vários manifestantes são sentenciados à prisão e a castigos corporais.

**2011** A Primavera Árabe traz uma rápida mudança social e política a vários estados do norte da África e ao Oriente Médio, mas não ao Irã.

O tema dos direitos humanos em estados islâmicos levanta uma série de questões com sérias implicações para o pensamento político. O papel das mulheres na vida pública, em particular, tem sido limitado pela ascensão do fundamentalismo, havendo discriminação de gênero exercida por várias leis retrógradas. A resposta adequada a esses problemas, em especial ao papel das potências ocidentais, tem sido muito debatida por pensadores islâmicos.

Shirin Ebadi é uma ativista pelos direitos humanos vencedora do Prêmio Nobel. Uma juíza antes da Revolução de 1979, ela foi obrigada a largar o seu trabalho por força de uma série de leis impostas pelo novo regime. A despeito disso, Ebadi vê os direitos da mulher como algo completamente compatível com o islã e sugere que o problema sobre a posição das mulheres na sociedade iraniana está no regime, não na lei islâmica.

O papel das nações ocidentais, e seus valores, ao promoverem os direitos humanos nesse cenário, é fruto de acalorada discussão. Ebadi discorda fortemente da intervenção do Ocidente no Irã, sugerindo que, a despeito do pobre histórico do regime quanto aos direitos humanos e à falta de democracia, o envolvimento de potências estrangeiras seria indesejável e danoso — tornando a situação ainda pior. Em vez disso, ela acredita que a mudança deve vir de dentro e chama a atenção para o movimento relativamente forte das mulheres no Irã quando comparado com outros estados islâmicos. ■

**Mulheres iranianas** protestaram, em 1979, contra as leis exigindo que elas se cobrissem em público. Ebadi acredita que a opressão do regime só pode ser revertida pelos próprios iranianos.

**Veja também:** Emmeline Pankhurst 207 ▪ Abul Ala Maududi 278–9 ▪ Simone de Beauvoir 284–9 ▪ Ali Shariati 323

# O TERRORISMO SUICIDA É, EM SUA ESSÊNCIA, UMA RESPOSTA À OCUPAÇÃO ESTRANGEIRA

## ROBERT PAPE (1960- )

**EM CONTEXTO**

IDEOLOGIA
**Estudos da guerra**

FOCO
**Ciência política empírica**

ANTES
**1881** O czar Alexandre II é morto por um homem-bomba suicida.

**1983** No Líbano, dois ataques suicidas a bomba nos alojamentos americanos e franceses em Beirute são assumidos pela *jihad* islâmica.

**2001** Os ataques de 11/9 cometidos pela al-Qaeda são acompanhados pela invasão do Iraque e do Afeganistão, com a liderança dos EUA.

DEPOIS
**2005** Uma série de ataques suicidas a bomba em ônibus e trens em Londres mata 52 pessoas.

**2009** Acaba a guerra civil no Sri Lanka depois de 26 anos durante os quais o Tamil Tigers fez 273 ataques suicidas.

**2011** Os EUA retiram suas forças militares do Iraque.

O terrorismo suicida tem sido visto como uma expressão do fundamentalismo religioso, alimentada por uma leva de mártires em potencial. O cientista político americano Robert Pape coletou evidências que sugerem que o terrorismo suicida é, na verdade, uma tática secular em vez de religiosa, parte de uma campanha mais ampla para remover as forças de ocupação das áreas consideradas como sua terra natal pelos que participam desses ataques.

Há pouca relação entre o terrorismo suicida e o fundamentalismo islâmico, ou qualquer umas das religiões do mundo.
**Robert Pape**

### Uma resposta estratégica

O livro de Pape de 2005, *Dying to win*, analisa todos os exemplos conhecidos de terrorismo suicida entre 1980 e 2003, um total de 315 ataques. Ele descobriu que os ataques não foram explicados por motivos e crenças individuais e encontrou pouca correlação entre a religião e o terrorismo suicida. Em vez disso, ele propôs uma "lógica causal ao terrorismo suicida" que sugere que tais ações são uma resposta estratégica à ocupação estrangeira. A pesquisa de Pape descobriu que cada campanha terrorista e mais de 95% de todos os ataques suicidas a bomba tinham como seu principal objetivo a libertação nacional.

Conclui-se desse argumento que o uso de força militar por potências estrangeiras para subjugar ou reformar sociedades serve apenas para promover um número maior de terroristas suicidas. Conforme Pape defende, essa prática não é o resultado de uma oferta abundante de fanáticos, mas um "fenômeno produzido pela demanda". ■

**Veja também:** Abul Ala Maududi 278–9 ■ Frantz Fanon 304–7 ■ Ali Shariati 323 ■ Michael Walzer 324–5

# OUTROS PENSADO

RES

# OUTROS PENSADORES

As ideias mais importantes do pensamento político e alguns dos mais proeminentes pensadores políticos foram apresentados neste livro, mas inevitavelmente não houve espaço para incluir todos os que moldaram o pensamento político no mundo ao longo dos tempos. A seguir há informações sobre algumas dessas figuras que não foram tratadas em outras passagens, incluindo suas conquistas e as ideias pelas quais se tornaram mais conhecidas. Muitos desses nomes aparecem sugeridos nos capítulos destinados a cada pensador, por terem influência ou relação com seu arcabouço teórico.

## DARIO, O GRANDE
### c. 550-486 a.C.

Dario I assumiu a Coroa persa em 522 a.C. Abafou rebeliões que derrubaram seu antecessor, Ciro, o Grande, e expandiu o império para a Ásia central, o nordeste da África, a Grécia e a região dos Bálcãs. Para administrar esse imenso império, dividiu-o em províncias supervisionadas por sátrapas que também administravam o sistema de tributação. Os sátrapas ficavam em capitais regionais como Persépolis e Susa, locais de enormes projetos arquitetônicos. Para unificar o império, Dario também introduziu uma moeda universal, o *daric*, e tornou o aramaico o idioma oficial.
**Veja também:** Alexandre, o Grande 332

## MÊNCIO
### c. 372-289 a.C.

Também conhecido como Mengzi, acredita-se que o filósofo chinês Mêncio tenha estudado com um dos netos de Confúcio, e sua interpretação do confucionismo foi importante para a sua escolha como modelo de governo durante o período dos Reinos Combatentes. Diferentemente de Confúcio, ele enfatizou a bondade essencial da natureza humana, possível de ser corrompida pela sociedade, e defendeu a educação para melhorar a moral pública. Também tinha menos respeito pelos governantes, acreditando que eles deveriam ser depostos pelo povo se governassem de modo injusto.
**Veja também:** Confúcio 20-7 / Mozi 32-3 / Han Fei Tzu 48

## ALEXANDRE, O GRANDE
### c. 356-323 a.C.

Filho do rei Filipe II da Macedônia, Alexandre nasceu no auge do período clássico da história grega, e acredita-se que Aristóteles tenha sido seu tutor. Após a morte de seu pai, sucedeu-o no trono e se envolveu numa campanha de expansão. Invadiu com sucesso a Ásia Menor e de lá conquistou o restante do império persa de Dario III, estendendo, por fim, o seu poder até o norte da Índia. No processo, introduziu a cultura e as instituições gregas na África e na Ásia, onde foram fundadas muitas cidades helenísticas, moldadas como as clássicas cidades-estado gregas.
**Veja também:** Aristóteles 40-3 / Kautilya 44-7

## GENGIS KHAN
### 1162-1227

Nascido no clã dominante do norte da Mongólia, Temujin ganhou o título Gengis Khan (que significa "o Imperador Gengis") ao fundar o Império Mongol. Antes de sua ascensão ao poder, a população da Ásia central pertencia a muitos clãs diferentes, em grande parte nômades. Genghis Khan unificou os clãs como uma nação e liderou uma série de campanhas militares, expandindo seu império para a China. Sob o governo do Grande Khan, o império encontrava-se dividido em *khanatos* governados por membros de sua família, continuando a crescer até partes da Europa central. Considerado cruel pelos que foram conquistados por ele, criou um império que respeitava a diversidade cultural de seu povo.
**Veja também:** Sun Tzu 28-31 / Kautilya 44-7

## BARTOLOMÉ DE LAS CASAS
### 1484-1566

O padre e historiador espanhol Bartolomé de Las Casas emigrou para a ilha de Hispaniola em 1502, onde cuidava de uma fazenda e possuía escravos. Continuou padre, no entanto, e participou da conquista de Cuba como capelão, mas ficou tão estarrecido com as atrocidades praticadas contra o povo taíno local que se tornou defensor dos povos indígenas. Entrou num mosteiro de freis dominicanos em Santo Domingo e viajou por toda a América Central, por fim tornando-se bispo de Chiapas no México e "Protetor dos Índios", antes de retornar à Espanha em 1547. Seus escritos sobre as crueldades da colonização das Américas podem ser vistos como pioneiros dos direitos humanos universais.

**Veja também:** Francisco de Vitoria 86-7 / Nelson Mandela 294-5 / Martin Luther King 316-21

## AKBAR, O GRANDE
### 1542-1605

O terceiro imperador mogol da Índia, Akbar, não somente estendeu o império de modo a alcançar a maior parte da Índia central e setentrional, como também introduziu uma cultura de tolerância religiosa a uma população etnicamente diversificada e instigou a reorganização de seu governo. Em vez de dividir seu império em regiões autônomas sob diferentes autoridades, as regiões eram administradas por governadores militares sob o comando do governo central, que era dividido em diferentes departamentos para lidar com problemas isolados, como a tributação, o judiciário e os militares. Desse modo, Akbar unificou as regiões díspares em um todo próspero e pacífico.

**Veja também:** Kautilya 44-7 / Mahatma Gandhi 220-5 / Manabendra Nath Roy 253

## TOKUGAWA IEYASU
### 1543-1616

Líder militar e estadista japonês, Tokugawa Ieyasu era filho do governante da província de Mikawa. Nasceu durante um período de longos conflitos civis. Ieyasu herdou a posição de seu pai, assim como a aliança com o governante vizinho, Toyotomi Hideyoshi. Apesar de prometer honrá-la após a morte de Hideyoshi, Ieyasu derrotou o clã Toyotomi e estabeleceu seu governo em Edo, hoje Tóquio. Tokugawa Ieyasu tornou-se xogum (governador militar) pelo imperador Go-Yozei em 1603, efetivamente fazendo-o governante de todo o Japão e fundador da dinastia Tokugawa. Ao distribuir terras entre líderes regionais e impor estritas regulações sobre sua governança, manteve uma base de poder e trouxe estabilidade ao país.

**Veja também:** Sun Tzu 28-31 / Nicolau Maquiavel 74-81 / Ito Hirobumi 195

## OLIVER CROMWELL
### 1599-1658

Começando como um inexpressivo membro do Parlamento, Cromwell ganhou proeminência durante a Guerra Civil inglesa. Mostrou-se um eficiente líder militar das forças parlamentaristas em sua vitória sobre os monarquistas. Foi um dos signatários da sentença de morte do rei Carlos I. A participação de Cromwell na derrubada do monarca foi motivada por religião política, assim como sua subsequente ocupação da Irlanda católica. Ascendeu ao poder político durante o período da Comunidade Inglesa, tornando-se lorde protetor da Inglaterra, de Gales, da Escócia e da Irlanda em 1653. Visto por alguns como um ditador anticatólico implacável, Cromwell é também reconhecido como quem trouxe liberdade num período decadente da monarquia, substituindo-a com os fundamentos de uma democracia parlamentar.

**Veja também:** Barões do rei João 60-1 / John Lilburne 333

## JOHN LILBURNE
### 1614-1657

O político inglês John Lilburne dedicou sua vida a lutar pelo que acreditava ser "direitos de nascença", em oposição aos garantidos por lei. Foi preso por imprimir panfletos ilegais nos anos 1630, alistando-se no exército parlamentar no início da Guerra Civil inglesa. Deixou o exército em 1645 por acreditar que esse não lutava pela liberdade da maneira como ele a entendia. Apesar de ligado aos Levellers, um movimento que pregava a igualdade dos direitos de propriedade, Lilburne defendia a igualdade dos direitos humanos e inspirou o panfleto dos Levellers chamado "Um acordo do povo". Foi julgado por alta traição em 1649, mas foi libertado por pressão da opinião pública e exilado. Ao retornar à Inglaterra, em 1653, foi novamente

julgado, ficando preso até sua morte em 1657.
**Veja também:** Thomas Paine 134-9 / Oliver Cromwell 333

## SAMUEL VON PUFENDORF
### 1632-1694

Filho de pastor luterano na Saxônia, Alemanha, Samuel von Pufendorf estudou teologia em Leipzig, mas decidiu se mudar para Jena a fim de estudar direito. Lá descobriu os trabalhos de Grócio e Hobbes e suas teorias do direito natural. Construiu sua reputação pelas ideias sobre o direito universal, sendo nomeado primeiro professor de Direito e Nações na Universidade de Heidelberg, onde expandiu suas teorias sobre o direito natural, abrindo caminho para a concepção rousseauniana de contrato social. Também propôs um sistema de direito internacional independente da religião. Mudou-se, depois, para a Suécia como historiador da corte real e desenvolveu uma teoria de governo da Igreja que pregava a distinção entre as leis da Igreja e as do Estado.
**Veja também:** Hugo Grócio 94-5 / Thomas Hobbes 96-103 / Jean-Jacques Rousseau 118-25

## JUANA INÉS DE LA CRUZ
### 1651-1695

Juana Inés de Asbaje y Ramírez de Santillana nasceu nos arredores da Cidade do México, filha ilegítima de Isabella Ramírez e um capitão espanhol. Ainda muito nova, aprendeu a ler e escrever, mostrando grande interesse pela biblioteca de seu avô ao mudar para a casa dele em 1660. Na época, estudar era uma atividade exclusivamente masculina, e ela teve de implorar à família que a disfarçasse como um menino para que fosse à universidade, mas acabou por conhecer os clássicos como autodidata. Em 1669, entrou no Convento da Ordem de São Jerônimo, onde permaneceu até sua morte. Escreveu vários poemas além de uma forte defesa do direito feminino à educação, a "Resposta à irmã Filoteia", rebatendo as críticas de seus escritos feitas pelas autoridades eclesiásticas. Argumentava que a sociedade saía perdendo ao manter as mulheres ignorantes, indagando "quanto dano poderia ter sido evitado... se nossas mulheres idosas tivessem sido educadas?". Foi censurada pela Igreja por seus comentários.
**Veja também:** Mary Wollstonecraft 154-5 / Emmeline Pankhurst 207 / Simone de Beauvoir 284-9 / Shirin Ebadi 328

## GEORGE WASHINGTON
### 1732-1799

Comandante Supremo do Exército Continental na Guerra de Independência Americana, Washington foi um dos Pais Fundadores dos Estados Unidos e um dos primeiros presidentes do país. Não era afiliado a nenhum partido político, opondo-se à divisão causada por políticas partidárias. Durante seus dois mandatos, propôs medidas voltadas à unificação do país como uma república administrada por um governo federal. Além de promover o senso de nacionalismo, deu passos práticos para o aumento da prosperidade da república e a promoção do comércio – criou um sistema de taxação justo para acabar com a dívida nacional, e nas relações exteriores defendia a neutralidade para evitar o envolvimento em guerras europeias. Muitas das convenções do governo dos Estados Unidos, como o discurso inaugural e a presidência de dois mandatos, foram estabelecidas por Washington.
**Veja também:** Benjamin Franklin 112-3 / Thomas Paine 134-9 / Thomas Jefferson 140-1

## JOSEPH DE MAISTRE
### 1753-1826

Joseph-Marie, conde de Maistre, surgiu como uma importante figura na investida conservadora que sucedeu a Revolução Francesa. Ele via a Revolução como resultado do pensamento ateu iluminista e argumentava que o Reino do Terror subsequente era uma inevitável consequência da rejeição ao cristianismo. Fugiu para a Suécia e mais tarde para a Itália e a Sardenha, visando escapar da Revolução. Acreditava que sistemas de governo justificados racionalmente estavam fadados a acabar em violência, e a única forma estável de governo seria uma monarquia divinamente sancionada, tendo o papa como autoridade suprema.
**Veja também:** Tomás de Aquino 62-9 / Edmund Burke 130-3

## NIKOLAI MORDVINOV
### 1754-1845

Oficial na Marinha russa que também havia servido na Marinha Real britânica, Nikolai Mordvinov chamou a atenção do imperador Paulo, sendo promovido a almirante e, mais tarde, a ministro da Marinha, cargo que lhe permitiu exercer influência na política militar. Era defensor do liberalismo numa época em que o governo russo era claramente autocrático. Anglófilo fervoroso, Mordvinov admirava em especial o liberalismo político britânico e usava sua influência para defender a substituição do sistema de servidão, que considerava um

entrave ao desenvolvimento econômico russo. Acreditava que isso poderia ser alcançado sem a necessidade de uma revolução.
**Veja também:** John Stuart Mill 174-81 / Peter Kropotkin 206

## MAXIMILIEN ROBESPIERRE
### 1758-1794

Uma figura líder na Revolução Francesa, Robespierre era visto por seus apoiadores como um detentor incorruptível dos princípios revolucionários, mas é lembrado como um ditador implacável. Estudou direito em Paris, onde se deparou pela primeira vez com os escritos revolucionários de Jean-Jacques Rousseau. Advogando em Arras, envolveu-se com política e se tornou membro da Assembleia Constituinte, onde defendeu os direitos igualitários e o estabelecimento de uma república francesa. Após a execução de Luís XVI, presidiu o Comitê de Segurança Pública, onde tentou erradicar a ameaça de uma contrarrevolução pelo Reino do Terror, mas foi preso e executado.
**Veja também:** Montesquieu 110-1 / Jean-Jacques Rousseau 118-25 / Gracchus Babeuf 335

## GRACCHUS BABEUF
### 1760-1797

François-Noël Babeuf teve pouca educação formal. Tornou-se escritor e jornalista e, após o início da Revolução Francesa, publicou propaganda política sob os pseudônimos "Tribune" e "Gracchus" Babeuf em homenagem aos reformistas e tribunos romanos, os irmãos Gracchus. Suas visões se mostraram radicais demais até para as autoridades revolucionárias. A publicação de seu jornal *Le Tribune du Peuple* apoiando os ideais do Reino do Terror arregimentou seguidores conhecidos como a Sociedade dos Iguais. Pistas de infiltrados em sua organização levaram a acusações de corrupção e à prisão e execução de Babeuf e muitos de seus companheiros agitadores.
**Veja também:** Jean-Jacques Rousseau 118-25 / Maximilien Robespierre 335

## JOHANN FICHTE
### 1762-1814

Conhecido principalmente como filósofo, Fichte é também reconhecido como uma figura seminal no nacionalismo político na Alemanha. Após a Revolução Francesa, a França anexou muitos dos estados ocidentais alemães e introduziu ideais de liberdade e direitos civis, o que provocou uma reação nacionalista. Fichte instigou o povo alemão a se unir por sua herança e língua comuns para se opor à influência francesa e, de maneira controversa, remover a ameaça que acreditava vir de um "Estado judeu dentro do Estado". Assim como suas ideias abertamente antissemitas, era contrário aos direitos civis para mulheres. Suas propostas mais extremistas foram reproduzidas por Hitler em seu movimento nacional-socialista.
**Veja também:** Johann Gottfried Herder 142-3 / Georg Hegel 156-9 / Adolf Hitler 337

## NAPOLEÃO BONAPARTE
### 1769-1821

Corso de ascendência italiana nobre, Napoleão estudou numa academia militar na França e serviu o Exército francês, apesar de permanecer um corso nacionalista. Seus sentimentos republicanos deram-lhe lugar nas forças republicanas perto do final da Revolução Francesa. Após um golpe de Estado, autointitulou-se primeiro cônsul da República, instituindo o Código Napoleônico. Com isso estabeleceu um governo meritocrático ao tornar ilegais os privilégios de nascença e introduziu medidas que garantiam a emancipação religiosa – especialmente a judeus e protestantes. Também assinou um pacto com o papa Pio VII restaurando certo status à Igreja católica. Autoproclamou-se imperador em 1804 e embarcou numa série de guerras que o levaram à ruína. Abdicou do império e se exilou na ilha de Elba em 1813, mas retornou ao poder pouco depois, a tempo de ser derrotado pelos britânicos em Waterloo em 1815. Ficou preso na ilha de Santa Helena onde permaneceu até a morte.
**Veja também:** Friedrich Nietzsche 196-9 / Maximilien Robespierre 335

## ROBERT OWEN
### 1771-1817

Owen veio de uma humilde família galesa e se mudou para Manchester, Inglaterra, na adolescência em busca de emprego. Fez seu nome no comércio de têxteis e se tornou gerente de uma fiação de algodão aos dezenove anos. Esboçou suas ideias para uma reforma social em seu livro *A new view of society.* Sua filosofia socialista utópica se embasava em melhoras na condição dos trabalhadores, como moradia, bem-estar social e educação. Estabeleceu comunidades cooperativas em New Lanark na Escócia e em outros lugares da Grã-Bretanha, assim como em Harmony,

Indiana, EUA. Pioneiro do movimento das cooperativas, suas novas comunidades serviram de inspiração para movimentos de reforma social na Grã-Bretanha.
**Veja também:** Thomas Paine 134-9 / Jeremy Bentham 144-9 / Karl Marx 188-93 / Beatrice Webb 210

## CHARLES FOURIER
### 1772-1837

Nascido em Besançon, França, filho de um empresário, Fourier viajou muito pela Europa, tendo vários empregos antes de se estabelecer como escritor. Diferente de outros pensadores socialistas do período revolucionário, acreditava que os problemas da sociedade eram causados pela pobreza em vez da desigualdade, desenvolvendo uma forma de socialismo libertário. Foi também um pioneiro defensor dos direitos da mulher. No lugar de comércio e competição, que julgava serem práticas maléficas operadas por judeus, propôs um sistema de cooperação. As ideias utópicas de Fourier foram postas em prática em comunidades chamadas por ele de "falanges" que ocupavam conjuntos de apartamentos. Os trabalhadores eram pagos conforme sua contribuição, com salários mais altos para ocupações menos desejadas. Suas ideias foram utilizadas na Comuna de Paris, que governou a cidade por um breve período em 1871, e algumas "falanges" surgiram em vários lugares nos EUA.
**Veja também:** Mary Wollstonecraft 154-5 / Robert Owen 335

## GIUSEPPE GARIBALDI
### 1807-1882

Figura líder no Risorgimiento italiano — o movimento pró-unificação da Itália no século XIX —, Garibaldi liderava uma força de guerrilha famosa pelo uso de camisas vermelhas, conquistando a Sicília e Nápoles. Também lutou em campanhas na América do Sul durante seu exílio da Itália e passou um tempo nos EUA. Suas empreitadas levaram à fama em ambos os lados do Atlântico, e sua popularidade ajudou bastante o processo de unificação italiana. Republicano com forte oposição ao poder político do papado, Garibaldi, no entanto, apoiava o estabelecimento de uma monarquia pelo bem da unificação, ajudando a criar o Reino da Itália, estabelecido em 1831 sob o rei Victor Emanuel II da Sardenha. Os estados papais foram anexados ao império em 1870, completando o Risorgimiento. Garibaldi apoiava a ideia de uma federação europeia, que ele esperava que fosse liderada pela Alemanha recém-unificada.
**Veja também:** Giuseppe Mazzini 172-3

## NASER AL-DIN SHAH QUAJAR
### 1831-1896

O quarto xá da dinastia Qajar, Naser al-Din subiu ao trono do Irã em 1848 e iniciou seu reinado como reformador influenciado por ideias europeias. Além de melhorar a infraestrutura do país — construindo estradas e instalando serviços postais e de telégrafos —, abriu escolas nos moldes ocidentais, introduziu medidas que buscavam a redução do poder do clero, sendo simpatizante da ideia da criação de um Estado judeu. Viajou pela Europa em 1873 e novamente em 1878, tendo ficado impressionado, em especial, com o sistema político britânico. Com o progresso de seu reino, no entanto, foi se tornando cada vez mais ditatorial, perseguindo minorias e dando concessões a comerciantes europeus enquanto enchia o próprio bolso. Visto como servo de interesses estrangeiros, tornou-se cada vez mais impopular com o crescente movimento nacionalista iraniano. Foi assassinado em 1896.
**Veja também:** Theodore Herzl 208-9 / Mustafa Kemal Atatürk 248-9

## OSWALD SPENGLER
### 1880-1936

O historiador alemão Oswald Spengler ficou famoso com o livro *A decadência do Ocidente* que, apesar de finalizado em 1914, só foi publicado após a I Guerra Mundial. Nele, descreveu sua teoria de que todas as civilizações enfrentam sua decadência definitiva, uma ideia reforçada pelo declínio da Alemanha nos anos 1920. Num outro livro, *Preußentum und Sozialismus*, pregou um novo movimento nacionalista de socialismo autoritário. Ele não era, no entanto, defensor do nazismo e criticava abertamente as ideias de Hitler sobre a superioridade racial, advertindo sobre uma guerra mundial que poderia levar ao fim da civilização ocidental.
**Veja também:** Ibn Khaldun 72-3 / Adolf Hitler 337

## RICHARD TAWNEY
### 1880-1962

O historiador social e econômico inglês Richard Tawney foi um crítico feroz do consumismo da sociedade capitalista. Autor da clássica análise histórica *Religion and the rise of capitalism*, também escreveu várias obras de crítica social nas quais desenvolvia suas ideias de um socialismo cristão e de uma sociedade igualitária. Socialista

reformista e membro do Partido Trabalhista Independente, trabalhou com Sidney e Beatrice Webb nas campanhas por reformas na indústria e na educação. Foi um ferrenho defensor da educação adulta, envolvendo-se ativamente na Associação Educacional dos Trabalhadores, da qual se tornou presidente em 1928.
**Veja também:** Beatrice Webb 210 / Robert Owen 335

## FRANKLIN D. ROOSEVELT
### 1882-1945

Foi o 32º presidente dos Estados Unidos, eleito em 1932 durante o pior período da Grande Depressão. Instituiu imediatamente um programa de leis conhecido como New Deal para promover o crescimento econômico, reduzir o desemprego e regular as instituições financeiras. Ao mesmo tempo, introduziu reformas sociais com foco na melhora dos direitos civis. Sua expansão dos programas sociais governamentais e intervenções nos mercados financeiros estabeleceram os padrões para a política liberal americana no século XX. Suas políticas melhoraram a economia e levantaram o ânimo da população. Com o advento da II Guerra Mundial, firmou sua popularidade ao tirar o país do isolamento e o transformar num líder em assuntos internacionais.
**Veja também:** Winston Churchill 236-7 / Joseph Stálin 240-1

## BENITO MUSSOLINI
### 1883-1945

Em sua juventude, Mussolini deixou a Itália e foi para a Suíça, onde se tornou ativista do socialismo e, posteriormente, jornalista político. Era também um fervoroso nacionalista italiano e foi expulso do Partido Nacionalista italiano por seu apoio à intervenção na I Guerra Mundial. Após prestar serviço no Exército italiano, renunciou à ideia socialista ortodoxa de uma revolução proletária e desenvolveu uma mescla de ideias nacionalistas e socialistas no Manifesto Fascista, em 1921. Liderou seu Partido Nacional Fascista em um golpe de Estado, a "Marcha sobre Roma", em 1922, tornando-se o primeiro-ministro de um governo de coalizão no ano seguinte. Depois de alguns anos, assumiu poderes ditatoriais usando o título *Il Duce* ("O Líder"), iniciando um programa de obras públicas e reformas econômicas. Na II Guerra Mundial, ficou do lado da Alemanha de Hitler. Após a invasão aliada na Itália, foi capturado e mais tarde libertado pelas forças alemãs. Por fim, foi capturado por sectários italianos e executado em 1945.
**Veja também:** Giovanni Gentile 238-9 / Adolf Hitler 337

## ADOLF HITLER
### 1889-1945

Apesar de ter nascido na Áustria, Adolf Hitler se mudou para a Alemanha ainda jovem e rapidamente se tornou um feroz nacionalista alemão. Após servir na I Guerra Mundial, filiou-se ao incipiente Partido dos Trabalhadores Alemães — mais tarde transformado no Partido Nazista —, assumindo sua liderança em 1921. Foi encarcerado em 1923 após uma tentativa fracassada de golpe de Estado, o "Putsch de Munique". Na prisão, escreveu o livro de memórias *Minha luta*. Libertado no ano seguinte, usou suas ideias sobre o nacionalismo alemão, a superioridade racial, o antissemitismo e a oposição ao comunismo para angariar apoio, sendo eleito chanceler em 1933. Rapidamente estabeleceu um governo ditatorial, substituindo a República de Weimar pelo Terceiro Reich, levando ao rearmamento da Alemanha com o intuito de invadir territórios para o povo alemão. A tomada da Polônia em 1939 marcou o início da II Guerra Mundial, durante a qual ele expandiu o Reich por toda a Europa, sendo finalmente derrotado em 1945. Cometeu suicídio em seu *bunker*, encurralado pelas forças aliadas durante a Batalha de Berlim.
**Veja também:** Joseph Stálin 240-1 / Benito Mussolini 337

## HO CHI MINH
### 1890-1969

Ho Chi Minh nasceu Nguyen Sinh Cung na Indochina Francesa (hoje Vietnã), tendo estudado no liceu francês em Hue. Lecionou por um tempo antes de trabalhar num navio e viajar para os EUA, posteriormente trabalhando como subalterno em Londres e Paris. Ainda na França, aprendeu sobre o comunismo e defendeu a substituição do domínio da França no Vietnã por um governo nacionalista. Passou alguns anos na União Soviética e na China, e foi preso pelos britânicos em Hong Kong. Voltou ao Vietnã em 1941 para liderar o movimento de independência, usando seu pseudônimo Ho Chi Minh. Evitou com sucesso a ocupação do país pelo Japão na II Guerra Mundial, estabelecendo a República Democrática do Vietnã (Vietnã do Norte) em 1945. Foi presidente e primeiro-ministro, mas continuou a lutar por um Vietnã unificado até que problemas de saúde o forçaram a se aposentar em 1955. Morreu em 1969, antes do fim da Guerra do Vietnã, permanecendo uma figura

representativa para o Exército do Povo e os vietcongues contra o Vietnã do Sul e as forças lideradas pelos EUA.
**Veja também:** Karl Marx 188-93 / Mao Tsé-tung 260-5 / Che Guevara 312-3 / Fidel Castro 339

## JOSÉ CARLOS MARIÁTEGUI
### 1894-1930

O jornalista peruano Mariátegui deixou a escola aos catorze anos para trabalhar, virou contínuo num jornal e aprendeu sua profissão nos diários *La Prensa* e *El Tiempo*. Em 1918, montou seu próprio jornal esquerdista, *La Razón*, sendo forçado, em 1920, a deixar o país por conta do apoio a ativistas socialistas. Viajou pela Europa, morou na Itália e se envolveu com a política socialista quando Mussolini tomou o poder. Mariátegui culpou a ascensão do fascismo à fraqueza da esquerda. Retornou ao Peru em 1923 e começou a escrever sobre a situação em seu país de origem à luz de suas experiências na Itália. Aliou-se à Aliança Revolucionária Popular Americana e fundou a revista *Amauta*. Um dos cofundadores do Partido Comunista Peruano em 1928, escreveu a análise marxista *Siete ensayos de interpretación de la realidad peruana*, defendendo uma volta ao coletivismo dos povos indígenas peruanos. Suas ideias permaneceram influentes no Peru após sua morte em 1930 e serviram de inspiração para os movimentos revolucionários Sendero Luminoso e Túpac no fim do século XX.
**Veja também:** Simón Bolívar 162-3 / Karl Marx 188-93 / Che Guevara 312-3 / Benito Mussolini 337

## HERBERT MARCUSE
### 1898-1979

Um dos muitos intelectuais alemães que emigraram para os Estados Unidos nos anos 1930, Marcuse estudou filosofia e entrou na Escola de Frankfurt de Pesquisa Social, com a qual manteve laços mesmo após se tornar cidadão americano em 1940. Em seus livros *O homem unidimensional* e *Eros e civilização*, apresentou uma filosofia inspirada em Marx, apontando a alienação da sociedade moderna. Sua interpretação do marxismo foi adaptada à sociedade americana, dando menor ênfase à luta de classes. Era crítico do comunismo soviético, o qual acreditava possuir o mesmo efeito desumanizante que o capitalismo. Popular entre minorias e estudantes nos EUA, suas ideias lhe renderam o status de "Pai da Nova Esquerda" nos anos 1960 e 1970.
**Veja também:** Jean-Jacques Rousseau 118-25 / Karl Marx 188-93 / Friedrich Nietzsche 196-9

## LÉOPOLD SÉDAR SENGHOR
### 1906-2001

Nascido na África Ocidental francesa, Senghor ganhou uma bolsa de estudos na França, onde se formou e se tornou um bem-sucedido professor nas universidades de Tours e Paris. Envolveu-se ativamente com a resistência durante a ocupação da França pelos nazistas. Ao lado de outros emigrantes franceses, incluindo Aimé Césaire e Léon Damas, desenvolveu o conceito de *négritude*, afirmando os valores positivos da cultura africana em oposição às atitudes coloniais racistas prevalentes na Europa. Após a II Guerra Mundial, retornou à África para continuar sua carreira acadêmica, envolvendo-se cada vez mais com a política. Foi eleito primeiro presidente do Senegal quando o país obteve a independência em 1960. Adotou uma posição socialista distintamente africana baseada na *négritude* em vez do marxismo de muitos países pós-coloniais, mantendo laços com a França e o Ocidente.
**Veja também:** Beatrice Webb 210 / Robert Owen 335

## MIHAILO MARKOVIC
### 1923-2010

Nascido em Belgrado, na então Iugoslávia, o filósofo sérvio Mihailo Markovic foi membro proeminente do movimento marxista humanista conhecido como Praxis School. Após lutar como sectário na II Guerra Mundial, ficou famoso no Partido Comunista da Iugoslávia com sua feroz crítica ao socialismo soviético, pregando um retorno aos princípios marxistas. Estudou em Belgrado e Londres e, como acadêmico respeitado, deu notoriedade ao movimento Praxis nos anos 1960, exigindo liberdade de expressão e uma minuciosa crítica social marxista. Em 1986, Markovic foi coautor do Memorando SANU que delineava a posição dos nacionalistas sérvios e, como membro do Partido Socialista Sérvio, apoiou o nacionalista sérvio Slobodan Milosevic.
**Veja também:** Karl Marx 188-93 / Herbert Marcuse 338

## JEAN-FRANÇOIS LYOTARD
### 1924-1998

Liderança no movimento filosófico pós-modernista francês, Lyotard estudou na Sorbonne em Paris e foi um dos cofundadores da Faculdade Internacional de Filosofia. Como muitos socialistas nos anos 1950,

desiludiu-se por causa dos excessos da Rússia soviética de Stálin e juntou-se à organização Socialisme ou Barbarie, concebida em 1949 para se opor a Stálin usando uma perspectiva marxista. Posteriormente, voltou-se a outros grupos marxistas. Tomou parte nos protestos estudantis e trabalhistas de Maio de 1968 em Paris, mas ficou desapontado com a falta de resposta de pensadores políticos. Em 1974, Lyotard renunciou à sua crença numa revolução marxista em seu livro *Economia libidinal*. Esse e muitos de seus escritos sobre política fornecem uma análise pós-moderna de Marx e do capitalismo — e do trabalho de Sigmund Freud — em termos da política do desejo.
**Veja também:** Karl Marx 188-93 / Herbert Marcuse 338

## FIDEL CASTRO
### 1926-2016

Figura representativa da política anti-imperialista, Castro se envolveu pela primeira vez com a política de Cuba enquanto estudava direito em Havana, quando saiu para lutar em rebeliões contra governos de direita na Colômbia e na República Dominicana. Em 1959, com o irmão Raúl e o amigo Che Guevara, liderou o movimento que derrubou a ditadura (apoiada pelos EUA) de Fulgêncio Batista em Cuba. Como primeiro-ministro da nova república de Cuba, estabeleceu um Estado marxista-leninista de um único partido. Apesar das tentativas americanas de depô-lo ou até assassiná-lo, tornou-se presidente em 1976. Em vez de alinhar Cuba com a União Soviética, Castro assumiu postura internacionalista como membro do Movimento Não Alinhado que defendia um meio termo anti-imperialista entre o Ocidente e o Oriente durante a Guerra Fria. Após a queda da União Soviética, formou uma aliança com outros países latino-americanos, além de aprovar medidas de abertura do país a investimentos externos antes de se aposentar devido a problemas de saúde no ano de 2008 e passar a presidência a seu irmão Raúl.
**Veja também:** Karl Marx 188-93 / Vladimir Lênin 226-33 / Che Guevara 312-3

## JÜRGEN HABERMAS
### 1929-

O filósofo e sociólogo alemão Jürgen Habermas é conhecido por sua análise da sociedade capitalista moderna e da democracia de uma perspectiva amplamente marxista. Enfatiza o racionalismo da análise marxista, a qual considera uma continuidade do pensamento iluminista. Influenciado por suas experiências na II Guerra Mundial, em especial nos subsequentes julgamentos de Nuremberg, buscou encontrar uma nova filosofia política para a Alemanha no pós-guerra. Estudou na Escola de Frankfurt de Pesquisa Social, mas discordava da postura antimodernista do instituto. Mais tarde, tornou-se diretor do Instituto para Pesquisa Social em Frankfurt. Escritor prolífico, Habermas defendeu um socialismo verdadeiramente democrático, sendo um frequente crítico do pós-modernismo.
**Veja também:** Karl Marx 188-93 / Max Weber 214-5

## DAVID GAUTHIER
### 1932-

Nascido em Toronto, no Canadá, Gauthier estudou filosofia na Universidade de Toronto, em Harvard e em Oxford, depois lecionou em Toronto até 1980, quando se transferiu para a Universidade de Pittsburgh. Seu principal campo de interesse é a filosofia moral, particularmente as teorias políticas de Hobbes e Rousseau. Em numerosos artigos e livros, Gauthier desenvolveu uma filosofia política libertária baseada na teoria moral racional iluminista. Em seu livro mais conhecido, *Morals by agreement*, aplica teorias modernas sobre a tomada de decisões — como a teoria dos jogos — à ideia de contrato social e examina a base moral para a tomada de decisões políticas e econômicas.
**Veja também:** Thomas Hobbes 96-103 / Jean-Jacques Rousseau 118-25

## ERNESTO LACLAU
### 1935-2014

O teórico político Ernesto Laclau foi um ativista socialista em sua terra natal, a Argentina, e membro do Partido Socialista e da Esquerda Nacional até ser encorajado a seguir carreira acadêmica na Inglaterra, em 1969. Estudou na Universidade de Essex, onde ainda é professor de teoria política. Laclau descreve sua posição como pós-marxista. Aplica elementos do pensamento de filósofos franceses, incluindo Jean-François Lyotard e Jacques Derrida, bem como a teoria psicanalítica de Jacques Lacan, a uma filosofia política essencialmente marxista. No entanto, rejeita ideias marxistas de luta de classes e o determinismo econômico em favor de uma "democracia plural radical".
**Veja também:** Karl Marx 188-93 / Antonio Gramsci 259 / Jean-François Lyotard 338

# GLOSSÁRIO

**Absolutismo**
O princípio do poder completo e irrestrito do governo. Também conhecido como **totalitarismo**.

**Absolutismo moral**
Filosofia baseada na noção de que a moralidade deveria ser o guia absoluto da ação humana, particularmente ao se tratar de lei internacional.

**Agrarianismo**
Filosofia política que valoriza a sociedade rural e o agricultor como superiores à sociedade urbana e ao trabalhador assalariado; vê a atividade rural como uma forma de vida que deve moldar os valores sociais.

**Anarquismo**
A abolição do governo autoritário por meios violentos, se necessário, e a adoção de uma sociedade baseada na cooperação voluntária.

**Apartheid**
Significa "separação" em africâner, uma política de discriminação racial introduzida na África do Sul após a vitória do Partido Nacional nas eleições de 1948.

**Apparatchik**
Membro da máquina do partido **comunista**. Começou a ser usada como uma descrição pejorativa para um fanático político.

**Autocracia**
Comunidade ou Estado no qual a autoridade ilimitada é exercida por um único indivíduo.

**Bipartidário**
Abordagem de uma situação ou assunto acordado por partidos políticos que estão normalmente em oposição um ao outro.

**Bolchevique**
Significa "maioridade" em russo, uma facção do marxista Partido Social Democrático Trabalhista (RSDLP) que se separou da facção menchevique em 1903, tornando-se o Partido Comunista da União Soviética, depois de 1917.

**Burguesia**
No marxismo, a classe proprietária dos meios de produção e cujos rendimentos derivam dessa propriedade, e não da remuneração do trabalho.

**Capitalismo**
Sistema econômico caracterizado pelas forças de mercado, com investimento privado nos, e propriedade dos, meios de produção e distribuição de um país.

**Cleptocracia**
Corrupção política e governamental na qual políticos, burocratas e seus amigos protegidos exercem o poder para seus próprios benefícios materiais. Vem do grego "governado por ladrões".

**Coletivismo**
Teoria econômica que defende o controle coletivo, em vez do individual, sobre as instituições sociais e econômicas, especialmente os meios de produção.

**Colonialismo**
A reivindicação de um Estado da soberania sobre outros territórios. É caracterizado por um poder desigual entre os colonizadores que comandam os territórios e suas populações nativas.

**Comunismo**
Ideologia que defende a eliminação da propriedade privada em favor da posse comum, baseada no manifesto político de Karl Marx e Friedrich Engels.

**Confucionismo**
Sistema baseado nos ensinamentos de Confúcio, que enfatiza a hierarquia e a lealdade, mas também a possibilidade do desenvolvimento e progresso individual.

**Conservadorismo**
Uma posição política que se opõe a mudanças radicais na sociedade. Conservadores geralmente defendem uma ampla gama de políticas, incluindo preservação da liberdade econômica, empreendedorismo, livre mercado, propriedade privada, privatização de empresas e redução da interferência do governo.

**Constitucionalismo**
Sistema de governo que adere à constituição — uma coletânea escrita de princípios fundamentais e leis de uma nação.

**Contrato social**
Acordo real ou teórico entre indivíduos para formar uma sociedade organizada, ou entre indivíduos e governante para definir limites, direitos e deveres de cada um. Teóricos, incluindo Thomas Hobbes e John Locke, definiram o contrato social como o meio pelo qual indivíduos eram protegidos do poder do governo, sendo afastados do **estado de natureza**.

**Democracia**
Uma forma de governo na qual o poder supremo é atribuído ao povo ou exercido pelos seus representantes eleitos.

**Democracia direta**
Governo de fato do povo, não apenas de princípio — cidadãos votam sobre todos os assuntos que os afetam —, como era praticado na Atenas antiga.

**Déspota**
Governante com poder **absoluto** que o exerce de forma tirânica e abusiva.

**Direitismo, de direita**
Ideologia da "direita" política, em geral

definida como preferencialmente **conservadora**, com atitudes a favor do mercado, priorizando os direitos individuais e não a intervenção governamental, com um rigoroso enfoque na lei e na ordem, além de **nacionalista**.

**Direito divino dos reis**
Doutrina que sustenta que a legitimidade de um monarca deriva diretamente de Deus, e não está sujeita a qualquer autoridade terrena.

**Distopia**
Uma sociedade teórica caracterizada por um Estado deplorável, disfuncional. Veja **utopia**.

**Ditador**
Governante **absoluto**, especialmente aquele que assume o controle sem o livre consentimento do povo e pode exercitar o poder de modo opressivo.

**Ecosofia**
Na **política verde**, a filosofia ecológica de Arne Naess, que propõe harmonia ou equilíbrio ecológico.

**Elitismo**
A crença de que a sociedade poderia ser governada por um grupo de indivíduos de elite.

**Esquerdismo, de esquerda**
Ideologia da "esquerda" política. É caracterizada por uma abordagem intervencionista do bem-estar social e uma visão de mundo internacionalista. O conceito se originou na França do século XVIII, quando a nobreza que procurava melhorar as condições dos camponeses sentava-se à esquerda do rei.

**Estado de natureza**
Na teoria do **contrato social**, a condição hipotética que existia antes do surgimento do governo organizado. De acordo com Jean-Jacques Rousseau, essa condição foi uma harmonia idílica entre homem e natureza, enquanto Thomas Hobbes o descreve como um estado **distópico** do homem em constante conflito com seus companheiros.

**Estruturalismo econômico**
A crença de que a conduta do mundo político é baseada no modo como o mundo é organizado economicamente.

**Extremismo**
Qualquer teoria política que favorece políticas ou ações inflexíveis.

**Fascismo**
Ideologia **nacionalista** caracterizada por uma forte liderança, acentuada por uma identidade coletiva e o uso da violência ou da guerra para promover os interesses do Estado. O termo deriva do italiano *fascio* – um feixe de varas –, referindo-se à identidade coletiva. Foi usado pela primeira vez no regime de Mussolini.

**Federalismo**
Sistema de governo cujos poderes são divididos entre governo central e estados menores ou províncias.

**Fundamentalismo**
Fidelidade rigorosa e a crença em princípios religiosos.

***Glasnost***
Significa "abertura" em russo, a política introduzida na União Soviética por Mikhail Gorbachev que submetia o governo à maior prestação de contas e ao escrutínio.

***Habeas corpus***
Direito do indivíduo detido sob acusação de comparecer perante o tribunal de justiça para ter sua culpa ou inocência examinada.

**Igualitarismo**
Filosofia que defende a igualdade social, política e econômica.

**Iluminismo**
Também conhecido como Idade da Razão, um período de avanços intelectuais no século XVIII, que envolve um questionamento sobre as compreensões religiosas do mundo e o uso da razão.

**Imperialismo**
Política de expansão da dominação de uma nação por meio da intervenção direta nos assuntos de outros países, confisco de território e sujeição do povo, como forma de construir um império.

**Isolacionismo**
Política de afastamento, por uma nação, de alianças militares, acordos internacionais e, algumas vezes, até mesmo de relações comerciais internacionais.

**Junta**
Círculo, facção ou grupo secreto, geralmente de natureza militar, que assume o poder após a derrubada de um governo.

**Legalismo**
Filosofia política utilitária adotada na China durante o período dos Reinos Combatentes que enfatizava a importância da manutenção da lei e da ordem usando punição severa, se necessário.

**Lei comum**
A lei da terra, derivada não dos estatutos ou da **constituição**, mas de determinações de tribunais de justiça.

**Lei natural**
O conceito de que leis positivas e justas repousam sobre uma "lei maior" — originariamente definida por Tomás de Aquino como refletindo a lei eterna de Deus que guia o universo — que é confirmada pelo senso comum na maioria dos povos.

**Liberalismo**
Ideologia política que enfatiza os direitos e liberdades individuais. Liberais podem adotar uma ampla gama de políticas, incluindo a defesa do livre comércio,

liberdade de expressão e de associação religiosa.

**Liberalismo clássico**
Filosofia originada no século XVIII que defende os direitos dos indivíduos acima daqueles do Estado ou da Igreja, opondo-se ao **absolutismo** e ao **direito divino dos reis**.

**Libertarianismo**
Defesa da liberdade e do livre-arbítrio. Pode ser encontrada em ambas as políticas, de **esquerda** e de **direita**, e incorpora crenças incluindo autoconfiança, razão e não interferência do Estado na economia e em assuntos pessoais.

**Maoísmo**
Uma forma de **marxismo-leninismo** derivada dos ensinamentos de Mao Tsé--tung. Seu princípio central é que o campesinato **agrário** pode assumir o lugar do **proletariado** no apoio à revolução.

**Maquiavélica**
Atividade política astuta, cínica e oportunista. Vem de Nicolau Maquiavel, teórico político do século XVI.

**Marxismo**
Filosofia apoiada nos escritos de Karl Marx, propondo que a ordem econômica da sociedade determina as relações políticas e sociais dentro dela.

**Marxismo-leninismo**
Ideologia baseada nas teorias de Karl Marx e Vladimir Lênin convocando a criação de uma sociedade **comunista** internacional.

**Meritocracia**
A crença de que os governantes deveriam ser escolhidos com base na habilidade, não na riqueza ou origem.

**Multilateralismo**
Cooperação de muitos países trabalhando juntos em relações internacionais. O oposto é o **unilateralismo**.

**Nacionalismo**
Lealdade e devoção à pátria e a crença política de que os interesses da nação devem ser o objetivo primeiro da diplomacia política.

***Négritude***
Posição ideológica de solidariedade baseada numa identidade negro-africana compartilhada, desenvolvida pelos intelectuais franceses nos anos 1930 como reação ao racismo da França **colonialista**.

**Oligarquia**
Forma de governo na qual o poder é mantido por um pequeno grupo e exercido em seu próprio interesse, geralmente em detrimento da população em geral.

**Pacifismo**
Oposição e campanha contra a guerra e a violência como um meio de resolver disputas, normalmente baseado em critérios religiosos ou morais. O termo foi cunhado pelo pacifista francês Émile Arnaud (1864-1921).

**Partidário (ou sectário)**
Defensor absoluto de uma liderança política em particular, de um partido ou de uma causa, que demonstra quase sempre uma lealdade inquestionável.

**Perestroika**
Reestruturação política, burocrática ou econômica de um sistema ou organização. Vindo da palavra russa para "reconstrução", foi cunhada por Mikhail Gorbachev ao descrever reformas para o sistema **comunista** na antiga União Soviética.

**Pluralismo**
Crença numa sociedade na qual os membros de diversos grupos sociais e raciais são capazes de expressar livremente suas culturas tradicionais ou interesses especiais, um ao lado do outro.

**Plutocracia**
Governo controlado ou sob forte influência do bem-estar social.

**Política verde**
Ideologia centrada na construção de uma sociedade ecologicamente sustentável.

**Progressismo**
Doutrina de um progresso político moderado voltado a melhores condições de governo e sociedade.

**Proletariado**
Na teoria **marxista**, os trabalhadores da nação que não possuem propriedade e precisam vender seu trabalho para ganhar a vida. Marx acreditava que era inevitável que o proletariado se erguesse e derrotasse seus senhores **capitalistas**, instituindo um sistema **comunista** sob o qual eles exerceriam o controle político e econômico.

**Quarto Estado**
Instituição teórica composta da imprensa e outras formas de mídia. O termo deriva dos três primeiros "estados" — classes de pessoas — reconhecidos pela assembleia legislativa da França até o final do século XVIII: a Igreja, a nobreza e os homens do povo.

**Radicalismo**
A defesa de formas extremas de mudança para atingir meios políticos. Também se refere a crenças que constituem um considerável desvio das crenças tradicionais ou estabelecidas.

**Reacionarismo**
Orientação política oposta à mudança social radical, favorável, em vez disso, ao retorno a uma política ou ordem social antigas.

***Realpolitik***
Política pragmática e realista, em vez

da regida por objetivos morais e éticos. A *Realpolitik* deve envolver uma abordagem mais relaxada quanto às liberdades civis.

**Republicanismo**
Crença de que uma república — um Estado não monárquico, no qual o poder está no povo e é exercido pelos seus representantes — é a melhor forma de governo.

**Segregacionismo**
Crença na necessidade de separar diferentes raças, classes ou grupos étnicos,.

***Sharia*, lei da**
Corpo da lei divina no islã que governa a vida religiosa e secular dos muçulmanos. Alguns muçulmanos argumentam que a *sharia* é a única base legítima para a lei.

**Sindicalismo**
Ideologia do início do século XX que emergiu como uma alternativa ao **capitalismo** e ao **socialismo**. Especialmente popular na França e na Espanha, defendia o confisco dos meios de produção — e a derrubada de seu governo — por uma greve geral de trabalhadores unidos, e a organização da produção por meio de uma federação local de sindicatos.

**Sistema feudal**
Sistema político medieval que consistia em pequenas unidades geográficas — como principados ou ducados — governadas pela nobreza, onde a população camponesa vivia em um estado de servidão aos seus governantes.

**Soberania**
Poder supremo como o exercido por um Estado autônomo ou soberano, livre de qualquer influência externa ou controle. Normalmente usada para se referir ao direito de uma nação à sua autodeterminação nos assuntos internos e em relações internacionais com outros países.

**Soberania popular**
Teoria na qual a autoridade política soberana atribuída aos cidadãos de um Estado, e igualmente compartilhada por eles, oferece o exercício dessa autoridade ao Estado, seu governo e a líderes políticos, sem abrir mão da soberania definitiva.

**Social-democracia**
Movimento de reforma política defendendo uma transição gradual do **capitalismo** para o **socialismo**, por meios pacíficos e **democráticos**. Seus pressupostos típicos incluem o direito de todos os cidadãos a educação, saúde, salários dos trabalhadores e ausência de discriminação.

**Socialismo**
Ideologia e método de governo que defende que o Estado deve ser dono e regulador das indústrias, e o controle central sobre a alocação de recursos, em vez de permitir que isso seja determinado pelas forças de mercado.

**Socialismo marxista**
Fase do desenvolvimento econômico que Marx acreditava ser um estágio fundamental de transição do Estado capitalista para o comunista.

**Sociedade Fabiana**
Movimento britânico que defendia que o socialismo deveria ser introduzido adicionalmente por meio da educação e de mudanças legislativas gradativas.

**Sufrágio**
Direito ao voto em eleições ou referendos. O sufrágio universal refere-se aos direitos de voto dos cidadãos, sem discriminar gênero, raça, status social ou riqueza, enquanto o sufrágio feminino descreve o direito das mulheres de votar nas mesmas bases dos homens, como demonstrado nas campanhas feitas no começo do século XX pelas ativistas, como as "suffragettes".

**Teocracia**
Sistema político que é organizado, governado e liderado por um clero, ou até mesmo um proclamado "deus vivo", geralmente de acordo com uma doutrina religiosa ou uma intervenção divina reconhecida.

**Teoria da Dependência**
O conceito de que países ricos do hemisfério norte criaram uma relação neocolonial com aqueles do hemisfério sul, na qual os países menos desenvolvidos são dependentes e estão em desvantagem.

**Teoria da guerra justa**
Doutrina de ética militar ética somando o *Jus ad Bellum* — "direito a guerra", em latim —, as necessidade de bases morais e legais para a guerra, ao *Jus in Bello* — "justiça na guerra", em latim —, a necessidade de conduta moral na batalha.

**Totalitarismo**
Regime que subjuga os direitos do indivíduo em favor dos interesses do Estado através do controle dos assuntos políticos e econômicos e da prescrição de atitudes, valores e crenças da população.

**Unilateralismo**
Qualquer ação conduzida de apenas uma maneira. Na política, normalmente descreve países que conduzem assuntos internacionais de maneira individualista, com uma mínima discussão com outras nações, mesmo aliadas. O oposto de **multilateralismo**.

**Utilitarismo**
Ramo da filosofia social desenvolvido por Jeremy Bentham, que sustenta que a melhor política, em qualquer conjuntura, é aquela que fornece a maior felicidade ao maior número de pessoas.

**Utopia**
Lugar idealmente perfeito. Na política, "utópico" é aplicado a qualquer sistema que visa criar uma sociedade ideal. Do significado literal em grego "nenhum lugar", a palavra foi usada pela primeira vez no trabalho ficcional de Thomas More, *Utopia* (1516).
Veja **distopia**.

# ÍNDICE

Os números em **negrito** referem-se à entrada principal.

# B



# C

# M



# N

# Q



# R

# T

# W

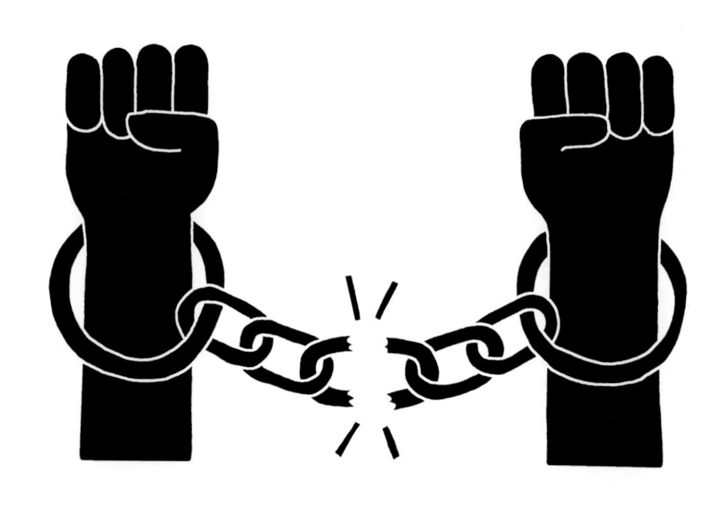

# AGRADECIMENTOS

A Dorling Kindersley e a Tall Tree Ltd. agradecem a Sarah Tomley pelo planejamento de conteúdo, Alison Sturgeon e Gaurav Joshi pela assistência editorial, Debra Wolter pela revisão e Chris Bernstein pelo índice.

## CRÉDITOS DAS IMAGENS

A editora agradece às pessoas a seguir pela autorização para reproduzir suas fotografias:

(Legenda: a-alto; b-abaixo/embaixo; c-centro; f-fora; e-esquerda; d-direita; t-topo)

**23 Dreamstime.com:** Rene Drouyer (tr). **25 Getty Images:** Yann Layma / The Image Bank (bd). **26 Wikimedia Commons:** http://de.wikipedia.org/w/index.php?title=Datei:Palastexamen-SongDynastie.jpg&filetimestamp=20061104233014 (be). **27 Getty Images:** Peter Gridley / Photographer's Choice RF (td). **29 Corbis:** Danny Lehman (cda). **31 Dreamstime.com:** Ron Sumners (te). **Getty Images:** Chinese School / The Bridgeman Art Library (be). **33 Getty Images:** Lintao Zhang / Getty Images News (cea). **37 Getty Images:** G. DAGLI ORTI / De Agostini (bd). **39 Corbis:** Bettmann (be). **Getty Images:** FPG / Taxi (td). **41 Wikipedia:** Jastrow(2006) / National Museum of Rome. Inv. 8575 (td). **42 Corbis:** Aristidis Vafeiadakis / ZUMA Press (be). **45 Dreamstime.com:** Basphoto (bd). **47 Corbis:** Richard & Gloria Maschmeyer / Design Pics (td). **49 Getty Images:** Ken Scicluna / AWL Images (cdb). **55 Getty Images:** Sandro Botticelli / The Bridgeman Art Library (be); French School / The Bridgeman Art Library (cd). **57 Getty Images:** Muhannad Fala'ah / Stringer / Getty Images News (td). **59 Corbis:** Michael S. Yamashita (td). **61 Dreamstime.com:** Juergen Schonnop (be). **Getty Images:** Danita Delimont (td). **65 Corbis:** Alinari Archives (td); Heritage Images (be). **66 Getty Images:** Fabrice Coffrini / AFP (td). **67 Dreamstime.com:** Newlight (cda); Paul Prescott (cea). **68 Corbis:** Hulton-Deutsch Collection (te). **69 Corbis:** Wally McNamee (be). **Wikimedia Commons:** Wilfried Huss/ http://en.wikipedia.org/wiki/File:Flag_of_the_United_Nations.svg (td). **70 Corbis:** Stefano Bianchetti (cd). **78 Corbis: (te). 80 Corbis:** Bettmann (te). **81 Corbis:** Bettmann (td). **Getty Images:** James L. Stanfield / National Geographic (be). **87 Corbis:** Bettmann (be); Ken Welsh / Design Pics (td). **89 Getty Images:** French School / The Bridgeman Art Library (bd). **91 Alamy Images:** Prisma Archivo (td). **Getty Images:** Juergen Richter / LOOK (cea). **93 Corbis:** Bettmann (cea). **Wikimedia Commons:** Jean-Jacques Boissard/http://en.wikipedia.org/wiki/File:JohannesAlthusius.png (be). **95 Corbis:** The Gallery Collection (be). **Dreamstime.com:** Georgios Kollidas (td). **98 Dreamstime.com:** Georgios Kollidas (be). **99 Library of Congress, Washington, D.C.:** http://www.loc.gov/exhibits/world/images/s37.jpg (cea). **100 Corbis:** The Print Collector (be). **102 Corbis:** Bettmann (te). **Fotolia:** Andreja Donko (bd); Vladimir Melnikov (cb). **103 Corbis:** Alfredo Dagli Orti / The Art Archive (be). **106 Getty Images:** Hulton Archive (be). **107 Corbis:** The Print Collector (bd). **108 Getty Images:** Hulton Archive / Stringer / Hulton Royals Collection (be). **109 Corbis:** The Gallery Collection (bd). **111 Corbis:** (be); Rick Maiman / Sygma (cd). **113 Corbis:** Doug Wilson (ceb). **Dreamstime.com:** Georgios Kollidas (td). **121 Corbis:** Alinari Archives (bd). **124 Getty Images:** Time & Life Pictures (be). **SuperStock:** Peter Willi (te). **125 Corbis:** Stefano Bianchetti (te). **127 Getty Images:** The Bridgeman Art Library (bd). **129 Corbis:** Michael Nicholson (be). **Getty Images:** Mario Tama / Getty Images News (cd). **131 Getty Images:** James Gillray / The Bridgeman Art Library (cda). **133 Corbis:** Hulton-Deutsch Collection (td). **Getty Images:** Imagno / Hulton Archive (te). **137 The Bridgeman Art Library:** Fitzwilliam Museum, University of Cambridge, UK (bd). **138 Corbis:** Owen Franken (te). **139 Corbis:** Bettmann (be). **Getty Images:** Universal Images Group (td). **141 Getty Images:** Hulton Archive (td). **143 Corbis:** Bettmann (be); Lebrecht Music & Arts (cd). **148 Corbis:** Andrew Holbrooke (be). **Getty Images:** Mansell / Contributor / Time & Life Pictures (td). **149 Getty Images:** Apic / Contributor / Hulton Archive (td); Peter Macdiarmid / Contributor / Hulton Archive (be). **151 Corbis:** Bettmann (bd). **153 Corbis:** (be); Martin Van Lokven / Foto Natura / Minden Pictures (td). **155 Getty Images:** Fine Adt Photographic / Hulton Archive (cb); John Keenan / The Bridgeman Art Library (td). **157 Getty Images:** Universal Images Group (td). **158 Alamy Images:** The Art Gallery Collection (b). **159 Getty Images:** Samuel N. Fox / Archive Photos (cdb). **160 Getty Images:** Hulton Archive / Hulton Royals Collection (cda). **163 Corbis:** Sergio Alvarez / Demotix (cb); Christie's Images (td). **161 Getty Images:** SuperStock (cb). **171 Corbis:** Bettmann (be, td). **173 Corbis:** Bettmann (be); Alfredo Dagli Orti / The Art Archive (td). **177 Corbis:** Nazima Kowall (td). **179 Corbis:** Bodo Marks (be). **180 Corbis:** Jeremy Horner (ceb). **181 Corbis:** Bettmann (td). **185 Corbis:** Hulton-Deutsch Collection (td). **Dreamstime.com:** Regina Pryanichnikova (bc). **187 Corbis:** adoc-photos (td); Bettmann (be). **192 Corbis:** Swim Ink 2, LLC (td). **193 Corbis:** Bettmann (td). **Getty Images:**

Time & Life Pictures (ceb). **194 Corbis:** Philippe Giraud / Goodlook (cd). **197 Wikimedia Commons:** F. Hartmann/ http://en.wikipedia.org/wiki/ File:Nietzsche187a.jpg (td). **198 Corbis:** Heidi & Hans-Juergen Koch / Minden Pictures (be). **201 Getty Images:** Steve Eason / Stringer / Hulton Archive (cd); Roger Viollet (be). **203 Getty Images:** CHRISTOF STACHE / AFP (ceb); UniversalImagesGroup / Universal Images Group (td). **205 Corbis:** Bettmann (cd, be). **207 Corbis:** Hulton-Deutsch Collection (cb). **209 Corbis:** Bettmann (td). **Getty Images:** Paul Chesley / Stone (ceb). **211 Getty Images:** Fotosearch / Archive Photos (cd). **213 Corbis:** Adam Woolfitt (cea). **Library Of Congress, Washington, D.C.:** LC-USZ62-5972 (td). **215 Corbis:** Mark Moffett / Minden Pictures (cea). **Getty Images:** German / The Bridgeman Art Library (td). **223 Corbis:** Hulton-Deutsch Collection (be); Frederic Soltan / Sygma (cd). **224 Getty Images:** Hulton Archive / Stringer / Archive Photos (ceb). **225 Corbis:** David Osuna / Demotix (bd). **229 Corbis:** Bettmann (td); Hulton-Deutsch Collection (be). **230 Corbis:** (be). **231 Corbis:** Hulton-Deutsch Collection (td). **232 Corbis:** Bettmann (be). **233 Corbis:** Bettmann (te). **235 Alamy Images:** The Art Archive (be). **Corbis:** Bettmann (cea). **237 Corbis:** Bettmann (cea). **Library of Congress, Washington, D.C.:** LC-USW33-019093-C (be). **238 Alamy Images:** tci / MARKA (cb). **241 Corbis:** Bettmann (be). **Getty Images:** Buyenlarge / Archive Photos (ca). **243 Getty Images:** Keystone-France / Gamma-Keystone (bd). **244 Corbis:** Hulton-Deutsch Collection (te). **245 Corbis:** Underwood & Underwood (be). **Wikimedia Commons:** The Russian Bolshevik Revolution (free pdf from Archive.org)/http://en.wikipedia.org/ wiki/File:Lev_Trotsky.jpg (td). **246 Corbis:** (cda). **249 Corbis:** Bettmann (be); Tolga Bozoglu / epa (ce). **251 Corbis:** Bettmann (td). **Getty Images:** Alinari Archives / Alinari (cb). **257 Getty Images:** (bd). **258 Corbis:** Bettmann (cb). **263 Getty Images:** Imagno / Hulton Archive (cda). **264 Getty Images:** Hulton Archive / Archive Photos (td). **265 Corbis:** Roman Soumar (td). **Getty Images:** Keystone-France / Gamma-Keystone (be). **274 Corbis:** Martin Jones; Ecoscene (be). **275 Corbis:** Wally McNamee (te). **Getty Images:** Apic / Hulton Archive (be). **277 Corbis:** (be). **279 Corbis:** Michel Setboun (cda). **281 Corbis:** Atlantide Phototravel (td); Oscar White (be). **282 Corbis:** Bettmann (bc). **283 Getty Images:** Apic / Hulton Archive (td). **286 Corbis:** Hulton-Deutsch Collection (be). **287 Corbis:** Blue Lantern Studio (bd). **288 Corbis:** Gianni Giansanti / Sygma (te). **291 Getty Images:** ERLEND AAS / AFP (td). **292 Corbis:** Stapleton Collection (te). **295 Corbis:** Hulton-Deutsch Collection (ceb); Stephane Ruet / Sygma (td). **296 Corbis:** Bettmann (cd). **302 Dreamstime.com:** Marcio Silva (be). **303 Getty Images:** AFP / Stringer / AFP (td); Frederic REGLAIN / Gamma-Rapho (be). **305 Corbis:** Raymond Darolle / Europress / Sygma (cda). **306 Getty Images:** Topical Press Agency / Hulton Archive (td). **307 Getty Images:** AFP (be); Leemage / Universal Images Group (td). **309 Corbis:** (cda). **Library of Congress, Washington, D.C.:** LC-USZ62-115058 (be). **311 Corbis:** Bettmann (td); Wolfgang Flamisch (cb). **313 Corbis:** epa (cea). **Getty Images:** Joseph Scherschel / Time & Life Pictures (td). **315 Corbis:** Christopher Felver (be). **Getty Images:** Bloomberg (cda). **319 Wikimedia Commons:** US Army/ http://en.wikipedia.org/wiki/File:101st_Airborne_at_Little_Rock_Central_High.jpg (bd). **320 Corbis:** Bettmann (td). **321 Corbis:** Flip Schulke (be). **Library of Congress, Washington, D.C.:** LC-USZ62-126559 (td). **322 Corbis:** Bettmann (cb). **325 Corbis:** Najlah Feanny / CORBIS SABA (td). **Getty Images:** AFP (ceb). **327 Corbis:** Pascal Deloche / Godong (cb). **Getty Images:** Martha Holmes / TIME & LIFE Images (td). **328 Corbis:** Bettmann (cda)



Veja mais informações em:
**www.dkimages.co.uk**

Conheça todos os títulos da série:

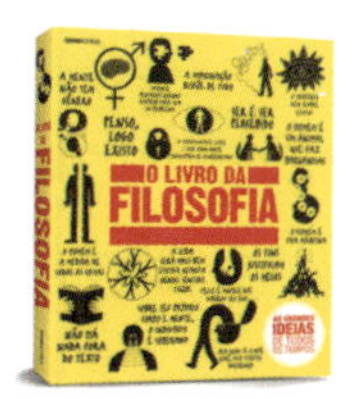

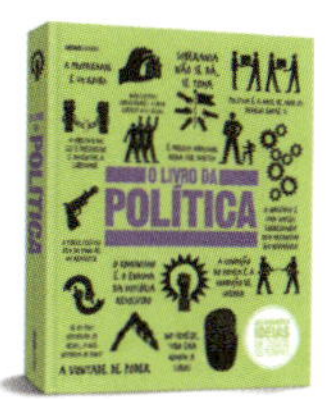


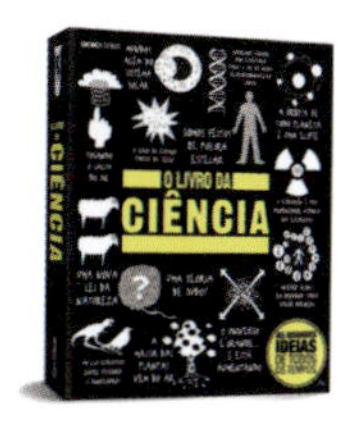


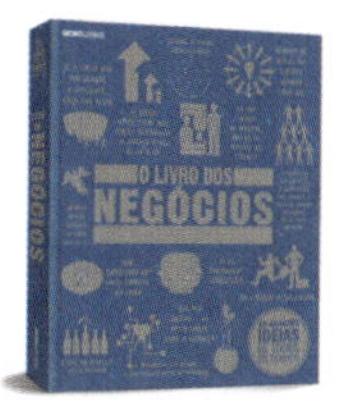

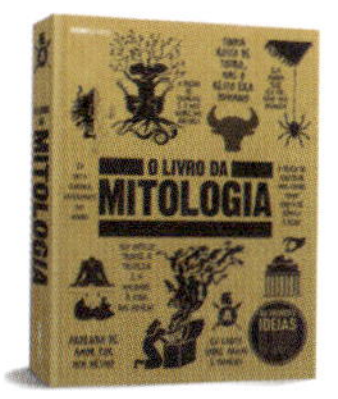


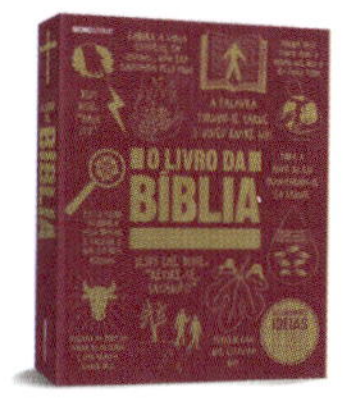

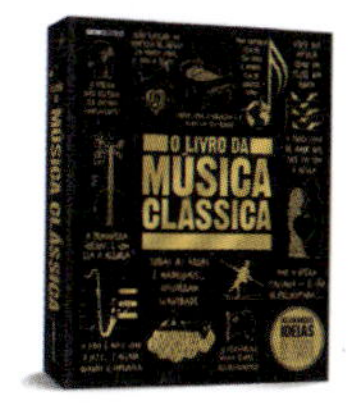

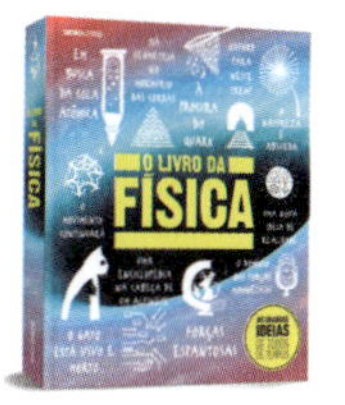

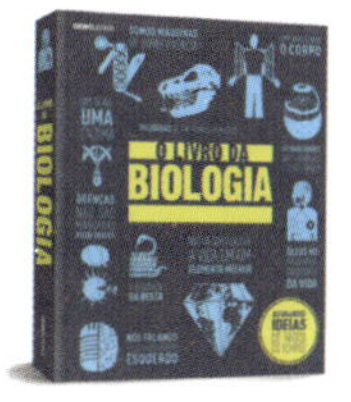


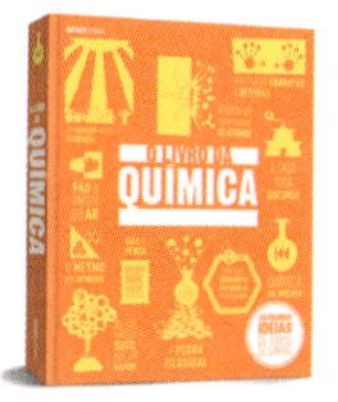

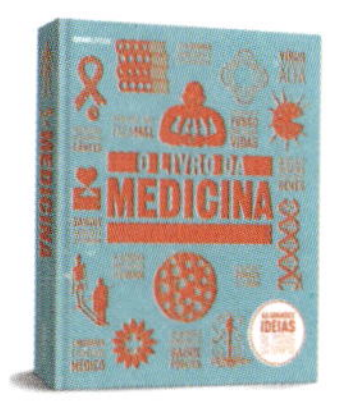